Emanuel Turczynski

Von der Aufklärung zum Frühliberalismus

Politische Trägergruppen und deren Forderungskatalog in Rumänien

SÜDOSTEUROPÄISCHE ARBEITEN

Für das

SÜDOST-INSTITUT MÜNCHEN

herausgegeben

von

MATHIAS BERNATH

1985

R. OLDENBOURG VERLAG MÜNCHEN

SÜDOSTEUROPÄISCHE ARBEITEN

81

Emanuel Turczynski

Von der Aufklärung zum Frühliberalismus

Politische Trägergruppen und deren Forderungskatalog in Rumänien

1985

R. OLDENBOURG VERLAG MÜNCHEN

CIP-Kurztitelaufnahme der Deutschen Bibliothek

Turczynski, Emanuel:
Von der Aufklärung zum Frühliberalismus : polit.
Trägergruppen u. deren Forderungskatalog in
Rumänien / Emanuel Turczynski. – München :
Oldenbourg, 1985.
(Südosteuropäische Arbeiten ; 81)
ISBN 3-486-52781-9
NE: GT

Druck: Allgäuer Zeitungsverlag GmbH Kempten

INHALTSVERZEICHNIS

Einführung

Aufklärung und Frühliberalismus haben in Südosteuropa nicht nur das geistige Weltbild verändert und Grundlagen für ein neues Verhältnis zu Rechts- und Freiheitsbegriffen geschaffen, sie haben im weiteren Verlauf auch die Entwicklung der modernen Nationalbewegungen entscheidend beeinflußt. Dies gilt vor allem für die traditionellen historischen Brücken- und Begegnungslandschaften, die heute größtenteils zu Rumänien gehören: Siebenbürgen, das Banat, die Fürstentümer Moldau und Walachei sowie schließlich die Bukowina, insgesamt ein von Rumänen, Ungarn, Deutschen, Serben, Ruthenen (Ukrainern), Juden und Bulgaren bewohntes Gebiet. Dieser zwischen Karpaten, unterer Donau und der südrussischen Ebene gelegene Raum hatte den benachbarten Großmächten reichlich Gelegenheit geboten, ihre Einflüsse mit wechselndem Erfolg zur Geltung zu bringen, günstige Voraussetzungen für eine bessere Verkehrserschließung und wirtschaftliche oder militärische Durchdringung zu schaffen. Am Rande Südosteuropas gelegen, wirkte dieses Gebiet während der ersten Hälfte des 19. Jahrhunderts wie eine Drehscheibe und beeinflußte die politischen wie die kulturellen Stömungen seiner südlichen Nachbarn, wie es andererseits von den Adelsnationen der Ungarn und Polen, vom deutschsprachigen Raum Mitteleuropas oder von Frankreich mannigfaltige Impulse empfangen hatte. Der vom Osmanischen Reich oktroyierte Konservativismus hatte zwar zu einer Rückständigkeit und einer damit verbundenen Verelendung der ländlichen Bevölkerung der Donaufürstentümer geführt, doch waren die Kulturkontakte zu Mittel- und Westeuropa nie ganz unterbrochen, so daß der Wunsch nach einer umfassenden Angleichung der Rechts- und Gesellschaftsordnung an westeuropäische Kulturformen mit der durch eine Phasenverschiebung bedingten verspäteten Rezeption der Aufklärung seit Beginn des 19. Jahrhunderts besonders intensiv wurde. Von Siebenbürgen und dem Banat ausgehend, hatte zunächst bei den rumänischen Funktionseliten eine kraftvolle soziokulturelle Emanzipationsbewegung eingesetzt, die durch eine liberale Strömung in der Moldau und später auch in der Walachei ergänzt wurde. Infolge der geringen Resonanz bei den neu entstehenden Schichten einer heterogenen Stadtbevölkerung wurden die Reformbestrebungen aber sehr bald von einem nationalistischen Opportunismus überlagert, der die Jahrzehnte währende intensive Einbindung in den Rhythmus der Freiheitsbewegung frühliberaler Prägung in Vergessenheit geraten ließ.

Anregungen, die von der petrinischen Aufklärung ausgegangen waren, später die weitaus stärkeren Impulse des Josephinismus und der Napoleonischen Ära hatten gemeinsam die Anfänge des Frühliberalismus in diesen Raum getragen. Dabei machte die Modernisierung der Rechts- und Verwaltungsordnung in den benachbarten Provinzen der Habsburgermonarchie anschaulich, wie durch die Veränderung der realen Rechtsverhältnisse auch die Wirtschafts- und Sozialordnung einen entscheidenden Wandel erfahren hat. Die erkannten Unterschiede zwischen diesen vom aufgeklärten Absolutismus geformten Nachbarprovinzen und den von der byzantinisch-osmanisch präformierten Autokratie des phanariotisch-türkischen Kondominiums beherrschten Landesteilen führten zu der optimistischen Erwartung, daß auch im eigenen Land die Lebensbedingungen mit Hilfe der menschlichen Vernunft entscheidend verbessert werden könnten, wenn nur die Herrschaftsverhältnisse geändert würden. Dabei erhielt die langentbehrte Freiheit des einzelnen einen besonderen Stellenwert im System einer größeren Freiheit der ganzen Region, die zum autonomen Staat herangeführt werden sollte; denn nur unter diesen veränderten Bedingungen konnte man hoffen, die unverschuldete wirtschaftliche Rückständigkeit ebenso überwinden zu können wie die Stagnation der kulturellen Entfaltung.

Angesichts der fließenden Übergänge zwischen Aufklärung und Frühliberalismus ist eine Abgrenzung nicht leicht, weil die regionalen Struktur- und Verfassungsunterschiede in den einzelnen Siedlungsgebieten die Phasen dieser Entwicklung mitunter nicht deutlich hervortreten lassen. Dennoch bildet die Zeitspanne zwischen dem Tod Josephs II. und dem Revolutionsjahr von 1848 den Rahmen, innerhalb dessen für alle Regionen ein vergleichbarer Werdegang politischer Gruppierungen zu verzeichnen ist.

Dabei können die vier Jahrzehnte bis zum Beginn des Vormärz (1830) noch als Periode der Spätaufklärung oder des Spätjosephinismus und gleichzeitig schon als Vorfeld der politischen Gruppenbildungen betrachtet werden, wenn auch erst durch die Konvention von Akkerman (1826), den Frieden von Adrianopel (1829) und die zweite Londoner Konferenz von 1830 die rechts- und nationalstaatliche Entwicklung Südosteuropas in mehrfacher Hinsicht in eine neue Ära eintrat. Der Pariser Juli-Aufstand und der polnische November-Aufstand von 1830 fanden ebenfalls ein starkes Echo im Karpaten-Donauraum, so daß man die Periodisierung der rumänischen Forscher durchaus akzeptieren kann, die diesen Zeitpunkt als Schwelle zum Frühliberalismus ansetzen.

Abgrenzungsversuche zwischen Spätaufklärung und Frühliberalismus erweisen sich auch in anderen Ländern Südosteuropas als schwierig, wie neuerdings Moritz Csáky für Ungarn überzeugend darlegte[1], obwohl dort die Quellenlage für die ersten Jahrzehnte des 19. Jahrhunderts weitaus günstiger ist als für die Donaufürstentümer. Nicht allein in zeitlicher Hinsicht werden hier die Phasenverschiebungen deutlich, denn der Forderungskatalog der ungarischen Liberalen, wie er erstmals auf dem Landtag von 1811/12 präsentiert wurde, enthält bereits das Postulat nach Gleichheit aller Staatsbürger vor dem Gesetz und nach Beseitigung des Geburtsadels, während in den rumänischen Fürstentümern eine Gleichstellung der

[1] M. Csáky: Von der Aufklärung zum Liberalismus.

städtischen Mittelschicht – oder gar aller Landeskinder – erst zwei Generationen später gefordert werden konnte.
Die Gründe für die verfestigte Position der Obrigkeit gegenüber den Untertanen verschiedener Gesellschaftsschichten in den Donaufürstentümern von der mittleren Bojarengruppe bis hin zu den leibeigenen Zigeunersklaven waren vielfältig, wie sich bei einer undogmatischen geschichts- und sozialwissenschaftlichen Analyse ergibt. Aus dem Umfeld von r. 3000 Intellektuellen, die zwischen 1780 und 1855 geboren waren und bis 1878 wirkten, entfielen auf die Moldau nur 645 und auf die Walachei 893, von denen sich als „Schriftsteller" im weitesten Sinne des Begriffes 119 in der Moldau und 135 in der Walachei klassifizieren lassen, wie Elena Siupiur kürzlich ermittelte. Lehrer, Verfasser didaktischer Schriften, Philologen und gebildete Theologen[2], die als Funktionseliten einer politischen Emanzipationsbewegung in Frage gekommen wären, bildeten keine tragfähige Schicht und besaßen bis zur zweiten Hälfte des 19. Jahrhunderts keinen charismatischen Wortführer. Eine nur auf die politische Beteiligung abgestellte Untersuchung für die Zeit des Frühliberalismus und des Vormärz ergab ähnliche Relationen[3], so daß von einem sehr ungleichen Kräfteverhältnis zwischen den auf ihren Geburts- und Besitzvorrechten beharrenden Großbojaren, die sich auf gewohnheits- und verfassungsrechtliche Positionen und obendrein auf die konservativen Vielvölkerstaaten stützen konnten, und der dünnen, politisch aktiven Intellektuellenschicht ausgegangen werden muß. Letztere kämpften vergeblich gegen Mentalitätsstrukturen an, ohne sich der Interdependenz von Faktoren bewußt zu sein, die den Geschmack, die Geisteshaltung und vor allem das politische Selbstverständnis dieser zwischen orientalischen und phanariotisch-griechischen Wertnormen angesiedelten Bojarenoligarchie geprägt hatten. Daß die unter noch ungünstigeren wirtschaftlichen Bedingungen entstandenen konfessionsnationalen und weltlichen Funktionseliten der Rumänen Siebenbürgens, die häufig in der Moldau und Walachei ein fruchtbares Betätigungsfeld fanden, größeres Ansehen genossen und mehr Erfolg hatten, mag sowohl an der Wertschätzung gelegen haben, die sie auf Grund ihrer Bildung genossen, wie an dem Anspruch auf moralische Integrität. Sie hatten auch maßgeblichen Anteil an der Hinwendung der politisierten Kreise der Mittel- und Kleinbojaren zu der im Werden begriffenen rumänischen Bürgerschicht und damit an der Abkehr vom Streben nach Privilegien, wie sie die Großbojaren genossen, um ihren individuellen sozialen Aufstieg zu sichern. Der Übergang von der Quasi-Adelsnation zur bürgerlichen Nation in den Donaufürstentümern ist mit diesem Stellungswechsel der nunmehr nach allen Seiten offenen Kräfte unlösbar verbunden.
Entsprechend den auffallenden Unterschieden in der Wirtschafts- und Sozialstruk-

[2] E. Siupiur: L'écrivain roumain au XIXe siècle, 35ff.
[3] Ein Fazit meines Versuchs einer Quantifizierung der Trägerschichten der politischen Modernisierungs- und Emanzipationsbestrebungen ziehe ich im Kapitel: Zusammenfassende Betrachtungen.

tur, den Besonderheiten in der Mentalität, der Tradition und der Volkskultur überhaupt, zeigt der „rumänische Liberalismus“ eine Bandbreite, die nicht nur von konservativen bis zu sozialreformerischen Stömungen in ein und derselben historischen Landschaft reicht, sondern auch auf sehr unterschiedliche Theoriegrundlagen zurückgeht. Im Verhältnis der Liberalen zum Staat und zur Nation trifft man ebenso auf eine kaisertreue, wenn auch kritische Staatsgläubigkeit in den westlichen Landesteilen, wo die Rechts- und Sozialordnung zwar nicht frei von Härten war, jedoch weitgehend Rechtssicherheit herrschte, wie auf einen demokratischen Liberalismus, der sich unter dem Einfluß der politischen Richtungen bei Ungarn und Polen vor allem in Siebenbürgen und dem Banat entfalten konnte. In den Donaufürstentümern, wo die Hinwendung zum Westen auf der Grundlage frühliberaler Theorien unter deutlichen Bemühungen um eine Entorientalisierung der Verwaltung und Rechtsprechung erfolgte, standen daher die Forderungen nach rechtsstaatlichen Ordnungsgrundsätzen, nach Trennung von Verwaltung und Rechtsprechung im Vordergrund.

Bei der Betrachtung der Anfänge politischer Gruppenbildungen in den Donaufürstentümern[4] wurde bisher oft übersehen, daß die Träger der Reformbestrebungen zunächst weitaus mehr Mühe auf Schaffung eines rechtsstaatlichen Rahmens als auf die national-kulturelle Emanzipation verwandten, ehe – ähnlich wie in Deutschland – die „Anwendung des Persönlichkeitsgedankens auf die zerteilte und unterdrückte Nation, der das Menschenrecht auf freie Entfaltung nicht versagt werden durfte“[5], der Nationalbewegung übermächtigen Auftrieb gab, während die kostspieligen und weniger populären inneren Reformen in den Hintergrund gerückt wurden. In gewissem Umfang ist der Auffassung von Fritz Valjavec zuzustimmen, wonach „eine kraftvolle, in der vorausgehenden Geistesentwicklung wurzelnde liberale Bewegung“ nur in jenen Ländern möglich war, „wo das geistige Leben von der Aufklärung gestaltet wurde ...“, und daß der europäische Liberalismus in Ost- und Südosteuropa „vorerst nicht über die abendländische Kulturgrenze“ hinauszudringen vermochte[6].

Der deutsche Rationalismus hatte in den zur Habsburgermonarchie gehörenden Provinzen Langzeitwirkungen, die bis weit in die zweite Hälfte des 19. Jahrhunderts anhielten, während in den Fürstentümern Moldau und Walachei der von französischen Philosophen geformte Sensualismus sich stärker auswirkte[7]. Auch der gesellschaftliche Interaktionsprozeß mit griechischen Intelligenzkreisen, die noch Jahrzehnte nach der Befreiung Griechenlands in den Donaufürstentümern führende Stellungen im Wirtschafts- und Finanzwesen sowie in der Verwaltung einnahmen, verfestigte diese Kulturorientierung[8].

[4] A. Stan: Grupări şi curente politice.
[5] F. Schnabel: Deutsche Geschichte II, 95.
[6] F. Valjavec: Die Entstehung der politischen Strömungen, 31.
[7] A. Andea: Cultura românească, 157–177.
[8] C. Papacostea-Danielopolu: Intelectualii români.

Die Sozialstruktur der relativ kleinen Initiativkreise und Aktionsgruppen mit Reformprogrammen, aus denen allmählich lose Gesinnungsgemeinschaften und schließlich Trägerschichten entstanden, zeigt, daß es sich in diesem Falle nicht um eine „Funktion der bürgerlichen Gesellschaft" handelte, wie dies für den westeuropäischen Liberalismus gilt, sondern um die politische Bewegung einer Bojarenschicht, der sich die im Werden begriffene bürgerliche Gesellschaft anschloß.
Ähnlich wie in Ungarn, wo der niedere Adel und die Honoratioren in den Komitaten „die Rolle des fehlenden oder sehr schwachen Bürgertums" übernahmen, haben zunächst in der Moldau, später auch in der Walachei, Vertreter der mittleren Bojarenschicht und Bojarensöhne, die in Italien, Frankreich, der Habsburgermonarchie und Deutschland studiert hatten, den Versuch unternommen, die „Befreiung von alten Bindungen" in Bewegung zu setzen. Für sie galt, was Franz Schnabel generalisierend für eine ganze Generation geschrieben hat: „Sie wollten als freie Individuen sich ausleben und auswirken"[9]. Freilich blieben sie auch in den Donaufürstentümern noch lange Zeit „eine sehr kleine, aber rührige Gruppe". Während aber im deutschen Sprachraum die Massen bereits in den 40er Jahren aus sozialer Not in Bewegung gerieten und in Ungarn und Polen der mittlere Adel und die Honoratioren mit großem Nachdruck für politische Reformen eintraten, dauerte es im rumänischen Sprachraum noch mehr als ein halbes Jahrhundert, ehe breitere Schichten von der liberalen und sozialen Bewegung erfaßt wurden. Diese Struktur des Bojarenliberalismus ist bisher nicht näher erforscht worden, im Unterschied zu Ungarn und Polen, wo dem Kampf des Adels um die bürgerliche Umgestaltung der Nation und dem Ringen um politische Freiheit größere Aufmerksamkeit geschenkt wird.
Unter politischen Gruppenbildungen werden hier jene losen Zusammenschlüsse im Sinne der Definition von Benjamin Constant de Rebecque, einem liberalen Politiker und Schriftsteller, verstanden, deren Ziel es war, zur Verbesserung der öffentlichen Verwaltung, Rechtspflege und Bildung beizutragen, und die zu diesem Zweck die Beteiligung an der Macht anstrebten. Voraussetzung für das Entstehen und den Bestand solcher Gruppen war das Zusammentreffen von individuellen Interessen mit Ideenströmungen, die eine Teilhabe der neuen Eliten an der politischen Entscheidung als realisierbar erscheinen ließen, so daß die Personengruppen trotz eines fehlenden organisatorischen Rahmens und einer kleinen Trägerschicht auch dann wieder aktiv wurden, wenn sie durch Eingriffe der staatlichen Obrigkeit behindert oder verboten worden waren.
Der Unterschied zwischen den hier zu untersuchenden politischen Gruppenbildungen, die in der älteren rumänischen Literatur gleichwohl als Parteien bezeichnet wurden[10], und den erst nach der Vereinigung der beiden Fürstentümer auf dem Boden der Verfassung entstandenen modernen Parteien wird vor allem im organi-

[9] F. Schnabel: Deutsche Geschichte II, 94.
[10] A. D. Xenopol: Istoria partidelor politice.

satorischen Rahmen und erst in zweiter Linie in den Programmen zu suchen sein, denn wie in allen Ländern Südosteuropas spielten und spielen wohl noch heute Ideologien nicht jene Rolle wie in West- und Mitteleuropa. Daß in den Donaufürstentümern das Verhältnis zwischen persönlich-individuellen Interessen und dem Engagement für das Allgemeinwohl nicht immer ausgewogen war, hat bereits A. D. Xenopol in seiner 1910 erschienenen Geschichte der politischen Parteien festgestellt.

Folgt man seiner heute z.T. überholten Betrachtung, dann war die „antigriechische Partei" die erste auf beständigen Interessen aufgebaute politische Gruppe in den Donaufürstentümern; zu ihr gehörten Vertreter der beiden Hauptklassen einer agrarischen Wirtschaftsordnung, Bojaren und Bauern, ohne daß es jedoch zu einer echten Kommunikationsgemeinschaft zwischen ihnen gekommen wäre. Auch hier standen die persönlichen Interessen der Mittel- und Kleinbojaren im Vordergrund, die es verstanden, die Bauern für ihre Zwecke kurzfristig zu mobilisieren. Dennoch kann man der apodiktischen Behauptung Pamfil Şeicarus[11] über die rumänische Vorliebe für die Politik an sich nicht ohne Kritik gegenüberstehen, will man den Ideengehalt, der zu Gruppenbildungen beigetragen hat, nicht ganz außer acht lassen. Die Erweiterung der Forderungen dieser politischen Aktionsgemeinschaften läßt die Ideenströmungen des Frühliberalismus immer deutlicher sichtbar werden. Die Frontstellung nach zwei Seiten, nämlich gegen die Oligarchie der Großbojaren und die Phanarioten einerseits, und gegen die Reglementierungen durch die Schutz- und Nachbarmächte, insbesondere gegen Rußland und die Habsburgermonarchie andererseits, haben den rumänischen Liberalismus und seine fließenden Übergänge zum Nationalismus entscheidend geformt.

Weniger dauerhaft, wenn auch für den Augenblick sehr wirkungsvoll war die Zündkraft, die aus der Feindschaft gegen ein System, einen Herrscher oder eine Gruppe von Fremden resultierte, wobei hier Antiphanariotismus und Antisemitismus gewisse Gemeinsamkeiten haben. Daraus ergibt sich die Hypothese, daß die politischen Gesinnungsgemeinschaften und Gruppen, deren Träger die Modernisierung im Sinne einer für sie und für andere günstigen Strukturverbesserung anstrebten, aus bescheidenen Anfängen entstanden, sich aber allmählich eine breitere Basis schaffen konnten, die über das Modell des begrenzten Klientelsystems hinausging. Mit der wachsenden Erkenntnis, daß an den Einrichtungen des Staates Verbesserungen möglich seien, begann sich, vom Fortschrittsglauben getragen, jene vaterländische Gesinnung auszubreiten, die wirtschaftliche, technische und soziale Veränderungen beinhaltete. Dabei orientierte sich die dünne intellektuelle Oberschicht zunehmend an westlichen Wertvorstellungen, während die Landbevölkerung den von bäuerlicher Volkskultur, griechisch-orthodoxer Kirche und archaischer Tradition geprägten Lebensanschauungen und den alten Wirtschaftsformen verhaftet blieb. Im Spannungsfeld zwischen den Generationen mit unter-

[11] P. Şeicaru: Istoria partidelor I, 7.

schiedlichen Wertvorstellungen und sich bekämpfenden Klientelsträngen blieben die Aktionsgruppen häufig in ihren Anfängen stecken, sieht man von der 1830 gegründeten Geheimgesellschaft „Constituţia" ab, die 1834 nach dem Muster polnischer Organisationen ausgebaut wurde und den ersten Versuch einer gesamtrumänischen Aktionsgemeinschaft mit weitreichenden politischen und sozialen Reformplänen darstellte. Von den Aktionsgruppen in der Moldau und Walachei ist dagegen nicht bekannt, welche normativen und faktischen Funktionsverteilungen bestanden oder geplant waren. Im Gegensatz zu westeuropäischen Modellen und auch zu dem von Hroch für die nationale Bewegung der kleinen Völker Europas[12] erstellten Raster fehlt in den Donaufürstentümern bisher der Nachweis für organisatorische und somit für vereinsmäßige Zusammenschlüsse, die als Indiz für den fortgeschrittenen Prozeß der Nationsbildungen zur Voraussetzung gemacht werden[13]. Dafür treten hier kleine und lose organisierte Aktionsgemeinschaften auf, die primär nach dem Organisationsmuster der griechischen „Philiki Hetairia" oder der Freimaurerlogen entstanden waren. Daß in Siebenbürgen und dem Banat der von Leibniz, Wolff, Baumeister und schließlich von den Kantianern beeinflußte Rationalismus zur Wahl anderer Formen der politischen Betätigung geführt hatte als bei den Anhängern des Sensualismus in den Donaufürstentümern, war nicht nur das Ergebnis unterschiedlicher Rezeptionsvorgänge philosophischer Strömungen, sondern Auswirkung weitreichender soziokultureller Sonderentwicklungen. Die nach dem bewährten Muster der Freimaurerlogen organisierten Geheimgesellschaften der Griechen und Polen, die auf dem Boden der Donaufürstentümer gewirkt hatten, haben – nach den bisherigen Forschungen – nicht zu längerdauernden konspirativen Tätigkeiten mit revolutionärem Charakter geführt, obwohl es unter den Bojaren der Moldau und Walachei nicht an Freundes- und Gesellschaftskreisen mit radikalen Reformideen gefehlt hatte, wie die bislang unbekannt gebliebene Geheimgesellschaft der 1821 in die Bukowina geflüchteten Bojaren. Einblicke in eine andere Rechts- und Gesellschaftsordnung scheinen nur kurzfristige Reform- und Organisationsimpulse vermittelt zu haben. Und dennoch läßt sich eine Kontinuität der Reformforderungen bis zu den Revolutionserscheinungen des Jahres 1848 verfolgen, die von einer Generation getragen wurden, die als „einzige in Europa... die politische Macht erringen und ihr revolutionäres Programm in die Tat umsetzen konnte"[14]. Die rumänischen Revolutionäre von 1848 waren demnach zwar „die Baumeister der Vereinigung der Fürstentümer" und „auch die geistigen Väter der Unabhängigkeit", aber ein Teil ihrer vom Liberalismus geprägten Reformprogramme ging auf dem Weg zum Nationalstaat verloren.

In Siebenbürgen, dem Banat und der Bukowina standen andere Probleme im Vordergrund als in den Donaufürstentümern oder in Bessarabien. Hier ging es primär

[12] M. Hroch: Die Vorkämpfer der nationalen Bewegung.
[13] Th. Schieder und O. Dann (Hrsg.): Nationale Bewegung und soziale Organisation.
[14] N. C. Fotino: Die Entstehung der rumänischen Rechtsschule, 36.

um Kulturautonomie und Aufstiegsmöglichkeiten in einem als Autorität anerkannten, wenn auch nicht geliebten Staatswesen. Die Impulse der theresianisch-josephinischen Reformen spielten dabei eine entscheidende Rolle, denn sie trugen reiche Früchte vor allem in Verwaltung und Rechtsprechung, die zu wichtigen Pfeilern für ein allmählich aufblühendes Wirtschaftsleben wurden. Siebenbürgen, das Banat und die Bukowina konnten darüber hinaus im Bereich der muttersprachlichen Volksbildung Fortschritte aufweisen, die in den rumänischen Fürstentümern unerreichbar waren, solange dort das Griechische als Hochsprache an den Fürstenhöfen und in den höheren Bildungsanstalten Geltung hatte und der Weg zu diesen nur einer dünnen Schicht offenstand. Das deutschsprachige Theater führte seit Beginn des 19. Jahrhunderts nicht nur die gleichen Bühnenstücke auf wie im binnendeutschen Raum, es sorgte auch für Aufführungen in rumänischer Sprache. Daß bereits 1828/29 die älteste deutsche Theaterzeitschrift des Südostens in Temeswar erschien, läßt deutlich werden, wie rege das literarische Interesse des Bürgertums im Banat und Siebenbürgen war[15].
In diesen zur Habsburgermonarchie gehörenden Provinzen hatten sich die Rumänen zunächst im Rahmen der konfessionsnationalen Kirchenorganisation der griechisch-orthodoxen wie der griechisch-katholischen Glaubensgemeinschaften ein, wenn auch bescheidenes, politisches Betätigungsfeld gesichert, das ihnen Möglichkeiten zur Selbstverwaltung eröffnete. Später übernahmen die meist aus den Pfarrhäusern, aber auch aus den Lehrer- und Kantorfamilien sowie aus der dünnen Schicht des Kleinadels stammenden Akademiker als neue Führungselite den Kampf um kulturelle und politische Selbstbestimmung. Stärker als in den Donaufürstentümern wurden hier demokratische Ideen aufgegriffen, denn das zahlenmäßige Übergewicht gegenüber Magyaren, Siebenbürger Sachsen, Banater Schwaben und Serben sowie die soziale und politische Überlagerung förderten den Glauben an den Wert der Sprach- und Glaubensgemeinschaft, eben der Konfessionsnationalität. Daß hier, ähnlich wie in der ungarischen Reichshälfte, die an den Universitäten der Habsburgermonarchie erworbene „juridische" Gelehrsamkeit dazu beitrug, die Forderungen der Aufklärung und des Naturrechts im Geiste des Spätjosephinismus für den soziokulturellen Aufstieg der Mitglieder des eigenen Ethnikums zu einer fruchtbaren Synthese zu gestalten, ist ein weiteres Merkmal dieser Gruppe, die dann den überholten konfessionsnationalen Rahmen zu sprengen begann.
Zunächst aber wurde die seit der Mitte des 18. Jahrhunderts in Siebenbürgen neu entwickelte Idee des Dako-Romanismus[16], mit der auf einem national amorphen Unterbau eine Nationsideologie gestaltet wurde, seit dem zweiten Jahrzehnt des 19. Jahrhunderts in den Donaufürstentümern und dann auch in der Bukowina und

[15] R. Täuber: Temeswarer Kulturreflexe, 34ff.
[16] Demetrius Cantemir (1673–1723) hatte die Ethnogenese der Rumänen, ihre Kontinuität und Latinität formuliert, bevor die Siebenbürgische Schule das Geschichtsbewußtsein auf breitere philologische Grundlagen stellte.

in Bessarabien heimisch. Zwischen der Neuformulierung der Idee und ihrer Verbreitung liegen drei Generationen, ein Zeitraum, der auch bei anderen Nationen Ostmitteleuropas erforderlich war, um von der „Entfaltung des gelehrten Interesses" bis zum „massenhaften Auftreten der Nationalbewegung" zu gelangen[17].
So unterschiedlich diese Kulturlandschaften auch erscheinen mögen, in bezug auf die politischen Strömungen unter den Rumänen bildeten sie, wenn auch noch keine Einheit, so doch einen durch zahlreiche Rezeptionsvorgänge des Kulturlebens vielfältig miteinander verknüpften Raum mit wachsenden Vereinigungsbestrebungen, die von der Auffassung getragen wurden, jedes Volk habe das Recht auf natürliche Einheit. Konservative Nationalliberale ebenso wie die Vertreter sozialreformerischer Liberalisierungsmaßnahmen sahen sich oft vereint im Ringen um größere Provinzautonomie, wobei sie unterschiedliche Verbindungen eingingen, je nachdem, ob sie den ständisch-landesfürstlichen oder den monarchischen Zentralismus bekämpften. Dabei entstanden in Siebenbürgen überethnische Konstellationen rumänisch-sächsisch-magyarischer Gruppen und in der Walachei rumänisch-bulgarische Verflechtungen mit politischen Zielsetzungen. Besonders deutlich war der Konsens zwischen den Bojaren der verschiedenen politischen Strömungen und Ränge bei der Forderung nach einer objektiven Rechts- und Staats-„ordnung"[18], denn hier trafen sich nicht nur die Vorstellungen der Josephiner und der Liberalen, auch die Elite der Konservativen war von der Notwendigkeit dieser Reform überzeugt. Und da der Rechtsstaat als „Ideal des Josephinismus"[19] zunächst auch bei den liberalen Eliten der Donaufürstentümer Vorrang vor allen anderen Zielen hatte, wurde das vom Naturrecht geprägte Allgemeine Österreichische Bürgerliche Gesetzbuch (ABGB) von 1811, das bereits 1812 in einer rumänischen Übersetzung in Czernowitz erschien, zur Hauptquelle der Zivilgesetzgebung der Moldau. Auch in Bukarest fand es bei der Neukodifizierung der Gesetze im Jahr 1818 Berücksichtigung, so daß allmählich ein Großraum mit gleichen bürgerlich-rechtlichen Grundtendenzen entstand, der sowohl die Entwicklung der Wirtschaftsbeziehungen mit West- und Mitteleuropa als auch die Idee der nationalen Einheit fördern sollte. Die politischen Strömungen der Magyaren Siebenbürgens, insbesondere seit dem ungarischen Reichstag von 1825/27 und dem Bauernaufstand in Ostsiebenbürgen von 1831, sowie die Reformbestrebungen der Siebenbürger Sachsen haben den rumänischen Liberalismus nicht unbeeinflußt gelassen. Der Kampf gegen den reaktionären Konservativismus herrschender Schichten in Staat und Kirche begann dagegen erst spät, später jedenfalls als der Nationalismus, der die Philosophie der Freiheit dem Streben nach nationalstaatlicher Allmacht unterordnete.
Zum allgemeinen Forschungsstand auf dem Gebiet des Liberalismus hat Lothar Gall nach langjähriger Beschäftigung mit diesem Problemkreis treffend festgestellt,

17 M. Hroch: Die Vorkämpfer der nationalen Bewegung, 25.
18 V. Leontowitsch: Das Wesen des Liberalismus, 38.
19 F. Valjavec: Der Josephinismus, 127.

daß sich der Begriff „Liberalismus" infolge seiner historischen Überfrachtung „deskriptiv-phänomenologisch nicht mehr fassen läßt"[20]. Versuche einer Typisierung im Rahmen einer allgemeineuropäischen Generalisierung, etwa der von Volker Sellin, der zwischen einem angelsächsischen und kontinental-europäischen, einem „revolutionären Liberalismus" und einem solchen als „Ideologie der bürgerlichen Ordnung" oder als „Gestaltungsprinzip der modernen Demokratie" unterscheidet, der den Liberalismus in Rußland als Prozeß einer „sozialen Emanzipationsbewegung" sieht, schließen die liberalen Strömungen und Parteien Rumäniens nicht ein. Zwar standen die staatlichen Organe in den Donaufürstentümern und der Habsburgermonarchie nicht in so krassem Gegensatz zu den Grundsätzen des Liberalismus wie in Rußland und somit auch in Bessarabien, doch besaß in einigen Landschaften der Liberalismus zunächst primär rezeptiven Charakter. Erst im Laufe der zweiten Hälfte des 19. Jahrhunderts begannen Ansätze einer eigenständigen Profilierung, die aber sehr bald von den seit den 70er Jahren stärker aufkommenden nationalstaatlichen Bestrebungen überlagert wurden.

Es hat nicht an gelungenen Versuchen gefehlt, die auf Motivationsanalysen historischer Subjekte beruhende geistesgeschichtliche Entwicklung des Liberalismus in „Altösterreich"[21] und in der „Habsburger Monarchie"[22] zu erforschen, doch blieben dabei sowohl die Anfänge der liberalen Reformbestrebungen als auch der von mir zu behandelnde Raum unberücksichtigt. Dennoch hat Georg Franz an der Tatsache, daß es bis heute noch keinen Konsens über die allgemeine Definition des Liberalismus gibt, zu rütteln begonnen, als er erstmals die auch für weite Teile Südosteuropas geltenden Kennzeichen des „bürgerlichen Zeitalters" festlegte[23].

Eine vergleichende Untersuchung zur Geschichte des Liberalismus in Europa ist 1925 von Guido de Ruggiero versucht worden, wobei die Staaten der „klassischen" liberalen Bewegungen: England, Frankreich, Belgien, Deutschland, die Schweiz und Italien im Vordergrund standen, Südosteuropa und ebenso Osteuropa aber unberücksichtigt blieben[24]. Werner Pfeiffenberger gelang es hingegen, einen knappen Überblick der politischen Aspekte des Liberalismus im 19. Jahrhundert zu erarbeiten und weite Teile des Donau- und Karpatenraumes in die geistesgeschichtliche Betrachtung einzubeziehen. Dabei wurden die grundlegenden Unterschiede der liberalen Strömungen in den einzelnen Sprachräumen stärker hervorgehoben als die Gemeinsamkeiten[25]. Entsprechend dem allgemeinen Forschungs- und Theoriedefizit zur Geschichte des Liberalismus im Donau- und Karpatenraum bieten die Gesamtdarstellungen zur Geschichte Südosteuropas leider keine befrie-

[20] L. Gall: Liberalismus.
[21] K. Eder: Der Liberalismus in Altösterreich.
[22] G. Franz: Die deutsche liberale Bewegung in der Habsburgischen Monarchie.
[23] G. Franz: Über die weltgeschichtliche Bedeutung des Liberalismus, 125.
[24] G. de Ruggiero: Geschichte des Liberalismus in Europa.
[25] W. Pfeiffenberger: Der politische Liberalismus.

digenden Abschnitte zu diesem Themenbereich, und dasselbe gilt für die zusammenfassende Darstellung von R. W. Seton-Watson, A History of the Roumanians (1934), sowie für Charles and Barbara Jelavich, The Establishment of the Balkan National States, 1804–1920 (1977).
In der rumänischen Historiographie hat als erster Forscher von Rang der selbst dem liberal-nationalen Lager zuzurechnende Alexandru D. Xenopol (1847–1920) eine zweibändige Geschichte der politischen Parteien verfaßt (1911) und die Ergebnisse seiner umfassenden Untersuchungen zur Entwicklung der modernen rumänischen Gesellschaft und ihres Nationalstaates in seinen zahlreichen Aufsätzen und in seinem in drei Auflagen erschienenen Standardwerk zur Geschichte der Rumänen veröffentlicht. Für die beiden Donaufürstentümer, deren politische Gruppen- und Parteibildungen schon bei Xenopol im Mittelpunkt standen, hat dann vor allem Ioan C. Filitti (1879–1945) die historisch-politischen Forschungen für die Jahrzehnte zwischen 1821 und 1848 durch seine von der Rechtswissenschaft befruchteten Arbeiten vertieft, wobei er die Leistungen der Phanarioten in objektiver Form würdigte und zu einer kritischen Betrachtung der Bojarenpolitik beitrug.
Grundlegende Untersuchungen zur Geschichte der politischen Strömungen, Reformbestrebungen und Gruppenbildungen, die eine Synthese für den gesamten Raum des heutigen Rumänien erlauben, sind erst nach dem Zweiten Weltkrieg erschienen. Die auf einem reichen Bestand an Primärquellen aus den Wiener Archiven aufgebaute Darstellung „Die rumänische Nationalbewegung in der Bukowina und der Dako-Romanismus" von Erich Prokopowitsch[26] bildete den Anfang einer langen Reihe von Arbeiten zur Geschichte des Nationalismus, der sozio-kulturellen Emanzipationsbestrebungen sowie der damit verbundenen Gesellschafts- und Vereinsgründungen in allen Landesteilen.
Für Siebenbürgen, das durch seine ethnische Struktur zu einem besonders umstrittenen Raum wurde, hat Victor Cheresteşiu (1895–1971) in zahlreichen Einzeluntersuchungen, die er zu einem mehrbändigen Werk zusammenfassen wollte, die Vorgeschichte der rumänischen Nationalversammlung von 1848 geschrieben, von der bisher aber nur ein auf breiten sozialgeschichtlichen Grundlagen beruhender Band erschienen ist[27]. George Em. Marica, Iosif Hajös, David Prodan, Iosif Kovács, N. Bocşan, Stefan Pascu, A. Oţetea, I. Corfus, St. Imreh, Dan Berindei, Cornelia Bodea u. a., die zumeist auch an den von der Akademie herausgegebenen vier Bänden der Geschichte Rumäniens (Istoria Romîniei) mitgewirkt haben, versuchten im Rahmen der gegebenen Möglichkeiten ein objektiveres Bild der Geschehnisse zu zeichnen, mußten aber oft den national- und außenpolitischen Staats- und Parteiinteressen ihren Tribut zahlen, so daß in Rumänien lange Zeit nur Teilaspekte neuer Erkenntnisse vermittelt werden konnten.

[26] E. Prokopowitsch: Die rumänische Nationalbewegung.
[27] V. Cheresteşiu: Adunarea naţională.

Erst seit 1968 ergaben sich neue Forschungsmöglichkeiten, die von einigen Historikern der jüngeren Generation wahrgenommen wurden, um jenseits der Darstellung des Klassenkampfes und der rumänischen Nationalbewegung einige Aspekte der Okzidentalisierungs- und Liberalisierungsbestrebungen auf neue empirische Grundlagen zu stellen. Vlad Georgescu hat mit seinen 1970 und 1972 in Bukarest veröffentlichten Arbeiten zur Geschichte der politischen Ideenentwicklung zwischen Aufklärung und Frühliberalismus wertvolle Voraussetzungen für eine neue Sicht der rumänischen Reformbestrebungen in den Donaufürstentümern geliefert, so daß eine Gesamtbetrachtung der rumänischen Trägerschicht in diesem soziokulturell stark differenzierten Raum möglich scheint. Diesen Gegebenheiten hat erstmals Apostol Stan mit seiner 1979 erschienenen Untersuchung über die politischen Gruppierungen und Strömungen in Rumänien zwischen der Vereinigung und der Unabhängigkeitserklärung (1859–1877) Rechnung getragen. Die Jahrzehnte zwischen 1830 und 1859 blieben jedoch weiterhin unberücksichtigt. Die 1983 vom Institut für Geschichte „N. Iorga" der Akademie für Sozial- und Politikwissenschaften herausgegebene Geschichte des Parlaments und des parlamentarischen Lebens in Rumänien[28] hat den Zeitabschnitt von 1821 bis 1848 in den Donaufürstentümern im Überblick auf 43 Seiten dargestellt. Hier werden die Reformpläne summarisch im Zusammenhang mit den Landesausbauten und der langen Welle der Konjunkturbewegung, die infolge einer Steigerung der Getreideproduktion zur weiteren Verarmung der alle Lasten tragenden Bauern führte, behandelt, Siebenbürgen, das Banat, die Bukowina und Bessarabien werden in die Betrachtungen nicht einbezogen. Dafür hat Keith Hitchins in zahlreichen Untersuchungen der konfessions- und kulturnationalen Bewegung der beiden orientalischen Kirchen Siebenbürgens und ihrer führenden Köpfe aufzuzeigen verstanden, wie eng der Raum war, der liberalen Strömungen übrigblieb[29]. Mit den neuesten Quelleneditionen aus den Kronstädter Archiven und der Herausgabe der Korrespondenz von George Bariţiu und seiner Zeitgenossen wurde die enge rumänisch-sächsische Symbiose der liberalen Führungsschichten seit der Mitte der dreißiger Jahre besser belegt, aber bisher noch nicht ausgewertet. Entscheidende Bedeutung für die Erfassung der politischen Strömungen des rumänischen Frühliberalismus kommt indes den rechtshistorischen Untersuchungen zu, die in Rumänien seit der Beschäftigung mit Beccaria, wie sie insbesondere Valentin A. Georgescu betrieben hat, wichtige Zusammenhänge aufgedeckt haben. So erfreulich der Forschungsstand für das Gebiet der beiden Donaufürstentümer auch erscheinen mag, für Siebenbürgen und vor allem für Bessarabien bestehen große Lücken; denn überall dort, wo die Einflüsse der Nachbarstaaten, der Nachbarvölker und der auf dem Boden des heutigen Rumänien lebenden Nationalitäten eine konstitutive Rolle bei der Formulierung von Reform- und Modernisierungsbestrebungen in der Zeit des Vormärz innehat-

[28] Istoria parlamentului.
[29] K. Hitchins: Studies on Romanian National Consciousness.

ten, fehlen neue Forschungen. Vor allem die seit 1818 in Bessarabien eingeführte Beteiligung der verschiedenen Bojarengruppen an der Selbstverwaltung sowie die allmählich auf moderne Grundlagen gestellte Rechtspflege in Siebenbürgen und der Bukowina sind lange Zeit geflissentlich übergangen worden.
Für die ungarisch-rumänischen Wechselwirkungen in der Zeit des Vormärz wie für diejenigen zwischen Siebenbürger Sachsen, Ungarn und Rumänen fehlen empirische Untersuchungen, sieht man von einzelnen Aufsätzen von Carl Göllner, Ladislau Gyémánt, George Marica und Pál Németh ab. Und so rege die Forschungstätigkeit der Siebenbürger Sachsen in Westeuropa und in Rumänien in den letzten drei Jahrzehnten auch war, zur Geschichte der politischen Strömungen in der Zeit des Frühliberalismus sind keine Untersuchungen durchgeführt worden. Dasselbe gilt übrigens für die Bukowina, denn in der Zeit zwischen Wiener Kongreß und Märzrevolution verharrten Sachsen und Buchenlanddeutsche wohl in größerer Lethargie als Magyaren, Rumänen sowie die in den Donaufürstentümern lebenden Bulgaren. Hier hat zunächst Constantin Velichi, der sich seit drei Jahrzehnten der Erforschung der rumänisch-bulgarischen Beziehungen widmet, Mustergültiges geleistet und ebenso Elena Siupiur, so daß die Einflüsse des rumänischen Frühliberalismus auf die bulgarische Emanzipations- und Nationalbewegung in Ansätzen erforscht sind. Auf die Einbeziehung der politischen Trägergruppen des ungarischen Frühliberalismus wurde verzichtet, da eine einschlägige Untersuchung in Vorbereitung ist, die auf der Grundlage neuerer Forschungen den Beitrag der Magyaren und Szekler zu dieser gesamteuropäischen Bewegung darstellen soll.
Ungleich schwieriger als erwartet gestaltete sich dagegen die Berücksichtigung der jüdisch-rumänischen Beziehungen in den Jahrzehnten vor der Gründung des unabhängigen Königreichs, da es zwar zahlreiche antisemitische Gesetze und Verwaltungsvorschriften für die Donaufürstentümer seit Beginn des 19. Jahrhunderts gibt, aber keine Selbstdarstellung des kulturellen Eigenlebens der jüdischen Diasporagemeinden für diese Zeit. Sieht man von den aus Galizien und der Bukowina eingewanderten vereinzelten „Maskilim" ab, den Anhängern der „Haskalah", der jüdischen Form der Aufklärung, so entsteht der Eindruck, daß die Mehrzahl der Gemeindeangehörigen ein Leben führte, das weitgehend dem Gettoleben ihrer ostgalizisch-russischen Glaubensbrüder entsprach. Aber auch von den „Maskilim" fanden nur vereinzelte den Zugang zum Frühliberalismus. Lediglich in der Bukowina vollzog sich diese Integration in der deutschsprachigen Umgebung seit der Mitte des 19. Jahrhunderts reibungslos, so daß die von Hugo Gold und Erich Beck eingeleitete bibliographische Erfassung der einschlägigen Publikationen eine relativ breite, wenn auch schwer zugängliche Arbeitsgrundlage bietet. Die Berücksichtigung des jüdischen Anteils an der politischen Gruppenbildung und insbesondere an den Trägerschichten des Frühliberalismus wird daher bei der beabsichtigten Quantifizierung der Trägerschichten vorerst nicht möglich sein.
Zur Vereinfachung für den Leser, der sich nicht eingehender mit den Problemen der Balkanphilologie befassen möchte, wurden die aus dem Osmanischen über-

kommenen Begriffe in der modernen türkischen Orthographie wiedergegeben und in ein Glossar aufgenommen. Dasselbe gilt für Begriffe aus dem Rumänischen, dem Bulgarischen, Ungarischen und Jiddischen. Da die gesellschaftlichen, politischen und historischen Ausgangspositionen zu Beginn des 19. Jahrhunderts in den einzelnen Regionen so grundverschieden waren, daß Vergleiche bisher nur im geistesgeschichtlichen Bezugsrahmen möglich schienen, was bei der relativ hohen Mobilität der dünnen Intellektuellenschicht leicht zu einem verzerrten Bild der Relation zwischen sozialen Aufstiegschancen und konservativem Beharrungsvermögen führen konnte, wurde trotz unzulänglicher biographischer Daten der Versuch eines Quantifizierungsansatzes gewagt.
Die Anmerkungen beschränken sich auf Quellen- und Literaturhinweise. Sie wurden sehr knapp gehalten, da ein ausführliches Literaturverzeichnis beigefügt ist. Bei der Ortsnamenschreibung wurde den gebräuchlichen Formen der Vorzug gegeben, ein Ortsnamenregister verweist auf die anderssprachigen Bezeichnungen.
Für die Unterstützung seiner Forschungen ist der Verfasser dem Wissenschaftsministerium des Landes Nordrhein-Westfalen sowie dem leider zu früh verstorbenen Direktor der Universitätsbibliothek Bukarest, Herrn Constantin Nuţu, der als Gastprofessor ein halbes Jahr an der Ruhr-Universität Bochum dieses Forschungsprojekt aufopferungsvoll und mit vorbildlichem wissenschaftlichen Ethos gefördert hat, zu aufrichtigem Dank verpflichtet. Desgleichen Herrn Kollegen Klaus Heitmann, Heidelberg, der vor der Drucklegung auf wichtige Neuerscheinungen und auch auf ältere und oft schwer zugängliche Quellen hinwies und sie bereitwillig zur Verfügung stellte. Wertvolle Hinweise verdanke ich Herrn Dr. Georg Franz-Willing, einem der besten Kenner des österreichischen Vormärz. Der Siebenbürgischen Bibliothek und Herrn Dr. Horst Moefferdt bin ich für die großzügig ermöglichte Benutzung reicher Bestände an Transilvanica zu herzlichem Dank verpflichtet. Frau Dr. Jutta de Jong und Frau Inge Blank, M. A. haben an der mühsamen Quantifizierungsarbeit maßgeblichen Anteil, wofür beiden Damen mein Dank gebührt. Für die umfangreichen Korrekturarbeiten und für die Mithilfe bei der redaktionellen Gestaltung des oft spröden Stoffes bin ich nicht zuletzt meiner Frau zu aufrichtigem Dank verbunden. Die Erstellung der beiden Register verdanke ich meinem geschätzten und bewährten Mitarbeiter, Herrn Dr. Jozo Džambo.

Bochum, Frühjahr 1984 E. T.

Grundlagen der Regionalstruktur

Staat und Gesellschaft zu Beginn des 19. Jahrhunderts

Die Donaufürstentümer

Moldau und Walachei waren nach dem siegreichen Vordringen der Osmanen nach Südosteuropa im Gegensatz zu den unterworfenen Balkanstaaten, die, in Paşalyks aufgeteilt, ihrer eigenen Oberschicht und der Steuerautonomie beraubt worden waren, staats- und völkerrechtlich autonom geblieben, so daß die sozio-kulturelle Lage der Rumänen sich von der der anderen Christen in den Gebieten südlich der Donau deutlich unterschied. Angesichts der militärischen Unterlegenheit war zwar die Anerkennung des Osmanischen Reiches als Schutzmacht eine zwingende Notwendigkeit gewesen, doch hatten es die Hospodare verstanden, die Konfrontation mit der islamischen Großmacht für Bojaren und bäuerliche Grundschicht durch Vereinbarungen erträglich zu gestalten. Mit der zunehmenden Verlagerung der Machtbefugnisse auf die Großgrundbesitzer unter den Bojaren, die durch die immer schnellere Auswechselung der von der Pforte ernannten Hospodare und den steigenden Geldbedarf verursacht worden war, begann auch für die rumänischen Freibauern, die „răzeşi“, der wirtschaftliche Niedergang, der oft genug in die Leibeigenschaft führte.

Die ursprünglich freie Wahl der Hospodare war seit dem Beginn des 17. Jahrhunderts zu einer Frage der Zahlungsfähigkeit der Klientel des Thronanwärters geworden, bis schließlich vom zweiten Jahrzehnt des 18. Jahrhunderts an das Recht, die Hospodare aus den Reihen der führenden Bojarengeschlechter zu wählen, aufgehoben worden war, weil einige von ihnen, überzeugt vom unaufhaltsamen Niedergang des Osmanischen Reiches, insgeheim mit den Nachbarmächten Rußland und Österreich Verträge abgeschlossen hatten. Auf diese Versuche einer Herauslösung der Donaufürstentümer aus der Suzeränität reagierte die Hohe Pforte mit der Entsendung christlicher Herrscher aus dem Istanbuler Vorort Phanar, damals Mittelpunkt des politischen Lebens der griechischen Oberschicht am Sitz des Ökumenischen Patriarchen. Diese phanariotischen Fürsten, die für ihre Ernennung hohe Beträge zahlen mußten, erleichterten die Ausbreitung der osmanischen Willkürherrschaft, bis die nach 1769 wachsende Zahl der von rumänischen Bojaren an den Zarenhof, die Pforte und Österreich[1] gerichteten Beschwerdebriefe 1774 im Frie-

[1] Von den 19 Memoranden und Reformplänen, die während des russisch-türkischen Krieges von 1768–1773 verfaßt wurden, waren nur zwei an Österreich und je eines an die Pforte und Preußen, die restlichen 15 Bittschriften waren an die Zarin und einflußreiche Persönlich-

den von Küçük-Kajnardşi ihren Niederschlag fand und zu einer ersten Einschränkung der orientalischen Autokratie führte. Doch hatten es die phanariotischen Hospodare verstanden, ein griechisch-türkisches Kondominium zu errichten, das der geistigen Erneuerung des Griechentums unschätzbare Dienste leistete und die Funktion dieser Region als Brückenlandschaft zwischen dem Balkan und Mitteleuropa untermauerte. Infolge der Klagen der Hospodare und Bojaren, die Rußland der Pforte präsentierte, wurde eine Reihe von Fermanen (Erlasse des Sultans) und Senets (Beweisurkunden) erwirkt, die den Anfang einer neuen Rechtslage in den Donaufürstentümern gegenüber der osmanischen Suzeränität begründeten. Die alten Privilegien, welche anläßlich der „vertraglich" festgelegten Unterwerfung unter die Oberhoheit der Pforte ausgestellt worden waren, erhielten nach und nach wieder ihre volle Geltung, zu der eine allmählich erweiterte innere Autonomie hinzukam.

Die Prärogativen des Herrschers umfaßten – entsprechend den byzantinischen Vorbildern, denen die Fürstentümer bei ihrer Gründung gefolgt waren, – alle Bereiche des staatlichen Eigenlebens, von der Gesetzgebung über die Exekutive bis hin zur Rechtsprechung, so daß dem aus Großbojaren und höchsten kirchlichen Würdenträgern gebildeten „Fürstlichen Rat" (sfatul domnesc) nur geringe Kompetenzen zukamen. Vor allem seit der zweiten Hälfte des 16. Jahrhunderts, als die aus dem Türkischen übernommene Bezeichnung „divan" den Begriff „sfat" zu verdrängen begann, wurde die Stellung der Hospodare derjenigen orientalischer Despoten ähnlich. Die dem „divan" angehörenden Bojaren, die in der Regel Hofämter bekleideten, entstammten meist der etwa zwanzig Familien umfassenden Gruppe der ersten fünf Geschlechter – daher „protipendada" genannt –, doch gab es zwischen diesen Großbojaren sowie den Mittel- und Kleinbojaren seit dem Beginn des 19. Jahrhunderts keine festen Grenzen mehr, außer jenen der Familientradition, des Besitzstandes und der Erfahrung im Umgang mit der Macht. Die Großbojaren hatten im Laufe des 18. Jahrhunderts unter geschickter Ausnutzung ihrer wirtschaftlichen Möglichkeiten alle politischen Machtfunktionen erobert und durch die verstärkte Rezeption der griechischen Hochkultur auch eine Monopolstellung als Bildungselite erlangt. Ursprünglich waren die Bojaren im Mittelalter ein Dienstadel, später Mitglieder des Fürstenrates und Anführer im Heer, bis schließlich im 17. und 18. Jahrhundert auch die Zivilbeamten zu Bojaren wurden, um in den Genuß einer weitreichenden Steuerprivilegierung zu gelangen. Zum Ausgleich für den seither einsetzenden Massenaufstieg zu Bojarenwürden, der in der ersten Hälfte des 19. Jahrhunderts seinen Höhepunkt erreichen sollte, wurde die Zahl der Freibauern verringert, bis dann auch die Kleinbojaren ohne Amtsfunktion (mazil) und schließlich auch die beiden anderen Bojarengruppen stärker zur Steuerleistung herangezogen wurden.

keiten des russischen Staates gerichtet. Vl. Georgescu: Mémoires et projets de réforme, 3–7.

Eng verbunden mit dem Strukturwandel des Bojarenstandes war der Niedergang der einst tiefgestaffelten Selbstverwaltung, die sich in manchen Bereichen an Vorbilder der polnischen und ungarischen Adelsnation angelehnt hatte, so daß die Zuordnung der Bojarenoligarchie zum Typ der Adelsnation nicht abwegig erscheint[2]. Die Landesversammlung, der alle Bojaren, kirchlichen Würdenträger sowie Vertreter der Freibauern angehörten, – sie hieß in der Walachei „adunarea ţării“ und in der Moldau: „sobor“ und war zuletzt in den vierziger Jahren des 18. Jahrhunderts zusammengetreten – und auch der „Allgemeine Rat“ (sfat obştesc) hatten ihre Funktion als Entscheidungs- und Beratungskörperschaften eingebüßt. Sowohl der Strukturwandel der Großbojaren als auch die Reduzierung der Selbstverwaltung, von der nur ein „divan“ übriggeblieben war, führten zu einer Entfremdung zwischen der Landbevölkerung und dem zunehmend unter den Einfluß der Phanarioten geratenden Fürstenhof.

Eine der Folgen dieser soziokulturellen Teilung war, daß die Landbevölkerung den Rest bestehender Bindungen an den Staat als Gemeinschaftseinrichtung verlor und die Beziehungen zwischen Grundherren und Hörigen „zu einem reinen Machtverhältnis“ ausarteten[3]. Zu den Auswirkungen dieser Strukturveränderungen gehörte seither auch eine erhöhte Mobilität, denn die Vermehrung der Robottage veranlaßte viele Bauern zur Flucht in andere Regionen, wo sie bessere Arbeitsbedingungen zu finden hofften. Vor allem in der Moldau waren die Mißstände besonders kraß und daher die Fluktuation groß[4]. Aber nicht nur gegen die Bauern wurde zunehmend Macht an Stelle von Herrschaft angewandt, auch die Märkte und Städte, die in ihrer überwiegenden Zahl auf dem Grundbesitz der Hospodare entstanden waren und vorwiegend dem Typ der Ackerstädte zugerechnet werden, galten nun als Eigentum der Landesherren. Als Marktgemeinden und Städte dann aus Geldmangel an Bojaren oder Klöster übertragen wurden und mit ihnen die Bewohner, die bis zur Mitte des 18. Jahrhunderts relativ frei und nur dem Landesherren gegenüber zu Steuerleistungen verpflichtet gewesen waren, folgte daraus eine zunehmend drückendere Abhängigkeit von den neuen Grundeigentümern[5]. Sie mußten von da an die Feudalrechte berücksichtigen und für den Wein- und Branntweinverkauf sowie für den Unterhalt von Schankwirtschaften Steuern an die Grundherren abführen, ebenso für Mühlen, Fleischbänke und den Kauf von Waren während der Jahrmärkte. Zu diesen sehr unterschiedlichen Steuerabgaben war, erschwerend für die Entstehung einer städtischen Bürgerschicht, hinzugekommen, daß selbst in den Landeshauptstädten Jassy und Bukarest die Bewohner in mindestens acht Sozialkategorien mit unterschiedlicher Rechtsqualität unterteilt waren:

[2] E. Niederhauser: Nationaltypologie, 17ff.
[3] N. Crisan: Über die Entstehung und Verwendung des Sozialprodukts in Rumänien, 123ff. insbes. 172, ferner: H. Haufe: Die Wandlungen der Volksordnung, 63.
[4] R. Rosetti: Pământul, sătenii şi stăpânii, 360f.
[5] Ausführlich behandelt die rechtliche Lage der städtischen Eigentumsverhältnisse Val. Al. Georgescu: Observaţii asupra structurii juridice, 255–281.

Bojaren, Handwerker, Kaufleute und Händler, Bedienstete, Bauern, Verwaltungsbedienstete, Kleriker und leibeigene Zigeuner. Von diesen besaßen nur die Handwerker und Kaufleute in ihren Zünften, die bereits seit dem 17. Jahrhundert belegt sind, eine gewählte Selbstverwaltung. Ende des 18. Jahrhunderts weist die Statistik in der Walachei 25 und 1832 bereits 35 Städte und Märkte auf, in der Moldau 22 bzw. 34, von denen allerdings nur sieben Städte mehr als 5000 Häuser zählten[6]. Durch die Verwaltungswillkür und die ständigen Geldnöte der Hospodare in ihren Rechten eingeengt und wirtschaftlich ausgebeutet, hatten sich die Stadtbewohner im 18. und beginnenden 19. Jahrhundert wiederholt gegen die überhöhten Steuern und vor allem gegen die oft auferlegten Sondersteuern, gegen den Rechtsmißbrauch aufgelehnt und die Gewährung der alten Privilegien gefordert[7]. Da aber die Städte in den Donaufürstentümern nicht wie in Italien, Frankreich oder Mitteleuropa – einschließlich eines Teiles von Siebenbürgen – ummauert waren und sie ihre Rechte gegen Übergriffe des Landesherren nicht zu verteidigen verstanden, waren diese Forderungen nur schwache Abwehrversuche gegen den Machtmißbrauch. Ansätze einer wenn auch noch so bescheidenen Autonomie des städtischen Elements fehlten sowohl in der Moldau als auch in der Walachei[8], so daß die äußere und innere Urbanisierung der Städte erst ab 1829 erfolgen konnte, vor allem unter dem Eindruck der großen Seuchenkatastrophen nach dem russisch-türkischen Krieg von 1806–12, die die Unhaltbarkeit der sanitären Verhältnisse offenkundig gemacht hatten. Dem Namen nach gab es auch „Freie Städte", wie z.B. Jassy, Botoşani, Bîrlad und Tîrgu-Frumos in der Moldau, die sich aber von den fürstlichen Städten kaum unterschieden, da ein freies, standesgleiches Bürgertum sowie die prinzipielle Trennung von Stadt und Land fehlten. Selbst nach 1848 gab es noch Städte und Märkte, die Privateigentum waren, wie z.B. Vaslui, Dorohoi und Piatra Neamţ, und noch 1857 besaß Vaslui keine „eforie", keinen Gemeinderat. Andere Städte, wie Roman und Huşi, wo das Bistum Monopolrechte bzw. Pfründe über Mühlen, Brücken und über eine kleine Brauerei besaß, wurden durch die dort residierenden Bischöfe und deren Gefolge beherrscht, die Bewohner unterstanden in solchen Städten der Gerichtsbarkeit des Bischofs[9]. Eine eigentliche Modernisierung der Städte setzte erst mit der langanhaltenden russischen Besetzung als Folge des Krieges von 1827/28 ein. Die Inkraftsetzung des Organischen Reglements 1831/32, einer Mischung von Verfassungsordnung und Landesentwicklungsplan, bedeutete auch hier einen Markstein. Erstmals wurden die Grundlagen für eine einheitliche, nach westlich-liberalen Vorbildern konzipierte Verwaltung geschaffen und das Land „in eine moderne Wirtschaftswelt" einbezogen[10]. Seit 1833 wurden

[6] Istoria Romîniei, III. Bd. 1963, 675f.
[7] C. Şerban: Aspecte din lupta orăşenilor, 37.
[8] Val. A. Georgescu: Observaţii asupra structurii juridice, 257ff.
[9] D. Ciurea: Oraşele şi tîrgurile din Moldova, 101ff. sowie C. Giurescu: Istoria României III/2, 507f. und A. Herlea: Principii comune ale administraţiei, 295f.
[10] W. Zorn: Umrisse der frühen Industrialisierung Südosteuropas, 509.

Stadträte auf Grund einer Wahlordnung gewählt und ausdrücklich beaufragt, für den Schutz von Handel und Gewerbe sowie für die Gestaltung einer autonomen Rechtsordnung der Munizipalverfassung zu sorgen. Damit waren für die Stadtentwicklung zum ersten Mal jene Voraussetzungen geschaffen, die den wirtschaftlichen Fortschritt beförderten, der mit einem wachsenden Warenverkehr wichtige Grundlagen für das Vereinigungs- und Unabhängigkeitsstreben sowie für die Industrialisierungsanfänge schuf[11]. Diese neue Entwicklungsphase führte zu einer modernen Stadtplanung, verbunden mit einer großzügigen Vergabe von Grundstücken an Siedler, insbesondere aus dem Kreis der Handwerker und Kaufleute, ohne Unterschied der ethnischen Zugehörigkeit, so daß die Stadtbevölkerung in den Handels- und Verwaltungszentren, wie z.B. in Jassy, Bukarest, Brăila und Galatz, bis weit in die zweite Hälfte des 19. Jahrhunderts einen ausgesprochen polyethnischen Charakter besaß[12].

Weitaus ungünstiger als für die Städte blieb die Lage für die Dörfer, die über 90 % der Landesbewohner beherbergten. Die Gesamtbevölkerung der beiden Fürstentümer hatte sich innerhalb der letzten drei Jahrzehnte des 18. Jahrhunderts erheblich vermehrt, so z.B. in der Moldau von 322 620 im Jahr 1772 auf 528 920 im Jahre 1803, was einem Wachstum von 55 % entspricht. Für die Walachei werden zu Beginn des 19. Jahrhunderts 900 000 bis 950 000 Bewohner angenommen, so daß die Gesamtzahl um 1800 rund 1,5 Mio. betrug, die dann bis zum Ende des Krimkrieges und der Vereinigung der beiden Fürstentümer auf 3,7 Mio. anstieg. Betrachtet man die Besitz- und Eigentumsverhältnisse in diesen beiden Regionen, dann ergibt sich für die Moldau für das Jahr 1803 bei einem Bestand von 1713 Dörfern folgende Lage: 927 (54 %) Dörfer gehörten Bojaren, und zwar besaßen 28 Familien 470 (27 %) dieser meist ärmlichen Dörfer, 215 (12,5 %) waren Eigentum der Klöster und nur 25 (1,5 %) gehörten dem Landesherrn. Ein knappes Drittel der 1713 Dörfer, nämlich 546 (32 %), waren freibäuerlich[13]. Bis zum Jahre 1848 sank dann der freibäuerliche Anteil auf etwa 20 %, so daß rund 80 % des landwirtschaftlich nutzbaren Bodens in den Händen der Bojaren, der Kirche und des Staates lagen. Die soziale Lage der Bauern wird in den zeitgenössischen Schilderungen seit dem ausgehenden 18. Jahrhundert durchweg als außerordentlich beklagenswert dargestellt: „Es ist höchstens der vierzigste Theil des Landes urbar gemacht. Die Bauern suchen nur so viel zu erndten, als sie brauchen, weil sie befürchten müssen, der Ueberfluß möchte ihnen von ihren Herren, die stets darauf bedacht sind, daß ihre Untertanen genau nur so viel besitzen, als sie, um nicht Hungers zu sterben, vonnöthen haben, entrissen werden. Das Elend, die Faulheit, oder vielmehr die Herabwürdigung der Menschen sind in diesen Gegenden sehr

[11] F. Valjavec: Kulturbeziehungen IV, 62–68.
[12] N. Iorga: Istoria Românilor, VIII, 386.
[13] St. Pascu: La source et les recherches démographiques, 283ff.; und H. Haufe: Die Wandlungen der Volksordnung, 57–60, 67.

groß." Dies sei, heißt es weiter, vor allem auf die „Wirkungen des orientalischen Despotismus, der von den sclavischen und tyrannischen Griechen aufs höchste getrieben worden ist, ..." zurückzuführen[14]. Ähnlich schildert auch der rumänische Großbojar und Reformpolitiker D. Golescu die Verhältnisse noch während des dritten und Helmuth von Moltke in seinen Briefen über die Zustände in der Türkei im vierten Jahrzehnt des 19. Jahrhunderts, da die Zahl der robotpflichtigen Bauern in der Walachei (330 000) und der Moldau (190 000) rd. 80 % der bäuerlichen Bevölkerung ausmachten.
Diese seit dem ausgehenden 18. Jahrhundert entstandene „Zweite Leibeigenschaft" hatte durch das Organische Reglement eine rechtliche Untermauerung erfahren, so daß für die bäuerliche Schicht, anders als für die städtische, keine Verbesserung eintrat.[15] Erste Härtemilderungen brachte zunächst ein Gesetz im Jahre 1851, bis schließlich Fürst Cuza 1864 gegen den erbitterten Widerstand der Großgrundbesitzer die Bauernbefreiung und eine bescheidene Landreform durchführen konnte.
Ähnlich wie in Polen und Ungarn bedeutete dieses Spannungsverhältnis zwischen der Adelsnation, einer weitgehend verarmten Bauernschicht und einer stark überfremdeten Stadtbewohnerschaft, daß mit der Schaffung einer neuen „Nationalkultur" viel politische Energien gebunden wurden, so daß die sozialen Probleme in den Hintergrund rückten. Um die Festigung der nationalen Kohäsion zu fördern, wurde der Pflege des Geschichtsbildes weitaus mehr Bedeutung beigemessen als der Schaffung einer modernen Rechts- und Verfassungsordnung. Für die Großgrundbesitzer lag es daher nahe, auf die Modelle der alten Feudalverfassung zurückzugreifen, die ihren durch die junge Geschichtsschreibung verherrlichten Vorfahren Macht und Ansehen verliehen hatte. Die vom russischen Generalgouverneur der beiden Fürstentümer, Graf Pavel Dimitrievič Kiselev (1788–1872), im Organischen Reglement erstmals für die Moldau 1832 und die Walachei 1831 verankerte Gewaltenteilung erlangte in der Verfassungswirklichkeit nur sehr allmählich Geltung. Anläßlich der Konvention über die definitive Organisation der Moldau und der Walachei, die 1858 in Paris von den Vertretern der Signatarmächte des Pariser Friedenvertrages beschlossen wurde, fanden die Grundsätze der Rechtsstaatlichkeit von der Gleichheit aller vor dem Gesetz bis hin zur Ministerverantwortlichkeit erneut eine vorkonstitutionelle Verankerung, die von den liberalen Kräften ebenso begrüßt wurde wie die neu dekretierte Bezeichnung „Vereinigte Fürstentümer". Mit weitaus größerer Energie als die Modernisierung der Gesellschaftordnung nach westeuropäischen Vorbildern, die bei den gebildeten Bojarensöhnen große Sympathien genoß, wurden die Vereinigung der beiden Fürstentümer und der nationalstaatliche Aufbau betrieben, weil nur die Erlangung der vollen Souveränität Gewähr für den Ausbau der inneren Freiheiten zu bieten

[14] J. L. Carra: Geschichte der Moldau und Walachei, 121.
[15] A. Oţetea: Le second servage, 325–46 und V. J. Grosul: Reformy v Dunajskich knjažestvach, 271–321.

schien. Das Scheitern der revolutionären Bewegung des Jahres 1848 wurde der außenpolitischen Konstellation angelastet und dabei übersehen, wie groß die konzeptionellen Schwächen in den Bereichen der Innen- und Gesellschaftspolitik waren.

Das Großfürstentum Siebenbürgen

Die seit dem hohen Mittelalter herausgebildete Eigenständigkeit Siebenbürgens war während der fast zweihundertjährigen osmanischen Oberherrlichkeit nicht nur erhalten, sondern in wichtigen Bereichen der Verfassung weiter ausgebaut worden, so daß bei der Inkorporation dieses „autonomen siebenbürgischen Gemeinwesens“[16] in den Staatsverband der Habsburgermonarchie die Sonderverfassung weitgehend unangetastet erhalten blieb. Staatsrechtlich zwar mit der Krone Ungarns vereinigt, war es faktisch dem Herrschaftsbereich des Kaiserhauses zugeordnet. Kaiser Leopold I. hatte die Landesgesetze anerkannt, so daß der aus den drei ständischen Nationen, dem magyarischen Adel, den Szeklern und den Sachsen, gebildete Landtag für die Legislative einen Teil seiner Zuständigkeit behielt. Die innere Dreiteilung des Landes, die aus der historischen Entwicklung und der Privilegierung der zur Landesverteidigung angesiedelten Sachsen und Szekler sowie aus der Sonderstelltung der magyarischen Adelsnation entstanden war, bedingte auch je eine eigene Verfassung und Verwaltung für die von den drei sehr unterschiedlich strukturierten Gemeinschaften beherrschten Territorien. Die Rumänen Siebenbürgens, damals Walachen genannt, bildeten bereits seit Mitte des 18. Jahrhunderts mindestens 52 % der Gesamtbevölkerung, waren aber nicht als Nation anerkannt, denn sie besaßen kein durch Privilegien abgesichertes Territorium und außerhalb der griechisch-katholischen sowie der griechisch-orthodoxen Kirche auch keine Selbstverwaltung. Ihre rechtliche Lage wurde von dem langjährigen Präses des Siebenbürgischen Guberniums und späteren Gubernator Baron Samuel von Brukenthal folgendermaßen charakterisiert: „Die Walachen sind im gesetzlichen Verstande keine Nation, sondern ein plebs oder Volk; sie werden von den Gesetzen geduldet, aber zugleich von allen Freiheiten und Rechten der übrigen Nationen ausgeschlossen. Sie machen keinen eigentlichen Stand oder Kreis aus, sondern sind unter allen Nationen und Kreisen vertheilt, und wohnen hin und wieder theils in abgesonderten Dörfern theils in anderen Dörfern an. Sie haben daher weder eigene Satzungen noch Gesetze ...“[17]. Sie waren im Landtag bis 1848 nur durch den griechisch-katholischen Bischof als Grundherrn des Kirchengutes vertreten, denn obwohl seit der zweiten Hälfte des 18. Jahrhunderts (1766) etwa ⅝

[16] M. Bernath: Habsburg und die Anfänge, 54.
[17] J. G. Schaser: Denkwürdigkeiten, Anhang VIII, 22–38 sowie G. A. Schuller: Samuel von Brukenthal I, 363–367.

der Rumänen der griechisch-orthodoxen und nur ⅙ der griechisch-katholischen Kirche angehörten, waren zunächst nur die mit der römisch-katholischen ecclesia dominans unierten Kleriker – insbesondere ihr Bischof – mit Grundeigentum ausgestattet.

Die von den ständischen Nationen überwachte Trennung der Berechtigungen und Verpflichtungen erstreckte sich weitgehend auch auf das Handwerk, so daß sich eine rumänische Handwerkerschicht nur in Verbindung mit jenen hausindustriellen Zweigen entwickeln konnte, die dem in Zünften organisierten Handwerkerstand der sächsischen oder magyarischen Städte keine Konkurrenz machten. Erst mit der Aufhebung der Leibeigenschaft und dem Toleranzedikt Josephs II., vor allem aber seit der Gubernialverordnung vom 5. 10. 1802 wurde auch den Rumänen im gesamten Großfürstentum Siebenbürgen gestattet, „alle Künste und Handwerke" zu betreiben, so daß sich bald Ansätze einer rumänischen Städter- und Bürgerschicht zu bilden begannen, die viel schneller als in den Donaufürstentümern Moldau und Walachei zu einem selbstbewußten Mittelstand werden sollte.

Größere Bewegungsfreiheit als das Handwerk besaß der in rumänischen Händen befindliche Handel in Siebenbürgen. Zunächst von den privilegierten Handelskompanien der Griechen, Bulgaren und Mazedonier in Kronstadt und Hermannstadt ausgehend, hatten sich rumänische Kaufleute aus Siebenbürgen in den Warenverkehr zwischen dem Habsburgerreich und dem Balkanraum sowie dem Orient einzuschalten verstanden, so daß bereits im Jahre 1830 Kronstadt als wichtigstes wirtschaftliches und kulturelles Zentrum der Rumänen Siebenbürgens galt[18]. Als dann seit 1832 mit dem Ausbau des bislang vernachlässigten Straßennetzes begonnen wurde, wuchs auch der Warenverkehr zwischen der Walachei, der Moldau und Siebenbürgen, was für die Vertiefung der Kommunikation und die Verbreitung von Druckerzeugnissen in rumänischer Sprache Bedeutung erlangen sollte.

Bis in die zweite Hälfte des 19. Jahrhunderts bildete die Geistlichkeit der beiden orientalischen Konfessionsgemeinschaften die für die Hebung des allgemeinen soziokulturellen Standes wichtigste Schicht. Ursprünglich allen Lasten ebenso unterworfen und bar aller Rechte, war den Priestern erst 1609 die freie Migration gestattet worden bei gleichzeitiger Befreiung von den „oneribus plebeis" sowie den „servitiis civilibus"[19]. Nach der Vereinigung Siebenbürgens mit der Krone Ungarns änderte sich die Lage der orthodoxen Geistlichkeit nicht, denn trotz der in den leopoldinischen Diplomen versprochenen Glaubensfreiheit und trotz der Union eines Teiles des Klerus mit der römisch-katholischen Kurie, wofür die Gleichstellung mit der katholischen Bevölkerung in Aussicht gestellt worden war, weigerten sich die Landesstände, eine sozialrechtliche Besserstellung zu akzeptieren. Erst

[18] Ausführlich und auf der Grundlage neuester Forschungen behandelt diesen Problemkreis C. Papacostea-Danielopolu: Organizarea şi viaţa culturală, 159–212.
[19] J. Fiedler: Die Union der Walachen, Beilage I, 364–66.

nach langem Ringen gelang es der unierten Kirche, die Zuweisung von „kanonischen Portionen“ für ihren Klerus zu erwirken und ihm gleichzeitig eine theologische Ausbildung in Tyrnau, Munkács, Wien oder Rom zu ermöglichen, bis schließlich Mitte des 18. Jahrhunderts auch in Blaj ein eigenes Bildungszentrum geschaffen werden konnte. Jetzt erst war der Weg für die Anerkennung auch der nichtunierten Glaubensgemeinschaft und deren Hierarchie vorgezeichnet, die nach harten inneren Kämpfen und wiederholten Interventionen Rußlands unter maßgeblicher Einflußnahme von Baron Bartenstein und Fürst Kaunitz-Rietberg vom Gewissenszwang befreit wurden und einen exempten Bischof für die Orthodoxen Siebenbürgens erhielten (1758). Nach dem Bauernaufstand von 1784 (s.u.) nahm die Animosität des ungarischen Adels gegenüber der rumänischen Geistlichkeit beider Riten zu und nötigte den rumänischen Klerus, im Ringen um die hierarchische und politisch-soziale Besserstellung energischer vorzugehen. Der Wunsch nach größerer Unabhängigkeit des griechisch-katholischen Bistums in Blaj von der dem ungarischen Magnatentum gefügigen römisch-katholischen Kirchenhierarchie sowie die Furcht, daß alle von Kaiser Joseph II. eingeleiteten Reformmaßnahmen rückgängig gemacht werden könnten, führten zu einem gemeinsamen Vorgehen der von ihrer Geistlichkeit geführten Konfessionsgemeinschaften der Unierten und der Orthodoxen. Der vom ungarischen Reichstag beschlossene Gesetzesartikel Nr. 60 von 1790/91, der die freie Religionsausübung verfügte, galt auch für die Nichtunierten, so daß die Rumänen einen Teil jenes Schutzes erhielten, den die ständischen Nationen seit Jahrhunderten besaßen. Die Maßnahmen Josephs II. hatten diesen Weg vorgezeichnet, denn mit der Abschaffung der diskriminierenden Bezeichnung „Schismatiker“ und der Errichtung von Ausbildungsschwerpunkten für Lehrer und Kantoren, wie z.B. vorab in entsprechenden Kursen der rumänischen Normalschulen in Großwardein seit 1785 und seit 1786 in Hermannstadt[20], war die staatsrechtliche Anerkennung und Duldung der Orthodoxen in Siebenbürgen nur noch eine Frage der Zeit. So wurde mit der Pflege der Muttersprache im Dienste der religiösen Erziehung auch ein politischer Wandel eingeleitet, den der Kaiser wohl kaum in seinen späteren Auswirkungen hatte voraussehen können.

Bezeichnend für das allmählich sich entwickelnde Nationalbewußtsein war zunächst die zunehmende Verbreitung der Bezeichnung Rumänen statt der bis dahin offiziellen Form Walachen, wie Schwartner in seiner „Statistik des Königreichs Ungarn“ von 1798 hervorhebt: „Sie selbst nennen sich in ihrer Sprache Römer“, wobei er auch die Verbreitung des dakoromanischen Bewußtseins nicht unerwähnt läßt[21].

Neben dem höheren und mittleren Klerus spielten bei den Rumänen Siebenbürgens seit dem ausgehenden 18. Jahrhundert noch zwei weitere Sozialkategorien eine bescheidene Rolle im öffentlichen Leben: Die aus der 1762 eingerichteten

[20] L. Protopopescu: Contribuţii, 44–49.

[21] M. Schwartner: Statistik, 99.

Siebenbürgischen Militärgrenze hervorgegangenen Unteroffiziere und Offiziere als Bildungsschicht, sowie die Gruppe der Freien (libertini), die beide einen gesicherten Rechtsstatus besaßen. Eine kleine Schicht von Freien, die Grundbesitz hatten und besonders auf dem Königsboden der Sachsen stärker vertreten waren als im Szeklerland und in der Militärgrenze, ragte aus der Masse durch bessere Wirtschaftsmöglichkeiten hervor, ebenso die noch kleinere Landadelsschicht im Süden und Nordwesten des Landes.

Auf vielen Gütern des magyarischen Großgrundbesitzes in den west- und nordsiebenbürgischen Komitaten sowie auf den Bergbaudomänen im rumänischen Erzgebirge (Munţii Apuseni) war die soziale Bedrückung der Leibeigenen durch die hohe Robotleistung häufig unerträglich, so daß es im 18. Jh. wiederholt zu Aufständen gekommen war, deren bekanntester jener von 1784 ist. Es ist unbestritten, daß die „soziale Rückständigkeit und die politische Unterdrückung" Leibeigener in Siebenbürgen größer war als in Ungarn[22], vor allem auf dem Komitatsboden, der das größte Territorium bildete; denn der mit umfassenden Privilegien und Rechten ausgestattete magyarische Adel, der etwa 5 % der Gesamtbevölkerung ausmachte, beherrschte alle politischen und administrativen Führungspositionen. Etwa 21 Grafen und ebenso viele Barone bildeten die Magnatenaristokratie, während der mittlere Adel kleinere Landgüter besaß, die oft Herrschaft und Hörige kaum ernähren konnten. Daher drängten die nachgeborenen Söhne des Mittel- und Kleinadels in bürgerliche Berufe und verschärften die sozialen Spannungen.

Auf dem kleinsten „nationalen Territorium", dem Königsboden der Siebenbürger Sachsen, das aus vier voneinander getrennten Teilen bestand und nur 127 qM (7000 km^2) umfaßte, besaßen die Sachsen in ihren 6 Städten, 17 Märkten und 252 Dörfern ein gut durchgeformtes Kommunalwesen und eine hohe Arbeitsteiligkeit, welche auch den dort ansässigen Rumänen relativ günstige soziokulturelle Entwicklungsmöglichkeiten bot. Das Zahlenverhältnis zwischen den 172 000 Sachsen und den 205 000 Rumänen, von denen die meisten in den 42 Jobagyen-Dörfern lebten, trug dazu bei, daß der Kampf um den Zugang zu den Bürgerrechten früher als in anderen Gebieten einsetzte. Die „Konzivilität", die Kaiser Joseph II. den Rumänen gewährt hatte, wurde zwar nach seinem Tode widerrufen, so daß sie sich Jahrzehnte hindurch um eine Verbesserung ihrer Rechtslage bemühen mußten, schließlich wurde ihnen aber durch Königliches Dekret 1820 das Recht zum Erwerb von Grundeigentum gewährt, ohne ihnen jedoch die politischen Rechte einzuräumen, die die Angehörigen der sächsischen Nationsuniversität auf Grund der wiederholt bestätigten Privilegien besaßen.

Auf dem Boden des Szeklerlandes, das mit 201,50 qM (11 000 km^2) ein Fünftel der Gesamtfläche Siebenbürgens einnahm und sich vom Ost- und Südostrand der Karpaten bis nach Mittelsiebenbürgen erstreckte, lebten um die Mitte des 19. Jh. 442 000 Bewohner, von denen 380 000 freie Szekler und 62 000 Rumänen waren,

[22] I. Barta: Die Geschichte Ungarns, 272.

letztere fast ausnahmslos im Hörigenverhältnis[23]. Wie alle Teile der Militärgrenze bildeten die in Siebenbürgen aufgestellten 5 Grenzregimenter eine gesonderte Einrichtung mit eigenen Gesetzen und einem Territorium, an dessen Grenze die Hörigkeit sowie die Zuständigkeit der Komitats- und Distriktbeamten aufhörte, denn alle Grenzer waren nur Untertanen des Kaisers und für alle militärischen und zivilen Angelegenheiten der dort gelegenen Dörfer waren die Militärbehörden zuständig, insbesondere das General-Kommando, das seinen Sitz in Hermannstadt hatte. Auf diesem Gebiet waren die Rumänen in zwei Infanterieregimentern (Orlat und Năsăud) organisiert, während die anderen drei von Szeklern gebildet wurden[24].

Die Sozialstruktur der Rumänen Siebenbürgens hatte bis zur Mitte des 19. Jh. eine beachtliche Mannigfaltigkeit erreicht und vielfältig waren auch die kuturellen Einflüsse, die nicht unmaßgeblich vom Josephinismus sowie vom Wirtschaftsrationalismus der Aufklärung und des Frühliberalismus bestimmt wurden. Gheorghe Şincai (1745–1816), der große Gelehrte, der zusammen mit Samuil Micu-Clain (1745–1806) in Wien 1780 die erste im Buchdruck erschienene Grammatik des Rumänischen in lateinischen und nicht, wie sonst üblich, in kyrillischen Schriftzeichen herausgebracht hatte, war maßgeblich am Aufbau des Elementarschulwesens beteiligt. Er soll 300 Volksschulen eingerichtet haben, doch konnten sich nicht alle auf die Dauer halten. Von den insgesamt 1640 Elementarschulen, die 1843 belegt sind, waren 286 orthodoxe und knapp 80 griechisch-katholische Konfessionsschulen. Die Lehrerausbildung erfolgte für die Unierten in Blaj, für die Orthodoxen in Arad. Ferner bestanden zwei Klerikerseminare der Orthodoxen in Arad und Hermannstadt, die für die Hebung des Bildungsstandes der Lehrer und Kleriker sorgten, so daß diese Intelligenzschicht unmittelbar vor dem Revolutionsjahr 1848 2550 Kleriker und 300 Lehrer umfaßte. Von besonderer Bedeutung für den Aufbau einer Intellektuellenschicht waren zunächst allerdings nur die Bildungsstätten der griechisch-katholischen Rumänen in Blaj sowie das 1829 eingerichtete sechsklassige Gymnasium in Beiuş[25].

Die Wortführer der im Werden begriffenen Nation waren die Bischöfe der beiden Konfessionsnationalitäten, die – ähnlich wie im ausgehenden 18. Jh. – im Jahre 1834 wieder aktiv zu werden begannen und in einer an den Kaiser gerichteten Denkschrift die Anerkennung der Rechte von Klerus und Nation verlangten, ein Vorgang, der sich 1837 auf Initiative des orthodoxen Bischofs Vasile Moga wiederholte, wobei nun das Repräsentationsorgan der Stände, der Siebenbürgische Landtag, der Adressat war und die Forderung sich im Hinblick auf die zwischen den

[23] V. Cheresteşiu: Adunarea, 75.

[24] Die Zahl der Rumänen belief sich dort auf 79 000, die der Szekler betrug 110 000. Vgl. V. Cheresteşiu: Adunarea, 77; und C. Göllner: Die Siebenbürgische Militärgrenze, 34ff., wo die wirtschaftliche und soziale Lage der Grenzer behandelt wird.

[25] V. Cheresteşiu: Adunarea, 107–110.

Sachsen und dem magyarischen Adel bestehenden Spannungen darauf richtete, für die rund 205 000 Rumänen auf dem Königsboden politische Rechte zu erwirken. Mit dieser und den folgenden Denkschriften, die in der rumänischen, sächsischen und magyarischen Presse leidenschaftlich diskutiert wurden, begannen die Pläne für die soziokulturelle Emanzipation der Rumänen konkrete Form anzunehmen. Seit Januar 1842 kam es dann zu einem allmählichen Frontwechsel der Rumänen und zu einer ersten Verhärtung der Spannungen zwischen Rumänen und Magyaren, als der Landtag unter dem Einfluß der Magnaten den Beschluß faßte, daß nur das Ungarische als offizielle Sprache gelten sollte. Dieses Projekt sah für alle Schulen des Großfürstentums – nur der Königsboden der Sachsen wurde hiervon nicht berührt – Ungarisch als Unterrichtssprache vor. Innerhalb von 10 Jahren sollte dann an allen Schulen, einschließlich des Priesterseminars der Unierten in Blaj und der Klerikalschule der Orthodoxen in Hermannstadt, die alleinige Unterrichtssprache das Ungarische sein. Mit der Abwehr der auf Assimilation zielenden Maßnahmen begann die Politisierung der Konfessionsnationalität und damit der Übergang zu einer zunehmend mit Argumenten des Liberalismus kämpfenden Sprachgemeinschaft, die eine Übertragung des Persönlichkeitsdenkens auf das rumänische Ethnikum in die Wege leitete.

Das Temeswarer Banat

Diese historische Landschaft, die in der modernen rumänischen Geschichtsschreibung meist zusammen mit Siebenbürgen dargestellt wird, hatte ein bewegteres Schicksal als „Transsylvanien". Bis 1552 hatte es zur ethnisch-konfessionellen Mischzone des Partiums und somit zu Siebenbürgen gehört, war dann Paşalyk des Osmanischen Reiches gewesen, bis es, weitgehend entvölkert und 1718 von der Türkenherrschaft befreit, dem Kaiser und nicht der ungarischen Krone unterstellt wurde. Während der Zeit unmittelbarer Verwaltung durch Wien unterstand das „Kaiserliche Banat" zunächst der „Neoacquistischen Kommission" unter der Präsidentenschaft des Prinzen Eugen von Savoyen und später der Wiener Hofkammer, bis es schließlich auf Drängen der ungarischen Adelsnation 1778 dem Reich der Stephanskrone überlassen wurde. Der Savoyer hatte den kirchlichen Angelegenheiten in den befreiten Gebieten viel Aufmerksamkeit und Wohlwollen geschenkt, um die Integration der vorhandenen Bevölkerungsreste nicht zu erschweren, wobei verteidigungstaktische sowie merkantilistische Einflüsse durch eine großzügige „Impopulationspolitik" eine grundlegende Umgestaltung der soziokulturellen Verhältnisse einleiteten. Unter rein utilitaristischen Gesichtspunkten wurden Ansiedlungs- und Reglementierungsmaßnahmen ergriffen, die Stadt Temeswar bereits 1718 mit einem Magistrat versehen und für die überwiegend rumänisch-serbische Bevölkerung der „Raitzenvorstadt" (Raitze oder Raze von Raška, dem Stammland der serbischen Ethogenese) ein eigener Magistrat bewilligt, da

Stadtkern und Festungsbereich aus militärischen Sicherheitsgründen nur den Kaiserlichen vorbehalten bleiben sollten. Ansonsten galt eine weitreichende Gleichberechtigung von Serben, Rumänen, Griechen, Juden, Armeniern und Bulgaren, denn zur Hebung des Wirtschaftslebens hatte die Hofkammer die Errichtung von Zünften unterbunden, um den Wettbewerb nicht zu behindern. Dasselbe galt auch für die griechischen, serbischen und jüdischen Händler[26].

Entscheidenden Anteil an der schnellen wirtschaftlichen Entfaltung hatten die bäuerlichen Ansiedlungen, für die überwiegend deutsche Kolonisten aus allen Teilen des Reiches angeworben wurden, in kleiner Zahl auch Franzosen und Italiener, wobei bis zur Herrschaft Kaiser Josephs II. nur Katholiken zugelassen waren. Von besonderer Bedeutung für die Gesamtentwicklung war schließlich, daß im Banat Reformen leichter durchgeführt werden konnten als in Siebenbürgen oder Ungarn, wo die Stände und Komitatsverwaltungen auf Anweisungen aus Wien oft unwillig reagierten. Durch die 1747 erfolgte Einrichtung des Urbariums, das die Größe der bäuerlichen Sessionen und gleichzeitig die zu erbringenden Robotleistungen erfaßte, wurde für die Hörigen eine günstigere Regelung getroffen, so daß sie bis 1848 eine beachtliche Besserstellung gegenüber jenen Siebenbürgens und Ungarns behielten. Die Zahl der „jeleri" (zsellérek, Hintersassen der Hörigen und Freien mit weniger als einer Session oder ohne jeden Landanteil) war zwar im Banat recht hoch, doch wurden diese Bewirtschafter kleiner und kleinster Nutzflächen weniger zu den Robotleistungen herangezogen als in Siebenbürgen. Insgesamt belief sich die bäuerliche Bevölkerung im Banat und Siebenbürgen auf 91 %, so daß nur ein kleiner Rest von 9 % auf Handwerk und Handel entfiel. Aber da es im Banat auch rumänische und serbische Großgrundbesitzer und eine beachtliche Anzahl von Freien gab, wies die Struktur der Landbevölkerung ein höheres Maß an Mobilität auf als jene Siebenbürgens. Die Gesamtzahl der Jobagyen-Familien dürfte im Banat und Siebenbürgen Mitte des 19. Jh. 1023, die der „jeler"-Familien 278 betragen haben[27].

Für den inneren Landesausbau spielten die gegenüber der rumänisch-serbischen Bevölkerung geübte Religionstoleranz sowie städtepolitische Maßnahmen eine wichtige Rolle, und auch die Errichtung der Militärgrenze mit je einem rumänischen, serbischen und deutschen Regiment erleichterte die Integration in den österreich-deutschen Kulturbereich wesentlich, ohne zu einem Identitätsverlust der ethnischen Gruppen zu führen. Dies spiegelt sich auch in der starken Zuwanderung von Serben und Rumänen wider, die bereits 1772 die angesiedelten Deutschen, Italiener, Franzosen zahlenmäßig bei weitem überflügelt hatten, so daß die orthodoxen Rumänen (181 639) und Serben (78 781) zusammen die Mehrheit gegenüber den 151 639 Katholiken bildeten[28].

[26] S. Jordan: Die kaiserliche Wirtschaftspolitik, 28, 47f., 63.
[27] V. Cheresteşiu: Adunarea, 44f. und 50–53.
[28] J. H. Schwicker: Statistik, 427; und Istoria Romîniei III, 421.

Kirchlicher Mittelpunkt der Orthodoxen waren die Diözesen Temeswar und Werschetz, für die 1769 60 037 Haushaltungen, eine Generation später, 1797, aber bereits 104 313 Haushaltungen gezählt wurden[29]. Entsprechend den günstigen Bedingungen des im raschen Aufblühen begriffenen Landes war die Zahl der Kleriker recht groß, wobei auf 500 Seelen ein Priester kam, und ebenso auch der Bestand an Elementarschulen. Dieses enge Netz von Schulen war zum nicht geringen Teil ein Verdienst der Initiative serbischer sowie rumänischer Kleriker und Pädagogen, die sich die bildungsfreundliche Haltung der Wiener Hofstellen zunutze machten. So stieg die Zahl der griechisch-orthodoxen Schulen von 66 im Jahre 1768 auf 183 (1776) und schließlich bis 1802 auf 406, wobei die Gesamtzahl der Schulen im Banat sich auf 520 belief[30].

Bis zur Mitte des 19. Jh. war die Zahl der rumänischen Lehrer auf rd. 700 und die der Kleriker auf 1700 angestiegen, so daß die Rumänen des Banats über eine relativ breitere Intellektuellenschicht verfügten als Siebenbürgen oder auch die Donaufürstentümer. Neben den von einem kräftigen Hauch des Josephinismus getragenen Reformmaßnahmen spielten für die starke Zuwanderung von Rumänen in diese Landschaft auch konfessionsrechtliche Probleme eine große Rolle. Seit der großen Serbeneinwanderung während des Türkenkrieges von 1683–99 besaß die serbisch-orthodoxe Glaubensgemeinschaft, an deren Spitze damals ein politisch erfahrener Patriarch stand, die Zusage Kaiser Leopolds I. vom 21. 8. 1690 für die Gewährung einer weitläufigen Kirchenselbstverwaltung und generellen Glaubenstoleranz, für eine Erweiterung der Jurisdiktion auf alle orthodoxen Untertanen sowie für das Recht auf Wahl der eigenen Erzbischöfe und Bischöfe. Diese „Communität des griechischen Ritus und der raizischen Nation“, die mit ihren geistlichen und weltlichen Ständen für ein Jahrzehnt den Status einer Personalnation innehatte, hielt seither an ihrem Anspruch fest, alle Angehörigen der griechisch-orthodoxen Glaubensgemeinschaft im Bereich der neoacquistischen Gebiete und somit in der ganzen östlichen Reichshälfte zu vertreten. Für Siebenbürgen wurde dieser Anspruch abgelehnt, für die Rumänen des Banats und Ostungarns (Partium) aber besaß der serbische Metropolit und Erzbischof, der seinen Sitz in Karlowitz hatte, die Stellung eines Ethnarchen, wobei allerdings die Fiktion herrschte, alle Angehörigen der „Illyrischen Nation“ bildeten eine Glaubens- und Sprachgemeinschaft. Die Sonderform der Freiheit, wie sie die „illyrische Nation“ besaß, bestand für die polyethnische „Nation“ bis ins ausgehende 18. Jh. und fand ihr Ende in den seit 1800 beginnenden und seit 1829/30 immer stärker werdenden rumänisch-serbischen Auseinandersetzungen um den Gebrauch des Rumänischen in der Kirche, aber auch um den sozialen Aufstieg in der kirchlichen und schulischen Hierarchie. Ähnlich wie die Rumänen Siebenbürgens waren die des Banats bis zum österreichisch-ungarischen Ausgleich als Teil einer nichtadligen Nation eine „Konfes-

[29] D. Popović: Srbi u Banatu, 79.
[30] H. Wolf: Das Schulwesen, 59, 65f., 85.

sionsnationalität", die sich in demselben Maße, wie sie sich aus der serbisch-orthodoxen Glaubensgemeinschaft herauszulösen begann, dem rumänischen Ethnikum Siebenbürgens und der Donaufürstentümer stärker verbunden fühlte, zumal eine nicht geringe Zahl von Intellektuellen aus dem Banat in den Donaufürstentümern zu Amt und Würden gelangt war.

Die Bukowina und Bessarabien

Als die Bukowina, der nördlichste Teil der Moldau, 1774 von österreichischen Truppen besetzt und ein Jahr später von der Pforte an das Habsburgerreich abgetreten wurde, begann eine Periode der Landeseinrichtung und Verwaltungsorganisation, die vom Geist josephinischer Zweckmäßigkeit geprägt war. Baron Spleny, der erste Landeschef der Bukowina, legte 1775 in seiner „Beschreibung des Bukowiner Districts" die wichtigsten Grundsätze seiner Politik dahingehend fest, daß man das Volk von den drückenden Lasten des Vorspann befreien sollte „und sich in ihre Religion und ihre Freyheiten und Gewohnheiten der Wirtschaft nicht mischen wird". Als Begründung für die Rücksichtnahme auf ihre religiösen Gefühle führte er aus, daß „die Popen von dem Unterschied deren Religionen fast keinen Begriff haben ..." doch seien sie trotzdem „dergestalt fanatisch, daß sie alle übrigen Christen, besonders die Catholiquen, kaum für etwas beßeres als Juden und Heiden gelten laßen"[31].
In weitaus höherem Maße als bei früheren Annexionen war man in Wien nach der ersten Teilung Polens, die Galizien eingebracht hatte, darauf bedacht, mit sanfter Hand zu regieren und keinem religiösen Übereifer in der Verwaltungspraxis Raum zu gewähren.
Der bis in die zweite Hälfte des 18. Jh. herrschende Irrglaube, daß das „Wohl des Volkes, wie auch des Staates dann am besten befördert" werde, „wenn alles Volk derselben Religion wie der Herrscher angehört", hatte in Siebenbürgen zu schweren Unruhen und schließlich zur Aufgabe der Wiener Konfessionspolitik geführt[32].
In der Bukowina, die seit 1786 als selbständiger Kreis mit Galizien gemeinsam verwaltet wurde, bemühte man sich mit Erfolg, diese Fehler zu vermeiden, zumal auch das Mißtrauen der rumänischen Bojaren sehr groß war. Hinzu kam, daß der Grundbesitz der Klöster dem orthodoxen Klerus eine günstigere materielle Basis sicherte, als sie die Rumänen Siebenbürgens besaßen. Die vom Geist der Konfessionstoleranz und des Josephinismus getragene pragmatische Haltung der Verwaltung, die auch unter den Nachfolgern Splenys fortdauerte, begann bald ihre positiven Auswirkungen zu zeigen. Nach einer kurzen Phase, in der viele Bojaren die

[31] J. Polek: General Spleny's Beschreibung der Bukowina, 43f.
[32] H. Klima: Die Union der Siebenbürger Rumänen, 253.

Flucht über die Grenze einer Verwestlichung vorgezogen hatten, setzte ein starker Zustrom von Flüchtlingen aus Galizien und aus Siebenbürgen ein, von denen die meisten auf den Klostergütern angesiedelt wurden[33].

Die ethnische Bevölkerungsstruktur zu Beginn der österreichischen Herrschaftsperiode läßt sich zahlenmäßig nicht genau bestimmen, doch steht fest, daß der überwiegend bergige Westen der 10 442 km^2 umfassenden Bukowina von dem ruthenisch-ukrainischen Bergstamm der Huzulen besiedelt war und wohl auch ein Teil der Ebene zwischen Pruth und Dnjestr im Norden, der Osten und Südosten des Landes aber von Rumänen. Einwanderungen aus den benachbarten Landschaften sowie Kolonisierungsmaßnahmen haben dann zu jener ethnischen und konfessionellen Vielfalt geführt, in der Rumänen und Ukrainer sich in etwa die Waage hielten, während Juden, Deutsche, Polen, Armenier, Ungarn und Slowaken unterschiedlich starke Splittergruppen bildeten, unter denen zunächst nur die Armenier als Großgrundbesitzer und die Deutschen als Beamte und Handwerker eine nennenswerte Rolle spielen konnten.

Die Sozialstruktur der Großbojaren, die ursprünglich 17 Familien zählten, war derjenigen in der Moldau ähnlich, denen der bedeutende rumänische Aufklärer dieser Epoche, Ion Budai Deleanu, jede höhere Bildung absprach und von denen er behauptete: „Sie vereinigten in sich den türkischen Stolz, die griechische Verschmitztheit und die jüdische Habsucht ...", so daß „sie alle diese drei Gattungen Leute übertreffen"[34]. Bei den Kleinbojaren unterschied man zwischen „mazîli" und „ruptaşi", die je nach der Größe ihres Landbesitzes robotpflichtige Untertanen besaßen, und neben ihnen gab es noch zwei Kategorien von Freibauern, „fruntaşi" und „răzeşi" genannt, letztgenannte auch als „After-Adel" bezeichnet[35]. Eine besondere Sozialkategorie bildete die recht zahlreiche Klostergeistlichkeit, die sich „vorzüglich mit dem Wirtschaftswesen und mit Pachtungen" abgab und „in der Religion selber sehr unerfahren" war, wie wiederholt im ausgehenden 18. und beginnenden 19. Jahrhundert festgestellt wurde[36]. Um diese Mißstände zu beseitigen, hatte schon 1780 der führende Repräsentant der Großbojaren in der Bukowina, Basilius Balş, in einer Denkschrift die Bildung eines Konsistoriums vorgeschlagen, dem auch weltliche Räte mit vollem Stimmrecht angehören sollten. Daraufhin wurde 1781 mit Kaiserlichem Handschreiben „eine durchgreifende Kirchenreform" verfügt, die zunächst zur Errichtung des Konsistoriums und später zur Zusammenfassung des säkularisierten Kirchenvermögens in einem Religionsfonds führte. Mit der Einrichtung dieses Konsistoriums wurde die Kirchenselbstverwal-

[33] Die Mehrzahl der Flüchtlinge kam aus Galizien, an zweiter Stelle standen Siebenbürger Rumänen. Vgl. F. von Zieglauer: Geschichtliche Bilder XII, 10–20; u. E. Beck: Das Buchenlanddeutschtum, 74f.

[34] I. Nistor: Românii şi Rutenii în Bucovina, 168–200.

[35] A. von Reichmann: Inspektionsbericht.

[36] F. von Zieglauer: Geschichtliche Bilder II, 20–25.

tung auf breitere Grundlagen gestellt, und durch die Bildung des Religionsfonds die Reorganisation der Klerikerausbildung finanziell abgesichert, so daß 1786 eine Klerikerschule für die Erziehung des Priesternachwuchses errichtet werden konnte[37]. Das Lemberger Gubernium, dem die Bukowina seit Aufhebung der Militärverwaltung unterstand, verwaltete den „Czernowitzer Distrikt" zunächst jedoch nicht mit jener Sorgfalt, die von den Beamten erwartet wurde, so daß es zu häufigen Beschwerden über die Zivilverwaltung Galiziens kam.

Die Einrichtung eines für die Kinder aller ethnischen Gruppen zugänglichen Gymnasiums im Jahr 1808, einer philosophischen Lehranstalt im Jahr 1814/15 und sodann einer höheren theologischen Lehranstalt 1827, die einen kontinuierlichen Ausbau erfuhren und wesentlich zur kulturellen Annäherung an Mitteleuropa beitrugen, waren Erfolge dieser ständigen Abmahnungen. Einen wichtigen Schritt in Richtung auf die allmähliche Okzidentalisierung des Landes bedeuteten die Übersetzungen der im Kaiserreich geltenden Gesetzeswerke ins Rumänische, denn sie sollten nicht nur in der Bukowina eine ordnungsgemäße Rechtspflege in die Wege leiten, sondern wirkten auch über die Landesgrenzen hinaus auf die Donaufürstentümer. So war das österreichische Strafgesetzbuch von 1803 im Jahre 1807 in einer rumänischen Übersetzung erschienen und das Allgemeine Bürgerliche Gesetzbuch (ABGB) von 1811 bereits im darauffolgenden Jahr. Auch die Jagdordnung von 1786, die Westgalizische Gerichtsordnung von 1796 und das zum Schutz der Landesbevölkerung außerordentlich wichtige Wuchergesetz von 1803 erlangten Geltung und schufen den Rahmen für eine ordentliche Gerichtsbarkeit, die das Wirtschaftsleben und vor allem die öffentliche Sicherheit günstig zu beeinflussen begann. Die rumänischen Bojaren sowie die Vertreter des josephinisch präformierten Klerus fügten sich zunächst nur widerwillig in die neue Ordnung, erkannten aber allmählich die Vorteile der klaren Grenzen zwischen Verboten, Möglichkeiten der Selbstentfaltung und Geboten des neuen Staatsverbandes und begannen sie auszuschöpfen. Hierfür bietet die im Werden begriffene Konfessionsnationalität der Rumänen und Ruthenen zahlreiche Beispiele. Bis zum Revolutionsjahr 1848 traten vor allem die Bischöfe als Wortführer ihrer ethnisch gemischten Glaubensgemeinschaft auf, wobei es zunächst um die Abwehr von Unions- und Katholisierungsbestrebungen, später auch um kulturnationale und kirchlich-organisatorische Probleme ging.

Unter dem Einfluß einer sozial differenzierten, nach Wien orientierten rumänischen Bildungs- und Oberschicht, die mit Hilfe ihrer vorherrschenden Stellung in Kirche, Verwaltung und öffentlichem Leben die ruthenische Grundschicht überlagerte und auch der polnisch-galizischen Verwaltung entgegentreten konnte, wurden während des Revolutionsjahres 1848 umfassende politische Forderungen artikuliert, die nach der Trennung der Bukowina von Galizien und der Konstituierung

[37] E. Prokopowitsch: Die rumänische Nationalbewegung, 75ff.; sowie F. von Zieglauer: Geschichtliche Bilder II, 53–55.

als eigenes Kronland schrittweise realisiert werden konnten. Die rumänisch-orthodoxe Elite gab dabei die Bindungen an das Muttervolk nie auf, wobei ihr vom Staat kaum Hindernisse in den Weg gelegt wurden. Dies wird im Bereich der Denkmalspflege, insbesondere bei der sachkundigen Restauration der monumentalen Klosterbauten mit ihren herrlichen Fresken ebenso deutlich wie bei dem Neubau von Kirchen, dessen Genehmigung allerdings oft zahlreiche Bittschriften hatten vorangehen müssen.

So hat, um nur ein Beispiel zu erwähnen, die Bischofskirche des orthodoxen Bistums Czernowitz, um deren Erbauung eine Generation lang gekämpft worden war, nahezu denselben Grundriß und die gleiche Form wie die Metropolitankirche der Karlowitzer Erzbischöfe und jene wieder die der Peter-Paul-Kirche in Moskau. Den großen Leistungen auf dem Gebiet der Architektur und Denkmalpflege, die von einer kleinen Gruppe von verantwortungsbewußten Verwaltungsbeamten – darunter auch viele rumänische Landeskinder – getragen wurde, stand in den Jahrzehnten des Vormärz eine eigenartige Lethargie, insbesondere im „rumänischen Volksteil“[38], gegenüber. Zunächst hatte man es in Wien verstanden, aus dem Kreis der aufgeklärten und reformfreudigen Bojaren einige führende Persönlichkeiten in den Staatsdienst zu übernehmen, wie Baron Basilius Balş, Ion Budai Deleanu und andere[39], die im Interesse einer allgemeinen Prosperität für die untertänigen Bauern und für die Bekämpfung des Ämterschachers in der orthodoxen Kirchenhierarchie eingetreten waren und dadurch in einen natürlichen Gegensatz zu den Kreisen der konservativen Gutsbesitzer und Pächter gerieten. Die führenden rumänischen und deutschen Gesellschaftskreise ertrugen nur mit Widerwillen die Abhängigkeit von Galizien. Innerhalb der rumänischen und deutschen Eliten aber wurde im stillen eifrig politisiert, was nicht nur die ständige Opposition beweist, die so weit ging, daß die Adligen es ablehnten, an den Sitzungen der Stände Galiziens teilzunehmen, sondern auch das „Promemoria zur Bukowiner Landespetition vom Jahre 1848“, das mit stichhaltigen Argumenten für die Gewährung der Autonomie und somit eine Trennung von Galizien eintrat[40].

Bessarabien, das 1812 im Frieden von Bukarest vom Fürstentum Moldau abgetrennt und dem Zarenreich angegliedert wurde, umfaßt eine Fläche von 45 000 km^2. Zu Beginn des 19. Jahrhunderts bestand die überwiegende Mehrheit der Bewohner aus Rumänen, neben denen Juden, Ukrainer, Russen, Bulgaren und Tataren sowie deutsche Kolonisten zu der für Ostmittel- und Südosteuropa typischen Siedlungsverzahnung beitrugen. Zur Zeit der ersten zahlenmäßigen Erfas-

[38] M. B. Şafran: Die inneren und kulturellen Verhältnisse, 37.

[39] E. Prokopowitsch: Die rumänische Nationalbewegung, hat alle Namen dieser höheren Beamten erfaßt.

[40] Haupt der Bukowiner Abgeordnetenfraktion im Kremsierer Reichstag war der deutsche Gymnasial-Präfekt Anton Kral, der insbesondere bei dieser Forderung von den Rumänen unterstützt wurde, wie aus dem Promemoria zur Bukowiner Landespetition vom Jahre 1848 hervorgeht.

sung der Bevölkerung im Jahre 1817 wurden 482 600 Seelen registriert, deren Zahl bis 1856 durch natürliche Vermehrung und Einwanderungen auf 990 300 stieg[41]. Die Sozialstruktur des rumänischen Ethnikums wies dieselben Grundzüge auf wie in der Moldau, nur daß die Städte und Märkte in weitaus stärkerem Maße polyethnische Gebilde darstellten. Der Großgrundbesitz befand sich auch hier in den Händen weniger Bojarenfamilien oder in denen der Klöster, die Zahl der Kleinbojaren und der Freibauern war gering.

Ähnlich wie die österreichische Verwaltung in der Bukowina war auch die russische zu Beginn der Herrschaftsübernahme darum bemüht, rumänische Bojaren in führende Beamtenstellen zu berufen. So wurde 1812 Skarlat Sturdza, Sproß einer alten Bojarenfamilie, zum provisorischen Gouverneur der neuen Provinz ernannt, die bestehende Rechts- und Verwaltungsordnung – einschließlich des Gewohnheitsrechts – bestätigt und das Bistum zu einem Erzbistum erhoben. Das im April 1818 für Bessarabien erlassene Organisationsstatut sah auch die Errichtung eines Obersten Rates von 11 Mitgliedern vor, von denen 6 durch Wahl und 5 durch Ernennung bestimmt werden sollten. Zu den Aufgaben dieser mit weitreichenden Kompetenzen ausgestatteten Körperschaft gehörte neben Exekutiv- und Administrationsfunktionen die Belebung und Kontrolle des Wirtschaftslebens, doch klaffte auch hier ein breiter Graben zwischen Organisationstheorie und Verwaltungspraxis der Gouverneure und Militärbefehlshaber.

Da Skarlat Sturdza bereits 1813 durch General Hartung abgelöst worden war, setzte sehr früh eine Russifizierung der Verwaltungsorgane ein, die mit dem Regierungsantritt Nikolaus I. noch intensiviert wurde. Durch kaiserlichen Erlaß vom Februar 1828 wurde die eingeleitete Assimilation von Verwaltung und Rechtspflege auf neue staatsrechtliche Grundlagen gestellt und die Berufung russischer Richter und Beamten verfestigt. Damit begann auch das Rumänische, das bisher offizielle Amtssprache und somit Verhandlungssprache der Gerichte gewesen war, seine Stellung zugunsten des Russischen einzubüßen[42].

Anläßlich des Friedens von Adrianopel erhielt Rußland dann auch die Teile zwischen den Donaumündungen, dem Pruth und Jalpuch bis hin zum Trajanswall mit den Festungen Ismail und Chilia (Kilia) zugesprochen, die seit Beginn der Eroberungsfeldzüge des Osmanischen Reiches als sancaks, d.h. als Kreise (ursprünglich Fahne) eines Militärverwaltungsbezirks, einen Sonderstatus besessen hatten. Dieses Gebiet, das eine Fläche von rund 11 000 km^2 umfaßte und 180 000 Einwohner zählte, wurde nach Beendigung des Krimkriegs dem Zarenreich wieder abgesprochen und dem Fürstentum Moldau angegliedert. Im Berliner Frieden von 1878 erhielt Rußland den größten Teil dieser Region jedoch zurück, eine Abtretung, für die Rumänien mit der Dobrudscha, einer damals sehr heterogen besiedelten Provinz zwischen unterer Donau und Schwarzem Meer, entschädigt wurde. Weitaus

41 A. Babel: La Bessarabie, 228f. und 135f.
42 *Ders.:* La Bessarabie, 135f.

gravierender als diese geringfügigen territorialen Veränderungen war das politische Klima, das die Gesellschaftsstruktur nachhaltig beeinflußte; denn anders als in der Bukowina, den Donaufürstentümern und Siebenbürgen einschließlich des Banats war die Zeit des Vormärz hier durch die Unterdrückung aller liberalen und nationalen Strömungen gekennzeichnet. Die Bojaren blickten zum russischen Adel auf und waren bemüht, sich dem Lebensstil dieser hierarchisch fest strukturierten Feudalschicht anzupassen, vom höheren Klerus darin unterstützt, da zwischen Staat und Kirche keinerlei Spannungen bestanden. Mit der Errichtung eines wohldotierten Priesterseminars in der Hauptstadt des Gouvernements Kišinev (Chişinău), das besser ausgestattet war als das Seminar in Jassy, wurde auch der mittlere und niedere Klerus, zunächst wenigstens, für das Zarenreich gewonnen, so daß die starke Abschirmung gegen Einflüsse aus West- und Mitteleuropa sowie das allmählich stärker werdende Bildungsgefälle kaum wahrgenommen wurden. Seit dem Revolutionsjahr 1848, das zu einer Verschärfung der antiliberalen Repressionen im Zarenreich Anlaß gab, wurde die Vernachlässigung des Bildungswesens in Bessarabien besonders deutlich. Noch 1859 gab es nur zwei klassische Lyzeen mit 342 Schülern und 18 Elementarschulen mit etwas mehr als 1000 Schülern, so daß der Rückstand in der allgemeinen kulturellen Entwicklung zu einem unverhältnismäßig hohen Prozentsatz von Analphabeten führte. Erst mit der Aufhebung der Leibeigenschaft und der Einführung der Semstvos in den 8 Distrikten Bessarabiens im Jahre 1869 wurde der Einrichtung von Schulen größeres Gewicht beigemessen. In der Zwischenzeit war die Mehrzahl der Bojaren[43] sowie des höheren Klerus den Einflüssen der Russifizierungspolitik erlegen, so daß die verhältnismäßig spät einsetzende Nationalbewegung des rumänischen Ethnikums in erster Linie von der dünnen Schicht der Lehrer und einem Teil des niederen Klerus getragen werden mußte. Bei der konservativen Landbevölkerung fanden die Ziele der liberalen Strömungen aus der benachbarten Moldau nur geringen Anklang, denn die langjährige Befreiung vom Militärdienst und die großzügigen Landzuteilungen aus Beständen der Großgrundbesitzer, der Klöster und der Staatsdomänen, die ähnlich wie in Kongreßpolen zum Zweck einer besseren Integration erfolgt waren, hatten zu einer starken Loyalität gegenüber dem Zarenreich beigetragen. Die strengeren Zensurbestimmungen, die eine Einfuhr von Druckerzeugnissen aus Rumänien unmöglich machten, taten ein übriges, um die Bevölkerung von den kulturellen und politischen Strömungen der westlichen Nachbarländer abzuschirmen.

[43] O. Ghibu: Dela Basarabia rusească, XXXIX.

Modernisierungsimpulse der Aufklärung

Die Donaufürstentümer

Seit der Mitte des 18. Jahrhunderts mehrten sich in den beiden Fürstentümern die Anzeichen einer kritischen Rückbesinnung auf die eigene Vergangenheit, zumal das mit der Phanariotenherrschaft begonnene Fürstenkarussell eine immer unerträglicher werdende Steuerschraube in Bewegung gesetzt hatte. Mit der wachsenden Opposition der Bojaren gegen die politische und kulturelle Überlagerung durch die im Dienst der Pforte stehenden griechischen Herrscher gewann das Interesse an den Geschehnissen in Rußland und im Habsburgerreich neue Auftriebe. Die Schrift, „Das Leben Peter des Großen" fand bereits 1749 einen rumänischen Übersetzer in Matei Fărcăşanu, kursierte seither in zahlreichen Abschriften und weckte die Aufnahmefähigkeit für andere Reformpläne in Rußland, für die Auswirkungen der Modernisierung im Habsburgerreich und später auch für die Neuerungen in anderen Ländern Westeuropas. Auch der Nakaz Katharinas II., der im westlichen Europa größere Verbreitung gefunden hatte als in Rußland selbst, wurde auf Initiative des Metropoliten Gavril Callimachi ins Rumänische übersetzt und 1773 in Jassy veröffentlicht, so daß er seither eine wichtige Quelle für die rumänische Frühaufklärung bildete. Ein anderer aufgeklärter Kleriker, der Bischof Chezarie von Rîmnic, bemühte sich bereits 1778 um den Erwerb der französischen Encyclopédie, um es Bischof Iacob Stamate und Erzbischof Filaret gleichzutun, die gegen Ende des 18. Jahrhunderts im Besitz dieser Werke waren. Der Erzbischof der Moldau, Leon Gheuca, der sich im Jahre 1787 mit einer Denkschrift an Katharina II. gewandt hatte und dessen Bibliothek dafür bekannt war, daß sie auch Werke der Aufklärung enthielt, hatte die Übersetzung der Bücher Fénelons angeregt und selbst Schriften des französischen Theologen und Philosophen Massillon übersetzt, und Bischof Iacob war im Glauben an den hohen Wert der Bildung mit Nachdruck für eine Verbesserung des Unterrichts an den wenigen öffentlichen Schulen eingetreten[44]. Die höhere Geistlichkeit, die über die erforderlichen Mittel für so kostspielige Anschaffungen verfügte, hatte also nicht nur die Vorgänge bei den Glaubensbrüdern im rechtgläubigen Rußland, sondern ebenso die neuen Erkenntnisse in Frankreich mit großer Aufmerksamkeit verfolgt. Hierfür gab es einige Voraussetzungen, denn die Kenntnis des Französischen und Italienischen war schon vor der Französischen Revolution und der Einwanderung französischer Emigranten recht verbreitet. J. L. Carra, der zu Mitte der siebziger Jahre „die

[44] Vl. Georgescu: Ideile politice, 44f., 52 und 65f., sowie A. Duţu: Tradition und Innovation, 113f.

Unwissenheit in beyden Ländern sehr groß" fand, vermerkte mit Wohlgefallen, daß man trotzdem „einzelne Männer" fände, „welche ... durch auswärtigen Unterricht" sich so weit gebildet haben, „daß man sie an die Seite unserer größten Gelehrten stellen darf", und nennt als Beispiele einen griechischen Arzt sowie zwei moldauische Bojaren, Manolache Bogdan und Sacul. Bogdan, der zusammen mit anderen Bojaren für eine Erweiterung der Landesautonomie eingetreten war und eine Verschwörung gegen die türkisch-griechische Fremdherrschaft vorbereitet hatte, wurde mit seinem Standesgenossen Ioniţă Cuza nach der Rückkehr der phanariotischen Herrscher auf Befehl der Pforte 1778 hingerichtet. Obwohl kein Einzelfall innerhalb der oppositionellen Strömungen rumänischer Bojaren, die ein Gespür für politisierbare Konflikte entwickelt hatten, wird auch hier deutlich, daß vor allem die Intellektuellengruppe der Großbojaren die bedrückenden Zustände bekämpfte, um eine größere Freiheitssphäre zu erlangen.

In der Walachei war Carra von der Verbreitung der Schriften Voltaires beeindruckt, die er „in den Händen vieler junger Bojaren" weiß, sowie überhaupt von dem großen „Geschmack an französischen Schriften"[45]. Durch Vermittlung russischer Offiziere, deren Umgangssprache häufig das Französische war, entstanden während des Türkenkrieges von 1768–74 Freimaurerlogen, die den Einzug modernen Ideengutes erleichterten, und schließlich war die griechische Führungs- und Bildungsschicht während der gesamten Phanariotenzeit ein wichtiges Bindeglied zwischen den westlichen und den östlichen Kulturbereichen. Das Ökumenische Patriarchat in Konstantinopel, das seit jeher darauf bedacht gewesen war, den Bereich der byzantinisch-griechischen Kirche von Einflüssen des katholischen Westens freizuhalten, blieb auch hier nicht untätig und bedrohte die Leser Voltaires mit dem Bann, doch scheint dies die jüngere Generation nicht sehr beeindruckt zu haben, denn die Autorität des Patriarchen war bei den Rumänen spätestens zu diesem Zeitpunkt nicht mehr groß. Man kann somit der Hypothese von Vlad Georgescu folgen, wonach die erste Generation, die sich für die Verbreitung der Aufklärung und für die Schaffung einer größeren innen- und außenpolitischen Freiheitssphäre, vor allem für einen Anschluß an das Geistesleben in Europa eingesetzt hatte, überwiegend dem Kreis der Großbojaren entstammte[46]. Diese Anstöße zur Reform von Verwaltung und Rechtsordnung, bei denen der Anteil sozialer Aspekte unbedeutend war, gingen in hohem Maße aber auch von der höheren Geistlichkeit, den Metropoliten, Bischöfen und Äbten aus, wurden aber ebenso von der griechischen Intellektuellenschicht in den Donaufürstentümern getragen.

Die Idee der individuellen Freiheit wurde vorerst nur auf den eigenen Stand, nicht aber auf die breitere Schicht der Mittel- und Kleinbojaren ausgedehnt, und die

[45] J. L. Carra: Geschichte der Moldau und Wallachei, 141–46.
[46] Vl. Georgescu: Ideile politice, 43ff.

religiöse Kraft und die Stellung der Kirche wurden als Element der Einheit nicht in Frage gestellt.

Die Hinwendung der Elite zu Europa und die Ansätze der Okzidentalisierung erfolgten zunächst mit starker Blickrichtung auf Frankreich. Erst an zweiter Stelle haben Kulturbeziehungen zum süd- und mitteldeutschen Raum – auch hier meist über griechische Vermittlung – eine Rolle gespielt. Noch ist unbekannt, wie klar die Vorstellungen von Europa und den dort herrschenden Verhältnissen waren, doch steht fest, daß mit dem Ansteigen der Oppositionsstimmung gegen die griechische Oligarchie und den von ihr repräsentierten Herrschaftsanspruch der Pforte die Hinwendung zum Westen zunahm. Ein rumänischer Archimandrit (Erzabt) namens Grigore (Chiriac) Rîmniceanu formulierte 1798 diese wohl häufig vorgenommene Gegenüberstellung mit den Worten: „Die Menschen Europas haben einen scharfen Verstand ...". In Europa „sind so viele Gelehrte geboren worden ... dort blühte und blühen Wissenschaft, Handwerk, gute Sitten ...", daher gehört es sich, „daß dieses Europa der Schmuck der Welt" genannt werde.

Während der Französischen Revolution und der Kriege Napoleons wurden die Ereignisse in Frankreich aufmerksam verfolgt, wobei neben der Verkündung der Bürger- und Menschenrechte vor allem die Expedition Napoleons nach Ägypten – weil gegen das Osmanische Reich gerichtet – die Wellen der Frankreich- und Freiheitsbegeisterung hochschlagen ließ. Hinzu kamen die Proklamation des griechischen Revolutionärs Rigas Velestinlis und sein Verfassungsentwurf für eine befreite Balkanhalbinsel, der eine zum Teil wörtliche Übersetzung einzelner Artikel aus den französischen Verfassungen von 1793 und 1795 enthält. Neu und auf die Modernisierungsimpulse der Aufklärung zurückgehend sind u.a. der Art. 22, der den Elementarunterricht für alle Landeskinder zur Pflicht machte und die Errichtung von Volksschulen in allen Dörfern vorsah, um Jungen und Mädchen den Schulbesuch zu ermöglichen. Neben diesen revolutionären Schriften kursierte auch der Aufruf Napoleons an die Ägypter, der aus dem Arabischen ins Neugriechische übersetzt worden war[47]. Da Rigas durch seine vorherige Tätigkeit als Sekretär und Hauslehrer in Bukarest sowie vor allem durch seine zahlreichen Veröffentlichungen – es handelte sich überwiegend um Übersetzungen aus dem Französischen – in den Donaufürstentümern zumindest bei den jüngeren Intellektuellen kein Unbekannter war, wird man davon ausgehen können, daß der erste Höhepunkt des Einflusses französischer Aufklärungs- und Befreiungsideen bereits vor 1800 gelegen hat. Die Verbreitung seiner Schriften, die sozialkritische Aspekte in sehr reichem Maße enthielten, hat maßgeblich zur Veränderung der Lesegewohnheiten, aber auch des politischen Denkens in den beiden Donaufürstentümern beigetragen, wie Alexandru Duţu nachgewiesen hat.

Die Karte Großgriechenlands, die Rigas hatte drucken lassen, wurde von Griechen und Rumänen in Bukarest und Jassy in Hunderten von Exemplaren erworben,

[47] A. Camariano-Cioran: Spiritul revoluţionar, 23.

ebenso seine Übersetzung des „Νέος 'Ανάχαρσις" von Barthélemy, wobei die Schriften teils über die Bukowina und Moldau, teils über Dalmatien versandt wurden und dann wohl ihren Weg in den weiten griechischen Wirtschafts- und Siedlungsraum nahmen[48]. Ob hierbei auch die Freimaurerlogen, die seit 1740 in Korfu, Konstantinopel, Bukarest, Athen und Belgrad entstanden waren, als Umschlags- und Verbreitungsstätten mitgewirkt haben, bleibt offen. Die auf Betreiben der Hohen Pforte vom Patriarchat 1798 eingeleitete Beschlagnahme- und Verbotsaktion gegen die Schriften Voltaires und insbesondere gegen die revolutionären Pamphlete von Rigas Velestinlis mag dazu beigetragen haben, daß sein Entwurf einer Verfassung Balkan-Griechenlands, der ja die Donaufürstentümer einbezog, keine Übersetzung ins Rumänische, übrigens auch in keine andere Sprache Südosteuropas, erfuhr. Man wird hier die Annahme nicht widerlegen können, daß zu diesem Zeitpunkt der politisch orientierte Bojarenliberalismus den griechischen Bestrebungen einer Emanzipation von der Pforte bereits distanziert gegenüberstand. Um die Wende des 18. zum 19. Jh. begann sich dann jener Umschwung im politischen Denken der Bojaren der Moldau abzuzeichnen, der die spätere Herauslösung aus der griechischen Kulturüberlagerung signalisiert und deutliche antiphanariotische Akzente trug. Der Verfassungsentwurf für die „aristokratisch-demokratische" Republik in der Moldau, der 1802 von Dimitrache Sturdza erstellt wurde, läßt vermuten, daß Rigas' Entwurf einer Balkanföderation unter griechischer Führung zu einer ersten konzeptionellen Reaktion geführt hat. Die Grundzüge einer modernen Verfassung mit einem von den Bojaren gebildeten „divanul cel mare", einem Oberhaus, und einem „divan de jos", einer Art Unterhaus, das aus Vertretern aller sozialen Schichten gebildet werden sollte, legen die Vermutung nahe, daß hier das englische Vorbild, wenn auch in reduzierter Form, Pate gestanden hat. Wie klein der Kreis der Mitglieder des geplanten Oberhauses war, ersieht man daraus, daß ihm nur 15 Männer, gewählt aus den Reihen der Großbojaren, angehören sollten, die in fünf Departements Aufgaben der Exekutive wahrzunehmen hätten. Obwohl viele Probleme einer modernen Verfassung unerwähnt bleiben, ist der Charakter eines Modernisierungsplanes für Staatsverwaltung und Rechtsprechung unverkennbar und leitet über zu Tendenzen des ständischen Frühliberalismus[49]. Dimitrache Sturdza wird einer neuen Generation aufgeklärter Bojaren zugerechnet, die zwar noch in ständischem Denken befangen ist, sich aber viel eindeutiger als die kirchlichen Würdenträger und Großbojaren der ersten Generation westeuropäischen Kulturmodellen zuwendet. Das Bewußtsein, Verantwortung für das gesamte Staatswesen tragen zu müssen, der Fortschrittsoptimismus der Aufklärung sowie der Einfluß einer bisher unbekannten Auffassung von Moral und Ethik, wie sie die französischen Romane – häufig in neugriechischen

[48] Der Titel des franz. Originals von Barthélmy lautet: Le voyage du jeune Anacharsis en Grèce, 1788. Ausführlich behandelt diesen Komplex A. Elian: Conspiratorii, 339ff.
[49] Vl. Georgescu: Ideile politice, 115f.

Übersetzungen – vermittelt hatten, haben bei den führenden Großbojaren seit dem ausgehenden 18. Jh. zusammengewirkt. Sie lösten Versuche aus, Institutionen zu schaffen, die den nationalen Gegebenheiten entsprachen und dennoch eine Verbesserung des Systems bedeuteten.
Die Reformbestrebungen der politischen Eliten gingen von sehr unterschiedlichen Modellen und Begriffsinhalten aus, so daß der Ursprung der Modernisierungsimpulse oft schwer feststellbar ist, wie im Falle der Bemühungen von Ion Cantacuzino (1756–1828), der anläßlich der Friedensverhandlungen von 1791 in Sištov in einer seiner Denkschriften als Wortführer walachischer Großbojaren dafür eintrat, daß die Walachei nicht als osmanische Provinz, sondern als autonome Provinz behandelt werde. Es ist bezeichnend für den Geist der Zeit, daß hier sowohl für eine historische Landschaft als auch für den Stand der Großbojaren gesprochen wird, denn nur diese Bojaren besaßen politische Rechte, nicht aber Kaufleute und Handwerker. Man hat diese konservative Einstellung Ion Cantacuzinos sowohl auf die Einflüsse seines nach Rußland emigrierten Onkels Mihai Cantacuzino zurückgeführt, der sich ein ganzes Jahrzehnt (1774–1784) um die Erziehung seines Neffen gekümmert hatte, als auch auf die Rezeption der russischen Herrschaftsstruktur, denn beide – Onkel und Neffe – kannten die Reformen Peters des Großen und Katharinas II.[50]. Man kann aber bei dieser Generation von aufgeklärten Reformplanern in der Moldau wie in der Walachei noch nicht von einer abgrenzbaren politischen Gruppenbildung sprechen, und auch die Modernisierungsbestrebungen wurden nur ganz allmählich auf die Schicht der Mittel- und Kleinbojaren ausgedehnt, da das Bewußtsein, daß erst die Integration der aktivierbaren Schichten und Gruppen das politische Gewicht der Großbojaren stärken würde, noch weitgehend fehlte. Die Anziehungskraft der griechischen Kultur war noch zu groß, der Entwicklungsstand des Rumänischen als Verkehrs- und Literatursprache noch zu rudimentär und das Bürgertum praktisch inexistent, so daß eine „bürgerliche Nation" unvorstellbar war. Vor allem im kulturellen Bereich war die Partizipationsbasis zu eng, um eine homogene, monoethnische Komponente zu bilden. Die Entstehung der griechisch-rumänischen Kulturgesellschaft mit Sitz in Bukarest im Jahre 1811 läßt aber erkennen, wo und von welchem Zeitpunkt an der Wert der rumänischen Volkssprache höher angesetzt wurde als jener der griechischen Hochsprache und seit wann die Wasserscheide zwischen griechischer und rumänischer Bildungsorientierung in Bukarest eine Veränderung erfuhr, nämlich zu Beginn des Jahres 1818. Damals beschloß die „eforie" (Schulpflegschaft) der St. Sava-Schule in Bukarest – unter ihnen Bojaren mit fortschrittlichen Ideen wie Iordache Golescu und Constantin Bălăceanu –, den aus Siebenbürgen stammenden Gheorghe Lazăr (1778–1823), der als einer der ersten Stipendiaten der orthodoxen Diözese Siebenbürgens seine theologische Ausbildung in Wien hatte abschließen können, zum Direktor der neueingerichteten rumänischsprachigen Nationalschule zu berufen,

[50] Ebd., 59, 65.

und zwar für die Lehrgegenstände Arithmetik, Geometrie, Geographie sowie für die Anleitung der Schüler im Unterricht der Bodenvermessung. Damit wurden erste Grundlagen für den mittleren und gehobenen Gebrauch der Muttersprache geschaffen und der Weg für das höhere Bildungswesen geebnet, bis dann 1859 eine Rechtsfakultät und 1860 die Philosophische Fakultät und damit die Universität Bukarest aus der Taufe gehoben werden konnten[51].

Der Gedankenaustausch zwischen den Eliten der beiden Fürstentümer dürfte in den ersten beiden Jahrzehnten des 19. Jh. zunächst nur stockend verlaufen sein, so daß sich im Bereich der Modernisierungstendenzen und der Aufklärungsrezeption gewisse Unterschiede ergaben. Sie lassen sich möglicherweise auf die in der Moldau vorhandene nationale Kohäsion des Klerus, der – wie E. Völkl[52] nachgewiesen hat – weniger vom griechischen und stärker vom russisch-ukrainischen Geistesleben befruchtet worden war, ferner auf die bereits früh auftretenden radikaleren Reformprojekte und wahrscheinlich auf die Einflüsse der theresianisch-josephinischen Reformen zurückführen. Sowohl die räumliche Nähe zu Galizien und der mit ihr seit 1786 gemeinsam verwalteten Bukowina als auch der enge Kontakt mit den dort ansässigen Bojaren zeigten der politischen Führungsschicht der Moldau okzidentalisierte Bildungs- und Verwaltungsmodelle, deren Anregungen aufgegriffen wurden, so daß sich für einige Jahrzehnte eine Phasenverschiebung in den Modernisierungsbestrebungen ergab, die ihr einen Vorsprung gegenüber der Walachei eintrug. Da der griechische Kultureinfluß in der Moldau geringer war als in der Walachei, konnte die Verlagerung der Kulturorientierung von Griechenland auf West- und Mitteleuropa früher beginnen. Dorthin strahlten auch die unmittelbaren Modernisierungseffekte Wiens, die sich in der Bukowina durchgesetzt hatten, stärker aus als jene Siebenbürgens auf die Walachei, zumal in Czernowitz rumänische Bojaren an der Landesverwaltung zahlreicher beteiligt waren als in Siebenbürgen. Zunächst wurde in der Moldau die Ausbildung des Priesternachwuchses 1803 neu geregelt, wobei ein Schulbesuch von 6 Jahren vorgesehen war, der, vom Grundschulunterricht angefangen, über theologische Elementarkenntnisse hinaus auch Logik, Rhetorik, Arithmetik und die Anfänge des Latein vermitteln sollte[53]. Gheorghe Asachi (1788–1869), der ebenso wie Gheorghe Lazăr aus kleinbürgerlichen Verhältnissen stammte, aber durch Begabung und Bildungsgang zu einem bedeutenden Wegbereiter des nationalsprachlichen Unterrichts in der Moldau wurde, hatte schon ab 1813 in Jassy als Lehrer für die heranzubildenden Landvermesser dem Rumänischen zum Durchbruch verholfen, als es noch nicht als Sprache der Verwaltung, der höheren Rechtsprechung und vor allem der Gesetzgebung anerkannt war.

[51] I. Ionaşcu: Istoria Universităţii, 75ff.
[52] E. Völkl: Die griechische Kultur, 110ff.
[53] N. Iorga: Istoria învăţămîntului, 147f.

Auf dem Gebiet von Verwaltung und Rechtspflege war die Rückständigkeit in den Donaufürstentümern besonders groß, so daß die Kritik an der herrschenden Willkür in zahlreichen Beschwerdeschriften und Reformprojekten ihren Niederschlag fand. Versuche, eine grundlegende Modernisierung der Rechtsordnung durch Neukodifizierung der veralteten Zivil- und Strafgesetzgebung in die Wege zu leiten, hatte es im ausgehenden 18. Jahrhundert in der Walachei und zu Beginn des 19. Jahrhunderts in der Moldau wiederholt gegeben, doch lag zunächst die Auffassung zugrunde, diese Gesetze müßten in neugriechischer Sprache veröffentlicht werden. Abgesehen von diesen Kompilationen, die nur geringfügige Einflüsse der von Beccaria und anderen Vertretern einer aufgeklärten Rechtspflege erarbeiteten Grundsätze aufwiesen, unternahm Andronache Donici 1805 in Jassy den Versuch, einer rumänischen Fassung des in der Moldau angewandten byzantinischen Rechts Geltung zu verschaffen. Nachdem er einige Grundzüge des Naturrechts in das Vorwort eingearbeitet hatte – wohl in Anlehnung an das Werk des Österreichers Franz von Zeiller (1753–1828), dessen „Privat Recht" 1802 und dann erneut 1808 erschienen war und dessen Kundmachungspatent zum Allgemeinen Bürgerlichen Gesetzbuch (ABGB) auch in den Donaufürstentümern Beachtung fand, – und den Umfang der Paragraphen nahezu verdoppelt hatte, wurde es zwar 1814 in Jassy veröffentlicht, vom Fürsten aber nicht als offizielles Gesetzeswerk akzeptiert.
Scarlat Callimachi[54], von 1812–1819 Hospodar der Moldau, beschritt dagegen den von Donici vorgezeichneten Weg mit großer Umsicht, aber auch mit beachtenswerter Konsequenz und stellte als aufgeklärter Herrscher eines absolutistisch-autoritären Systems die Weichen für den Übergang zum Frühliberalismus. Bereits 1813 berief er eine Gesetzgebungskommission, in der sich neben dem in Klausenburg und Wien ausgebildeten Siebenbürger Sachsen Christian Flechtenmacher (1785–1843) der Grieche Ananias Kusanos und Gheorghe Asachi hervortaten. Es wird vermutet, daß auch A. Donici, der bald zu hohen Ämtern und Würden aufstieg, an der Kompilation des moldauischen Zivilgesetzbuches mitwirkte, das am 1. 7. 1817 in griechischer Sprache erschien und zu mindestens ⅘ aus dem österreichischen ABGB übernommen war. Auch die westgalizische Gerichtsordnung von 1796, die Jagdordnung von 1786, das Wuchergesetz von 1803, vermutlich auch das Handbuch für Richter von Johann Michael von Zimmerl von 1801 und schließlich der Zeillersche Kommentar des ABGB wurden hierbei berücksichtigt.
Im Familien- und Erbrecht blieb das byzantinische Recht weitgehend erhalten, denn angesichts der starken kulturellen Gräzisierung der Großbojaren und Hofbeamten war eine schnelle Abkehr von gewachsenen Kulturmodellen weder möglich noch erwünscht. Die von Flechtenmacher, Kusanos und Donici vorgenommene Arbeitsrationalisierung – denn wie sonst könnte ein so umfangreiches Werk in so

[54] Callimachi, im Neugriechischen Kallimachis, im Rumänischen auch Calimah.

kurzer Zeit entstehen – hat Georg A. Mantzoufas dargestellt[55]. Er ging der Frage nach, warum der moldauische Codex Civilis vom Jahre 1817 die österreichischen Vorlagen verschwieg, obwohl es damals in Jassy bekannt war, daß die „Zustandebringung dieses Gesetzbuches, wozu das österreichische zur Vorschrift diente...", in weiten Teilen eine Kopie des ABGB war und daß lediglich dort das Gewohnheitsrecht in die neue Gesetzgebung eingeflossen war, wo es gemäß dem Bericht des österreichischen Agenten Raab vom 28. 8. 1819 die „Handelsgebräuche" erforderlich gemacht hatten.
Die Tatsache, daß eine amtliche Übersetzung des ABGB in rumänischer Sprache für die Bukowina bereits 1812 in Czernowitz in der Druckerei Eckart erschienen war, erklärt die erforderliche Zurückhaltung des Fürsten wie der Kommissionsmitglieder bei der Erwähnung von Vorlagen. Donici und die an Rechtsfragen interessierten Großbojaren dürften die 1812 in Czernowitz erschienene Übersetzung, die aus der Feder des bekannten Schriftstellers und Dichters Ion Budai-Deleanu stammte, gekannt haben und es ist unbestritten, daß die Übernahme dieses vom Geist des Josephinismus geprägten Gesetzeswerkes der Moldau den Vorzug verschaffte, bis 1865 über eine fortschrittlichere Zivilgesetzgebung zu verfügen als die Walachei, wo das ABGB im Gesetzbuch des Fürsten Caragea zwar auch Berücksichtigung fand, jedoch nicht im gleichen Ausmaß. An die Stelle der byzantinischen Rechtsnormen, die ein halbes Jahrtausend Geltung gehabt hatten, trat ein vom Geist des aufstrebenden Bürgertums geformtes Rechtssystem, das den Anschluß an das moderne Rechtswesen Österreichs, Frankreichs, Italiens, Preußens und Belgiens einleitete. Es ist mit guten Gründen von Valentin A. Georgescu festgestellt worden, daß dieses von der Aufklärung geprägte Werk über die Erfordernisse der Zeit hinausgriff und eine erst viel später zu vollziehende Entwicklung vorzeichnete, denn die rumänische Gesellschaft der Moldau wies im zweiten Jahrzehnt des 19. Jahrhunderts bei weitem noch nicht jene Struktur auf, für die das Zeillersche Opus paßte[56]. Vlad Georgescu hat in seiner Ideengeschichte dargestellt, daß schon Dimitrache Sturdza, der oben erwähnte Autor eines Verfassungsentwurfes für eine „aristokratisch-demokratische Republik", die „Gleichheit aller Bewohner der Republik, ganz gleich welchen Standes sie waren, vom Größten bis zum Niedrigsten" proklamierte und postulierte, daß sie alle „den allgemeinen Gesetzen unterworfen sein sollten, die vom Departement für Gesetzesangelegenheiten erlassen wurden...". Auch die unmittelbar anschließende Feststellung, daß das Gesetzbuch Calimah sich diesen Grundsatz zu eigen macht, ist richtig, doch entsteht – sicherlich ungewollt – der Eindruck[57], daß zwischen den Ideen des

[55] G. Mantzoufas: Die Gründe für das absichtliche Verschweigen; und F. Wieacker: Privatrechtsgeschichte der Neuzeit, 335–39.
[56] Val. Al. Georgescu und O. Sachelarie: Les contacts entre le droit moldave et le droit autrichien, 177f.
[57] Vl. Georgescu: Ideile politice, 133f.

Verfassungsentwurfs von 1802 und dem Gesetzeswerk von 1813/17 ein Kausalzusammenhang besteht; hierfür fehlt aber leider noch der Beweis.
Weitaus schwieriger als die Neugestaltung des Privatrechts, das zugleich auch Normen des Staatsrechts enthielt, war die Neukodifizierung des Strafrechts und der Strafprozeßordnung, die Ende 1813 eingeleitet, aber erst 1820 mit dem I. Teil und 1826 mit dem II. Teil abgeschlossen werden konnte. Auch hier erfolgte eine starke Anlehnung an das österreichische „Gesetzbuch über Verbrechen und schwere Polizey-Uebertretungen" vom 3. Sept. 1803, das unter dem Titel „Carte de pravilă ce cuprinde legile asupra faptelor răle şi a călcărilor grele de poliţie" (partea I.) 1807 in Czernowitz erschien und weniger fortschrittlich war als das österreichische Strafgesetzbuch Josephs II. von 1787, das die Rechtsauffassungen Montesquieus und Beccarias eindeutiger widerspiegelte. Dennoch bedeutete es einen wichtigen Markstein in der sich nur ganz allmählich menschenfreundlicheren Prinzipien nähernden Strafrechtspraxis. Als es 1820 in Kraft trat, löste es das überaus strenge byzantinische Strafrecht ab, dessen Rechtsnormen noch vom römischen Bedürfnis nach harten Züchtigungsmaßnahmen für verbrecherische Sklaven geprägt worden war. Die „Condica criminalicească", wie dieses Strafgesetzbuch in rumänischer Sprache hieß, sah aber noch zahlreiche Strafen vor, die nur aus der orientalisch-byzantinischen Mentalität der Vergeltung und Abschreckung zu erklären sind. Was aber die Höhe der Schwelle charakterisiert, die der Grundsatz „gleiches Recht für alle" noch nicht überschreiten konnte, war die ausgesprochene Standes- und Klassenjustiz. Für das gemeine Volk (cei proşti) war die Normalstrafe bei Verbrechen die Zwangsarbeit in einem Salzbergwerk, oft noch verschärft durch die vorher zu verabreichende Prügelstrafe vor dem Konak des Hospodaren. Die Bastonnade als unabhängige Strafe, ohne Zwangsarbeit, war die mildere Form des Strafmaßes, während die „evghenisi" – die Vornehmen – für dieselbe Straftat nur mit der vorübergehenden Verwahrung in einem Kloster sowie einer Geldstrafe zugunsten der Kasse des Hospodaren gemaßregelt werden sollten. Was dieses Gesetz auf Dauer schließlich untragbar machte, war die fehlende Begriffsschärfe, der große Ermessensspielraum der Polizeiorgane und Richter und das Beharren auf einer Reihe von Strafmaßnahmen, die ihre orientalisch-byzantinische Herkunft nicht leugnen konnten. Man wird daher die Auffassung von Vlad Georgescu[58] nicht teilen, die Condica criminalicească von 1820 habe das Prinzip der „Habeas corpus-Akte" aufgenommen, denn die Klassenunterschiede sind gerade im Strafrecht und in der Strafprozeßordnung verankert worden, wie die Bukarester Rechtshistoriker Valentin Georgescu und Ovide Sachelarie in ihren Forschungsarbeiten wiederholt hervorhoben.
Das Abschlagen von Gliedern, das Einbrennen von Schandflecken, die Prügel- sowie die Todesstrafe wurden erst von der russischen Verwaltung 1829 teilweise aufgehoben, wobei die Bojaren des Divans sich dieser Humanisierung in der Mol-

[58] Ebd.

dau zu widersetzen versuchten. Sie führten zur Begründung ihrer Forderung auf Beibehaltung der Strafandrohungen des Gesetzes von 1820/26 an, daß die Strafmaßnahmen in der Moldau nicht härter seien als in benachbarten Herrschaftsstrukturen und daß faktisch das Abschlagen von Gliedern sowie Folterungen keine Anwendung mehr fänden, daß die Abschaffung der Todesstrafe aber noch nicht möglich sei, da es an Raum in den Strafanstalten fehle und diese nicht genügend sicher seien[59].

So standen den Bemühungen der kleinen Intellektuellengruppe unter den Bojaren die konservativen Vertreter dieses Standes gegenüber, stets darauf bedacht, ihre Macht uneingeschränkt zu behaupten und die Standes- und Klassenunterschiede auch in ihrem Bereich zu erhalten, so daß sie versuchten, die Feudalrechte, die das Strafgesetzbuch enthielt, um jeden Preis auszuweiten und Neuerungen einzuschränken oder ganz zu verhindern. Entscheidend für den Sieg der konservativen Bojarengruppe, die nicht nur im Divan, sondern später auch in den Landtagen und Parlamenten eine einflußreiche Fraktion bildete, waren die Schwierigkeiten bei der Anwendung einer neuen Strafprozeßordnung und bei der Humanisierung des Strafvollzuges. Hier hatte es zwar ebenfalls eine österreichische Vorlage von 1803 gegeben, die bereits 1807 in einer rumänischen Übersetzung erschienen und in der Bukowina geltendes Recht war, doch verzögerte sich die Ausarbeitung des Verfahrensrechts in der Moldau infolge des Hetairistenaufstandes, der nicht nur bei den wohlhabenden Türken und Griechen, sondern auch bei den rumänischen Großbojaren eine Fluchtwelle ausgelöst hatte. Fürst Callimachi, der Ende Juni 1819 von Sultan Mahmud II. zurückberufen und nach Ausbruch des griechischen Freiheitskampfes auf Befehl des Sultans erdrosselt worden war, konnte sein Werk nicht mehr fortsetzen, und auch die von ihm geduldete Westorientierung schien nicht ratsam zu sein, denn noch war die Macht des Osmanischen Reiches trotz aller Verfallserscheinungen ungebrochen. Weitere Gründe für eine nur geringe Anlehnung an das österreichische Verfahrensrecht war der Wunsch nach einem recht einfachen Prozeßrecht und die Notwendigkeit, dieses der bestehenden Gerichtsverfassung – genauer gesagt, der überkommenen Organisationsstruktur – anzupassen. Dieser II. Teil des Strafrechts, der 1826 redigiert worden war, bedeutete daher nur einen sehr geringen Fortschritt, was in der Folgezeit in einer Reihe von krassen Übergriffen und gräßlichen Folterungen mit Todesfolge bei Voruntersuchungen und Geständniserpressungen seinen Niederschlag fand. Die Langlebigkeit orientalischer Straf- und Rechtspflegevorstellungen charakterisierte ein Reisender, der Ende der vierziger Jahre Bukarest besuchte: „Die Zuchtpolizei hat noch viel Türkisches an sich, und Prügelstrafen", die immer noch in der Öffentlichkeit vollstreckt wurden, „erinnern noch sehr an die beliebte Bastonnade"[60]. Das Fehlen

[59] Val. A. Georgescu: Locul gîndirii lui Beccaria, 692.

[60] E. A. Quitzmann: Deutsche Briefe über den Orient, 295; und L. Storch: Des Wagnergesellen D. Ch. Döbel Wanderungen, 53f. u. 86f.

einer wirksamen Rechtsordnung sowie die oft zur Despotie entartete Herrschaft einzelner lokaler Machthaber hatten zu einer Verrohung geführt, die in krassem Gegensatz zu den Theorien damals moderner Rechtsphilosophen stand.
Die normative Kraft der Polizei-, Strafvollzugs- und Verurteilungspraxis zeigte demnach das höchste Maß an Beharrungsvermögen: weder die von dem großen griechischen Aufklärer Adamantios Korais bereits 1802 veröffentlichte Übersetzung Beccarias noch die nach dieser Vorlage 1824/25 erfolgte Übersetzung ins Rumänische, die allerdings zunächst nur handschriftliche Verbreitung fand, haben vor 1829 nennenswerte Auswirkungen auf die Gesetzgebung in der Moldau und Walachei gehabt, denn man fand dort angesichts dringend erforderlicher Anpassungs- und Modernisierungsvorgänge formaler Art in der Staats- und Gefängnisverwaltung kaum die Muße, sich rechtsphilosophischen Betrachtungen hinzugeben. Dabei hatte es vor allem in Bukarest nicht an berechtigter Kritik gefehlt, weil die Modernisierung der Gesetzesnormen, des Verfahrensrechts und vor allem des Strafvollzugs dringend erforderlich war. So brandmarkte Constantin Moroiu, der von 1820–24 zusammen mit den bekannten Vertretern der rumänischen Aufklärung italienischer Prägung, dem Mönch Eufrosin Poteca (1785–1858) und Simion Marcovici (1802–1877), in Pisa Jura studiert und mit einer Dissertation über das Gefängniswesen promoviert hatte, die katastrophalen Zustände des Gefängnisses in Bukarest, das er zu Studienzwecken aufgesucht hatte. „Das Gefängnis war ein großer Raum ohne jedes Möbelstück für 60 Gefangene, die auf dem Boden schliefen, ohne Zudecke, die Untersuchungshäftlinge zusammen mit den Verurteilten, von einem der ihren, dem Chef der Diebe, beaufsichtigt, in Lumpen gekleidet, ohne regelmäßige Verpflegung, so daß sie an den Fenstern des Zuchthauses standen, um zu betteln, oder von einem Wächter begleitet, bettelnd durch die Straßen zogen. Nachts wurden sie in der Weise eingeschlossen, daß ihnen zwei lange und mit Fußöffnungen versehene Hölzer angelegt wurden, so daß sie die Nacht in ein und derselben Stellung verbringen mußten, mit dem Gesicht nach oben. Die im Gefängnis durch den Strang Hingerichteten blieben drei Tage am Galgen, die außerhalb Exekutierten blieben bis zur Verwesung liegen und fanden ihr Grab im Magen der Tiere. Wer aber zum Tode verurteilt worden war und wem die fürstliche Gnade das Leben schenkte, dem wurden in Abänderung des Urteils die Hände abgeschlagen."
Moroiu übte vor allem Kritik an den Foltermaßnahmen bei Verhören von Angeschuldigten und formulierte resignierend: „Wir werden immer für Barbaren gehalten werden... Wer das Verbrechen bekämpfen will, mache das Zuchthaus zu einer Stätte der Hoffnung und einer Besserungsanstalt, und nicht zu einer Hinrichtungsstätte." Diese am Vorabend großer innen- und außenpolitischer Veränderungen geschriebene „Disertaţia" von 1827 hat ihren Zweck nur in Bruchteilen erfüllt, die Mißstände im rumänischen Strafvollzug ließen sich nur schwer beseitigen. Noch Ende der dreißiger Jahre registrierte ein Reisender: „Die Verbrecher, welche ihre Laster nicht eingestehen wollen, erhalten stark gesalzene Fische ohne Wasser,

wodurch dann zuletzt ein Jeder ja sagen muß, weil der Tod ihm wünschenswerth gegen die unnatürliche nicht möglich auszuhaltende Qual seyn muß. Der einmal Gefangene ist daher gezwungen, sich als Verbrecher anzugeben, wenn er auch unschuldig ist...“[61].

Die politischen Auswirkungen des Josephinismus

Das Banat, Siebenbürgen und die Bukowina waren seit Beginn der theresianisch-josephinischen Reformen einem beschleunigten Wandel in allen Bereichen des öffentlichen Lebens unterworfen, der die Rumänen ebenso erfaßte wie Serben, Siebenbürger Sachsen und Magyaren, denn der Versuch, den Analphabetismus durch die Einrichtung eines muttersprachlichen Schulwesens zu reduzieren, bereitete den Boden für eine breiter werdende Partizipationsbasis vor. Lange bevor England als Förderer und Beschützer der bedrückten Völker Europas in Erscheinung trat, hatte Joseph II. versucht, den zurückgesetzten Sprach- und Glaubensgemeinschaften insbesondere in der ungarischen Reichshälfte zu einer bescheidenen, aber in dieser Zeit revolutionierend wirkenden Besserstellung zu verhelfen. Seine Absicht war es, unhaltbar gewordene Feudalstrukturen allmählich zu überwinden und ein neues Verhältnis zwischen diesen Grundschichten und dem aufgeklärten absolutistischen Staate zu schaffen, gleichzeitig aber auch die Wirtschaft des Landes zu heben. Die eingeleiteten Erleichterungen für den Buchdruck und für die Herausgabe von Zeitungen hatten Ungarn, Siebenbürger Sachsen und Griechen 1784 als erste zu nutzen verstanden, Beispiele, die auf die Rumänen ihre Wirkung nicht verfehlten, so daß 1789 ein erster Versuch belegt ist, in Hermannstadt ein rumänisches Blatt zu drucken. Hermannstadt, damals das kulturelle Zentrum der Sachsen, war ähnlich wie Kronstadt, Temeswar im Banat und später Czernowitz ein wichtiger Druckort deutscher und rumänischer Kalender, erster Lesestoff einer nur allmählich sich zu einer Leserschicht formenden Gesellschaft. Bereits 1784 war in Hermannstadt von dem Prediger J. Filtsch eine Lesegesellschaft gegründet worden, die 1789 erstmals an die Öffentlichkeit herantrat. 1792 wurde dort der Plan für die Gründung einer „Sozietät der Wissenschaft“ entwickelt, so daß diese Innovationsmuster auch auf die Rumänen anregend wirkten, die bemüht waren, sich an sächsischen Vorbildern zu orientieren. Dies gilt wohl erstmals für das Zeitungsprojekt, dessen Initiator und Antragsteller „Johann Molnár, k. k. bestellter Oculist in Siebenbürgen“ war. Dieser Sohn eines orthodoxen Pfarrers aus Zood/Sad, der mit seinem rumänischen Namen Piuariu-Molnár hieß, wollte das Projekt zusammen mit Aron Budai, dem Bruder des Schriftstellers, Übersetzers und Historikers Ioan Budai-Deleanu, der das ABGB von Zeillers für die Bukowina übersetzt hatte,

[61] Th. C. A. Hallberg-Broich: Reise nach dem Orient, 67; und Val. A. Georgescu: Locul gîndirii lui Beccaria 689ff.

verwirklichen. Der Gouverneur Siebenbürgens, Graf Georg Bánffy, Provinzial-Großmeister der Freimaurerloge „St. Andreas zu den drei Seeblättern", die in Hermannstadt von 1767 bis 1790 bestand, ein Logenbruder Molnárs, befürwortete dieses Vorhaben, denn durch die Herausgabe eines Wochenblatts „Walachische Zeitung für den Landmann" hoffte man, „die Walachische Geistlichkeit und durch diese das Walachische Volk ... auf verschiedene ihnen noch unbekannte Vortheile in ihrer Oekonomie" hinweisen zu können[62]. Daß diese Absicht im Schoß einer Freimaurerloge mit ausgesprochen polyethnischer und sozial buntgemischter Zusammensetzung entstand, kennzeichnet den Zeitgeist vor Ausbruch der Französischen Revolution und dem bald darauf erfolgten Tod des Reformkaisers. Der Widerruf der meisten seiner Reformen und der Jubel eines Großteils des magyarischen Adels, aber auch anderer Stände in Siebenbürgen und dem Banat, ließ Serben und Rumänen nicht grundlos befürchten, daß Eingriffe in alte und neue Privilegien bevorstünden. Diese neuen Rechte erstreckten sich von dem Verbot für die Grundherren, die Angehörigen griechischer Kirchen an ihren Feiertagen zu Frondiensten heranzuziehen, bis hin zur Konzivilität auf dem Fundus regius und der Aufhebung von Beschränkungen beim Kirchenbau, soweit die Gemeinde wenigstens 100 Familien zählte[63].

Als Kaiser Leopold II. die Einberufung eines Kongresses der „Illyrischen Nation" nach Temeswar genehmigte, um einen Nachfolger für den verstorbenen Metropoliten zu wählen, befanden sich unter den hundert gewählten Delegierten auch Rumänen aus dem Banat und den zu Ostungarn gehörigen Komitaten, die Teil des Partiums gewesen waren. Der Zeitpunkt, die Zahl der Vertreter und die feierliche Form der Kongreßeröffnung sollten ein Zeichen für die ungarische Adelsnation sein, ihre Ablehnung gegenüber dem verstorbenen Kaiser nicht auch auf seinen Bruder und Nachfolger zu übertragen und den Gedanken an die Wahl eines ungarischen Königs aus einem anderen deutschen Fürstenhaus – worüber man mit Weimar und Herrn von Goethe schon geheime Verbindungen aufgenommen hatte – zu begraben, da Serben und Rumänen ihrerseits nur zu leicht gewillt sein könnten, der Adelsnation große Sorgen zu bereiten, ähnlich wie beim Bauernaufstand Horias 1784, der den Magnaten, deren Frauen und Töchtern noch in schmerzlicher Erinnerung war. Die gewählten Delegierten kamen dann auch mit zahlreichen Klageschriften wegen der konfessionellen und sozialen Bedrückungen, und erstaunlicherweise hatten die Rumänen des Banats und Ostungarns, wie z. B. aus dem Komitat Großwardein, die längsten Klageschriften, wobei sich diejenigen aus Ostungarn zumindest indirekt gegen den Bischof der Unierten, Ignatie Darabant (1788–1805), und somit auch gegen die katholische Kirche richteten. Die Banater Serben bemühten die geschichtliche Vergangenheit, um in langen Denkschriften

[62] V. Ciobanu und S. Dragomir: Acte şi documente, 1–2; und I. Lupaş: Doctorul Ioan Piuariu-Molnar, 653 ff.

[63] F. von Zieglauer: Die politische Reformbewegung, 11–14.

und rechtshistorischen Darlegungen ihre Forderungen vorzubringen, wobei die „Valachi, Rasciani et Rutheni" als polyethnische Glaubensgemeinschaft und Konfessions-Nation präsentiert wurden.
Gemäß der Instruktion für den königlichen „Congress-Comissär" wurden diese Beschwerden und Postulate des Temeswarer Kongresses in drei Abteilungen gebracht, von denen die erste allgemeine Wünsche und Beschwerden, die zweite vorwiegend Anträge zur Verbesserung des Schulwesens und der Volksbildung, die dritte Bitten einzelner Diözesen und „Volksclassen" umfaßte, welche von mehr „particulärem" Interesse waren. Im Mittelpunkt der politischen Petita der „illyrischen Nation" stand der Wunsch, das Temeswarer Banat als Territorium mit einer eigenen Hof- und Landesstelle auszusondern und den Bewohnern der dort gelegenen Bezirke die Privilegien zu bestätigen, insbesondere „den Bürgern ... das volle Eigenthumsrecht ihrer Grundstücke". Die Deputierten wandten sich ferner gegen die 1778 gegen „ihren Willen und Verschulden erfolgte Reincorporation" des Banats in das Königreich Ungarn und den von den Komitatsbeamten an den Tag gelegten „Muthwillen" und die „gewalttätige Kränkung" und forderten schließlich die Übernahme nichtadliger Bewerber in den Dienst „bei öffentlichen Hof- und Landesstellen" und auch, daß diese dann „nach Verdienst in den Adelstand erhoben" werden sollten. Einen weiteren großen Schritt in Richtung einer Aufhebung der Privilegien des ungarischen Adels und der eigenen Gleichberechtigung bedeutete die Forderung, daß einer der ihren, nämlich „ein Nationalist oder der Metropolit zum Obergespan des Syrmier oder Veröczer Comitats ernannt werde", sowie nach stärkerer Beteiligung an der Selbstverwaltung in den königlichen Freistädten, in denen der gewählte Magistrat nicht auch aus Mitgliedern der serbisch-orthodoxen Glaubensgemeinschaft bestand.
Aber nicht nur bürgerliche Freiheiten und Rechte, sondern auch die Beseitigung aller sich aus den Glaubensunterschieden ergebenden Benachteiligungen wurden gefordert, wohl in der Hoffnung, daß Kaiser Leopold II. einen Teil dieser Wünsche, die in der Folge auch von den meisten Wortführern des Frühliberalismus erhoben wurden, erfüllen könnte[64].
Nicht nur Serben und Rumänen des Banats und Ostungarns wurden von dem durch den Josephinismus gemilderten Pulsschlag der Freiheitsbestrebungen westeuropäischer Prägung erfaßt, auch die Rumänen Nordost-Siebenbürgens bemühten sich um Teilhabe an der rechtlichen Besserstellung jener zurückgesetzten Sprach- und Glaubensgemeinschaften, die nicht zu den anerkannten ständischen Nationen zählten. In diesen Auseinandersetzungen gab es von Anfang an zwei Argumentationsschwerpunkte, die richtungsweisend wurden. Im Juli 1790 verfaßten zwei rumänische Priester, Ioan Para, Vikar von Năsăud/Nösnerland/Naszód in Nordost-Siebenbürgen, und der Fogarascher Vikar Ioan Halmaghi, eine Bitt-

[64] J. Schwicker: Politische Geschichte der Serben, 377f. und S. Gavrilović und N. Petrović: Temišvarski Sabor, 279f., 297–303 und 317–321.

schrift an Kaiser Leopold II., in der sie im Namen der Unierten und der Nichtunierten Siebenbürgens die Einberufung eines Kirchen-Kongresses „ad analogiam nationis Illyricae" verlangten. Neben diesem Kongress, mit dem sie eine politische Repräsentationskörperschaft erhalten hätten, forderten sie die Gleichberechtigung mit Klerus, Adel, Freien und „Colonen" – wie die Leibeigenen (Jobagyen) seit dem kaiserlichen Dekret vom 22. 8. 1785 genannt werden sollten – der anerkannten drei ständischen Nationen.

In welchem Ausmaß die Rumänenpolitik Wiens für die nun vehement einsetzende Entwicklung und Verbreitung des nationalen Geschichtsbildes eine Rolle spielte, wie M. Bernath es darstellt[65], oder wie sehr das Vorbild der serbisch geführten „illyrischen Nation" bei diesem Kampf um Gleichberechtigung einwirkte, soll hier nicht abgewogen werden. Jedenfalls finden sich gleichlautende Passagen in fast allen Denkschriften der folgenden Jahre. Dabei rief die Forderung nach Beteiligung der Colonen an den Rechten der Nation bei den etablierten Ständen den heftigsten Widerstand hervor, weil sie ihre politischen und wirtschaftlichen Grundlagen gefährdet sahen. Nur schrittweise konnten die Rumänen ihre Wünsche im Verlauf des nächsten halben Jahrhunderts realisieren.

Der zweite Schwerpunkt der Postulate, an dessen Formulierung rumänische Delegierte aus dem Banat mitgewirkt haben und der für die Entwicklung des Frühliberalismus im gesamten rumänischen Sprachraum eine ideengeschichtliche Rolle spielen sollte, war die „bürgerliche Freyheit eines jeden Menschen". Hier wird deutlich, wie sich unter der ungarischen Verwaltung des Banats, die damals eben erst ein Jahrzehnt gewährt hatte, der Kontrast zu der österreichischen Rechtsordnung abzeichnete. Die Reihung dieses Forderungskatalogs läßt vermuten, daß die Gedanken John Lockes einigen Urhebern dieser Denkschrift vertraut waren, denn Leben, Freiheit, Eigentum stehen am Anfang, wobei die Sicherheit der Person, der Ehre und der Güter gegen die Übergriffe der „Hungarischen Regierung" den Vorrang gegenüber allen anderen Wünschen hatte. Ausdrücklich hervorgehoben wurde die Bitte um Sicherung der Rechtsgleichheit, wie sie von der Praxis der „Österreichischen Verfassung" ausging. Daß hier das Problem der Rechtssicherheit in Verbindung mit den konstitutionellen Anliegen erwähnt wird, läßt vermuten, daß die zu Beginn des Krieges gegen das Osmanische Reich 1788 allen „der morgenländischen Kirche zugethanen Christen geist- und weltlichen Standes" gegebene Zusage, nicht nur volle Glaubensduldung, sondern auch Schutz „ihres Eigenthums" zu garantieren, ihre Wirkung nicht verfehlt hatte[66]. Vor allem im Banat, wo es gelungen war, die „Naturlandschaft zur Kulturlandschaft" umzugestalten und wo relativ breite Schichten zu einem, wenn auch nur bescheidenen, Wohlstand gelangt waren, hatten die Begriffe „Eigentum", „Bürgerliche Freiheit" und „Verfassung" im Sinne von Rechts- und Verwaltungsordnung konkrete Be-

[65] M. Bernath: Habsburg und die Anfänge, 166ff.
[66] J. Rautenstrauch: Ausführliches Tagebuch I, 291f.

deutung. Dieser zweite Forderungsschwerpunkt, dessen Konturen sich hier abzeichneten, konnte nur langsam über die Grenzen der Banater Orthodoxie auf die Donaufürstentümer hinübergreifen und gelangte erst in der Zeit des Vormärz zu größerer Bedeutung, als frische Impulse des Frühliberalismus aus Deutschland, Polen und Ungarn hinzukamen, so daß die stufenweise Realisierung relativ spät begann, später jedenfalls als die organisatorischen Anpassungsvorgänge, wie sie die beiden Vikare am 14. 7. 1790 gefordert hatten.

Der entscheidende Anstoß, die rumänischen Forderungen im Zusammenhang mit den Nationsideen in der Weise zu formulieren, daß sie für Unierte und Nichtunierte gleichermaßen Gültigkeit besaßen, kam von den unierten Vikaren, die die Bedeutung der Restitutionsforderung der Magyaren und Sachsen erkannten. So hatte der Vikar Ioan Para im Frühjahr 1790 unter den Klerikern und Laien Unterstützung für seine andere Bittschrift zu suchen begonnen, die den Siebenbürgischen Landtag zur Anerkennung der Rumänen als vierter Nation bewegen sollte. Gleichzeitig wurde um Zulassung weiterer Abgeordneter gebeten. Das Gubernium jedoch lehnte diese Forderungen ab, da ihre Genehmigung eine Verfassungsänderung notwendig gemacht hätte, ebenso das Gesuch des Bischofs der Nichtunierten, Gherasim Adamovici, als „Regalist" in den Landtag berufen zu werden. Auch die Bitte des Bischofs der Unierten, Ioan Bob, in Blaj eine Synode abhalten zu dürfen, wurde mit der Begründung abgelehnt, die Zeitumstände ließen dies nicht zu. Da aber gerade damals aus den Kreisen der Unierten wie der Nichtunierten zahlreiche Klagen gegen die Übergriffe von Komitatsbeamten eintrafen, sah sich Ioan Para bewogen, den Bischof von Großwardein, Ignatie Darabant, zu bitten, sich auch mit anderen Kreisen, „insbesondere mit Deutschen", zu verständigen, und übersandte gleichzeitig ein Majestätsgesuch. Darin wurden in Anlehnung an die dakoromanische Nationsidee das Erstgeburtsrecht der Rumänen in Siebenbürgen, ihre große Zahl, die Leistungen und Steuerlasten hervorgehoben. Zweck des Gesuchs war es wiederum, einen Kongreß „ad analogiam nationis Illyricae" für den Klerus beider Konfessionen einberufen zu dürfen. Nachdem auch dieses Vorhaben abgelehnt worden war, dürfte den Wortführern bewußt geworden sein, wie groß das Gefälle von der öffentlich-rechtlichen Stellung der Serben und Rumänen außerhalb Siebenbürgens, die als „illyrische Nation" eine verhältnismäßig gesicherte Selbstverwaltung mit dem National-Kongreß als Repräsentationsorgan besaßen, zur Position der eigenen Glaubensgemeinschaft war. Und da Kaiser Leopold II. zudem bereits am 10. Juni 1790 empfohlen hatte, daß die orthodoxen Erzbischöfe zum Ungarischen Landtag zugelassen werden sollten, fühlten sich die Siebenbürger Rumänen benachteiligt. Erneute Bittschriften mit neuen Argumenten und ein wachsender Kreis von Beteiligten auf seiten der Rumänen waren die Folge, denn nun wurden auch Offiziere, Unteroffiziere und Militär-Seelsorger der Grenzregimenter über diese Bemühungen unterrichtet, um der Forderung nach Anerkennung als vierte Landesnation Nachdruck zu verleihen. Vor allem sollten diejenigen Rechte vom Kaiser bestätigt werden, die sein Vorgänger den Rumänen gewährt, dann aber kurz vor seinem Tode „Sed proh(!) dolor!" widerrufen hatte. Dabei ging es sowohl um die „Konzivilität", die zum Häuserkauf in den Städten des Königsbodens sowie zur Zulassung zu den Zünften berechtigte, als auch um die Möglichkeit, ohne Unterschied der Konfession öffentliche Ämter bekleiden zu dürfen.

Die Zeit für die Durchsetzung politischer Forderungen schien Ende 1790 besonders günstig, denn die Auswirkungen der Französischen Revolution, die allmählich die Unzufriedenheit unter den Bauern in der Monarchie zu einem Problem hatten werden lassen, blieben nicht ohne Einfluß auf die Rumänen Siebenbürgens. Und da die Zensur mit Hofdekret vom 7. 12. 1790 ermächtigt wurde, „alle Schriften, welche öffentliche landesfürstliche Gesetze und Anordnungen kritisieren und tadeln", zu verbieten, war die einzige Möglichkeit, eigene politische Anliegen vorzutragen, die Bittschrift. Höhepunkte dieses ersten Politisierungsvorganges der Rumänen Siebenbürgens bildeten zwei neue Denkschriften, die während des Winters 1790/91 ausgearbeitet worden waren und vom Landtag Ende 1791 abgelehnt wurden. Vor allem die im Namen der ganzen Nation vorgelegte, als „Supplex Libellus Valachorum" in die Geschichte eingegangene Gemeinschaftsarbeit von Vertretern der beiden konfessionsnationalen Trägergruppen besaß besonderes Gewicht und erregte die Gemüter der im Landtag Vertretenen ebenso wie die der Bittsteller und ihrer Anhängerschaft. Diese Anhängerschaft war in dem vorausgegangenen Jahrzehnt sowohl durch den Bauernaufstand von 1784 als auch durch die theresianisch-josephinischen Reformen hellhöriger und für politische Fragen aufgeschlossener geworden, so daß man von einer wachsenden Partizipationsbasis ausgehen kann. So fanden die fünf Hauptforderungen, die dem Geist des Josephinismus entsprachen und ein Bindeglied zu den Ideen des Frühliberalismus darstellten, in weiten Kreisen der rumänischen Dorfintelligenz schnelle Verbreitung. Sie lauteten:

1. Widerruf der kränkenden und ungerechten Bezeichnung „tolerati, admissi, inter Status non reputati", die der wiedergeborenen Nation (rediviva Natio Valachica) unwürdig seien, sowie volle Wiedereinsetzung in den Genuß aller politischen und bürgerlichen Rechte.
2. Der „bittstellenden Nation" (Nationi supplicanti) möge im Verhältnis zu den anderen Landesnationen (Nationes regnicolares) jene Stellung eingeräumt werden, die sie vor 1437 innegehabt hatte.
3. Der Klerus dieser Nation, der der orientalischen Kirche treu ergeben ist, soll ohne Unterschied, ob er der abendländischen Kirche in allen Gedanken folge oder nicht, den Klerikern der anderen Konfessionen gleichgestellt werden, ebenso sollen dem Adel und dem Volk die gleichen Vergünstigungen gewährt werden, wie sie Adel, Klerus und Volk (plebs) der anderen Nationen genießen.
4. Beteiligung anläßlich der Beamtenwahlen in den Komitaten, Distrikten und städtischen Gemeinden, sowie der Abgeordnetenwahlen für den Landtag. Beteiligung bei der Neuernennung oder Beförderung der Beamten in der Weise,

daß sie im Proporz der Nationsstärke berücksichtigt werden mögen (proportionato numero individuorum iusta reflexio habeatur).

5. Verwendung rumänischer Namen für jene Komitate, Stühle und Distrikte, in denen die Rumänen die Mehrheit der Bevölkerung darstellen; Verwendung von Namen anderer Nationen, wo jene die Mehrheit haben, oder gemischte magyarisch-rumänische Bezeichnungen, oder aber es sollten die älteren Fluß- und Bergnamen berücksichtigt werden, um dadurch die Namen zu ersetzen, die von der einen oder anderen Nation genommen worden waren. Alle Bewohner des Fürstentums, ohne Unterschied von Nation und Religion, sollen sich ihrem Stande und den Verhältnissen entsprechend der gleichen Freiheiten und Begünstigungen erfreuen und gemäß ihrer Leistungsfähigkeit die gleichen Lasten zu tragen haben[67].

Das Ergebnis dieses Rechtskampfes war nicht befriedigend, bedeutete aber dennoch einen kleinen Fortschritt. Kaiser Franz, der seinem Anfang März 1792 verstorbenen Vater Leopold II. auf dem Thron gefolgt war, ordnete an, daß die Orthodoxen „nach ihrem sozialen Stand" ebenso behandelt werden sollten, „wie die übrigen Bewohner des Landes" und verfügte durch ein Reskript vom 26. 5. 1792 an den Landtag, daß bei der Anstellung von Rumänen keine Benachteiligung aus konfessionellen Gründen mehr praktiziert werden sollte.

Dieser Teilerfolg hat die Wortführer des Ringens um Gleichberechtigung nicht zufriedengestellt, denn die Wahl in den Landtag blieb ihnen ebenso wie die Bürgerrechte weiterhin versagt. Aber die Zeitläufe, vor allem die Revolutionskriege Frankreichs, die im Habsburgerreich zu einer Erstarrung der Reformimpulse geführt hatten, geboten eine abwartende Haltung und eine Verlagerung der Initiative in den kulturellen Bereich. So bemühte sich Ioan Molnár, der vermutlich 1791 eine Fassung des Supplex, unter dem Titel „Repraesentatio", mit Jassy als Erscheinungsort hatte drucken lassen, 1795 um die Gründung einer Philosophischen Gesellschaft der Rumänen Siebenbürgens. Von ihr könnte man annehmen, es habe sich um den geplanten Zusammenschluß von ehemaligen Freimaurern aus den Filialen der Hermannstädter Loge in Kronstadt, Klausenburg und Karlsburg gehandelt, denn die Freimaurerbewegung war in der Habsburgermonarchie seit der Martinovics-Affäre und dem Auftreten der „Jakobiner" unterdrückt worden.

Die Jakobiner hatten vor allem bei Siebenbürger Sachsen und Magyaren eine kleine Anhängerschaft gefunden, aber ihre radikalen Töne ließen sie weitaus gefährlicher erscheinen, als sie bei freier Entfaltungsmöglichkeit hätten werden können. Und da das sogenannte „Bauernpatent" unmittelbar nach dem Sturm auf die Bastille – über den der Hermannstädter Buchdrucker und Publizist Martin Hochmeister d.J. mit Begeisterung berichtet hatte – ein Revolutionsprogramm enthielt, das mit den Worten schloß: „Wir wollen nicht mehr dem Adel dienen und nur, wie in anderen

[67] E. Turczynski: Konfession und Nation, 223f. und D. Prodan: Supplex Libellus, 464f.

Ländern, dem König Steuern zahlen", sah sich das Gubernium zu größter Vorsicht veranlaßt. Besonders alarmierend wirkte dann eine Mitteilung von 1793, wonach es in Siebenbürgen Rumänen gäbe, „die die französische Revolution auswendig kennen und sie auch anderen explizieren"[68]. Damals kursierten auch im Banat, das weniger soziale Spannungen aufwies als Siebenbürgen, jakobinische Schriften, allerdings in deutscher Sprache, so daß man sowohl für Hermannstadt und Kronstadt als auch für Temeswar und Arad vor allem Deutsche als Träger dieser Strömungen nachweisen kann; die Landesbehörden sahen sich aber trotzdem zu größter Wachsamkeit gegenüber allen anderen ethnischen Gruppen veranlaßt.

Für den rumänischen Klerus, den Wortführer der bürgerlichen Emanzipationsbewegung, mußte daher größte Zurückhaltung geboten sein, denn kaum ein Stand war in jenen Jahren so beargwöhnt worden, wie die Dorfpopen und deren Dienstvorgesetzte, die Erzpriester. Es hat den Anschein, daß seither ein weniger spektakulärer Innenausbau der Konfession-Nation vor sich ging, der bisher noch nicht genügend erforscht ist. Dabei wurde einerseits das alte Ziel der Anerkennung als vierte Landesnation weiterverfolgt, andererseits zunächst bei den Orthodoxen, dann auch bei den Unierten die nur schrittweise zu erzielende Unabhängigkeit von den Erzbischöfen in Karlowitz und Gran angestrebt, um schließlich die Errichtung eigener Erzdiözesen zu verlangen. Das nationale Selbstbewußtsein entfaltete sich unter dem Schutzmantel der Kirche zusammen mit der Verbreitung des von den Bittschriften entworfenen Geschichtsbildes, wobei im Geiste des Josephinismus die ungünstige politische Lage auf Unwissenheit zurückgeführt wurde, wie dies z.B. Sava Popovici (1768–1808) bereits 1792 getan hatte[69]. Einen Schritt weiter in Richtung einer kulturellen Autonomie ging dann der bischöfliche Vikar Ioan Popovici, der 1797 eine Denkschrift zur Vorlage an die damals unmittelbar nach dem Tode des Bischofs in Hermannstadt versammelten Erzpriester verfaßte, in der vorgeschlagen wurde, den „Metropolit der Serben" zu bitten, sich aller Einmischungen in Angelegenheiten des siebenbürgischen Klerus zu enthalten und auch keine direkte Korrespondenz mit dem Pfarrklerus zu führen, sondern den Dienstweg einzuhalten. Eine andere Forderung ging dahin, den griechischen Handelskompanien, die recht vermögend waren und seit ihrem Bestehen das Privileg besaßen, ihre Pfarrer aus der Heimat zu berufen, dieses Recht zu entziehen und sie der Hierarchie der Diözese zu unterstellen. Ferner wurde verlangt, die Bezeichnung „Nichtunierte und Schismatiker" abzuschaffen und dafür „Rumänen griechisch-orthodoxen Glaubens" zu gebrauchen. So lagen im Schoß der Kirche neben den Autonomiebestrebungen alle Elemente des virulenten Nationalismus bereit, um auch ethnische Minderheiten zu integrieren. Diese Denkschriften, denen bis zu Beginn des 19. Jahrhunderts noch weitere folgten und von denen eine Variante in deutscher Sprache vorliegt, zielten darauf ab, den Rumänen Siebenbürgens „den

[68] C. Göllner und E. Turczynski: Revolutionäre Schriften, 53.
[69] I. Lupaş: Chestiunea originii, 375ff.

Genuß der bürgerlichen Rechte" und „ihre vorige Freyheit..." zu erkämpfen[70], wobei die individuellen Rechte und Freiheiten nicht in jenem Maße betont werden wie die kollektiven sowie völkerrechtlichen Aspekte, d.h. es waren zunächst nationalpolitische Forderungen. Bedingt durch die Verfassungsentwicklung des Großfürstentums waren die beiden Konfessionsnationalitäten der Rumänen der vorgegebene Rahmen für die Ausformung der Emanzipationsbestrebungen. Sie bewirkten mit diesen Denkschriften zunächst zwar keine nennenswerte Erweiterung der Freiheitssphäre, aber im Mittelpunkt des politischen Denkens erhielt die Rechtsidee in der vom Josephinismus und den theresianisch-josephinischen Reformen geprägten Habsburgermonarchie einen immer größeren Stellenwert, so daß eine Integration bei voller Gleichberechtigung ein realistisches Fernziel zu sein schien. Das Ergebnis dieser Bemühungen um einen größeren Freiheitsraum für die Orthodoxen Siebenbürgens, die ihren Rechtskampf in zunehmendem Maße mit naturrechtlichen Argumenten führten, war das Dekret vom 26. 5. 1809, mit welchem Kaiser Franz I. den Nichtunierten das Recht einräumte, den Bischof aus ihrer Mitte zu wählen, wobei diesem ein ansehnliches Jahresgehalt von 4000 fl. gewährt wurde. Damit war ein wichtiger Schritt im Ringen um die politische und innerkirchliche Autonomie getan, denn die Ernennung des Bischofs der orthodoxen Rumänen Siebenbürgens erfolgte von nun an auf Grund eines Dreiervorschlages durch den Kaiser, ohne Einschaltung des Karlowitzer Metropoliten.
Zu den politischen Auswirkungen des Josephinismus gehörten indirekt auch die Verbesserungen im Bereich des Bildungswesens, das zwar seit den theresianisch-josephinischen Schulreformen auf solide Grundlagen gestellt worden war, in Siebenbürgen aber auf mannigfaltige Hindernisse stieß, da nur die Sachsen ein tiefgestaffeltes Volks- und Oberschulwesen besaßen. Mit der Veröffentlichung der Werke von Petru Maior, der, nach seiner theologischen Ausbildung in Rom (1774–79) und Wien, in Blaj lehrte (1780–84), dann als Erzpriester in Sächsisch Reen in Nordsiebenbürgen wirkte, ehe er von 1804–1821 als Zensor an der Buchdruckerei der Pester Universität tätig war, begann 1812 ein neuer Abschnitt der kulturellen Annäherung zwischen den Rumänen aller Siedlungsgebiete, die sowohl auf die Entwicklung des Rumänischen zur Literatursprache als auch auf das Geschichtsbild von nachhaltiger Wirkung war. Die gleichzeitig eingerichtete Lehrerbildungsanstalt in Arad, eigentlich eine Präparandie für die rumänischen Lehrkräfte des Banats, hat viel dazu beigetragen, die Grundlagen der bis dahin noch dünnen Intellektuellenschicht allmählich zu erweitern, so daß Zaharia Carcalechi 1817 in Ofen mit der Herausgabe einer periodischen Schrift unter dem Titel „Bibliotecă Românească" beginnen konnte. Sie erschien in unregelmäßigen Folgen bis 1834, weil der Herausgeber wegen seiner Mitgliedschaft in einer republikanische Geheimgesellschaft seine publizistische Tätigkeit einstellen mußte.

[70] E. Turczynski: Konfession und Nation, 241ff. und 275–83.

Für die politischen Emanzipationsbestrebungen bot das Banat in der Zeit zwischen der Hinrichtung der Jakobiner in Ungarn und dem Vormärz günstige Voraussetzungen, denn dank einer 1769 erteilten Druckerlaubnis erschien seit 1771 die Wochenschrift „Temeswarer Nachrichten", und ähnlich wie in Hermannstadt hatte die Loge „Zu den drei weißen Lilien" starken Zulauf. Auch das Bestehen einer wirtschaftlich nicht unbedeutenden „raizisch-griechischen Handelskompagnie", die seit 1768 tätig war und deren 1772 erweitertes Privileg ihr die Möglichkeit bot, „aller Orten Schulhäuser herzustellen und Lehrer anzustellen...", sorgte dafür, daß der polyethnische Charakter der deutsch-rumänisch-serbisch-griechischen Stadt erhalten blieb und ihr ein besonderes politisches Gepräge anhaftete. Die kulturelle Entwicklung der Banater Rumänen wurde durch die engen Beziehungen zum deutschen und ungarischen Bildungswesen nachhaltig beeinflußt, so daß nicht nur der Aufbau eines engmaschigen Netzes von Elementarschulen, sondern auch eine rege Anteilnahme an der Buch- und Zeitschriftenproduktion ermöglicht wurden. So rangierte das Banat in den ersten drei Jahrzehnten des 19. Jahrhunderts bei Buchbestellungen an erster Stelle unter allen rumänischen Provinzen, da dort Subskriptionen viel verbreiteter waren als in Siebenbürgen und den Donaufürstentümern, wobei überwiegend philosophische und pädagogische Veröffentlichungen bestellt wurden. Die Vorbestellungen wurden in erster Linie vom Lehrpersonal, zu dem auch der Klerus gehörte, sowie von Schülern vorgenommen, während Handwerker und Kaufleute mit nur 2 % aller Vorbestellungen sowie Bezieher ohne Berufsangabe zahlenmäßig kaum ins Gewicht fielen. Auffallend ist, daß im Banat – und nur im Banat – bereits vor 1820 auch Frauen unter den Subskribenten waren[71].

Für die politischen Emanzipationsbestrebungen der Banater Rumänen trat in den ersten drei Jahrzehnten des 19. Jahrhunderts ein Vierergespann hervor, das bald auch in Siebenbürgen und den Donaufürstentümern große Beachtung finden sollte. Im Geiste des Josephinismus und des Überganges zum Frühliberalismus, der hier früher als in Siebenbürgen, der Bukowina und den Donaufürstentümern wirksam zu werden begann, wollte es durch den kulturellen Fortschritt zur Erweiterung der Freiheitssphäre beitragen, und zwar in einem ganz anderen Maße als seine Zeitgenossen in Jassy oder Bukarest. Daß von diesen wie von anderen Rumänen des Banats, Siebenbürgens und der Bukowina wichtige Impulse für die Modernisierung der bis dahin noch wenig entwickelten Sprache ausgingen, ist unbestritten. Dieses Vierergespann bildeten Paul Iorgovici (1764–1808), Constantin Diaconovici-Loga (1770–1850), Dimitrie Ţichindeal (1775–1818) und Ioan Tomici (1771–1839). Iorgovici, ein Pfarrersohn wie viele andere Träger der nationalkulturellen und sozialen Bestrebungen der Banater und Siebenbürger Rumänen, hatte in Werschetz, Szegedin, Preßburg und Wien Philosophie und Rechtswissenschaften studiert, war dann nach Frankreich gegangen, wo er die Hinrichtung Ludwigs XVI.

[71] G. Velculescu und C. Velculescu: Livres roumains, 540ff.

miterlebte, und kam als einer der ersten Rumänen auch nach London. Zusammen mit Ioan Molnár hatte er die Herausgabe einer rumänischen Zeitschrift geplant, die aber nicht realisiert werden konnte, und endlich seit Mitte der neunziger Jahre als Konsistorialrat die Muße und Anregungen für eine Darstellung über die rumänische Sprache gefunden (Observaţii de limbă rumânească), die 1799 in Ofen erschien und in der er das Programm seiner Generation formulierte: „Sprache und Nation schreiten zusammen", deshalb müsse die Sprache kultiviert werden, wenn die Nation sich entwickeln wolle. Er gebrauchte hier erstmals den Begriff Nation (naţion bzw. naţie) im Rumänischen und trug dadurch zur Ablösung der bis dahin vorherrschenden Bezeichnung „neam" (Volk) bei[72]. Zum Ärger von Magyaren und Serben verfocht er in seinen „Observaţii" die Kontinuitätstheorie, ähnlich wie dies die Verfasser der vielen Denkschriften in Siebenbürgen taten. Ausfluß seiner Erlebnisse in Frankreich und England und der nachwirkenden Begegnungen mit dortigen Vertretern der Aufklärung war sein eindeutiges Eintreten für die Glaubens- und Gewissensfreiheit, wobei seine Forderung nach Toleranz sich sowohl auf Nicht-Christen wie auch auf jene bezog, „die sich ein wenig von der alten orientalischen Kirche entfernt" hatten. Seine „Observaţii de limbă rumânească" sind somit in erster Linie ein deutliches Bekenntnis zum Frühliberalismus und erst in zweiter Linie ein Mittel zur Pflege der rumänischen Sprache.

Diaconovici-Loga (Diakonović), der, wie die meisten Intellektuellen aus dem Banat, seine Ausbildung in Ungarn erhalten hatte, war zuerst Student der Universität in Pest, dann Lehrer und Kantor der dortigen orthodoxen Gemeinde und wurde 1812 an die neugegründete Präparandie in Arad berufen. Gemeinsam mit Ţichindeal, der bereits 1802 und 1808 mit einer Übersetzung der Fabeln des serbischen Aufklärers Dositej Obradović hervorgetreten war, versuchte er das rumänischsprachige Schulwesen zu verbessern. Neben seiner Grammatik (1818–1822), die zehn Jahre früher der Öffentlichkeit übergeben wurde als jene von Ion Heliade-Rădulescu (1802–1872) in Bukarest, und seiner Orthographie des Rumänischen (1818), bemühte er sich, mit Hilfe zahlreicher anderer Veröffentlichungen die Rückständigkeit seiner Landsleute zu beseitigen. Auch Ţichindeal hatte „stets von dem brennenden Wunsch beseelt, zur Bildung und Kultur meiner hierin fast allen Völkern ... weit zurückstehenden walachischen Nation" beizutragen, 1814 sein Büchlein „Philosophisch-politisch-moralische Lehren durch Fabeln" veröffentlicht, wobei er ebenfalls dem Vorbild des Josephiners Obradović folgte, allerdings unter Anpassung an die örtlichen Verhältnisse. Dies erregte jedoch das Mißfallen kirchlicher Kreise, so daß die Beschlagnahme verfügt wurde. Dem Metropoliten von Karlowitz schien es zu weit zu gehen, daß die nicht eben klerusfreundlichen Fabeln auch in rumänischer Sprache erschienen, zumal Ţichindeal bereits 1812 mit einer Bittschrift versucht hatte, das Monopol der Serben, alle Diözesen des Banats mit serbischen Bischöfen zu besetzen, abzubauen und für die Ernennung eines rumäni-

[72] Kl. Bochmann: Der politisch-soziale Wortschatz, 36, 88f. Vgl. ferner T. Topliceanu: Paul Iorgovici, 133–48 und I. D. Suciu: Literatura Bănăţeană, 45.

schen Bischofs in Arad eingetreten war[73]. Er war daraufhin seines Amtes als Religionslehrer der Präparandie enthoben worden, weil er nach Meinung des Erzbischofs den Weg der strengen Rechtgläubigkeit verlassen hatte. In seinem Majestätsgesuch von 1815, in dem er um Gerechtigkeit bat, hat er die Ernennungspraxis für die Diözesen abermals angesprochen und kritisiert, daß die Rumänen, die in Ungarn über „anderthalb Millionen" zählen, „keinen einzigen Bischof walachischer Sprache" haben und „sogar ganz unkundigen Bischöfen und sonstigen Kirchen- und National Schul-Vorstehern untergeordnet sind"[74].

Ähnlich wie in Siebenbürgen glaubten auch die Rumänen des Banats, die Freiheit des Individuums auf dem Umweg über die Gleichberechtigung mit den Serben im soziokulturellen Bereich vorbereiten und daher zunächst die Selbstverwaltung in dem einzig möglichen Rahmen, nämlich der Kirchen- und Schulverwaltung, stärken zu müssen. So wurde der Gedanke der Freiheit den konkreten, historisch gewachsenen Gegebenheiten angepaßt und ein genuines Grundkonzept der national-liberalen Emanzipationsbewegung entwickelt.

Man wird hier die Auswirkungen der Wahl Vasile Mogas im Jahr 1810 kaum übersehen, denn wie die Hermannstädter Diözese war auch die von Arad in eine überwiegend rumänischsprachige Glaubensgemeinschaft eingebettet. Außerdem entsprach es den Grundzügen der von Rautenstrauch, Felbiger und anderen Pädagogen aufgestellten Forderungen, die Anleitung zur Rechtschaffenheit der Jugend in der Muttersprache zu vermitteln, und da der serbische Bischof Avakumović 1814 verstorben war, fand die von Ţichindeal, Moise Nicoară (1785–1862) und anderen[75] unterzeichnete Bittschrift des rumänischen Klerus ein breites Echo.

Für einen unauffälligen Übergang von den vielfach utilitaristischen Tendenzen der Aufklärung in ihrer josephinischen Form zu den politischen Strömungen des Frühliberalismus konnten auch die Lehrer und Pfarrer der Banater Militärgrenze wertvolle Beiträge leisten. In Caransebeş hatte Ioan Tomici, der zur selben Generation gehört wie P. Iorgovici, C. Diaconovici-Loga und D. Ţichindeal, seine Tätigkeit als Protopop (Erzpriester) begonnen und 1819 dem Generalkommando des rumänisch-illyrischen Regiments einen Plan für die Neugestaltung der rumänischen Schulen vorgelegt. Gleichzeitig begann er mit der Einrichtung eines dreimonatigen Vorbereitungslehrganges für Lehrer, um dem wachsenden Bedarf an Junglehrern begegnen zu können. Als er für seine Verdienste um die Schulen 1824 zum Schulinspektor des rumänisch-illyrischen Regiments und zum Direktor der Vorbereitungskurse für Lehrer ernannt wurde, hatte der Zweiundfünfzigjährige den Höhepunkt seiner Laufbahn erreicht und konnte sich jetzt der Abfassung von Lehrbüchern widmen. Besondere Beachtung zog sein Büchlein „Kurze Lehren für die Erziehung und das gute Betragen der rumänischen Jugend"[76] auf sich.

[73] I. D. Suciu: Literatura Bănăţeană, 107.
[74] A. Ivić: Documente privitoare, 7–9.
[75] C. Bodea: Moise Nicoară, 298ff.
[76] Scurte învăţături pentru creşterea şi buna purtare a tinerimei Română. Ofen 1827, 122 S.

Die Losung des Frühliberalismus „Durch Fortschritt zur Freiheit" wurde im Banat sehr früh von Rumänen und Serben aufgegriffen, so daß die „Banater Zeitschrift für Landwirtschaft, Handel, Künste und Gewerbe", die 1827/28 in Temeswar von Joseph Klapka, von 1819–1833 Bürgermeister der Stadt und Vater des später bekanntgewordenen Revolutionsgenerals Georg Klapka, herausgegeben wurde, einen echten Bedarf an Informationen zu befriedigen hatte und günstigere Möglichkeiten für den wirtschaftlichen Fortschritt aufzeigen konnte. Gelegentlich wurde auch über die wichtigen politischen Ereignisse in den Nachbarländern, u.a. über den griechischen Freiheitskampf und die hierfür gegründeten Hilfsvereine und Unterstützungsaktionen berichtet. Ähnlich weltoffen und liberal war auch die Berichterstattung in der „Biblioteca Românească", zumal sie viel freier berichten konnte, als eine Zeitschrift in der Moldau oder Walachei dies hätte tun können[77].
Als in Werschetz 1820 auf Veranlassung des Erzbischofs und Metropoliten Stevan Stratimirović (1790–1836) eine Klerikerschule eingerichtet wurde und diese 1822 eine rumänische Sektion erhielt, die in zwei Jahren eine abgeschlossene Ausbildung vermittelte, und als dann in der Militärgrenze die Pläne und Bittschriften für die Erweiterung des Rumänischunterrichts, für Anstellung rumänischer Pfarrer und Lehrer zunahmen und dabei immer häufiger auf die dako-romanische Vergangenheit Bezug genommen wurde, trat der Wortführer der ungarnfreundlichen Serben, Sabbas (Sava) Tököly de Kevermes et Vizes, mit einer aufsehenerregenden Schrift hervor, die zu einem weiteren Innovationsschub bei den Rumänen führen sollte. Diese 1823 in Halle erschienene Veröffentlichung: „Erweis, daß die Valachen nicht Römischer Abkunft sind und dieß nicht aus ihrer Italienisch-Slavischen Sprache folgt", die 1827 in einer erweiterten rumänischen Fassung in Ofen verlegt wurde, stellte einen Versuch dar, die Bezeichnung „Rumun... wie sich die Valachen seit einiger Zeit in Siebenbürgen nennen", als unrechtmäßig abzulehnen, „da der größte Theil anderswo sich nicht so nennt".

Der latent vorhandene rumänisch-serbische Gegensatz wurde auf diese Weise vertieft, gleichzeitig aber die Ausformung des nationalrumänischen Geschichtsbildes verstärkt, so daß die Gedanken an die Freiheit des Individuums in den Hintergrund zu rücken begannen. Vor allem war der Versuch Tökölys, den serbisch-magyarischen Prioritätsanspruch in diesem Raum zu begründen, der Motor für eine bis heute nicht beigelegte rumänisch-magyarische Auseinandersetzung. Zunächst haben Damaschin Bojîncă und Eftimie Murgu, zwei Vertreter der jüngeren Generation, die im Vormärz eine führende Rolle bei den Banater Rumänen spielen sollten, die Verteidigung des Dako-Romanismus übernommen und durch ihren in der Öffentlichkeit geführten Disput mit Tököly deutlich gemacht, daß der „ganze grobe Irrthum" daher rühren mochte, „daß man die Abstammung einer Nation in der Religion suchte..."[78]. Die konfessionsnationale Orientierung der Rumänen

[77] N. Iorga: Istoria Românilor VIII, 362.
[78] E. Murgu: Widerlegung der Abhandlung, IX.

Siebenbürgens und des Banats begann von da an ihre Anziehungskraft zu verlieren zugunsten der auf dem Dako-Romanismus aufgebauten Nationalidee. Seit der Einrichtung der Präparandie in Arad, das sehr bald neben Ofen-Pest zu einem wichtigen Zentrum des kulturellen Lebens der Rumänen des Banats und Ungarns wurde – Temeswar spielte hierbei keine solche Rolle, da es sich an der Kultur Wiens und Westeuropas orientierte und eine überwiegend deutschsprachige Stadt war, ohne eine Mehrheit des deutschen Ethnikums aufzuweisen –, war der Zustrom der Schüler schnell angestiegen, so daß bereits 1822 ein theologisches Seminar eingerichtet werden konnte. Damit wurde die alte Forderung nach Ernennung eines Bischofs für Arad aus dem Kreis der rumänischen Pfarrer immer dringlicher, bis schließlich 1826 Nestor Ioanovici zum Bischof ernannt wurde, dem dann, nach einer Vakanz von 5 Jahren, 1835 mit Gherasim Raţ (1835–1850) ein weiterer Rumäne folgte.

Die Entwicklung Arads war von überregionaler Bedeutung, weil sich hier Wechselwirkungen zwischen der Einrichtung von Schulen und dem politischen Anspruch auf soziale Aufstiegsmöglichkeiten und kulturelle Anerkennung ergaben. Während nämlich für die Unierten Siebenbürgens seit dem ausgehenden 18. Jahrhundert relativ gute Ausbildungsmöglichkeiten bestanden und für die Unterweisung orthodoxer Geistlicher und Lehrer in Großwardein, Hermannstadt und Czernowitz entsprechende Einrichtungen ins Leben gerufen wurden, entwickelten sich die Schulverhältnisse für die Rumänen des Banats ungleichmäßig. Die serbische Führung hatte Mühe genug, die serbischen Schulen sowie das 1791/92 aus Spenden von Handwerkern und Kaufleuten in Karlowitz eingerichtete Gymnasium zu unterhalten. Nur im Bezirk Arad bestanden für die Rumänen bessere Schulbedingungen, da dort 1789 im Zuge der Reformen Kaiser Josephs II. 48 Dorfschulen errichtet worden waren. Diese trugen in der Folgezeit entscheidend dazu bei, daß für die Präparandie und die später eingerichtete Klerikalschule ein zahlenmäßig starker Schülernachwuchs vorhanden war. In der Banater Militärgrenze hatte sich dagegen der Ausbau des Schulwesens konstant vollzogen und flächendeckende Ausmaße erreicht, wie sonst in keinem anderen Raum Südosteuropas[79].

Wirksamer als alle nationalistischen Affirmationen war die in der Stille geleistete Arbeit der Schulmänner, die es sich zur Aufgabe gemacht hatten, pädagogische und populärphilosophische Literatur ins Rumänische zu übersetzen, um den allgemeinen Bildungsstand zu heben und abergläubische Vorstellungen durch exaktes Wissen zu ersetzen. So erfreuten sich die Arbeiten eines weniger bekannten Schülers von Christian Wolff, Friedrich Christian Baumeister, in ganz Ost- und Südosteuropa großer Beliebtheit, da er den Lesern einen Zugang zur Aufklärungsphilosophie erschloß, an dem die Kirchen keinen Anstoß nehmen konnten. Weite Verbreitung erfuhren auch die „Grundsätze der Erziehung und des Unterrichts“ von

[79] C. Feneşan: Contribuţii, 105.

August Hermann Niemayer, (1754–1828), die seit 1796 in zahlreichen Neuauflagen erschienen waren und sowohl im Banat als auch in Siebenbürgen und der Bukowina einen hohen Stellenwert genossen. Die darin erhobene Forderung nach Errichtung von guten und mannigfaltigen „Anstalten zur Erziehung" durch den Staat traf sich mit dem Bestreben vieler Lehrer nach Befreiung von der oft bedrükkenden Aufsicht durch die höhere Geistlichkeit, zumal die Kirchenleitung die ihr eingeräumten Kontrollmöglichkeiten oft genug dazu benutzte, Priester als Lehrer einzusetzen[80].

Auf breites Interesse stieß bei der rumänischen Intelligenz der philosophische Schriftsteller Wilhelm Traugott Krug (1770–1842), der viel zur Verbreitung der Kant'schen Lehre beitrug, als er sich auf eine literarische Auseinandersetzung mit dem erzkonservativen Großbojaren in russischen Diensten, Alexander Sturdza, über die Lehrfreiheit an den deutschen Universitäten einließ. Sturdza hatte 1818 im Auftrag des Zaren eine Schrift veröffentlicht, die als Warnung vor dem aufrührerischen Geist der studentischen Jugend in Deutschland nach dem Wartburgfest gedacht war, und darin die Hochschulen als „Sammelplätze aller Irrthümer des Jahrhunderts" bezeichnet. Eine von Krug verfaßte und in der Zeitschrift „Hermes" veröffentlichte Rezension der Sturdza-Thesen kursierte schon Anfang 1819 als Flugschrift bei den Rumänen[81]. So konnten Ideen der Aufklärung und Modernisierungsimpulse auf verschiedenen Wegen nach Siebenbürgen und in das Banat eindringen, wodurch sich dort Pädagogik und Didaktik in einem ganz anderen Maße entwickelten als in den Donaufürstentümern, in denen der Druck des Zarenreiches weithin spürbar blieb und die Bojaren ihre Sympathien für die neuen Ideale nicht offen zeigen durften.

In geringerem Umfang als im Banat und in Siebenbürgen haben die politischen Auswirkungen des Josephinismus in der Bukowina vor 1830 zur Konzeption neuer Vorstellungen innerhalb der rumänischen Führungsschicht beigetragen. Die von der österreichischen Militär- und Zivilverwaltung verfügten Maßnahmen waren zunächst so umfassend und neu, daß der Privatinitiative während der ersten Jahrzehnte kein großer Spielraum blieb, sieht man von den Bemühungen zur Abwehr der Räuberbanden ab, die aus der Moldau in die Bukowina eindrangen und sich dann mit ihrer Beute wieder zurückzogen. Um diesem Unwesen ein Ende zu bereiten, stellte der Bukowiner Adel 1778 unter Leitung österreichischer Offiziere sog. Häscherkorps auf, die als halb militärische, halb polizeiliche Selbsthilfeeinrichtung gegen die Räuber eingesetzt wurden[82]. Drei Jahre nach der letzten Teilung Polens wurden dann militärisch organisierte Verbände aufgestellt, um den Versuch einer Gruppe geflohener polnischer Aufständischer zu vereiteln, von der Moldau aus durch die Bukowina nach Galizien vorzustoßen. Weitaus stärkere Impulse

[80] A. H. Niemayer: Grundsätze der Erziehung, 122.
[81] E. von Păunel: Das Geschwisterpaar, 81–102.
[82] E. Prokopowitsch: Ein Bukowiner Freikorps, 339–41.

gingen aber von der Beamtenschaft aus, in deren Reihen sich einige Rumänen aus Siebenbürgen und dem Banat hervorhoben. Unter diesen war Ion Budai-Deleanu (1760–1820), der seine Eindrücke von einer Reise durch das Land in einer kritischen Schrift in deutscher Sprache „Kurze Bemerkungen über die Bukowina" niedergelegt hat, in der er die schlimmen Verhältnisse, vor allem die Rückständigkeit der Geistlichen und die Mängel des im Aufbau begriffenen Gerichtswesens, ähnlich schonungslos schilderte wie nach ihm Hofrat Reichmann. Bei dem von ihm angestellten Vergleich mit den siebenbürgischen Klerikern der Unierten gerieten die Orthodoxen der Bukowina schwer ins Hintertreffen. Durch einen nahezu zehnjährigen Studienaufenthalt in Wien (1777–1787) war Budai-Deleanu nachhaltig vom Josephinismus geprägt worden, so daß er in seiner „Ţiganiadă", einem komisch-satirischen Heldenepos, nicht nur die hohe Wertschätzung einer guten Gesetzgebung, sondern auch die Geringschätzung für die von den Fürsten der Moldau und Walachei aus Gewinnsucht in den Bojarenstand erhobenen Emporkömmlinge zum Ausdruck brachte. Der Adelstick der konservativen Beamtenschaft in Lemberg tat ein übriges, um den überzeugten Josephiner zu einem Verehrer des strengen, aber gerechten Herrschers zu machen. In seinen dichterischen Arbeiten spiegeln sich aber auch die Einflüsse von Leibniz, J. Chr. Wolff, Voltaire, Blumauer und anderen wider[83].

Mit den Zuwanderungen aus den Nachbargebieten begann eine Veränderung der Konfessionsstruktur der Städte, wo zunächst römisch-katholische Pfarreien und später auch unierte Gemeinden entstanden. Als 1813 ein vorläufiger Kaplan für die Unierten bestimmt wurde, der 1814 seine Ernennung zum Pfarrer erhielt, nahm die Zahl der unierten Zuwanderer aus Galizien und Siebenbürgen zu, ohne jedoch die orthodoxe Majorität der rumänisch-ruthenischen Glaubensgemeinschaft zu gefährden. Als weitaus folgenschwerer erwies sich die 1812 von Wien aus verfügte Übertragung der Schulaufsicht an das römisch-katholische Konsistorium in Lemberg. Dieses hob zunächst den Schulzwang auf und überließ die Errichtung von Schulen den Gemeinden. Es kam hinzu, daß nichtkatholische Lehrer an den bereits bestehenden Schulen entlassen und durch katholische ersetzt wurden. Da letztere durchweg Polen waren, die das Rumänische nicht beherrschten, bahnte sich ein starker Polonisierungsdruck an, der dazu führte, daß die Frequenz rumänischer Schüler innerhalb eines Jahrzehnts sehr erheblich zurückging[84].

In diesen Jahrzehnten erreichte die Zuwanderung aus Galizien, Böhmen-Mähren und vor allem aus der Moldau und Siebenbürgen einen ersten Höhepunkt und führte zu einer in diesen Regionen kaum zu erwartenden demographischen Entwicklung[85], da die sozialen Aufstiegsmöglichkeiten und die geringeren Lebenshal-

[83] I. E. Petrescu: Ion Budai Deleanu, 177ff., 191, 198 und 203–7; sowie C. Loghin: Istoria literaturii române din Bucovina, 165.

[84] M. B. Şafran: Die inneren und kulturellen Verhältnisse, 141 f.

[85] Anschauliches Zahlenmaterial bei E. Beck: Das Buchenlanddeutschtum in Zahlen, 75.

tungskosten sich besonders günstig auswirkten. So wanderten die Vorfahren des größten rumänischen Lyrikers, Mihai Eminescu, aus Siebenbürgen und die des deutschen Chirurgen Johannes von Mikulicz-Radecki aus Galizien ein. Der Vater Eminescus konnte hier die Grundlagen für seinen Aufstieg zum Gutspächter und späteren Gutsbesitzer legen, der von Mikulicz den Aufstieg vom Förster zum staatlich geprüften Architekten, Kameral-Baumeister und schließlich zum kaiserlichen Rat in Czernowitz vollenden[86].

Ähnlich wie im Schmelztiegel Nordamerikas entstand auch in den Städten und Märkten der Bukowina eine polyethnische Bevölkerung, die überwiegend deutschsprachig war, ohne die Bindung an das ursprüngliche Ethnikum aufzugeben, so daß im Unterschied zu Siebenbürgen keine scharfen ethnisch-konfessionellen Abgrenzungen auftraten.

Die enge Kooperation zwischen den ständig wachsenden römisch-katholischen Pfarreien und den Unierten führte indes seit dem zweiten Jahrzehnt des 19. Jahrhunderts zu einer Aktivierung des orthodoxen Klerus, der der Zweckentfremdung von Mitteln des Religionsfonds widersprach. So wurden Einwände gegen die Finanzierung der katholischen Schulen aus Mitteln des Fonds erhoben und die Zahl der Stipendiaten, die zum Theologiestudium nach Wien gingen, mit Hilfe der Fonds-Gelder ausgeweitet. Diesem Beispiel folgend schickten auch die rumänischen Bojarenfamilien ihre Söhne zum Studium nach Wien, z.B. die Familien Flondor, Zotta und vor allem Eudoxiu Hurmuzachi (1780–1857), die im Geistesleben der Bukowina während des Vormärz Bedeutung erlangen sollten.

Auffallend stark war bei den Großbojaren der politische Zusammenhalt, der sich darin zeigte, daß die Bojaren bis 1817 ihre Teilnahme an der Sitzung der Ständetafel Galiziens ablehnten, weil ihre Bemühungen um eine eigene Ständetafel für die Bukowina erfolglos geblieben waren. Diesem Widerstand der Bojaren gegen das „galizische Regime“ mußte man in Wien Rechnung tragen, wollte man eine Kooperation erreichen. Deshalb wurde 1837 der Bukowiner Rumäne Georg Isecescul zunächts zum Vizekreishauptmann und 1840 zum Kreishauptmann von Czernowitz ernannt und gleichzeitig durch die Verleihung des Titels eines Hofrats geehrt[87].

Im Ringen um soziale Aufstiegsmöglichkeiten, die in der Regel an den Nachweis eines erfolgreichen Studienganges geknüpft waren, fiel der höheren Geistlichkeit die Aufgabe zu, sich über die Hindernisse hinwegzusetzen, die das Lemberger Konsistorium dem Ausbau des 1827 eingerichteten Theologischen Instituts in den Weg stellte. Isaia Baloşescul, seit 1822 Bischof der Bukowina, gelang es, die Institutsbibliothek durch Vermittlung von Sach- und Geldspenden mit den erforderlichen Lehrbüchern zu versorgen und gleichzeitig die Schicht wohlhabender Bojaren für die Entwicklung des Theologiestudiums zu interessieren. Da aus Mangel an

[86] J. Neugebauer: Weltruhm deutscher Chirurgie, 14f.
[87] E. Prokopowitsch: Die rumänische Nationalbewegung, 37–39.

rumänisch-sprachigen Lehrbüchern in erster Linie die von Wien vorgeschriebenen deutschen Lehrbücher für den Unterricht Verwendung fanden, wurden mehrere Generationen rumänischer und ruthenischer Theologen im Geiste des Josephinismus erzogen, denn viele dieser Lehrbuchautoren, wie Andreas Reichenberger und Georg Rechberg, gehörten zu den profilierten Josephinern[88]. Die sittlichen Normen einer von der abendländischen Moraltheologie geformten Naturrechtlehre und das Denken in Kategorien transzendenter sittlicher Grundwerte schufen wichtige Grundlagen für eine neue, liberalen Ideen aufgeschlossene Elite, die durch die pastoralen und praktischen Aufgaben zu wichtigen Kulturmittlern wurde.
Sieht man von einem bescheidenen Versuch einer Zeitungsgründung und einer Reihe von Klageschriften gegen Korruptionserscheinungen in der Kommunalverwaltung ab, muß man die Zeit bis zum Jahre 1848 als politisch träge bezeichnen. Dagegen entwickelte sich das Wirtschaftsleben recht günstig, so daß Mihail Kogălniceanu anläßlich seiner Reise von Jassy nach Lunéville 1834 an seinen Vater einen begeisterten Brief über das Stadtbild von Czernowitz und insbesondere über die Struktur der Landwirtschaft schrieb. Wenige Jahre später schilderte der Geograph I. G. Kohl Czernowitz als eine Art Klein-Wien[89], doch täuschte der äußere Schein über die innere Struktur der Stadtbevölkerung hinweg. 1825 besaß Czernowitz noch „keinen hinreichenden Bürgerstand, um die ständischen Rechte“ wahrnehmen zu können, so daß bis zur Mitte des 19. Jahrhunderts die eigentlichen „Kulturträger des Landes“ aus Adel, Geistlichkeit und Beamtenschaft bestanden[90]. Sie waren allerdings in starkem Maße vom Geist des Josephinismus beeinflußt, auch wenn dieser Geist unter dem Druck der Zensur- und Kontrollmaßnahmen des Metternich'schen Systems noch keine nennenswerten Außenwirkungen hatte. Der „Glaube an den zentralen Wert des Staates“[91] wurde von der höheren Bürokratie der Wiener Verwaltungsstellen vermittelt und wirkte typenbildend nicht nur auf die Beamtenschaft im Banat, der Bukowina und in Siebenbürgen, sondern auch auf Lehrer und Kleriker, sogar bis hinab zu den bäuerlichen Untertanen, die erstmals die Möglichkeit zum sozialen Aufstieg durch höhere Schulbildung oder bessere Kenntnisse in der Landwirtschaftstechnik erhielten, wie der aufgezeigte Werdegang der Familie Eminescu anschaulich belegt.

[88] E. Turczynski: Die Bedeutung von Czernowitz, 175f.
[89] J. G. Kohl: Reisen im Innern von Rußland, 3. Teil, 518.
[90] M. B. Şafran: Die inneren und kulturellen Verhältnisse, 141f.
[91] F. Valjavec: Der Josephinismus, 122.

Die Anfänge des Frühliberalismus

Das Ende der Aufklärungsepoche ist für das östliche Mitteleuropa mit vielen guten Argumenten auf das Jahr 1830 festgelegt worden, so zuletzt auf dem Symposium der Ungarischen Akademie[92]. Rumänische Literaturhistoriker setzen neuerdings das Ende der Aufklärung etwas später an. Es ist doch fraglich, ob man die Aufklärung für abgeschlossen halten kann, wenn über 90 % der Bevölkerung noch Analphabeten sind und Zeitungen erst ab 1829 zu erscheinen beginnen. Das erste Grammatikbuch des Rumänischen war gerade zwei Jahre alt und über die Erkenntnis des heliozentrischen Weltbildes gab es noch keine Literatur in rumänischer Sprache, noch keinen Kalenderaufsatz oder Zeitungsbericht, so daß nur die dünne Intellektuellenschicht davon Kenntnis hatte, daß sich Sonne und Erde nicht in der augenscheinlichen Bahn bewegten. Auch der aufgeklärte Absolutismus der rumänischen Hospodare, der nach 1821 und bis Mitte der 30er Jahre die Geschicke der Fürstentümer bestimmte, läßt Zweifel daran aufkommen, ob die Aufklärung mit 1830 als fortgeschritten oder sogar als abgeschlossen betrachtet werden kann. Ebenso waren die Unterschiede zu den gesellschaftlichen Strukturen der Rumänen Siebenbürgens, des Banats und der Bukowina so groß, daß die Forderung nach Zulassung zu den Staatsämtern je nach Bildung und Fähigkeit, die in den Denkschriften der Siebenbürger Rumänen bereits 1791/92 erhoben worden war, in den Donaufürstentümern erst eine Generation später, zu Beginn der zwanziger Jahre, formuliert wurde. Dasselbe gilt in gewissem Umfang für die Bildungsprogramme, die in den zwanziger Jahren für breitere Schichten der Stadtbewohner konzipiert und erst in den dreißiger und vierziger Jahren allmählich realisiert wurden[93]. Dabei gibt es natürliche Vorläufer in der Darstellung von Plänen einer grundlegenden Modernisierung des Staatswesens unter Einbeziehung liberaler Elemente, die ihrer Zeit weit vorauseilten, wie das bekannte Projekt des aus der Moldau stammenden Großbojaren Dimitrache Sturdza, der 1802 eine aristokratisch-demokratische Gesellschaftsordnung konzipiert hatte. Ihn hatte das englische Vorbild, das er aus der Literatur oder aus Schilderungen von Zeitgenossen kannte, besonders beeindruckt, deshalb empfahl er dieses „freie Land“ als Beispiel[94].

In weitaus stärkerem Maße haben die soziokulturellen Veränderungen in der von der Moldau abgetrennten Bukowina die Aufmerksamkeit der Großbojaren auf

[92] Les Lumières en Hongrie, en Europe Centrale et en Europe Orientale. 4 Bde. Budapest 1971–81; ferner P. Cornea: Originele romantismului românesc, 227–32, geht davon aus, daß die Aufklärung erst gegen 1840 ausklang.

[93] M. Bordeianu und P. Vladcovschi: Învăţămîntul românesc, 108ff.

[94] E. Vîrtosu: Ionică Tăutul, 34.

neue Herrschaftsmodelle gelenkt, wobei die Vorstellungen von den spektakulären Revolutionsereignissen in Frankreich und den spürbaren Ergebnissen der josephinischen Reformen miteinander verknüpft wurden. Deshalb waren die Großbojaren zutiefst erschrocken, als 1804 ein anonymes Schreiben die Runde machte, in dem die Praktiken der Großgrundbesitzer und die Art und Weise der Staatsführung angegriffen wurden, und eine Erhebung ähnlich der von 1789 in Frankreich angedroht wurde, falls nicht Reformmaßnahmen durchgeführt würden. Dieses Schreiben löste zahlreiche Überlegungen aus, wie man die Gefahr einer Bauernerhebung abwenden könnte. Ein namentlich bekannter Vertreter des moldauischen Frühliberalismus, der Bojar Vasile Malinescu, trat als eifriger Verfechter sozialer Reformen und Fürsprecher der verarmten Bauernschaft hervor und verglich ihre bedrückenden Lebensbedingungen mit jenen der Bojaren. Dieser Vergleich gipfelte in der Forderung, den Bauern die zum Lebensunterhalt erforderlichen Weide- und Akkerflächen zu übereignen. Den Bojaren empfahl er, die Lage der rumänischen Bauern in der Bukowina zu studieren und zu prüfen, ob nicht die dort erprobten Maßnahmen übernommen werden könnten. Daß er den theresianisch-josephinischen Reformen ein tiefes Verständnis entgegenbrachte, beweist auch die Begründung seiner Vorschläge: Revolutionen können nur dort entstehen, wo die Menschen keinen rechtlich gesicherten Weg für die Darlegung ihrer Leiden und Sorgen haben[95]. Doch fanden diese Gedankengänge kein nennenswertes Echo, denn die Zeit für ein modernes politisches System war noch nicht gekommen, weder innen- noch außenpolitisch. Vor allem die Gesellschaftsstruktur zeigte noch alle Merkmale einer feudalen Ordnung, wie dies Şt. Zeletin 1925 dargelegt hat.

Die wirtschaftliche Erschließung der Getreideanbau- und -ausfuhrgebiete im Raum von Odessa und an der unteren Donau, die etwa 1820 begann und sich nach Beendigung des türkisch-russischen Krieges 1829 verstärkte, hatte die Einkommen aus Getreideexporten hochschnellen lassen, so daß ab 1829 in den Donaufürstentümern die „bürgerliche Revolution" einsetzte. Sie führte zu einem neuen Verhältnis zwischen Bodenwert und Arbeitsleistung, wodurch der naturalwirtschaftliche Güteraustausch vom kapitalwirtschaftlichen abgelöst wurde. Landbesitz wurde zu einer Einnahmequelle, die neue politische und soziokulturelle Perspektiven eröffnete, da zum erstenmal breitere Schichten eine größere Kaufkraft erlangten. Zieht man außerdem die Entwicklung von Sprache und Literatur in Betracht, dann wird man die Periode des „kulturellen Vormärz" phasenverschoben zwischen dem Erscheinen der ersten Sprachlehren und Zeitungen einerseits und den Universitätsgründungen 1860/64 andererseits ansetzen müssen, so daß Aufklärung, Frühliberalismus und Romantik ineinander übergehen, einander durchdringen, ergänzen, aber auch ihre scharfen Konturen verlieren. Viele für das Vordringen der Aufklärungsideen wichtige Ausdrücke finden im Rumänischen erst seit Ende der zwanzi-

[95] A. D. Xenopol: Istoria partidelor politice I, 103–105 und V. Şotropa: Proiectele de constituţie, 45f.

ger Jahre ihre Schöpfer oder Übersetzer und selbst ein so bedeutender Mann wie Dinicu Golescu, ein Großbojar, der 1824 eine Reise durch Mittel- und Westeuropa machte, um seine vier Söhne in Bildungsinstituten in München und Genf unterzubringen, konnte seine Reiseeindrücke noch nicht in rumänischer Sprache niederschreiben. Als er zur Feder griff, fehlten ihm im Rumänischen die Begriffe, so daß er sich gezwungen sah, seine Aufzeichnungen zunächst neugriechisch abzufassen und nach der Rückkehr von der Reise ins Rumänische übersetzen zu lassen! Erst zu diesem Zeitpunkt begann der Kampf um die Einführung des Rumänischen als Bildungs- und Nationalsprache in eine entscheidende Phase zu treten, sie blieb aber für Jahrzehnte von neugriechischen und später von französischen Denk- und Sprachmodellen eingeengt. Die rumänische Forschung hat diesen Gegebenheiten in den Phasen ihrer freien Entfaltungsmöglichkeiten Rechnung zu tragen begonnen. So unterscheiden einige Autoren bei der Behandlung der Revolutionsbewegungen von 1848 einen sich mehr den Aufgaben der Aufklärung widmenden Zweig neben jenem der Revolutionäre[96]. Was für den kulturellen Vormärz Geltung hat, dürfte auch für den politischen Vormärz, dessen Ende man mit der Vereinigung der beiden Fürstentümer 1859 festsetzen kann, nicht ohne Bedeutung sein. Daß der Nationalismus mit all seinen bekannten Schlagworten bereits zwischen 1828 und 1860 rankte und wucherte, gehört ebenso in den anthropologisch-mentalitätsgeschichtlichen wie in den Bereich der Nationalismusforschung, die sich mit dieser Phase im Donau- und Balkanraum noch nicht näher befaßt hat. Dennoch lassen die Zeugnisse für die Anfänge des Frühliberalismus seit dem zweiten Jahrzehnt des 19. Jahrhunderts, insbesondere seit 1815, eine ansteigende Tendenz erkennen, wobei die Großbojaren aktiver waren als die Schicht der mittleren und kleinen Bojaren oder gar das unterentwickelte Bürgertum. Soweit bisher auf Grund zuverlässiger Angaben festgestellt werden konnte, sind die regionalen Unterschiede für die Artikulation der politischen Wirkungen von Aufklärung und Josephinismus im rumänischen Sprachraum beträchtlich, wobei ein wichtiger Schnittpunkt russischer, deutsch-österreichischer und französischer Rezeptionsvorgänge in Jassy entstand, das in weitaus stärkerem Maße als etwa Bukarest zum Mittelpunkt der Bestrebungen wurde, die positiven Funktionen des Staates zu stärken, aber auch die Mißstände der Landesverwaltung zu kritisieren.

Im Unterschied zum Frühliberalismus im englischen, deutschen oder französischen Kulturraum bestand während der Phanariotenzeit wenig Vertrauen in die Einrichtung des eigenen Staates. In der Regel galt nicht das Wohl des Einzelmenschen oder der Gesamtbevölkerung als das höchste Ziel, sondern die Beseitigung der Mißstände, die der Absolutismus dieser oktroyierten Herrschaftsstruktur, trotz des guten Willens einzelner aufgeklärter Hospodare und trotz aller Wertschätzung der griechischen Hochkultur, als Instrument der Hohen Pforte mit sich gebracht hatte. Das Weisungsrecht der Pforte an die Hospodare, von dem zur

[96] P. Cornea und M. Zamfir: Gîndirea românească, I, 27ff.

Aufrechterhaltung von Ruhe und Ordnung zunehmend Gebrauch gemacht wurde, überließ Justiz oder Verwaltung fast keinen Ermessensspielraum. Ein Vergleich mit den Entwicklungen in der Bukowina und Bessarabien, vor allem aber mündliche Berichte von Kriegsteilnehmern aus den Jahren 1800 bis 1814, die andere Kulturräume und die moderne Gesetzgebung Österreichs und vor allem Frankreichs kennengelernt hatten, verdeutlichten die eigene Lage und die Gefahr, in welche Schrecknisse ein in Hochfäule geratenes Osmanisches Reich das Land stürzen konnte. Die Pforte ihrerseits war seit dem Aufstand der Serben in den Jahren 1804–15, der nach überaus hohen Verlusten auf beiden Seiten zu mühsam abgerungenen Autonomie-Zugeständnissen geführt hatte, besonders mißtrauisch geworden gegenüber allen Neuerungen.

Rechtsunsicherheit wegen fehlender Gesetze, Beschränkungen der Freizügigkeit aus Angst vor westlichen Einflüssen sowie die steigenden Steuerlasten gaben zu den ersten Reformprojekten Anlaß, die zunächst eine Art „Großbojaren-Liberalismus" befürworteten. Seine hauptsächlichen Merkmale waren die Forderungen nach Erweiterung des Freiheitsraumes für diesen von altersher führenden Stand sowie die Rückkehr zu der ständischen Verfassung, die ursprünglich von der Hohen Pforte in zahlreichen Verträgen anerkannt worden war. Darüber hinaus gab es den von vielen Mittel- und Kleinbojaren mitgetragenen Konsens, wonach man sich von einer schriftlichen Fixierung der Rechte der Bojaren und der Pflichten der bäuerlichen Untertanen große Fortschritte in materieller und politischer Hinsicht versprach. In diesem Bereich enstand eine Art öffentlicher, wenn auch nicht veröffentlichter Meinung der politischen Eliten. Diese Eliten verband nicht nur der Wunsch nach rechtsstaatlichen Verhältnissen wie in der Bukowina, wo das Habsburgerreich die Willkür der Großgrundbesitzer einschränkte und die Übergriffe der Räuberbanden mit drastischen Mitteln bekämpfte, sondern auch die Einsicht, daß die unhaltbaren sozialen Zustände geändert werden müßten.

In dieser ersten Phase vorkonstitutioneller Projekte kam es noch nicht zu unterschiedlichen Auffassungen der Generationen oder zu Ansätzen einer politischen Gruppenbildung. Erst mit Ausbruch des griechischen Freiheitskampfes im Jahre 1821 setzte eine deutliche politische Meinungsbildung ein, die zu den ersten Gruppenbildungen führte. Dabei fanden die aus der Moldau nach Czernowitz geflüchteten und die aus der Walachei nach Kronstadt emigrierten Bojaren, auf engem Raum zusammengedrängt, in der Geborgenheit einer rechtsstaatlichen Ordnung, wie sie die Habsburgermonarchie nicht ohne eine gewisse Härte zu verwirklichen verstand, Gelegenheit zu einem ausführlichen Gedankenaustausch mit den dort lebenden Rumänen. Aber nicht nur diese eher durch Zufall als durch politische Vorüberlegungen zusammengefügten Gruppen schmiedeten eifrig Pläne für die Reorganisation und Modernisierung ihres von kriegerischen Auseinandersetzungen und dann von türkischen Besatzungstruppen – darunter die weitgehend im Verfall befindlichen Janitscharen – heimgesuchten Landes, auch die Gruppe der Klein- und Mittelbojaren, die nicht in die Obhut Österreichs oder Rußlands geflüchtet war, erarbeitete einen Verfassungsentwurf, der unter den konservativen Großbojaren großes Aufsehen erregte. Mit den Ereignissen der Jahre 1821/22 hörte die einflußreiche Rolle der Großbojaren aber keineswegs auf, denn sie behielten das Monopol auf führende Staatsämter, doch traten ihnen erstmals mit aller Deutlichkeit andere Gruppen gegenüber. Diese entwickelten eine Strategie der Konfrontation und ein wenn auch bescheidenes, so doch in vielen Bereichen ausgearbeitetes Reform- und Modernisierungsprogramm für eine Verfassung, das nicht nur die Willkür der Fremdherrschaft sondern auch die der eigenen Oligarchie beseitigen wollte.

In einigen Belangen decken sich die Reformpläne der Großbojaren-Elite mit jenen der Mittel- und Kleinbojaren, nämlich in den Perspektiven für eine von der Vormundschaft der Hohen Pforte befreite Wirtschaftspolitik und die Garantie der Eigentumsrechte. Dabei wurden gewisse Züge eines „legalistischen Liberalismus" deutlich, wie sie später für Rußland charakteristisch waren[97], während andere Tendenzen deutlich die Vorbildwirkung Mittel- und Westeuropas insgesamt erkennen lassen.

Die Sicherung des Eigentums wurde im Zusammenhang mit einem neuen Eigentumsbegriff gefordert, der vom österreichischen ABGB beeinflußt war, und auch der Wunsch nach Freizügigkeit, die in Osteuropa und im osmanisch beherrschten Südosteuropa stark eingeschränkt war, war westlichen Ursprungs. Eingeleitet hatte diese erste Phase eines gemäßigten Frühliberalismus Iordache Rosetti-Rosnovanu mit seinen zahlreichen Denkschriften – zwischen 1817 und 1823 waren es zehn an der Zahl. Zu dieser Zeit war er Vistiernic, ein Amt, das man mit dem eines Finanzministers in einem absolutistischen Kleinstaat vergleichen könnte. Er stammte wie die meisten hohen Würdenträger aus dem Kreis der Großbojaren und gehörte zusammen mit Naum Rîmniceanu, Simion Marcovici und Ionică Tăutu zu den Befürwortern eines Regierungssystems, das man als konstitutionell bezeichnen könnte.

Um die Finanznot des Staates zu lindern, hatte dieser Großbojar sogar für die Abschaffung des Privilegs der Steuerbefreiung seines Standes plädiert, ein nahezu radikaler Zug, der zunächst nur bei wenigen Reformplanern sichtbar wurde, später aber häufig wiederkehrte. Die einheitliche Besteuerung aller Landesbewohner sollte das politische Gemeinwesen stärken und die Aufhebung des Handelsmonopols, das sich die Pforte bis 1829 gesichert hatte, zur Liberalisierung der Wirtschaft und zu Wohlstand in den Donaufürstentümern führen.

Besondere Bedeutung für die Verbreitung frühliberalen Gedankengutes kam seinen Vorschlägen zur Begrenzung der gesetzgebenden Macht des Hospodars zu, die Iordache Rosetti-Rosnoveanu an die Allgemeine Landesversammlung (Adunare obştească) delegieren wollte, so daß dem Herrscher nur die Befugnis zur Auslegung der Landesgesetze (a îndrepta pravilele pămîntului), nicht aber zu ihrer Abän-

[97] M. Raeff: Einige Überlegungen zum russischen Liberalismus, 310f.

derung zustände. Insbesondere sollte ihm das Recht zur Bestätigung oder Aufhebung von Gerichtsurteilen genommen und einem „Divan general", einem allgemeinen Staatsrat, übertragen werden[98].

Während der ersten drei Jahrzehnte des 19. Jahrhunderts spielte die städtische Mittelschicht, die man in Westeuropa als Bürgertum bezeichnet, die aber in den Donaufürstentümern wegen der fehlenden Bürgerrechte für die Stadtbewohner kaum dieser Kategorie zugezählt werden kann, im politischen Leben sowie in den Reformplänen der Bojaren aller Gruppen keine nennenswerte Rolle. Politische Rechte besaßen nur die Bojaren, deren Zahl sich in der Moldau zu Beginn des 19. Jahrhunderts auf 465 belief, während sie in der Walachei etwa doppelt so groß war. Da die Gesamtbevölkerung der Moldau damals etwas mehr als eine halbe Million zählte[99] und die der Walachei auf eine Million geschätzt wird, betrug der Anteil der Bojaren nur etwas mehr als 4,5% der Gesamtbevölkerung und war somit niedriger als der Anteil des Adels in Polen und Ungarn. Weil aber die meisten Angehörigen der Intellektuellenschicht und der politischen Intelligenz aus dem Bojarenstand hervorgegangen waren[100], spiegelten sich in ihren Reformprojekten sowohl die ständisch-konservative Mentalität der Großbojaren als auch die stärker auf Veränderung der Herrschafts- und Verwaltungsstruktur bedachte Mentalität der Mittelbojaren. Doch sind auch hier lange Zeit gemeinsame Züge unverkennbar, wobei zunächst die Sicherung der persönlichen Freiheit gegen den Despotismus der Pforten- und Hofbeamten im Vordergrund stand. Daneben trat nahezu gleichgewichtig die Forderung nach Beseitigung der willkürlichen Besteuerung durch die Pforte, denn schon 1818 hatte sich der russische Gesandte in Konstantinopel bei der Pforte um Milderung der Steuerlasten für die beiden Fürstentümer sowie vor allem um Garantien gegen Übergriffe bei der Steuereintreibung bemüht[101].

Die Forderung nach Gleichberechtigung aller vor dem Gesetz – gemeint sind allerdings nur die Bojaren – war ein weiterer Kernpunkt der seit Beginn des Jahrhunderts verfaßten Denkschriften, der auch vom höheren Klerus, wie von dem aus der Bukowina stammenden, aber in Huşi in der Moldau zu Bischofswürden aufgestiegenen Bauernsohn Meletie[102] und vom Metropoliten von Jassy, Veniamin Costache, vertreten wurde. Auch hierin unterscheidet sich der moldauische Frühliberalismus sehr deutlich vom russischen, denn im Zarenreich besaßen die Träger der Kirchengewalt weder die Stellung souveräner Herrscher[103] wie in Westeuropa noch das hohe Ansehen, das die Metropoliten in den Donaufürstentümern genossen, wo sie sowohl in der vorkonstitutionellen Phase als auch seit dem Organischen

[98] Vl. Georgescu: Ideile politice, 94–108.
[99] St. Pascu: Les sources; und H. Haufe: Die Wandlungen, 57.
[100] Eine Analyse für die zwischen 1780 und 1855 Geborenen gibt E. Siupur: L'écrivain roumain au XIXe siècle, 40ff.
[101] E. Hurmuzaki: Documente XVIII, 383–386.
[102] A. D. Xenopol: Istoria partidelor politice I, 102.
[103] V. Leontowitsch: Geschichte des Liberalismus in Rußland, 38.

Reglement eine wichtige politische Kraft darstellten. Im Fürstenrat war die höhere Geistlichkeit seit dem 16. Jahrhundert nicht nur durch den Metropoliten, sondern auch durch die Bischöfe der anderen drei Diözesen vertreten, so daß insgesamt vier kirchliche Würdenträger an den Beratungen teilnahmen[104]. Da die Mitgliederzahl des Divans seit Beginn des 19. Jahrhunderts auf 32 erhöht worden war – wobei allerdings nur 16 Familien beteiligt waren –, wurde das zahlenmäßige Gewicht des Klerus relativiert, doch verstanden es die moldauischen Erzbischöfe, durch ein erhöhtes politisches Engagement ein ihrem Rang entsprechendes Ansehen zu bewahren, das dem des Fürsten kaum nachstand, vor allem solange dieser aus den Reihen der Phanarioten kam.
Zu den wichtigen sozio-ökonomischen und strukturellen Determinanten der Modernisierungsschübe an der Schwelle zwischen Aufklärungsepoche und Frühliberalismus gehören, neben der Erweiterung der Bojarenschicht durch großzügige, aber nicht unentgeltliche Rang- und Ämterverleihungen, die Antriebskräfte auf dem Bildungssektor. Mit der Einführung des Rumänischen als Unterrichtssprache anstelle des Griechischen kamen nicht nur viele Lehrer und theologisch gebildete Geistliche aus dem Banat, Siebenbürgen und der Bukowina, sondern auch neue Schülergenerationen aus den Schichten der im Aufstieg begriffenen Handwerker- und Händlerfamilien sowie natürlich Kleinbojaren, die sehr unterschiedliche politische Grundanschauungen mitbrachten. Der Rationalismus josephinisch geprägter Patrioten mußte sich nun mit der orientalisch-balkanisch präformierten Mentalität auseinandersetzen. Die Schüler standen den sittlichen Normen und Anforderungen ihrer Lehrer, die gelegentlich beim national gesinnten einheimischen Klerus Unterstützung fanden, oft verständnislos gegenüber. Auch dieser hatte sich nach 1812 gegen die Überfremdung in der höheren Kirchenhierarchie erfolgreich zur Wehr gesetzt, ehe schließlich Bauern der kleinen Walachei im Februar 1821 unter Führung von Tudor Vladimirescu gegen die Feudalherren ihre Waffen erhoben. Aber erst der Einmarsch Ipsilantis mit seiner totenkopfgeschmückten Hetairistenfreischar zur Befreiung von der Türkenherrschaft im März 1821 bedeutete die Eröffnung neuer Perspektiven für die politische Orientierung der Bojaren und zwar nicht nur für die bisher tonangebenden Großbojaren und die Schicht der Mittel- und Kleinbojaren, sondern auch für alle Neubojaren. Diese revolutionären Ereignisse haben Phantasie, Hoffnungen und Befürchtungen weiter Kreise viel stärker geweckt als die napoleonischen Kriege, die irgendwo in Westeuropa hinter zahlreichen Grenzpfählen stattgefunden hatten. Wenn man bedenkt, daß István Széchenyi, der überragende Reformgeist der ungarischen Magnatenelite, bei der Nachricht vom Hetairisteneinmarsch in die Moldau nach Siebenbürgen gereist war, um nähere Einzelheiten über die Hintergründe und den Verlauf zu erfahren, kann man ermessen, welche Bedeutung diesem Ereignis in Ostmitteleuropa beigemessen wurde.

[104] Istoria Romîniei III, 695ff.

Eine gleich starke Wirkung löste bei der rumänischen Führungselite die Nachricht vom Vormarsch Tudor Vladimirescus aus. Dieser ehemalige Pandurenleutnant der russischen Hilfstruppen während des Krieges von 1806–12 hatte sich von dem Hetairisteneid losgesagt und eine Bewegung zur Befreiung der Walachei vom griechisch-türkischen Kondominium ins Leben gerufen. Seine Reformpläne wurden, soweit ihr Inhalt bekannt geworden war, von anderen aufgegriffen und weiter entwickelt, da die Aussicht, endlich die Fremden loszuwerden und deren Macht und Stellung beim Hospodaren und in den noch viel reicheren Klöstern einnehmen zu können, verlockend schien. Schließlich hatten auch die Serben durch ihren erbitterten Widerstand gegen die Übergriffe plündernder Janitscharen und den sich daran anschließenden Freiheitskampf Vorteile gegenüber dem früheren Zustand erkämpft, die anschaulich machten, daß man der Pforte durchaus Positionen abringen und in die eigene Zuständigkeit einbringen konnte. Schwierig wurde es für die Reformplaner, die komplizierten außenpolitischen Konstellationen in die Pläne und Aktionen einzubeziehen, denn das sonst so liberale England vertrat wegen des außenpolitischen Gegensatzes zu Rußland eine konservative Politik, darauf bedacht, den Verfall des Osmanischen Reiches nicht zu beschleunigen, um das Vordringen des russischen Einflusses zu erschweren oder ganz zu verhindern. Mit dem Habsburgerreich in vielen außenpolitischen Belangen einig, schenkte England den Ansichten Metternichs große Beachtung, der seinerseits alle Bewegungen aufzuhalten trachtete, die für die überlieferte und ständisch gegliederte Gesellschaft Umwälzungen und Machtverlust hätten bedeuten können. Und in demselben Maße, in welchem England sich den Anschein gab, den Einfluß Wiens auf die politische Entwicklung in den Donaufürstentümern zu unterstützen, um den Siegeszug der Ideen von der Volkssouveränität zu verhindern, auch wenn diese zunächst nur mit Einschränkungen rezipiert werden und nur für die Bojaren der verschiedenen Klassen Geltung haben sollten, überließ Österreich den englischen Handelsinteressen den südlichen Balkanraum sowie Kleinasien und begnügte sich mit dem österreichischen Vorland des weit nach Südosteuropa hineinragenden Donauraumes. So durfte in Jassy und Bukarest auch mit den liberalen Diplomaten Englands, wie z. B. Sir Stratford Canning, der in dieser vielbewegten Zeit Gesandter Englands in Konstantinopel war, nur hinter vorgehaltener Hand über liberale Reformpläne geflüstert werden, ständig die Gefahr vor Augen, der russische Gesandte bei der Pforte, Stroganov, oder Baron Ottenfels, der Gesandte Wiens, könnten davon erfahren und die Türken zu neuen Übergriffen verleiten. Manche Denkschriften spiegelten daher neben den vorsichtig formulierten Vorschlägen zur Einführung der Gewaltenteilung, zur Verbesserung der Rechtspflege und Modernisierung der Verwaltung, konservative Züge und legten starke Zurückhaltung gegenüber Ideen an den Tag, die zu jener Zeit keinerlei Aussicht auf Verwirklichung hatten und deren allgemeine Diskussion eher zu Restriktionen als zu Liberalisierungen hätte führen können.

Pläne zur grundlegenden gesellschaftlich-politischen Umgestaltung der Donaufürstentümer wurden vom Ausbruch des Hetairistenaufstandes bis zur Ernennung der neuen, aus bodenständigen Geschlechtern stammenden Fürsten, Ion Sandu Sturdza für die Moldau und Grigore Ghica für die Walachei, im August 1822 auffallend häufig diskutiert. Als dann allmählich wieder der normale Alltag einkehrte und bekannt geworden war, daß der Status quo ante erhalten bleiben sollte, ging die Kleinarbeit dort weiter, wo sie vor 1821 aufgehört hatte. Man begann die Schäden zu beheben, die eine viel zu lange türkische Besetzung verursacht hatte. Aus vielen Denkschriften geht aber hervor, daß deren Verfasser diese Jahre als revolutionäre Periode betrachteten, weil der Damm der ständischen Absperrung an vielen Stellen durchbrochen worden war.

Liberale und konservative Positionen der Moldauer Eliten

Die frühliberale Bewegung in der Moldau war zeitlich und sozial ebenso bedingt wie in Mittel- und Westeuropa. Verschiedene Einflüsse des Frühliberalismus und der politischen Geheimgesellschaften waren eine Synthese eingegangen, die eine starke Betonung der historischen Determinanten erkennen ließ. So hatte in Czernowitz bereits am 4. Juli 1821 eine von etwa 30 Bojaren der Mittelschicht gegründete rumänische Geheimgesellschaft den Beschluß gefaßt, für eine Beteiligung aller am politischen Leben zu kämpfen und vor allem dem verderblichen Einfluß der Griechen entgegenzuwirken, die seit geraumer Zeit zusammen mit bodenständigen moldauischen Bojaren das „Vaterland" dem Abgrund entgegenführten. Wie stark diese Bojarengruppe eine Versittlichung der Macht anstrebte, geht aus dem Schuldbekenntnis in der Eidesformel hervor: „Und da unsere Niederträchtigkeiten die letzten Grenzen überschritten haben und die Notwendigkeiten einer Heilung" unverkennbar sind, „... uns allgemein bewußt ist, daß auch bei allen benachbarten Nationen – unter deren Blicken wir in dieses Chaos geraten sind – diese Zustände bekannt sind, verpflichten wir uns durch diese Schrift ... dafür zu sorgen", daß „in unserem Land gute Gesetze und gerechte Ordnung zum Wohl aller eingeführt werden".

Wie in den älteren polnischen Geheimgesellschaften und in der 1814 in Odessa gegründeten Hetairie der Philiker, die den griechischen Freiheitskampf vorbereitet und ausgelöst hatte, war in dieser Czernowitzer Geheimgesellschaft von 1821 jedes Mitglied zur moralischen und materiellen Unterstützung der vereinbarten Ziele und zur strengsten Geheimhaltung verpflichtet. Einem möglichen Verrat wurde durch eine beschworene Sippen- und Vermögenshaftung vorgebeugt, und in der Tat ist die Geheimhaltung in erstaunlichem Umfang gelungen[105].

105 Der bisher noch unveröffentlichte Text dieses Geheimvertrages befindet sich im Familienarchiv Lecca in Paris und wurde mir freundlicherweise von Herrn E. R. Bogdan (†) zugänglich gemacht, der über die Hintergründe dieser Geheimgesellschaft in Freiburg einen

Nur ein Jahr später verfaßten Vertreter der Mittel- und Kleinbojaren, darunter auch Mitglieder dieser Geheimgesellschaft, eine Denkschrift an den Fürsten Ion Sandu Sturdza, die als Verfassungsentwurf der Carbonari in die politische Ideengeschichte Rumäniens eingegangen ist, obwohl das Wort „Verfassung“ darin nicht enthalten ist, dafür aber ihrem Sinngehalt entspricht. Auch die Bezeichnung „carbonari“ ist nicht eigentlich zutreffend, doch die Großbojaren gaben den Trägergruppen dieser Ideen den rumänischen Namen „cărvunari“ in Analogie zu der damals in Frankreich und Italien schon verbotenen Organisation, deren Mitglieder nach dem Kongreß der Heiligen Allianz in Verona in großer Zahl hatten aus ihrer Heimat fliehen müssen. In welchem Umfang dieser Verfassungsentwurf, der erstmals die Menschenrechtserklärung für ein rumänisches Fürstentum zu verwirklichen suchte, eine Gemeinschaftsleistung einer größeren Gruppe reformwilliger Bojaren war, konnte in der Forschung bisher nicht eindeutig geklärt werden, doch steht immerhin fest, daß ein Vertreter der Gruppe der Kleinbojaren, der aus angesehenem alten Geschlecht stammende Ionică Tăutu (1795–1830), federführend daran beteiligt war. Mit der Unbeschwertheit eines jugendlichen Frühliberalen, der eine mathematisch-naturwissenschaftliche Ausbildung erhalten hatte, dazu reiche Kenntnisse der Aufklärungsliteratur besaß und durch verwandtschaftliche Beziehungen zu seinen Landsleuten in der Bukowina und durch berufliche Kontakte Einblick in die vom Josephinismus und den theresianisch-josephinischen Reformen geprägte Landschaft gewonnen hatte, bemühte er sich hartnäckig, auch das Fürstentum Moldau auf neue rechtliche Grundlagen zu stellen. Er war wie viele seiner Generations- und Standesgenossen von der Hoffnung erfüllt, die verhaßte Phanariotenherrschaft und die mit dieser durch vielfältige Interessen und Familienverflechtungen verbundene Großbojarenoligarchie durch einen besseren, aus bodenständigen Führungskräften zusammengesetzten Herrschafts- und Verwaltungsapparat zu ersetzen. Gleichzeitig sollte nach den Vorstellungen der aufgeklärten Bojarengruppe eine grundlegende Erneuerung der Sozial- und Rechtsstruktur des heruntergewirtschafteten Landes dadurch erreicht werden, daß bewährte Einrichtungen der Vergangenheit zu Vorbildern der erstrebten Änderungen erhoben wurden. Nicht zu unrecht wird Tăutu wegen seiner auf ethisch-moralischen Grundlagen fußenden Reformbestrebungen als der „erste moderne Rumäne“ apostrophiert[106]. Seine Bedeutung – und damit die der von ihm für kurze Zeit ins Leben gerufenen politischen Gruppe – liegt aber auch darin, daß hier versucht wurde, eine rumänische Mittelklasse zur Geltung zu bringen und sich von der Vorherrschaft der Großbojaren zu emanzipieren. Die Voraussetzungen hierfür schienen insofern günstig, als die politisch aktive Gruppe der Klein- und Mittelbojaren eine relativ breite Schicht von Intellektuellen aller Stände und Berufsgruppen an der Neugestaltung der öffentli-

Vortrag gehalten hat. Ob die geplante Veröffentlichung des Vortrages möglich sein wird, steht dort noch nicht fest.

[106] P. Cornea: Originele, 241.

chen Ordnung der Moldau Anteil nehmen ließ, die bestrebt waren, sich als europäische Mittelklasse[107] zu konstituieren. Diese Aufbruchstimmung beschränkte sich indes nicht auf die Moldau, auch in der Walachei, wo die militärischen Unterführer des von Tudor Vladimirescu entfachten Aufstands überwiegend der gleichen Schicht entstammten, wurde die Opposition gegen den Führungsstil der Bojaren- und Phanariotenoligarchie heftiger und fand Unterstützung auch bei Kaufleuten und Bauern. Eindeutiger aber als die Gruppe in der Walachei verstand Tăutu die Kritik an den sozialen Zuständen zu formulieren und neue Begriffe in den politisch-sozialen Wortschatz einzuführen[108], die seither zum festen Bestand der rumänischen Sprache gehören, wie „liberalism" und „a îndrepta statul", d.h. den Staat ausrichten, organisieren.

Diese Bemühungen der „cărvunari", eine solche societas civilis aufzubauen, waren ein Novum in den rumänischen Reformbestrebungen. Zum erstenmal wurden Forderungen der bürgerlichen Gesellschaft von den Kleinbojaren übernommen, womit vorsichtige Ansätze zur Überbrückung der bis dahin als unüberwindlich geltenden Kluft zwischen Adelsnation und Volksnation geschaffen wurden. Als Vorlage für diesen Verfassungsentwurf dienten die französische Charte von 1814 und wohl auch die spanische von 1820, denn beide boten für die Frühliberalen brauchbare Anstöße für die Weiterentwicklung eines Freiheitsbegriffes und eines Menschenbildes, das in ihre Vorstellungswelt paßte. Hierbei wurde nicht, wie noch während der Französischen Revolution, das für Ostmitteleuropa und erst recht für den unter starkem russischen Einfluß stehenden nördlichen Teil Südosteuropas utopische Bild einer politischen Gleichheit aller Menschen in die Zukunft projiziert, politische Gleichheit wurde vielmehr auf den Kreis der Bojaren aller Kategorien begrenzt. Dennoch stand die Garantie der individuellen Freiheit und der Gleichheit aller vor dem Gesetz im Mittelpunkt dieses Programms.

Wie wichtig Recht und Freiheit für Tăutu waren, geht aus seiner Bemerkung hervor: „Siehe die Gerechtigkeit, siehe das vergoldete Jahrhundert!" (Iată dreptatea, iată veacul cel înaurit!), die er 1822 anläßlich der Ablösung der griechischen Hofbeamten und hoher kirchlicher Würdenträger durch einheimische Kräfte machte. Er begrüßte den sich anbahnenden Wechsel der Herrschaftsform mit dem Überschwang und dem Optimismus eines Vierundzwanzigjährigen. Zwar standen die Grundsätze der Menschenrechte und der individuellen Freiheit im Mittelpunkt seiner Gedankenführung, doch wurden die Verpflichtungen des Individuums gegenüber der Gemeinschaft ähnlich ernst genommen. So sollte z.B. das persönliche Eigentum gegen Entschädigung enteignet werden können, wenn dies das Gemeinwohl erforderte. In einem Pamphlet-Schreiben an den Wortführer der emigrierten Großbojaren, die sich den Reformmaßnahmen des Fürsten der Moldau, Ion Sandu

[107] E. J. Hobsbawm: Von der Sozialgeschichte zur Geschichte der Gesellschaft, 346.
[108] Kl. Bochmann: Der politisch-soziale Wortschatz, 67f.

Sturdza, durch Interventionen bei der Pforte widersetzten, legte Tăutu 1824 seine Auffassung von der Notwendigkeit der auf die Landesbewohner verteilten Rechte und Lasten dar: In einem Staat mit gleichberechtigten Bürgern müssen sich alle den Gesetzen ohne Murren unterwerfen, denn „... nur dann ist das Vaterland in der Lage, in Ruhe die Süße des Friedens zu genießen“[109].
Die gegen die Willkür der Autokratie und gegen ihre bürokratische Tyrannei gerichtete Forderung auf Unantastbarkeit der Person – die Verfolgung des Individuums durch die staatlichen Organe sollte nur in dem vom Gesetz festgelegten Rahmen erlaubt sein – läßt erkennen, wie das in Mittel- und Westeuropa entwikkelte rechtsstaatliche Denken rezipiert und gleichzeitig das historische Erbe in idealisierter Form auf das zu modernisierende eigene Staatswesen projiziert wurde. Hierin zeigen sich deutlich die Gedanken Andronache Donicis, eines anderen Mitarbeiters an dem Verfassungsentwurf und frühesten Wegbereiters einer grundlegenden Modernisierung der veralteten Gesetzgebung in der Moldau, der damals nachhaltig auch vom Metropoliten Veniamin Costache unterstützt wurde. Costache hatte ebenfalls erkannt, welche Bedeutung für den Fortschritt der rumänischen Kultur ein in rumänischer Sprache gedrucktes Gesetzbuch haben mußte und daher das von Donici verfaßte Zivilgesetzbuch in der Metropolitandruckerei herausgebracht[110]. Bei Ausbruch des Hetairistenaufstandes flüchtete der Metropolit allerdings zusammen mit den Großbojaren, während die im Lande Verbliebenen sich auf die Seite des Fürsten stellten und eine Patriotentruppe bildeten, die zu den Großbojaren in Opposition trat. Hierbei handelte es sich jedoch nicht um eine in sich geschlossene Gruppe, die einer bestimmten Generation angehörte, sondern um einen wohl eher zufällig zusammengetretenen Kreis, wie ja auch die Gruppe der Großbojaren nicht einheitlich war und nicht auf ein Programm oder eine Linie festgelegt, sondern in starkem Maße darauf angewiesen, sich den politischen Gegebenheiten anzupassen, ohne das Allgemeinwohl aus dem Auge zu verlieren. So sah dieser Verfassungsentwurf neben der Erweiterung der persönlichen Freiheitssphäre des einzelnen eine detaillierte Gewaltenteilung vor, zu deren Sicherung ein „Allgemeiner Rat“ (sfat obştesc) bestehend aus vier angesehenen Bojaren und je einem Vertreter der 16 Kreise (ţinut) eingerichtet werden sollte. Tăutu, der als hervorragender Kenner der politischen Geschichte und vor allem der Verwaltung seines Landes gelten kann, hatte hier eine Neuerung vorgesehen: Die bisher straff zentralisierte Verwaltung sollte durch die Mitwirkung der 16 Kreisdelegierten einen flächendeckenden regionalen Charakter erhalten, der das Mitspracherecht auch der Bojaren der Provinz – und das hieß der Klein- und Mittelbojaren – sicherte. Auch die Gesetzgebung sollte in die Zuständigkeit des Allgemeinen Rates fallen.

[109] Das Pamphlet-Schreiben gegen die nach Czernowitz geflüchteten Bojaren vom 2. März 1824 ist wörtlich wiedergegeben bei E. Vîrtosu: Ionică Tăutul, 109–135, hier insbes. 119f.
[110] A. und I. Rădulescu: Pagini din istoria dreptului, 312.

In dem schon erwähnten Pamphlet Tăutus, das den Titel führte „Strigarea norodului Moldavii cătră boierii bribegiţi şi cătră Mitropolitul" (Ruf des Volkes der Moldau an die flüchtigen Bojaren und den Metropoliten) und in zahlreichen Abschriften in der Moldau kursierte, brachte er den Zorn des Volkes über die Großbojaren und den Metropoliten zum Ausdruck, denen er Pflichtvergessenheit und Eigensucht vorwarf: Alle Staatsämter und die damit verbundene Großbojarenwürde wären käuflich geworden, Rechtsprechung und Schulwesen heruntergekommen! Um den richtigen Weg zur Beseitigung der vielen Mißstände aufzuzeigen, wies er die Geflohenen schließlich auf die vorbildlich gute Ordnung in der „kaiserlich-königlichen Bukowina und die dort geschaffenen Einrichtungen hin, deren sich das Volk dort in einem glücklichen Fortschritt erfreut." Zur Verdeutlichung seiner Kritik am Verhalten der Großbojaren betonte er, daß die Bewohner der Bukowina und Bessarabiens deshalb glücklich wären, weil es unter ihnen keine Großbojaren gäbe, so daß sie sich selbst um ihre Angelegenheiten hätten kümmern können[111]. In einem anderen Pamphlet, in dem die Wiedereinsetzung bodenständiger Fürsten gelobt wurde (Lauda anului 1822), befaßte er sich mit den Mängeln der Gesetzgebung und der Rechtsprechung. Er nannte die Richter die gerechtigkeitsliebende Säule der Gesellschaft und erwartete vom Fürsten, daß er für die Gesetze sorge, die alle Untertanen miteinander in wahrer Brüderlichkeit vereinten[112].

Um der Rechtsunsicherheit ein Ende zu setzen, sollten sowohl der Fürst wie der Allgemeine Rat streng den Landesgesetzen unterworfen sein. Für den Fall, daß der Fürst die Vorschläge des Rates nicht billigte, hatte er die Gesetzesvorlage zusammen mit seiner Stellungnahme an den Allgemeinen Rat zurückzuleiten; einigte man sich auch dann nicht, sollte die gewählte Körperschaft die ausschlaggebende Entscheidung fällen. Im Unterschied zu der nur beratenden Funktion des Divans alter Ordnung war in dem Verfassungsentwurf Tăutus eine umfassende Kompetenzerweiterung für den Rat vorgesehen. Dieses grundlegende Prinzip modernen Verfassungsdenkens im Art. 23 stellte die Autonomie der Nation über den Herrscherwillen, es war der erste Plan, die absolutistische Staatsform durch eine konstitutionelle abzulösen. Um die Gewaltenteilung im Sinne einer organischen Verbindung zwischen der bis dahin bestehenden Verwaltungspraxis und den neuen Grundsätzen einer konstitutionellen Verfassung zu organisieren, war außerdem ein Erster Divan als engerer Staatsrat vorgesehen, eine Art Senat oder Oberhaus, bestehend aus 7 Mitgliedern der Protipendada, während der Zweite Divan als eine Art Unterhaus aus 5 Bojaren der 2. Klasse bestehen sollte. Gegenüber der alten Landesverfassung, die nur einen Divan kannte, der in der Regel 12 Mitglieder zählte und mit einem Ministerrat verglichen werden könnte, bedeutete diese Zweiteilung, daß das bisherige Vorrecht der Großbojaren auf höchste Staatsämter beseitigt und auch den anderen Bojaren der Zugang zu diesen Ämtern ermöglicht werden sollte.

111 E. Vîrtosu: Ionică Tăutul, 79–93, hier insbes. 87.
112 Ebd. 30f.

Wie schon bisher waren zwei Departements vorgesehen, das eine für die Koordinierung der Rechtsprechung in Strafrechtsfällen, das andere für die Außenpolitik, wobei die Mitglieder dieser Gremien – je 5 für jedes – unabhängig von ihrer ständischen Herkunft allein nach Eignung ausgewählt werden sollten. Eine Verwirklichung dieses Plans wäre ein wichtiger Schritt auf dem Weg zum modernen Beamtenstaat bürgerlich-liberaler Prägung gewesen, denn ohne dies besonders hervorzuheben, wären die Standesprivilegien aufgehoben und der Grundsatz: „freie Bahn dem Tüchtigen" proklamiert worden.
Um die Rechtsprechung aus der desolaten Lage herauszuführen und auf ähnliche Grundlagen wie in der benachbarten Bukowina zu stellen, war die enge Zusammenarbeit zwischen den Richtern, den Verwaltungs- und Polizeivorstehern (ispravnici) vorgesehen, die gemeinsam die Untersuchungen führen sollten. Dem Polizeivorsteher blieben allerdings in einigen Sonderfällen die Untersuchungen in eigener Zuständigkeit vorbehalten. Die bis dahin bestehenden Gerichte der Polizeipräfektur (agie), die mit dem Aga als Ankläger und einem Richter besetzt waren, sollten weiterbestehen, doch waren auch Appell, Rekurs und Revision bei einer höheren Instanz vorgesehen. Auch im Bereich der Verwaltung waren Verbesserungen geplant, die den Bojaren zwar ihren materiellen und rechtlichen Besitzstand garantierten, aber deutliche Einflüsse des Josephinismus erkennen ließen. So sollte der höhere Klerus einschließlich der Äbte vom Allgemeinen Rat aus den Reihen der Einheimischen gewählt werden und nicht wie bisher durch Ernennung oder Ämterkauf zu den Pfründen gelangen. Auch sollte von der Geistlichkeit in Zukunft die Lesefähigkeit (ştiinţa de carte) verlangt werden, wie dies bereits 1803 nach der Einrichtung eines Seminars in Jassy gefordert worden war. Für die Beseitigung des Analphabetentums wurde die Errichtung von Volksschulen mit muttersprachlichem Unterricht geplant.
Diese vorgesehenen, relativ umfangreichen Modernisierungen und Verbesserungen von Gesetzgebung, Verwaltung, Rechtsprechung und Elementarbildung, sollten jedoch nicht für die jüdischen Bevölkerungsteile (neamul jidovesc) gelten, die rechtlich nicht mit den Landeskindern gleichgestellt waren. Da sie für die Landesbewohner eine Belastung bildeten, sollten sie keine Erlaubnis mehr erhalten, sich durch Zuzug von jenseits der Grenzen zu verstärken. Bereits ansässige Juden dürften weder als Pächter noch als Schnapsbrenner oder Metzger tätig sein und nur noch für ihren eigenen Bedarf Vieh schlachten. Das Recht, Branntwein herzustellen, bliebe den Gutsherren vorbehalten (Art. 70). Aber nicht nur den Juden sollte die Gleichberechtigung versagt bleiben, für alle Ausländer sah der Verfassungsentwurf ein Verbot des Erwerbs landwirtschaftlicher Güter vor, für die Zigeuner sogar eine Beschränkung der Freizügigkeit. Ferner war geplant, alle Steuerprivilegien für fremde Untertanen aufzuheben. Angesichts dieser originären Fremdenfeindlichkeit, die im Wirtschafts-Antisemitismus am deutlichsten Ausdruck fand, mag es zweifelhaft erscheinen, ob die Grundideen der Rechtsstaatlichkeit und des Frühliberalismus mit einer solchen Xenophobie vereinbar sind. Mit dem Hinweis

auf Parallelen zu Rußland sowie auf die Tradierung mittelalterlicher Praktiken ist diese Orientierung nur ungenügend erklärt. Hier haben vielmehr die im ganzen Osmanischen Reich verbreitete Rechtsfigur der mit den Kapitulationen verbundenen Konsulargerichtsbarkeit und die von den Phanarioten seit dem ausgehenden 18. Jahrhundert geförderte Einwanderung von Juden aus den polnischen Teilungsgebieten, die eine Steigerung der Staatseinkünfte versprach, sowie der pragmatische Antisemitismus josephinischer Beamter in Galizien zusammengewirkt und in diesem Kernland des Ostjudentums in Südosteuropa, zu dem die Moldau geworden war, einen gesetzlich verankerten Antisemitismus erzeugt. So gab es seit Beginn des 19. Jahrhunderts wiederholt fürstliche Verordnungen zur Einschränkung der Erwerbstätigkeit für die Juden, die jedoch durch entsprechende Sonderabgaben oder Bestechungsgelder umgangen werden konnten und so für den Fürsten wie für die Hof- und Bezirksbeamten zu einer nichtversiegenden Einnahmequelle wurden.

Typisch für die allgemeine Rechtsunsicherheit war auch die Aufgliederung der fremden Untertanen in solche, die der einheimischen Gerichtsbarkeit entzogen wurden, weil für sie die jeweiligen Konsuln zuständig waren, und andere, die als Fremde galten, aber keinerlei Schutzbriefe einer ausländischen Macht besaßen. Da aber der Kreis dieser „fremden Untertanen" nicht nur aus Ausländern bestand, die sich vorübergehend im Lande aufhielten, sondern auch das meist recht zahlreiche einheimische Konsulatspersonal bis hin zu den Pferdeknechten, Kutschern, Nachtwächtern und Vertrauensmännern in der Provinz dazugehörte, ferner die zahlreichen Armenier und die Griechen von den Ionischen Inseln, die sich als Händler in den Hafenstädten niedergelassen hatten, war der Bestand an Schutzbefohlenen ausländischer Mächte außerordentlich groß. Diese genossen einen abgestuften Rechtsschutz vor der einheimischen Verwaltung und Gerichtsbarkeit: die Konsuln, Vizekonsuln und Staroste – eine Art Wahlkonsul – besaßen volle Immunität, die ausländischen Staatsangehörigen eine umfassende eigene Gerichtsbarkeit, dann folgten die Eingeborenen und Fremden anderer Staaten, die sich Schutzbriefe erkauft hatten, und schließlich genossen auch die Klöster das Privileg, ihre eigene Auffassung von Recht und Ordnung gegenüber den Mönchen wie den Leibeigenen auf den zahlreichen Ländereien durchzusetzen.

Diese unübersichtliche Rechtslage, die nicht selten von den Schutzbefohlenen der Großmächte schamlos ausgenutzt wurde, war allen politisch weitblickenden Bojaren Anlaß zu Reformüberlegungen, die oft zweierlei miteinander verbanden. Für die Liberalen der mittleren Bojarengruppen bot sich Gelegenheit, die Gleichheit aller vor dem Gesetz zu verlangen und damit auch die Bevorzugung der Großbojaren bei der Vergabe von Ämtern abzubauen. Für die Großbojaren ging es um eine Stärkung der staatlichen Kohäsion bei gleichzeitiger Zentralisierung der Verwaltung und Modernisierung der Rechtsprechung, ohne allerdings den Mittel- und Kleinbojaren die gleichen politischen Rechte einzuräumen, die sie selbst besaßen.

Die von Tăutu und Donici geplante Erschwerung der Einwanderung war bereits durch eine Verordnung aus dem Jahre 1804 sowie durch das Gesetzbuch Calimah von 1817 insofern eingeleitet worden, als das Familienrecht Eheschließungen mit Einheimischen und die Möglichkeit, auf dieser Grundlage die Einbürgerung zu beantragen, strengerer Beweisführung unterworfen hatte. Sieht man von dieser wirtschaftlich motivierten, aber im Grunde primär im religiösen Bewußtsein und der sprachlich-kulturellen Andersartigkeit verwurzelten Ablehnung der Juden und anderer Fremder ab, wird man dem Verfassungsentwurf die Bedeutung eines Marksteines in der Artikulierung des rumänischen Frühliberalismus nicht absprechen können. Tăutu war „ein großer Anhänger der Legalitätsidee", der das Gesetz als „das Fundament, auf dem die Schranken der ganzen Freiheit ruhen", betrachtete[113]. Zu den Merkmalen dieses Verfassungsentwurfs gehört der Versuch, einen Kompromiß zwischen den unhaltbar gewordenen Zuständen und der neuen Ära zu ermöglichen. Im Unterschied zu den westlichen Formen des Frühliberalismus wurde allerdings nur für die Landeskinder die Sicherheit für die Entfaltung individueller Kräfte gefordert, wozu auch die Pressefreiheit gehörte, obwohl es noch keine Presse gab (Art. 66)!

Dieser Wunsch nach einer Verfassung, die auf einer festverankerten Rechtsordnung mit stabilen Gesetzen beruhte, wird verständlich, wenn man die seit 1772 zunächst sehr zaghaft, später immer drängender formulierten Vorschläge für die Garantie der Unantastbarkeit der Person betrachtet. Vor allem in den Jahren unmittelbar vor dem Griechenaufstand sind detaillierte Pläne zur Strukturverbesserung der Verwaltung – und damit der Verfassung – entwickelt worden, wie Iordache Rosetti-Rosnovanus „Kurzes Promemoria für die Verbesserung in der Verwaltung der Moldau" (în scurt luare de amintire pentru îndreptări în administraţia Moldovei) von 1818. Dennoch äußerte sich dieser Reformer nun kritisch zu den Plänen der Liberalen.

Die Zeit zwischen den Aufständen Tudor Vladimirescus, Alexander Ipsilantis und dem Abzug der türkischen Besatzungstruppen gilt nicht ganz zu unrecht als eine Zeit der „Revolutionsjahre", denn sie brachte tiefgreifende Veränderungen. Viele Großbojaren hatten das Land verlassen und waren nach Siebenbürgen, in die Bukowina oder nach Bessarabien geflüchtet, so daß die Mittel- und Kleinbojaren ein politisches Übergewicht erhielten und die Position eroberten, die das nach Gleichberechtigung strebende Bürgertum in West- und Mitteleuropa innehatte. Nach dessen Vorbild wurden damals Pläne zur Einrichtung einer Art Bürgerwehr für die Verteidigung der neuerworbenen Rechte und Freiheiten entwickelt. Diesen Gedanken griff die Denkschrift der Frühliberalen von 1824 auf, die einen – oder mehrere – „novateur", Erneuerer, zum Urheber hatte. Um den baldigen Abzug der marodierenden und plündernden Besatzungstruppen, der sogenannten nefers,

[113] Vl. Georgescu: Ideile politice, 133; und V. Şotropa: Proiectele de constituţie, 68–75.

zu erreichen, schlug man die Aufstellung einer bewaffneten Einheit vor, die von nun an den Schutz vor Grenzverletzungen und Aufruhr gewähren und der Pforte die Befriedung des Landes garantieren sollte. Die Kosten für diese „force armée" wurden mit jährlich 2,5 Millionen Piaster angegeben. Zur Verhinderung ähnlicher Invasionen wie 1821 sollten die im Lande befindlichen ausländischen Untertanen von moldauischen Behörden überprüft und der einheimischen Gerichtsbarkeit unterstellt werden. Voraussetzung hierfür war jedoch, daß die Gerichte eine vernünftige Prozeßordnung und ein kodifiziertes Recht zur Verfügung hätten. Ebenso mußte das Polizeirecht (les lois de la police) dem Allgemeinwohl gerecht werden, wie auch Zivil- und Strafrecht diesem Prinzip zu dienen hatten, denn gerade dieses mußte auch all jene erfassen, die bisher das Recht mit Füßen getreten hatten.
Schließlich wurde von Tăutu nochmals hervorgehoben, was Donici schon seit längerer Zeit forderte: Die Gesetze müßten in der Landessprache veröffentlicht werden, wie dies anderwärts der Fall sei, und gerecht und präzise formuliert sein.
Dieser Versuch, anläßlich der Verhandlungen zum Abzug der Besatzungstruppen den Willkür- und Polizeistaat in einen Rechtsstaat umzugestalten, war die Grundidee bei den Bemühungen der Erneuerer. Um dieses Vorhaben verwirklichen zu können, mußten die Grundsätze der Gleichheit aller vor dem Gesetz sowie der Garantie gegen Übergriffe der Polizei und anderer Vertreter der alten Ordnung durchgesetzt werden. Als wesentliche Voraussetzung dafür galt es, die Bojarenschicht zu einem untereinander gleichberechtigten Stand zu machen. „Wir werden garantieren, daß die Bojaren alle gleichermaßen untertänig handeln werden als Einheit, ohne sich aufzuteilen, um solchermaßen sich nie zu erheben und Unruhen herbeizuführen. (Nous devons garantir que les boyards seront tous également soumis et agiront sans se diviser, de manière à ne jamais se soulever et amener des troubles). Die Rangunterschiede (des charges) müßten abgeschafft werden, damit das Volk von den großen Lasten, aus denen die Einkünfte der Chargen finanziert wurden, befreit wäre und die Unterdrückungen der Zurückgesetzten aufhörten. Zur Vereinheitlichung des Bojarenstandes wurde die Einrichtung eines Senats vorgeschlagen, dessen Mitglieder auf Lebenszeit ernannt werden sollten. Aufgabe dieses Senats, der die Nation zu vertreten hätte, wäre es, alle öffentlichen Angelegenheiten zu regeln und der Regierung Vorschläge zu machen, deren Ausführung diese dann anordnen sollte. Im einzelnen waren folgende Bestimmungen vorgesehen: Um Übergriffen vorzubeugen, sollten dem Regierungschef, der Regierung und dem Senat Zuwiderhandlungen gegen Gesetze und Rechtsbeugung künftig durch strenge Kontrolle unmöglich gemacht und Entscheidungen über öffentliche Angelegenheiten mit Stimmenmehrheit gefaßt werden, so wie es das Naturrecht fordere. Das Prinzip der Gewaltenteilung war damit in vorsichtigen Formulierungen angesprochen, ein wichtiges Element der rechtsstaatlichen Verfassung, wie dies von allen liberalen Kräften seit der Charte von 1814 gefordert worden war. Die Verfasser der Denkschrift beriefen sich auf die schon bislang bestehende „Assemblée Générale", welche die Nation repräsentierte und in ihrem Namen handelte,

kritisierten aber, daß die Zahl der Mitglieder nicht festgesetzt und ihre Beschlüsse nie zur Ausführung gelangt waren. Die Mitglieder würden außerdem für ihr Tun nicht zur Verantwortung gezogen. Und da diese Assemblée Générale keine Kanzlei besäße, gäbe es keine Archive und man wüßte nie, was beschlossen worden war. Weil die Entscheidungen nicht von der Mehrheit der Stimmen getragen wären, gäbe es auch keine natürliche Gerechtigkeit (justice naturelle). Um diese Körperschaft funktionsfähig zu erhalten, wäre es nützlich, die Mitglieder auf Lebenszeit zu benennen und die Art der Wahlprozedur festzulegen. Damit war angedeutet, daß die Benennung oder Ernennung nicht in die Kompetenz des Hospodars sondern in die der ständischen Nation, der Bojaren aller Klassen, fallen sollte. Noch deutlicher wird die konstitutionelle Konzeption bei der Forderung nach einem Herrscher auf Lebenszeit mit Thronfolgeanspruch des Erstgeborenen, dem der Senat für die Kosten der Hofhaltung einen bestimmten Betrag genehmigen sollte. Auch hier wird beschwichtigend hinzugefügt, daß es sich ebenfalls um keine Neuerung handle, denn so sei es bisher praktiziert worden, nur habe die Assemblée Générale infolge ihrer schlechten Organisation und ihres fehlenden Ansehens die Kosten der Hofhaltung dem Herrscher aufgebürdet. Nach dieser Begründung für die Wiedereinführung einer der Nation verantwortlichen und überschaubaren Repräsentation mit einer eigenen Kanzlei wurde der zweite wichtige Komplex der Gewaltenteilung angesprochen, nämlich die Rolle der Richter. Von ihnen wurde verlangt, daß sie die Gerichte nicht verlassen, um sich in die öffentlichen Angelegenheiten einzumischen und selbst die Gesetze zu beschließen, nach denen sie dann zu urteilen hätten. Diese Trennung von Justiz und Gesetzgebung, auf die der Liberalismus den größten Wert legte, wurde hier erstmals in dieser schlichten, aber einleuchtenden Formulierung gefordert, nachdem schon Iordache Rosetti-Rosnovanu in seinen seit 1818 verfaßten Denkschriften für die Grundsätze der Gewaltenteilung eingetreten war. Aufschlußreich für die Geschichte des Frühliberalismus sind seine Betrachtungen zu den Ideen der Liberalen, weil seine hier zutagetretenden Maßstäbe für die Realisierungsmöglichkeiten von Reformvorschlägen einen Anhaltspunkt für die Auffassung der Großbojaren von der Landespolitik geben.

Einigkeit bestand bei Liberalen und Konservativen in zwei wichtigen Punkten: Verbesserung und Modernisierung der Rechtspflege und Unterstellung der ausländischen Untertanen und Schutzbefohlenen unter die Rechtsprechung der ordentlichen Gerichte – sobald es diese geben sollte. Nach den Erfahrungen der Aufstands- und Emigrationsjahre sowie unter dem Einfluß konservativer Bojaren in Kišinev, wohin Iordache Rosetti-Rosnovanu geflüchtet war, änderte er seine ursprünglich liberale Haltung und vertrat nun einen gemäßigt konservativen Standpunkt. Dies versetzte ihn in die Lage, dem Zaren und dessen Botschafter Stroganov Vorschläge zu unterbreiten, die Aussicht auf Zustimmung hatten. Der von ihm vertretene Wirtschaftsliberalismus und das Streben nach wirtschaftlicher Unabhängigkeit der Moldau rückten nun stärker in den Mittelpunkt seiner Reformvorschläge, die sich aber gleichzeitig mit zunehmender Schärfe gegen die Emporkömmlinge und die zu Einfluß und Macht gelangten Eliten unter den Bojaren zweiter Klasse richteten. Dabei scheint es dem in der Emigration Verbliebenen einerseits um die Wahrung des bedrohten Rechtsstatus der Protipendada, andererseits um die Abwendung von Gefahren durch diese „hommes sans services antérieurs, sans moyens, sans nom et même prolétaires" gegangen zu sein, die in großer Zahl zur Bojarengruppe zugelassen worden waren. Eine andere Denkschrift an den Zaren, verfaßt von mehreren Moldauer Bojaren, die nach Kišinev oder Czernowitz geflüchtet waren, formulierte 1824 diese Bedenken gemäßigter „... et il règne un esprit de novation qui tend à la destruction des existences établies. La hiérarchie des classes, nécessaire à l'émulation et au maintien de l'ordre, est bouleversée ..."[114]. So war Iordache Rosetti-Rosnovanu im Laufe eines knappen Jahrzehnts vom gemäßigten Wirtschaftsliberalen zum Reformkonservativen geworden. Die von ihm geäußerte Ablehnung der „Parvenus", die mit Rücksichtslosigkeit und Härte ihren Aufstieg vom Pächter über den Gutsverwalter zum Bojaren durchsetzten, zieht sich wie ein roter Faden durch die rumänische Literatur und die Sozialgeschichte.

In seiner etwa 1824/25 entstandenen Denkschrift, die sich besonders eingehend mit der „Verfassung der Carbonari" auseinandersetzte[115], konzentrierte sich die Kritik Rosetti-Rosnovanus auf fünf Hauptprobleme, um dann Gegenvorschläge für eine Wiederherstellung der alten Verhältnisse bei gleichzeitiger Verbesserung der allgemeinen wirtschaftlichen Ausgangsposition zu machen. So lehnte er die Schaffung einer 5000 Mann zählenden Truppe ab, für deren Unterhalt jährlich die Summe von 2,5 Millionen Piaster erforderlich gewesen wäre, weil eine solche nur im Fall der Unabhängigkeit der Moldau von Konstantinopel erforderlich wäre. Die eigentliche Befürchtung war aber, daß diese Streitmacht zu einem Machtinstrument der Bojaren zweiter Klasse werden könnte und daß sie im Grunde aufgestellt werden sollte, um neue und einflußreiche Existenzen zu sichern. Seiner Meinung nach hätte eine solche Truppe alle Reklamationen verhindern und den Zustand der Unordnung und Unterdrückung aufrechterhalten können. Weil darüber hinaus für die Bevölkerung eine Erleichterung der allgemeinen Steuern dringend nötig wäre, könnte man nicht an die Aufbringung einer solch außerordentlich hohen Summe denken.

Weniger kontrovers war die Stellungnahme zur Lage der ausländischen Untertanen, doch vertrat Iordache Rosetti-Rosnovanu die Auffassung, daß auch diese Forderung nur im Falle der Unabhängigkeit der Moldau aussichtsreich wäre, da dann die Regierung Verfahrensweisen erarbeiten könnte, die diesen gewisse Garantien böten; beim gegenwärtigen Zustand hieße es aber, Opfer ohne Gegenleistung zu verlangen. Besonders ausführlich und kritisch ablehnend war die Stellungnahme

[114] V. Şotropa: Proiectele de constituţie, 47; und Vl. Georgescu: Mémoires et projets, 118 und 132.

[115] Es handelt sich hierbei um eine unter maßgeblicher Mitwirkung von Tăutu verfaßte Denkschrift vom 6. 6. 1824.

zum Senat. Den Bojaren der zweiten Klasse, die sich infolge des Verlustes ihrer „fortune“ mit zweitrangigen Stellen in Verwaltung und Justiz begnügen mußten, wurde darin der Vorwurf gemacht, daß sie sich auf die dritte Klasse der Bojaren stützten, die erst kürzlich von den Hospodaren mißbräuchlich ihren Titel und den Kaftan als äußeres Zeichen der Erhebung in den Bojarenstand erhalten hatte und lediglich nach persönlicher Bereicherung strebte. Bei einer solchen Besetzung könnte ein Senat dem Lande aber keinerlei Nutzen bringen.
Rosetti-Rosnovanu, dessen Kritik an der Phanariotenherrschaft vor 1823 sachlich und in Finanzfragen kompetent gewesen war, fand bei der Stellungnahme zu der von Tăutu vorgeschlagenen Beseitigung der „Chargen“ schärfere Ausdrücke und nannte sie „kindisch“, da deren Ersetzung durch bescheidenere Beamtenpositionen keinesfalls zu einer Vermeidung von Rivalitäten führen würde, wie die Vorschläge Tăutus es glauben machten. Die Umwandlung dieser Ämter in Beamtenstellen und die Unterstellung der Beamten unter die Kontrolle des Senats würden vielmehr Unordnung und Anarchie befördern. Schließlich wandte er sich im fünften Punkt seiner Stellungnahme gegen die Ernennung der Hospodare auf Lebenszeit, weil das Amt des Herrschers der Autorität der türkischen Regierung unterstellt bleiben müsse, um die Auswirkungen der Protektion soweit wie möglich auszuschalten. In seiner „Réflexion sur la Moldavie“, die den Abschluß dieses Memorandums bildet, bezeichnete er die Pläne Tăutus – ohne ihn beim Namen zu nennen – als „des idées aussi incohérentes que malsaines“ und kam zu folgenden Ergebnissen:

1. Es müsse der Status wiederhergestellt werden, der 1820 bestanden hatte, und zu diesem Zwecke müßten die vom Fürsten verliehenen Titel und Kaftans widerrufen werden.
2. Die direkten Steuern müßten so gehandhabt werden, wie im Vertrag von Bukarest vorgesehen, und für einige Jahre ganz ausgesetzt oder gesenkt werden, zum Ausgleich für die übermäßige Belastung der Bevölkerung während der letzten Jahre infolge der Besetzung durch türkisches Militär. Für einige Zeit sollten nur die indirekten Steuern erhoben werden.
3. Die indirekten Steuern dürften nicht erhöht, sondern sollten unverändert beibehalten werden, zumal der Metropolit und der Patriarch von Konstantinopel deren Unveränderlichkeit mit Anathema besiegelt hätten.
4. Die Privilegien und das Gewohnheitsrecht dürften unter keinem Vorwand verändert werden. Hinsichtlich der möglichen Verbesserung schlug Rosetti-Rosnoveanu vor, daß diese sich auf vorangehende Verträge stützen müßten, und trat für die Beseitigung des türkischen Handelsmonopols in den Donaufürstentümern, für den freien Export der Landesprodukte sowie für die Umwandlung von Galatz in einen Freihafen ein. Diese Vorschläge bezeichnete er als essentielle Punkte, von denen das Glück der Bevölkerung abhängig sei und ebenso die Hoffnung, mit der Zeit die entstandenen Schäden und erduldeten Leiden wieder gutmachen zu können.

Am Verhalten dieses einem Freiherrn von Stein vergleichbaren Staatsmannes aus Nordrumänien läßt sich der nach 1822 eingetretene Gesinnungswandel vom Repräsentanten eines gemäßigten Bojarenliberalismus zum Vertreter einer pragmatisch-konservativen Richtung ablesen, der für seine Gruppe exemplarisch war. Zwar wurden auch die Liberalen seit 1823/24 vorsichtiger, wie aus den Denkschriften von I. Tăutu und B. Ştirbei hervorgeht, doch traten sie weiterhin mit Nachdruck dafür ein, daß die fachliche und persönliche Eignung bei der Besetzung von Ämtern ausschlaggebend sein sollte. So standen sich die Vertreter der beiden im Entstehen begriffenen politischen Gruppierungen mit zunehmender Verschärfung der anfänglich stark verwischten Konturen gegenüber: die Frühliberalen, zu denen bis 1827 auch der Fürst der Moldau, Ion Sandu Sturdza, gerechnet werden kann, und die Konservativen, die sich seit 1821 zu einer relativ homogenen Interessengemeinschaft zusammengeschlossen hatten und sich seit 1823 bewußt als Vertreter „konservativer Grundsätze" bezeichneten[116].

Mit der Konvention von Akkerman, die im Herbst 1826 zur Bestätigung der 1812 zwischen Rußland und dem Osmanischen Reich getroffenen Vereinbarungen führte, begann der Siegeszug der Konservativen, die nunmehr aus dem Exil heimkehren konnten. Von Rußland tatkräftig unterstützt, zwangen sie den Herrscher zu umfassenden Konzessionen und eroberten sich Positionen, wie sie die Bojaren vorher noch nie besessen hatten. Nicht nur, daß sie ihre Söhne von jeglichem Militärdienst befreien ließen, sie erwirkten für sich eine so umfassende Steuerfreiheit, wie sie nur die benachbarten Adelsnationen der Polen und Ungarn vor Beginn der theresianisch-josephinischen Reformen besessen hatten und wie sie den Bojaren der Donaufürstentümer nie vorher gewährt worden war. Die von den liberalen Bojarengruppen vertretene Auffassung, wonach eine Gleichberechtigung wenigstens unter den Bojaren der Moldau zweckmäßig sei, wurde ebenso abgelehnt wie die Vorstellung, daß die Stimme eines Bojaren minderen Ranges dasselbe Gewicht haben könnte, wie die eines Großbojaren. Um die Restauration in diesem Sinne ungestört durchführen zu können, wurden die Wortführer der Liberalen in ihre Schranken verwiesen oder in den auswärtigen Dienst auf entlegenen Posten geschickt, wie dies Tăutu geschah[117].

Reformvorschläge in der Walachei

Folgt man den eindrucksvollen Berichten der Großbojaren Dinicu Golescu und Barbu Ştirbei, die Mitte der 20er Jahre des 19. Jahrhunderts verfaßt wurden, sowie den zahlreichen Reisebeschreibungen, dann ergibt sich für die Walachei ein noch

[116] Mihail Sturdza, der am 1. Februar 1823 diesen Begriff zur Kennzeichnung der Haltung der emigrierten Bojaren gebrauchte, galt neben Rosetti-Rosnovanu als Wortführer der konservativen Moldauer, vgl. A. D. Xenopol: Istoria partidelor politice I, 94.

[117] E. Vîrtosu: Les idées de I. Tăutu, 261–85.

bedrückenderes Bild als für die Moldau. Die Lage der Bauern erfuhr eine doppelte Beschwernis, einmal durch die Grundherren und ein andermal durch die nahezu allmächtigen Büttel der örtlichen Verwaltung. Hinzu kamen die zahlreichen Einfälle türkischer Plünderer aus den Paşalyks südlich der Donau. Diese Ausbeutung, unter der auch die einheimischen Bojaren zu leiden hatten, weil sie ebenso oft erpreßt wurden wie ihre Bauern, fand auch in der politischen Aktivität und dem Inhalt der Denkschriften ihren Niederschlag, denn trotz der größeren Anzahl von Bojaren und der etwa doppelt so großen Einwohnerzahl betrug die Zahl der Reformvorschläge nicht einmal ein Drittel der in der Moldau[118] verfaßten. Dabei mag es eine Rolle gespielt haben, daß in den ersten beiden Jahrzehnten des 19. Jahrhunderts die kulturelle Überfremdung der Großbojaren viel größer war als in der Moldau, eine Tatsache, die sich auch in der sehr geringen Bezieherzahl rumänischer Bücher spiegelt[119]. Die größere Nähe zum Balkanraum sowie die höhere Zahl der Griechen unter den Bojaren haben die Rezeption griechischer Kultureinflüsse begünstigt und damit auch eine Orientalisierung des Lebensstils der rumänischen Bojarenfamilien. Xenopol hat daraus den Schluß gezogen, daß die Präformation gesellschaftlicher wie politischer Gruppenbildungen dort besonders rückständig war und die liberalen Ideen bis 1828 keinen Widerhall fanden, da die Reformvorschläge der Bojaren in erster Linie nationale Ziele verfolgten. Diese Feststellung hält den neuesten Forschungsergebnissen nur zum Teil stand, nämlich insofern als in der Walachei die Standesinteressen der Bojaren und die Klagen über die Plünderungen stärker im Mittelpunkt standen, während die Moldauer seit 1802 vor allem um Beschränkung der Machtbefugnisse des Fürstenamtes bemüht waren. Der Schutz der Ehre, des Lebens und des Vermögens wurden in der Moldau mit deutlicheren Worten gefordert, ebenso die Unterordnung des gewählten Herrschers unter die Gesetze. Dagegen wurde in der Walachei, den soziokulturellen Gegebenheiten Rechnung tragend, der Kampf gegen die Korruption und die Bevorzugung der Griechen bei der Besetzung wichtiger Ämter in Kirche und Staat in den Vordergrund gestellt. Bedenkt man, daß der letzte Hospodar aus dem Phanar, Alexander Soutsos (Suţu), nach seiner Ernennung mit einem Gefolge von etwa 800 Personen 1819 nach Bukarest kam, darunter allein 80 Verwandte, wird die wachsende Abneigung gegen die Griechen verständlich.

Barbu Văcărescu, der bereits 1802 während eines Aufenthaltes in Kronstadt eine an Napoleon gerichtete Denkschrift unterschrieben hatte, setzte sich 1812 zusammen mit sieben seiner Standesgenossen für die Gründung einer „Wohltätigkeitsgesellschaft im Interesse der Verwaltung und des Vaterlands, geeignet zur Garantie der Sicherheit gegen Unruhestifter" ein und verfaßte 1819 eines der ersten Projekte für die Verwaltungsreform[120]. Insbesondere die Funktion des „ispravnic", der hin-

118 Vl. Georgescu: Mémoires et projets, XX.
119 G. Velculescu und C. Velculescu: Livres roumains, 540–48.
120 A. D. Xenopol: Istoria partidelor politice, II, 118f., 130f.

sichtlich der Aufgaben mit einem Kreisamtmann verglichen werden könnte, aber weitreichendere Kompetenzen besaß und sich in der Regel schamlos bereichern mußte, um sein Amt jedes Jahr von neuem kaufen zu können, sollte neu festgesetzt werden. Ähnlich wie Iordache Rosetti-Rosnovanu 1818 eine Einschränkung der absolutistischen Kompetenzen des Hospodars in fiskalischen Angelegenheiten zugunsten der Zuständigkeit des „vistiernic", des Finanzministers, gefordert hatte, trat auch Văcărescu ein Jahr später mit nahezu identischen Vorschlägen an die Öffentlichkeit. Er forderte darin für den „vistier" – so hieß er in der Walachei – das alleinige Recht, die ispravnici zu ernennen. Eine vermutlich von ihm verfaßte Denkschrift über die Reorganisation der „spătărie", d.h. der für die öffentliche Sicherheit zuständigen Polizei- und Wachmannschaften[121], aus den Jahren vor 1821 gewährt einen tiefen Einblick in die Desorganisation der Polizeigerichte, der Verbrechensbekämpfung und der damit im Zusammenhang stehenden Korruption. Die dort enthaltenen Vorschläge zur Humanisierung des Strafrechts lassen erkennen, in welchem Maße die mit der Steuereintreibung befaßten „Ordnungshüter" sich der räuberischen Erpressung oder Plünderung schuldig gemacht hatten. Auch bei der Überwachung des Reiseverkehrs wurden – quasi als Gewohnheitsrecht – Geschenke (filodormă) gefordert, wie der Verfasser dieser Denkschrift vermerkt[122].

Während der Jahre 1812–1821 war die Ausbeutung der Bevölkerung in der Walachei von den Phanarioten und ihrem Anhang in so rücksichtsloser Form betrieben worden, daß es nur eines zündenden Funkens bedurfte, um die sozialen Spannungen zur Explosion zu bringen. Die Folge war, daß die führenden politischen Köpfe der Rumänen beim Ausbruch des Hetairistenaufstandes nicht mehr bereit waren, sich den Griechen anzuschließen, sondern den Kampf unter der Führung von Tudor Vladimirescu auf eigene Faust führen wollten. Unter dessen Auftraggebern befanden sich Barbu Văcărescu, ferner Grigore Ghica, der spätere Hospodar (1822–1834) und Grigore Brîncoveanu. Dieser Tudor aus Vladimireşti, der vom Freiheitskampf der Serben tief beeindruckt war, hatte sich bereits 1815 Gedanken über die Möglichkeit einer besseren Grenzsicherung gemacht und war gleich nach den ersten Erfolgen der von ihm geleiteten Aktionen im Januar 1821 mit der Flugschrift: Cererile norodului românesc (Die Forderungen des rumänischen Volkes) hervorgetreten, in welcher er die Abschaffung der unerträglich gewordenen Korruption, insbesondere des gang und gäbe gewordenen Ämterschachers, forderte[123].

Einer der wenigen konsequenten Befürworter einer Liberalisierung der politischen Verhältnisse in der Walachei sowie der Beseitigung griechischer Herrschaftsstruk-

[121] Eine genaue Funktions- und Kompetenzbeschreibung geben erstmals Val. Al. Georgescu u. P. Strihan: Judecata domnească II, 135–38.
[122] Der Text der Denkschrift bei Vl. Georgescu: Mémoires et projets 94–97.
[123] Documente privind istoria României. Rascoala din 1821, I, 196 und 273.

turen war der aus einfachen Verhältnissen zu Bildung und Ansehen aufgestiegene Mönch Naum Rîmniceanu (1764–1838). In seiner Schrift: „Tratat important" (Ein wichtiges Traktat) von 1822 trat er für eine Beschränkung der absolutistischen Macht des Herrschers, die Entsendung von je zwei Vertretern aus jedem Kreis (judeţ) in die „adunare", die Gesetzgebende Versammlung, ein, ferner für den Zugang aller Patrioten zu den Ämtern sowie für die Abschaffung der Vorrechte der Bojarenkaste. Weit davon entfernt, den Radikalismus der Französischen Revolution gutzuheißen, schwebte ihm eine Verfassungsregelung vor, die dem Spiel der freien Kräfte mehr Raum gewährte, ohne das monarchische Prinzip in Frage zu stellen. Der Grundsatz der schriftlich garantierten Freiheit stand neben der Gleichberechtigung im Mittelpunkt seiner noch etwas unbestimmten und synkretistischen Liberalismusauffassung[124], ähnlich wie bei Iordache Rosetti-Rosnovanu vor 1822.

Seine langjährigen Aufenthalte in Siebenbürgen und in einem Kloster im Banat hatten ihm Gelegenheit gegeben, die Auswirkungen josephinischer Kirchenpolitik kennenzulernen und die Verhältnisse im Banat mit jenen der Walachei zu vergleichen. Insbesondere die brutalen Maßnahmen der Steuereintreiber, die nicht einmal davor zurückschreckten, Kinder der Steuerschuldner zu martern, um mögliche Geldverstecke zu erfahren, brachten ihn gegen die sittliche Verwahrlosung der phanarotischen Herrschaft und Verwaltung auf.

Wie bedrückend die gesunkene Moral der Inhaber von Staatsämtern war, schildert zu Beginn der 20er Jahre der britische Gesandte in Konstantinopel, Sir Stratford Canning, der im September 1822 nach Bukarest kam, um die Verhältnisse in den unter der Last der türkischen Besatzung leidenden Fürstentümern zu studieren und Wege zu sondieren, die Pforte zu einem Abzug der Truppen zu bewegen. Ihm erschienen die Bojaren mit der Herrschaft eines Hospodars aus einem einheimischen Geschlecht unzufriedener als vorher mit den Phanarioten. Die Bojaren in der Provinz – er reiste bis an die Grenze Siebenbürgens – schienen ihm dagegen begeistert und, ebenso wie die Bauern, von einem konstruktiven Geist erfüllt[125]. So gesehen versteht man die Haltung Ion Sandu Sturdzas, der sich einer weitergehenden Mitwirkung der Bojarenaristokratie mit der plausiblen Begründung widersetzte, der Bojarenstand sei weder homogen noch genieße er genügend Ansehen, um einheitlich und mit Erfolg auftreten zu können. Folgt man Stratford, wird man diese Feststellung Sturdzas, der für Ordnung und Stabilität eintrat, auch auf die Verhältnisse in der Walachei, insbesondere aber auf die Bukarester Bojaren übertragen können. Dem Fürsten der Walachei, Grigore Ghica IV. (1822–28) blieb daher kaum eine andere Wahl, als vorsichtig und mit konservativen Mitteln zu regieren. Unter dem Einfluß von Metternich und Gentz wandelte er sich von einem gemäßigten Reformanhänger zu einem Anhänger des aufgeklärten Absolu-

[124] N. Rîmniceanu: Tratat important.
[125] R. Florescu: The Struggle against Russia, 119f.

tismus. Seine große Leistung blieb es, praktische Maßnahmen gegen den Ämterkauf ergriffen zu haben, indem er für eine angemessene Besoldung der Staatsbediensteten zu sorgen begann. Damit begnügten sich die Vertreter der Protestbewegung aber nicht, denen grundlegende Verbesserungen der Staats- und Gesellschaftsordnung vorschwebten. Barbu Paris Mumuleanu (1794–1836), ein aus bescheidenen kleinstädtischen Verhältnissen stammender Autodidakt und Dichter, kritisierte die luxuriöse Lebensführung der Bojaren, die über ihre Verhältnisse lebten, die Zeit mit Kartenspiel vertrödelten und sich durch ihren Mangel an moralischer Verantwortung und den außerordentlich niedrigen Bildungsstand auszeichneten. Alle strebten nur nach Rang und Amt, verachteten aber Handwerk und Landwirtschaft, die doch für die Versorgung und das Glück des Menschengeschlechts sorgten, klagte er in seinen Schriften[126]. Bei Mumuleanu wie bei seinen Zeitgenossen aus dem kleinen Kreis der Intellektuellen spiegelten sich die Wünsche wider, die während der Erhebung Tudor Vladimirescus 1821 formuliert worden waren und aus folgendem Kanon bestanden: Abschaffung des Ämterkaufs in Verwaltung und Kirche, dafür Ernennung nach Befähigung und nicht nach Abkunft; Begrenzung der Macht der Großbojaren, Besserstellung der Mittelschicht, der ein Aufstieg in den Bojarenstand nur für Verdienste um das Vaterland, nicht aber gegen Bezahlung gewährt werden sollte. Eine Verbesserung der Rechtspflege sowie die Verwendung des riesigen Kirchenvermögens für Schule und Bildung beschlossen diesen Forderungskatalog[127], der in den folgenden Jahren immer wieder aufgegriffen und mit neuen Argumenten präzisiert werden sollte.

Die Forderung nach Vergabe von Ämtern in der Verwaltung und Rechtspflege nach Gesichtspunkten der fachlichen Eignung auf Grund einer entsprechenden Ausbildung vertrat mit Nachdruck auch Eufrosin Poteca (1785–1858), der von 1820–24 zusammen mit Simion Marcovici (1802–1877) als Stipendiat in Pisa und in Paris Rechtswissenschaft studiert hatte und von 1825–1832 in Bukarest die Schulaufsicht führte. Er setzte sich für eine Liberalisierung der öffentlichen Verwaltung und insbesondere des Strafvollzugs ein und zählte als eifriger Vertreter der Philosophie von Bacon, Descartes und J. Th. Heineccius zu den radikalsten Gegnern der rumänischen Feudalstruktur und zu den Wegbereitern des Naturrechts. Sein Studiengefährte Marcovici hat sich später, im Jahre 1830, zur konstitutionellen Monarchie bekannt und dem Erbrecht der Monarchen das Wort geredet, dabei aber die Ideen des Gesellschaftsvertrages sowie des Widerstandsrechts sehr geschickt in Zusammenhang mit dem Allgemeinwohl (folosul obştesc) zu bringen verstanden. Daß Marcovici als höherer Beamter und Herausgeber der ersten Gesetzessammlung sein Hauptbetätigungsfeld im Bereich der Humanisierung der Rechtspflege, vor allem der Verbreitung der Ideen Beccarias fand, wurde sein großes Verdienst.

Mit der Verbreitung der Anschauungen Beccarias wird auch der bereits erwähnte

[126] P. Cornea: Originele, 216f. und 364–386.
[127] D. Berindei: Revoluţia din 1821, 834ff.

Großbojar Dinicu Golescu – mit vollständigem Namen hieß er Constantin Radovici-Golescu – in Zusammenhang gebracht; er zählte zu den wenigen Großbojaren seiner Generation, die Mittel- und Westeuropa auf einer ausgedehnten Reise kennengelernt und unmittelbar aus dem griechischen Bildungsmilieu den Übergang zur modernen rumänischen Kultur gefunden hatten. Hinsichtlich der Wirtschaft gab es im Lager der Reformplaner kaum Unterschiede in der Auffassung. Sowohl Iordache Rosetti-Rosnovanu als auch sein ehemaliger Amtskollege in Bukarest, Alexandru Villara (1786–1852), waren schon vor 1821 für die Befreiung des Handels von den Schranken eingetreten, die das Osmanische Reich gesetzt hatte, um die Versorgung Konstantinopels zu billigen Einkaufspreisen zu sichern. Die begründeten Forderungen nach Hebung des allgemeinen Lebensstandards durch die Schaffung von Manufakturen und Industriebetrieben sowie nach Übersetzung nützlicher Bücher des Auslands ins Rumänische, um den Bildungsrückstand schneller überwinden zu können, sind Golescu mit anderen Zeitgenossen gemeinsam. Auf seiner Reise durch die Habsburgermonarchie, Bayern, die Schweiz und Italien fiel ihm der große Unterschied der Rechts- und Verfassungsordnung auf. Die Bauern Mitteleuropas zeigten an Arbeitstagen mehr Menschenwürde als die walachischen Bauern an Sonn- und Feiertagen. Darüber hinaus beanstandete er die zahlreichen moralischen Defekte, sowohl beim orthodoxen Klerus, dem eine „gute Ordnung" zu geben sei, wie auch bei seinen Standesgenossen, denen er Ämterschacher und despotisches Verhalten gegen die Untertanen vorwarf. Bei ihm wird der – in der Habsburgermonarchie schon zwei Generationen früher vollzogene – längst fällige Übergang vom patrimonialen zum politischen Staatsbegriff deutlich, dessen Aufnahme in die Verfassung er allerdings nicht mehr erleben sollte, weil er noch vor dem Inkrafttreten des Organischen Reglements, im Jahre 1830, verstarb.

Wir finden bei den genannten Vertretern der rumänischen Elite das Engagement für Aufklärung und Frühliberalismus josephinischer Prägung eindeutig belegt, denn erstmals erhoben sie auch die Forderung nach Abschaffung sozialer Mißstände für die bäuerlichen Grundschichten, was bis dahin noch kein Großbojar getan hatte. So gründete Golescu, den das Elementarschulwesen der Schweiz besonders beeindruckt hatte, unmittelbar nach seiner Heimkehr eine Lehranstalt auf seinem Gut in Goleşti, um ein Bildungsprogramm für die Landjugend in Angriff zu nehmen. Die scharfe Kritik Golescus am Bildungsniveau in der Walachei nahm den Klerus keineswegs aus und entsprach der vorherrschenden Meinung. In einer anonymen Übersetzung der Beschreibung der Fürstentümer Moldau und Walachei von T. Thornton – als Urheber vermutet man Dinicu Golescu selbst oder Eufrosin Poteca –, die 1826 in Ofen erschien, wurde gegen den orthodoxen Klerus die bis dahin schärfste Anklage erhoben[128]. Im Besitz eines riesigen Vermögens, waren die

[128] E. A. Quitzmann, Deutsche Briefe über den Orient, 286 u. 290; sowie P. Cornea: Originele, 218f.

etwa 65 000 Mönche und Nonnen ähnlich wie die Bojaren von Steuern und sonstigen Pflichten dem Staat und der Allgemeinheit gegenüber befreit, gleichzeitig aber im Genuß aller politischen Rechte. Während sich orthodoxe und unierte Geistliche im Banat oder in der Bukowina die für ihre Ämter notwendige Bildung aneignen mußten, besaß der Weltklerus in den Fürstentümern weder gesellschaftliches Ansehen noch die erforderlichen Kenntnisse, um zur sozialen Funktionselite oder zur Intellektuellenschicht zu zählen, ganz zu schweigen von Mönchen und Nonnen, die zumeist weder lesen noch schreiben konnten[129]. Die höchsten kirchlichen Ämter, die in der Regel mit Angehörigen der Klostergeistlichkeit besetzt wurden, waren mit hohen Einnahmen verbunden, so daß sie häufig in die Hände geschäftstüchtiger Griechen gerieten. Dieser an sich nicht neue Zustand wurde in der Zeit des rumänischen Vormärz, als die Aufklärungsideen in Tendenzen des Frühliberalismus umschlugen, zum Angriffsziel der „Systemkritiker", die in der ersten Phase ihres Sturmangriffs eine strenge Kontrolle der Herrschenden und die Beseitigung ihres Machtmißbrauchs erreichen wollten. Um die tief gesunkene Moral der Funktionselite zu verbessern, wollte Mumuleanu z.B. durch ethische Erziehungsinhalte die Vaterlandsliebe fördern und sie zur Richtschnur des Handelns machen. So gebrauchte er erstmals in der Walachei den Begriff „naţie" und sein Synonym für „patriotism" war „iubire de neam" (Liebe zum (eigenen) Volk)[130].
Aber dieses dritte Jahrzehnt des 19. Jahrhunderts war infolge der Herrschaftsstruktur der rumänischen Bojarennation in der Walachei wenig reformfreudig. Die Großbojaren, von denen nur einzelne Persönlichkeiten grundlegende Veränderungen wünschten, lehnten nahezu geschlossen eine auch sie zu angemessenen Steuerleistungen verpflichtende Regelung ab, die ihre dominierende Stellung hätte schwächen können.
Zusammenfassend ist festzustellen, daß zuerst in der Moldau die Idee einer Verfassung entwickelt wurde, die sich gegen die Auffassung der Traditionalisten unter den Großbojaren richtete, die meinten, alle staatliche Gewalt müsse ihre Legitimation aus der historisch gewachsenen Herrschaftsordnung des Großbojarenstandes beziehen. Auch wenn die in Czernowitz und Jassy konzipierten Mischverfassungen nicht auf dem Prinzip der Volkssouveränität basierten, sondern ein elitäres Bojarenbild tradierten, wie es im benachbarten Rußland und bei den Adelsnationen der Polen und Ungarn vorherrschte, weist der Freiheitsbegriff westeuropäische Grundzüge auf, die von der französischen, deutschen und englischen Aufklärung ebenso geprägt wurden wie vom Josephinismus. Wäre die Idee der Volkssouveränität von einem Vertreter einer der im Entstehen begriffenen Gruppierungen zur Sprache gebracht worden, hätte man ihn im Hinblick auf die im ganzen Osmanischen Reich sowie in Rußland herrschende Unterdrückung freiheitlicher Regungen nicht ernstnehmen können, ja als gefährlich für alle betrachten müssen. So

[129] V. Cândea: Les intellectuels du Sud-est européen, 632–36.
[130] Kl. Bochmann: Der politisch-soziale Wortschatz, 65f. u. 100.

gesehen, waren die Reformpläne der Frühliberalen in der Moldau, die zwei Jahrzehnte eher als in der Walachei entstanden, schon allein wegen der rechtspolitischen Forderungen, die in der Verfassung verankert werden sollten, ein wichtiger Ausgangspunkt für eine bürgerliche Gesellschaftsordnung. In der Walachei dagegen lassen sich nur in geringem Maße politische Reformvorschläge feststellen, die eine Gleichberechtigung unter den Bojarengruppen anstrebten und über die Verbesserung der Rechtspflege eine Entorientalisierung der Herrschaftsstrukturen, vor allem im Hinblick auf die bäuerlichen Grundschichten, erreichen und die Freiheitssphäre durch gesetzliche Schranken gegen die Willkür der Mächtigen erweitern wollten.

Dagegen waren die engagierten Wortführer einer Humanisierung des Strafrechts und insbesondere des Strafvollzuges in der Walachei bürgerliche Intellektuelle, wie überhaupt in Bukarest erstmals junge, nicht dem Bojarenstand angehörende Männer mit Hilfe staatlicher Stipendien zum Studium ins Ausland geschickt wurden. Auffallend ist ferner, daß in der Walachei sowie in Oltenien (Kleine Walachei) während des Jahrzehnts zwischen 1820 und 1829 rumänische Bücher von einer wachsenden Bezieherzahl bestellt wurden, wobei „Standespersonen“, sprich Bojaren, mit 60 % bzw. mit 38 % aller Bestellungen an der Spitze standen, gefolgt von Klerikern mit 20 % bzw. 14 % vor den sonstigen Bestellern.

Verglichen mit der Moldau, wo zunächst der Klerus Hauptabnehmer für rumänische Bücher war, von 1820 an aber von Standespersonen auf den zweiten Platz verdrängt wurde, war die Bezieherzahl in der Walachei einschließlich der Kleinen Walachei achtmal größer, was nur zum geringen Teil auf die Bevölkerungsrelation zurückzuführen sein dürfte. Der Nachholbedarf an rumänischen Druckerzeugnissen und die Abwendung von der griechischen Kultur sowie die schnellwachsende Zahl von Buchhändlern scheinen die verstärkte Nachfrage nach rumänischer Literatur und damit die großen Bezieherzahlen zu erklären[131]. Daß trotz dieses schnellen Heranwachsens einer Käufer- und Leserschicht der Frühliberalismus in der Walachei zunächst eine andere Nuancierung hatte als in der Moldau, mag nicht zuletzt darauf zurückzuführen sein, daß dort die Fremdenfeindlichkeit seit 1821 schärfere Konturen angenommen hatte und sich die „Patrioten“ berechtigt glaubten, alle unerwünschten Fremden „hinauszuprügeln[132].

Das Banat und Siebenbürgen

Verglichen mit den Donaufürstentümern zeigte das Banat eine komplexere Rechtstruktur, die durch die ethnische Vielfalt entstanden war. Neben sozial und wirt-

[131] G. Velculescu und C. Velculescu: Livres roumains, 541 f.

[132] A. D. Xenopol: Istoria partidelor politice I, 131, berichtet über ein Gerichtsverfahren gegen Juden, die anläßlich des Laubhüttenfestes überfallen wurden und sich gewehrt hatten.

schaftlich rückständigen Gebieten gab es Landstriche, die an der Entwicklung von Manufaktur und Frühindustrialisierung teilgenommen hatten, so daß Forderungen nach bürgerlichen Freiheiten relativ früh artikuliert worden waren. Die Nähe zu Ofen, Pest, Preßburg und Wien hatte in erster Linie diejenigen Bevölkerungsgruppen, die die deutsche Sprache beherrschten, in die Lage versetzt, das politische Geschehen in Europa anhand von Zeitungsberichten und Schilderungen von Reisenden zu verfolgen. Außerdem blieben viele ursprünglich aus der Rheinpfalz, Württemberg und Baden eingewanderte Siedlerfamilien über ihre dortigen Verwandten mit den Ereignissen in der alten Heimat in Verbindung. Noch aufgeschlossener für politische Vorgänge waren die Studenten der Siebenbürger Sachsen, die ihre theologischen oder philologischen Studien an den protestantischen Hochschulen Deutschlands und Hollands betrieben, denen sie im allgemeinen den Vorzug vor den katholischen Universitäten Österreichs gaben. Nur die Studierenden der Rechtswissenschaft mußten an österreichische Hochschulen gehen, um die Voraussetzungen für eine spätere berufliche Tätigkeit zu erwerben. Doch hat der von Joseph II. und seinen Beratern im Strafrecht erstmals verankerte Unterschied zwischen „kriminellen" und „politischen" Vergehen, den sie hier kennenlernten, ihren Blick für die Bedeutung von Josephinismus und Frühliberalismus geschärft. Das Studium des vom Josephinismus geprägten Strafrechts und des noch moderneren Zivilgesetzwerkes von Zeillers an den Universitäten von Wien, Pest, Prag, Innsbruck oder Graz eröffnete weitere Horizonte als das Auswendiglernen des ungarischen Staatsrechts oder des allgemeinen Rechts des Großfürstentums Siebenbürgen, wie es an den Schulen in Klausenburg, Neumarkt, Großenyed oder Oraviţa gelehrt wurde.
Serben und Rumänen des Banats hatten bereits 1790 das Problem der Rechtsgleichheit und Glaubenstoleranz zu lösen begonnen, und in Siebenbürgen war die formelle Gleichbehandlung der Orthodoxen von Kaiser Leopold II. verfügt worden. Doch war dies nur die eine Seite des vielschichtigen Problems der komplizierten ethnisch-konfessionellen Strukturen. Die josephinischen Reformen hatten zwar die Rumänen wie alle zurückgesetzten ethnischen Gruppen begünstigt, den Siebenbürger Sachsen aber Teile der Autonomie auf dem Fundus regius streitig gemacht und sie daher im Umgang mit den Forderungen des Frühliberalismus zu Vorsicht veranlaßt, zumal die höhere rumänische Geistlichkeit nicht nur die Privilegien der Sachsen, sondern auch der griechischen Handelskompanien beseitigt wissen wollte. Deshalb widersetzten sich Griechen, Sachsen und erst recht der magyarische Adel zur Verteidigung ihrer Interessen jeder Änderung des status quo.
Das wachsende Selbstbewußtsein der adligen wie der bürgerlichen Intelligenz der Magyaren, Sachsen und Szekler artikulierte sich in dieser Phase, in welcher Spätjosephinismus und Frühliberalismus noch kaum voneinander zu unterscheiden waren, primär in der Kritik am Absolutismus und am Wiener Zentralismus, zumal der Siebenbürgische Landtag seit 1811 nicht mehr einberufen worden war und sich die

Restauration immer stärker bemerkbar machte. Unterdessen vollzog sich, von der öffentlichen Kontrolle nahezu unbemerkt, die Verbreitung und Weiterentwicklung des Josephinismus im Kreis der griechisch-katholischen Führungsschicht der Siebenbürger Rumänen. Sie war im naturrechtlichen Denken erzogen worden, besaß Kenntnisse nicht nur der lateinischen und deutschen Sprache, sondern oft auch des Ungarischen und konnte deshalb seit Mitte der zwanziger Jahre die Bestrebungen der magyarischen Reformplaner und der deutschen Liberalen verfolgen. Da die Unierten außerdem von zwei Seiten unter Druck gesetzt wurden – einmal durch die erzbischöflich-kirchlichen und die staatlichen Zentralbehörden, zum andern durch die Siebenbürgische Hofkanzlei in Wien –, fanden die Ideen des Liberalismus bei den Schülern der Lehranstalten in Blaj fruchtbaren Boden. So wurde von der neuen Lehrergeneration seit der zweiten Hälfte der zwanziger Jahre der Kampf gegen den Aberglauben und gegen konfessionelle Vorurteile im Geiste des Josephinismus und des Frühliberalismus verstärkt. Die Zahl der Unterrichtsstunden für Biologie, Physik und Mathematik wurden erhöht und gleichzeitig moderne pädagogische Grundsätze rezipiert und angewandt. Insbesondere Timotei Cipariu, George Bariţiu und Simion Bărnuţiu bemühten sich als Träger frühliberaler Anschauungen um eine umfassende Bildungsreform, um Abschaffung der Prügelstrafe in den Schulen und um die Aufhebung der als Kulturschande empfundenen Leibeigenschaft[133].

Dasselbe Phänomen eines nahezu unauffälligen Übergangs von den utilitaristischen Tendenzen des Josephinismus zu den politischen Anschauungen des Frühliberalismus vollzog sich bei Lehrern und Pfarrern der Banater Militärgrenze. Der Zuwachs an Subskribenten und Bücherkäufern im Banat und im östlichen Siebenbürgen einschließlich Ungarns war ein Indiz auch für die gestiegene Kaufkraft dieser Schicht. Vor allem die Berufsgruppen der „Unterrichtenden" und der Kleriker waren die Hauptbezieher rumänischer Neuerscheinungen, wobei im Banat das Lehrpersonal unter den Subskribenten die größte Anzahl stellte, gefolgt vom Klerus, während in Siebenbürgen – einschließlich der Theißebene und somit Ostungarns – die Geistlichkeit ihre führende Rolle auch auf diesem Sektor behielt. Geht man den tieferen Ursachen für diesen Bildungs- und Leseeifer nach, stößt man auf die pädagogisch sehr geschickt formulierte Aufklärungsliteratur der zweiten rumänischen Lehrergeneration[134] und erkennt die Effizienz der österreichischen Schulreformen[135].

Die Verwirklichung der Losung des Frühliberalismus, daß Fortschritt zur Freiheit führt, ist in kaum einer anderen Region so deutlich erkennbar wie hier. Die Ungarische Hofkanzlei erwies sich in dieser Periode des Vormärz sowohl Rumänen als auch Serben und Deutschen gegenüber erstaunlich großzügig, vor allem im Hin-

133 G. Marica: Ideologia generaţiei, 67f.; und *ders.:* Studii de istoria şi sociologia I, 190f.
134 N. Bocşan: Conceptul iluminist, 213–217.
135 C. Feneşan: Contribuţii, 106f.

blick auf die Druckerzeugnisse, zumal die als Zensoren tätigen Beamten überwiegend aus dem Kreis der beiden im Werden begriffenen Nationen stammten. In engem Zusammenhang mit einer relativ liberalen Handhabung der Zensur stehen die Anfänge gesellschaftlicher Zusammenschlüsse zur Pflege von Sprache, Literatur und Bildung, die nicht zuletzt auch die politische Willensbildung mitbestimmten. Man denke nur an die Gründung der „Matica srbska" – später „Matica srpska" – im Jahre 1826 in Ofen und vor allem an das von István Széchenyi gegründete Nationalkasino von Pest, dessen Beispiel sehr schnell zur Entstehung weiterer Kasino-Vereine führte, zunächst in Ungarn, später auch in Siebenbürgen. Für das Jahr 1833 sind 23 Kasinos in Ungarn und 5 in Siebenbürgen bekannt, die es sich zwar zum Ziel gesetzt hatten, alle Schichten der Magyaren zusammenzuführen, zunächst aber ganz eindeutig vom Adel bestimmt wurden. Um so beachtenswerter ist der frühe Beginn dieser serbischen Kulturvereinigung, deren Gründungsmitglieder überwiegend bürgerlicher Herkunft waren und der jüngeren Generation angehörten. Die von der Matica srpska herausgegebene Zeitschrift „Serbski Letopis" erschien viermal jährlich zur Zeit der Jahrmärkte, um auch die Käufer aus der Provinz erreichen zu können[136].

Die Verhältnisse in Ungarn, vor allem in Ofen und Pest, erlaubten private gesellschaftliche Zusammenschlüsse bedeutend früher als im Banat oder in Siebenbürgen, wo das Zusammenspiel bürgerlich-politischer Kräfte nach vorgegebenen oder selbstgesetzten Regeln noch ungewohnt war. Die zum größten Teil mehrsprachige städtische Gesellschaft in Ofen-Pest oder auch in Temeswar bot dagegen besonders günstige Voraussetzungen, weil hier von vornherein zu den Merkmalen des Frühliberalismus das Eintreten der bürgerlichen wie der adligen Intellektuellen für eine freiere geistige Entwicklung gehörte, als sie in Wien möglich war. Hier entstanden Freiräume unter den Augen des absolutistischen und zunehmend reaktionären Staates, dessen Polizeiapparat sich auf die Existenz privater Gesellschaften erst allmählich einstellen mußte. Daß diese societas civilis besonders in der Phase der Restauration vielen Konservativen suspekt erschien, zeigte sich an den verschärften Zensurbestimmungen in Österreich, die minder gebildete Personen vor dem „... verderblichen Einfluß billig zugänglicher Schriften ... wegen der Verbreitung eventuell negativer Strömungen ..." zu schützen bemüht waren[137].

Im Banat erfolgte bereits 1771 die Gründung der „Temeswarer Nachrichten", der ersten periodischen Publikation in einem von Rumänen mitbewohnten Gebiet, wo Jahrzehnte hindurch ein ausgesprochen reges Interesse am literarisch-publizistischen Geschehen im deutschsprachigen Raum bestand. Vor allem Wien übte auf das Theaterleben und die Theaterkritik in Temeswar starken Einfluß aus, wie aus den Rezensionen des „Temeswarer Wochenblatts" hervorgeht, in denen auf sozialkritische Stücke eingegangen wurde, die den Standesdünkel des Adels aufs Korn

[136] L. Sziklay: Wissenschaftliche und literarische Gesellschaften, 15.
[137] I. Weyrich: Die Zensur, 38.

nahmen und das wachsende Selbstbewußtsein des Bürger- und Handwerkerstandes stärkten[138].
Die geistige Aufbruchstimmung der Banater Bürgerschaft deutscher Mutter- und Umgangssprache blieb nicht ohne Einfluß auf die dünne, aber sehr aktive rumänische Intellektuellenschicht, die maßgeblichen Anteil an der Herausbildung des modernen politisch-sozialen Wortschatzes im Bereich der nationalen Gleichberechtigung hatte[139]. Begriffe, die Aufklärung und Josephinismus in ihrem sozialen Umfeld eingebürgert hatten, mußten von den rumänischen Schriftstellern dieser Epoche im Banat und in Siebenbürgen erst aufgegriffen und verbreitet werden, um mit den anderen Nationen gleichziehen zu können. Mit Bedacht datiert N. Bocşan das erste deutliche Auftreten liberaler Forderungen auf das zweite Jahrzehnt des 19. Jahrhunderts, als das Ringen um konfessionsnationale Autonomie in den Vordergrund zu treten begann und die Rumänen versuchten, mit naturrechtlichen Argumenten den Anspruch auf bürgerliche Freiheit zu untermauern. Moise Nicoară hatte 1819 in einer die Gedanken aller Memoranden zusammenfassenden Denkschrift die liberalen Ideen seiner Mitstreiter neu formuliert und darin erstmals von dem sonst vorherrschenden untertänigen Ton Abstand genommen. Er glaubte sich in seiner Eigenschaft als Bürger und Vertreter des rumänischen Volkes und Klerus im Banat berechtigt unter ausdrücklicher Berufung auf das Naturrecht die Beachtung der Gesetze zu fordern, weil diese „größer und stärker (sind) als die eine oder andere Seite und auch als der Kaiser und das Volk“[140].
Die orthodoxen Rumänen befanden sich – verglichen mit Deutschen, Magyaren und Serben – in einer besonders schwierigen Lage, denn sie wurden gleich von zwei Seiten „geschützt“, einmal von der Ungarischen oder der Siebenbürgischen Hofkanzlei und dann noch vom serbisch-orthodoxen Erzbischof und Metropoliten in Karlowitz. Wie schwer es für die Rumänen des Banats und Siebenbürgens war, den mehrfachen Schutzgürtel von Zensur und Fremdbestimmung zu überwinden, bewies die vom Metropoliten Stratimirović bewirkte Ablehnung der Druckerlaubnis für einen rumänischen Kalender, den Alexander Theodori 1822 hatte herausgeben wollen[141]. Ein ähnliches Schicksal erfuhr die 1833 geplante „Gesellschaft zur Beförderung der Literatur“, die auf genossenschaftlicher Basis[142] eine Buchgemeinschaft errichten wollte. Das wurde ihr auf Empfehlung des serbischen Erzbischofs aber untersagt, obwohl die österreichischen Stellen anfänglich keine

[138] W. Engel: Deutsche Literatur im Banat, 38f. und 208f.
[139] Kl. Bochmann: Der politisch-soziale Wortschatz, 11, 88ff. u. 181f.
[140] N. Bocşan: Liberalismul timpuriu, 293, 297–300.
[141] D. Slijepčević: Stevan Stratimirović, 158.
[142] Die schnelle Rezeption der Genossenschaftsbewegung ist für die Innovationsforschung ein wichtiger Vorgang, bisher aber noch nicht näher untersucht. Vermutlich geht die Rezeption auf die 1821 im Großherzogtum Baden gegründeten landwirtschaftlichen Vorschuß- und Kreditvereine zurück und dürfte auf die engen Beziehungen der Banater Deutschen zum südwestdeutschen Raum zurückzuführen sein. Vgl. H. Faust: Ursprung und Aufbruch, 9.

Bedenken gegen das Vorhaben des Arader Präparandieprofessors Alexander Gavra „zur Bildung einer die wallachische Sprache und Nationalität erhebenden Gesellschaft“ hatten. Dabei mag es eine Rolle gespielt haben, daß Gavra seinen Antrag mit der Hoffnung begründete, die Pfarrgeistlichkeit und die Lehrer als Bezieher von Büchern zu gewinnen und diese einer größeren Leserschicht zugänglich machen zu können. Ob das von ihm in Ofen herausgegebene rumänische Kirchenlexikon, in dem er es als „eine unzweifelhafte Sache“ bezeichnete, daß die Siebenbürgischen Walachen schon im 9. Jahrhundert christliche Geistliche gehabt hätten, die ablehnende Haltung des hochgebildeten, aber damals bereits konservativ regierenden Metropoliten beeinflußt haben könnte, mag dahingestellt bleiben[143].
Während dieser Zeitspanne, die von einem wachsenden Magyarisierungsdruck gekennzeichnet war, vertieften die Banater Rumänen ihre Verbindungen zu ihren Landsleuten in Siebenbürgen und lösten sich gleichzeitig von den Serben, so daß die während des 18. Jahrhunderts entwickelte überethnische Kohäsion auf der Grundlage gemeinsamer Kirchen- und Glaubensprobleme sehr schnell ihre Bedeutung verlor und dem nationalen Zusammengehörigkeitsbewußtsein Platz machte. In Siebenbürgen begannen die rumänischen Kaufleute und Handwerker größeres Selbstbewußtsein an den Tag zu legen und gründeten in Kronstadt, das wie alle Städte auf dem Fundus regius eine den mitteleuropäischen Bürgerstädten vergleichbare Struktur aufwies, 1835 eine Vereinigung, die nach dem Vorbild der von István Széchenyi gegründeten Gesellschaft ebenfalls den Namen „Casino“ trug und die Aufgabe hatte, die Entwicklung der bürgerlichen Nation zu fördern. Vor allem in den Theater- und Lesegesellschaften in Klausenburg und Blaj wurden Theaterstücke in rumänischer Sprache aufgeführt, zumeist von Schülern oder Laienschauspielern, wobei sich im Anschluß an die Proben oft die Gelegenheit zu politischen Gesprächen ergab. Bereits um 1832 wurden Schriften des utopischen Sozialismus in Blaj gelesen – insgeheim natürlich –, und mit dem Tod des unierten Bischofs Bob und der Wahl Lemenys begann eine Ära stärkerer Beachtung ungarischer Strömungen in der Theologie, aber auch in der Landespolitik. Diese Zäsur im Bereich der politischen Bewegungen Siebenbürgens und des Banats kann nicht losgelöst von den Strömungen innerhalb des ungarischen Liberalismus gesehen werden, da nach dem Reichstag von 1830 eine Verlagerung der Aktivitäten in die Komitatsversammlung erfolgte. Seit Beginn der dreißiger Jahre nahm die Gentry eine Wirtschaftsfunktion wahr, wie sie in Westeuropa sonst das Bürgertum bekleidete, was später selbst von Friedrich Engels registriert werden sollte[144]. Von nicht minderer Wirkung war das Echo des polnischen Novemberaufstands, der für die nationalgesinnte ungarische Adelsschicht eine Ermutigung im Ringen um größere Unabhängigkeit von Wien bedeutete, beim ungarischen Adel Siebenbürgens

[143] J. Hintz: Geschichte des Bistums, 3f.; und C. Göllner: Alexandru Gavras Versuch, 1.
[144] Marx-Engels: Werke, 4, 501.

löste er dagegen Angst aus, denn noch waren die schrecklichen Ereignisse des rumänischen Bauernaufstandes von 1784 nicht vergessen. Viele Großgrundbesitzer unter den Magyaren befürchteten, die Rumänen könnten sich wieder gegen ihre Herren erheben, so daß einzelne Dorfpopen sowie ein Erzpriester in Haft gesetzt wurden, bis die Gerüchte über den erwarteten Aufstand verstummten. Da im Bihor-Gebiet in Nordwest-Siebenbürgen, in Mittel-Szolnok, im Kreis Arad und in anderen Gebieten in der Tat eine gewisse Unruhe unter den Bauern festgestellt wurde, die sich gegen die adligen Grundbesitzer richtete, wurden der Bischof der orthodoxen Rumänen, Vasile Moga, sowie sein Vikar B. Căianu 1831 zur Beruhigung der Bauern in der Gegend von Thorenburg und Klausenburg eingesetzt, um die befürchtete Rebellion zu verhindern. Als zunächst in den Kreisen der Intellektuellen, dann auch in jenen der Dorfintelligenz bekannt wurde, daß für die benachbarten Donaufürstentümer eine Verfassung unter der Aufsicht der russischen Besatzungsmacht ausgearbeitet und in Kraft gesetzt worden war, entstand die irrige Auffassung, Rußland würde insgesamt liberale Einrichtungen begünstigen.

Die erste Phase der frühliberalen Strömungen bei den Rumänen Siebenbürgens und des Banats war schließlich gekennzeichnet durch einen sehr harten Existenzkampf der Schul- und Hochschulabsolventen, die nur die Wahl zwischen dem Seelsorge- bzw. Lehrerberuf oder dem des Advokaten hatten. Die Ämter in den Komitaten und Distrikten waren fest in den Händen der alteingesessenen Adels- oder Patrizierfamilien, so daß die Absolventen des wegen seiner geringen Anforderungen stark überlaufenen Jurastudiums – man sprach von den Ausbildungsstätten verächtlich als „Dressuranstalten für Beamte" –, ihre Laufbahn zunächst als Advokaten beginnen mußten[145]. Das Banat und Siebenbürgen waren zu Beginn der dreißiger Jahre durch eine besondere politische Agilität in den Kreisen der Lehrer wie der Geistlichkeit gekennzeichnet, weil dort die Breitenwirkung der auf Popularisierung abgestellten Aufklärungsliteratur sichtbar wurde[146], daher fanden auch die Ideen der ungarischen Reformbewegung und der in Geheimgesellschaften organisierten Demokraten Polens hier schnell Resonanz.

Die Initiative war vom polnischen Carbonari-Verein und vom Unterstützungs- und Tarnverein der demokratischen Revolutionäre, der „Gesellschaft der Volksfreunde", ausgegangen, die bewußt Kontakte zu den radikal-liberalen Elementen in Ungarn und Siebenbürgen suchten. Adolf David, ein führendes Mitglied dieser polnischen Geheimgesellschaft, hatte, nach Erfolgen beim Ausbau der Organisation in Galizien, durch seine Versetzung nach Klausenburg Gelegenheit, in Siebenbürgen und dem Banat Verbindungen zu den Kreisen politisch emanzipierter Berufsgenossen im Bergbau sowie zu Lehrern und Pfarrern aufzunehmen. Seine ursprüngliche Absicht, die Vertreter der radikal-liberalen ungarischen Opposition

[145] G. Bariţiu: Părţi alese, I, 218, 577f., 661–64 und II, 2.
[146] N. Bocşan: Conceptul iluminist, 217–221.

für eine gemeinsame Aktion zu gewinnen, und mit der Forderung nach Abschaffung der ständischen Privilegien und Einführung der Gleichberechtigung aller Landesbewohner eine polnisch-ungarische Massenagitation gegen die konservativen Mächte, insbesondere Rußland und das Habsburgerreich, in Gang zu setzen, um die Wiedererrichtung einer freien polnischen Republik zu ermöglichen, ließ David allerdings bald fallen. Gespräche mit dem Repräsentanten der ungarischen Radikal-Liberalen, Baron Miklós Wesselényi, hatten gezeigt, daß der Haupttheoretiker der magyarischen Emanzipationsbewegung, trotz der Übereinstimmung in bezug auf die Abschaffung ständischer Privilegien und die Gewährung von gleichen Rechten für alle Bewohner Siebenbürgens, an den alten Plänen der Assimilation der Rumänen und der Wiedererrichtung eines von Wien möglichst unabhängigen Großungarn festhielt. Vor die Entscheidung gestellt, die nationalen Interessen der ungarischen Adelsnation oder der rumänischen Bevölkerungsmehrheit in sein Konzept einzubauen, entschied sich David für die von vielen polnischen Demokraten vertretene Auffassung, daß die Losung von der „Gleichheit der Menschen" auf lange Sicht eine stärkere Anziehungskraft ausüben würde als die Vision der staatlichen Einheit. Ein weiterer Grund für die vorrangige Einbeziehung der Rumänen in das Agitationsprogramm Davids war die Existenz einer rumänischen Geheimgesellschaft in Lugoj im Banat, die um 1830 entstanden war und den vielversprechenden Namen „Constituţie" führte. Sowohl die polyethnische Struktur ihrer Mitglieder, von denen einige in Klausenburg mit David in Kontakt getreten waren, als auch die sozial-emanzipatorischen Tendenzen dieser Anhänger einer freiheitlichen Verfassung veranlaßten David zum Eintritt in diese Gesellschaft. Er begann für die Schaffung einer polnisch-rumänischen Republik zu werben mit dem Ziel, nicht das alte polnische Reich mit seiner privilegierten Aristokraten- und Magnatenschicht wiederherzustellen, sondern einen modernen Staat mit einer republikanischen Verfassung auf den Grundlagen liberaler Ideen zu errichten. David paßte wohl aus taktischen Gründen seinen Plan den soziokulturellen Gegebenheiten Siebenbürgens und des Banats an und wandte sich primär an das rumänische Ethnikum, wobei er die Möglichkeit der Vereinigung aller Rumänen in einer Republik geschickt an den Himmel der Zukunft zu projizieren verstand. Auf der Grundlage gleicher Rechte und Pflichten aller Bürger sollte der Zugang zu den Ämtern nicht von Geburts- und Standesvorrechten, sondern von der Eignung abhängen. Mit der Forderung nach Einführung des allgemeinen Wahlrechts ging David weit über jene engen Möglichkeiten hinaus, die das Organische Reglement in den Donaufürstentümern den Bojaren und Stadtbewohnern eingeräumt hatte. Die Wahl einer gesetzgebenden Volksvertretung sowie die Gewaltenteilung schienen ihm eine Selbstverständlichkeit und geeignet, zunächst einen kleinen Kreis von liberal denkenden Intellektuellen anzusprechen. Um für seine militärisch durchdachten Aufstandspläne eine breite Gefolgschaft zu gewinnen, war nicht nur die Abschaffung jeglicher Fronarbeit, sondern auch die Bodenzuteilung an die Bauern, die Abschaffung der Adelstitel und aller Privilegien vorgesehen. Zu den liberalen Grundforderungen gehörten ferner die Lehr- und Glaubensfreiheit sowie der obligatorische Militärdienst in einem Volksheer.

Vergleicht man diesen Forderungskatalog mit jenem des 1834 auf dem Ungarischen Reichtstag zu Preßburg gegründeten „Geselligkeits- und Konversationsvereins" (Társalkodási egyesület), der in Wirklichkeit ein von den jungen Mitarbeitern der Abgeordneten, der sogenannten Reichtagsjugend, gegründeter Verein zur Verwirklichung der Menschenrechte in Ungarn war, dann wird deutlich, wie weitgespannt die Fäden der polnischen Republikaner und wie gut die Koordination der Zielsetzung abgestimmt waren. Die Fäden von Preßburg und Lugoj waren nicht nur untereinander verknüpft, denn die Ziele der Geselligkeits- und Konversationsvereine entsprachen dem französischen Muster der „Société des droits de l'homme"[147]. Bei den geheimen Zusammenkünften trugen die Mitglieder der republikanischen Geheimgesellschaft Siebenbürgens und des Banats eine blau-gelb-rote Kokarde, und als geheimes Zeichen war ein auf einem Dolch ruhender Totenkopf vorgesehen, damit die Revolutionäre einander bei Ausbruch der geplanten Volkserhebung erkennen konnten. Diese sollte zunächst in Galizien beginnen, um dann, wenn die österreichischen Truppen aus Siebenbürgen und dem Banat dorthin in Marsch gesetzt worden wären, im militärisch entblößten Raum den Aufstand in Gang zu setzen. Die Geheimbündler wandten sich in erster Linie an die orthodoxen Geistlichen und Lehrer, da diese den besten Zugang zur Masse der Bevölkerung besaßen, doch waren im Gegensatz zu den Geheimbünden, die dem Typ der Freimaurerlogen nachgebildet waren, die Frauen nicht ausgeschlossen, für sie war vielmehr eine eigene „Frauenabteilung" vorgesehen[148]. Die von militärisch-taktischen Erwägungen bestimmten Pläne sowie die Wahl des Standortes – Mittelpunkt der Geheimgesellschaft war das Dorf Rusca, deutsch: Rußberg, im Banat, Sitz einer Grenzregimentseinheit – lassen darauf schließen, daß Berater, sei es aus der Militärgrenze selbst, sei es aus dem Kreis ehemaliger polnischer Offiziere, maßgeblich mitwirkten, um einen von breiten Schichten getragenen sozial- und nationalpolitisch motivierten Aufstand zur Befreiung Polens wie zur Vereinigung aller Rumänen in einer mit Polen verbündeten Republik zu ermöglichen. Da die Fäden von Rusca aus in die Walachei, die Moldau und selbst in die Bukowina liefen, waren schon sehr früh günstige Voraussetzungen für die Propagierung der in dem Verfassungsentwurf enthaltenen Reformen geschaffen worden, die vor allem auf die jungen Intellektuellen ohne Unterschied der ethnischen Herkunft, nicht ohne Wirkung blieben. Wie kaum an einer anderen Nahtstelle der bis dahin recht engen rumänisch-magyarischen Kulturbeziehungen wird hier deutlich, daß bis zu Beginn der Magyarisierungstendenzen die gemeinsamen Aufgaben der josephinischen Aufklärungs- und Bildungsreform sowie des Frühliberalismus über die Sprachbarrieren hinaus die im Werden begriffenen bürgerlichen Nationen eher

[147] M. Horváth: Fünfundzwanzig Jahre, I, 433.
[148] C. Göllner: Conspiraţia emigrantului polon Adolf David, 240ff.

untereinander verband als trennte. Die Verbindungen der Geheimgesellschaft reichten jedoch nicht nur in die Donaufürstentümer und die Bukowina, auch in Pest lebende Rumänen wurden in die Vorbereitung für die geplante Erhebung miteinbezogen, denn sowohl die dort ansässigen Intellektuellen als auch die Möglichkeiten, die der urbane Lebensstil bot, begünstigten geheime Versammlungen, so daß für den Spätsommer 1835 eine größere Zusammenkunft von etwa 200 Personen geplant werden konnte. Die Verständigung zwischen den Mitgliedern in Galizien und Siebenbürgen, dem Banat und Ungarn wollte man mittels „stenographischer oder mittels Chiffre-Schrift, der ein leicht zu bekommendes Buch als Schlüssel dienen wird“, herbeiführen. Die Briefe aus Galizien sollten zunächst nach Klausenburg und von dort nach Wien weitergeleitet werden, und zwar an einen Schüler am polytechnischen Institut, oder nach Pest an die bereits als Gesellschaftsmitglieder bekannten Studenten.

Den österreichischen Behörden blieben diese Bewegungen, die sich auch gegen den Bestand der Habsburgermonarchie richteten, nicht verborgen. Systematisch überprüften die Beamten der Polizeihofstelle alle Reisen, Publikationen und Äußerungen der prominenten Mitglieder, so daß sie umfangreiches Material zusammentragen konnten. Daraufhin war man in Wien zu der Erkenntnis gelangt, daß die „patriotischen Revolutionsverbindungen“ mit der Erringung „allgemeiner Freyheit und der Wiederherstellung Polens“ gleichzeitig auch die „Gewaltherrschaft Rußlands und Preußens“ beseitigen wollten. Die österreichische Regierung verfolgte aufmerksam die Bemühungen der polnischen „Demokratischen Partei“, sich mit potentiellen revolutionären Gruppen zu verbinden, um „das alte Reich auf republikanisch-demokratischer Grundlage wieder aufzurichten“ und zu diesem Zweck „soziale Revolutionen in Europa zu erregen ...“. Ebenso wurden die in Galizien immer wieder entstehenden geheimen Gesellschaften, die Verbindungen zu den ungarischen Polenfreunden unterhielten, observiert. Wien beschränkte sich zunächst darauf, mit den vielfältigen Mitteln eines gut organisierten Polizeiapparates die Kontrolle über diese Strömungen zu behalten.

Als durch ein ausgedehntes Überwachungssystem reichliche Informationen über die führenden Köpfe der Gesellschaft gesammelt worden waren, wurde zunächst Adolf David verhaftet, später auch andere Mitglieder. Damit kam es zu einem Stillstand der radikal-liberalen und revolutionären Bewegung im Banat und Siebenbürgen, die erst während des Revolutionsjahres 1848 wieder aufleben konnte. Die rumänische Intelligenz, die in der Geheimgesellschaft vereinigt war, mußte sich wieder mit den bescheidenen Wirkungsmöglichkeiten innerhalb der Organisation der beiden Kirchen begnügen, um von dort aus die konfessions-nationalen und liberalen Reformbestrebungen vorsichtig fortzusetzen, zumal Wien nach Beendigung der ungarischen Reichstagssitzung im Jahre 1836 keine politische Rücksichtnahme mehr kannte und den „Geselligkeits- und Konversationsverein“ der Preßburger Reichstagsjugend wegen des Verdachtes revolutionärer Absichten auflösen ließ. Die Verhaftung führender Köpfe der ungarischen Republikaner war dann beinahe Routinearbeit[149]. Damit waren sowohl die Verbindungen zu den polnischen als auch zu den ungarischen radikal-liberalen Wortführern unterbunden und die Rumänen darauf angewiesen, neue Wege für die Bildung politischer Gruppen zu suchen.

Die stärkere Hinwendung zu regional und zeitlich leichter überschaubaren Aufgaben wurde nicht zuletzt durch die zunehmende Agressivität des ungarischen Schriftstellers und Spracherneuerers Ferenc Kazinczy (1759–1831) sowie des magyarischen Adels bewirkt. Kazinczy hatte in der Zeitschrift „Tudományos Gyüteměny" (Wissenschaftliche Sammlung) im Jahre 1818 Briefe veröffentlicht, die voller Gehässigkeiten gegen die Siebenbürger Sachsen steckten; die daraus folgenden Auseinandersetzungen bewirkten seit Beginn der zwanziger Jahre eine zunehmende politische Wachsamkeit bei den bis dahin auf ihrem Privilegienpolster ruhenden Sachsen. Diese wurde noch verstärkt, als der Komitatsadel die Klausenburger Gerichtstafel beauftragte, nach Wegen zu suchen, um die freien Bauern auf dem Königsboden zu „Kronbauern" und damit zu Leibeigenen zu machen und auf diesem Weg, d.h. über eine offene Rechtsverletzung, das Steueraufkommen des Großfürstentums zu steigern, ohne den Adel, der über zwei Drittel der Gesamtbodenfläche in Siebenbürgen verfügte, zu belasten. Nicht minder alarmierend wirkte der Eingriff des Guberniums in die verbrieften Rechte der sächsischen Selbstverwaltung, als 1826 die freie Wahl des Komes durch seine Ernennung mittels eines Verwaltungsaktes umgangen wurde[150]. Diese Versuche des ungarischen Adels, in Siebenbürgen eine Zwangsintegration der Sachsen in die Wege zu leiten, lenkte auch das Denken der rumänischen Funktionseliten in neue Bahnen. War doch die bis dahin unbestrittene Rechtsposition der Sachsen als einer ständischen Nation ins Wanken geraten und schien den Rumänen nun nicht mehr wie eine uneinnehmbare Bastion die alte ständische Verfassung des Landes zu schützen. Andererseits sollte ihnen bald klar werden, daß mit einem Erfolg des Nivellierungsversuchs auch die Rumänen einem stärkeren Druck der Magyarisierungspolitik und der sozialen Unterwerfung ausgesetzt wären.

[149] P. Németh: Die politischen Prozesse in Ungarn.

[150] E. Weisenfeld: Die Geschichte der politischen Publizistik, 28; und A. von Hochmeister: Leben und Wirken des Martin Edlen von Hochmeister, 151f. Vgl. ferner O. Wittstock: Martin von Hochmeister, 35.

Die politischen Strömungen

Die konstitutionellen Bewegungen in den Donaufürstentümern

Die Anfangserfolge der konstitutionellen Bewegung in den Donaufürstentümern beruhten zum größten Teil auf den Modernisierungsbestrebungen, die in den frühliberalen Reformprojekten ihren Ausdruck fanden, verdankten aber auch der mit Nachdruck und Zähigkeit betriebenen Interventionspolitik Rußlands ihre staats- und völkerrechtliche Verankerung. Ausgangspunkt dieser Bemühungen der russischen Außenpolitik zur Schaffung stabilerer Verhältnisse war der Bukarester Friedensvertrag von 1812, der im Artikel VIII die Gewährung größerer innenpolitischer Bewegungsfreiheit vorsah. Der Einfall Napoleons in Rußland und die Auswirkungen der Befreiungskriege ermöglichten es der Regierung in Konstantinopel, diesen Friedensvertrag zunächst im Sinne der eigenen Wirtschaftsinteressen auszulegen. Die Vertreter des Zarenreiches auf dem Wiener Kongreß protestierten gegen die rücksichtslose Ausbeutung der Fürstentümer durch die Pforte. Da aber Metternich jede weitere Schwächung des Osmanischen Reiches zu vermeiden suchte, wurde die Note Rußlands zurückgewiesen. So konnten erst nach der Gründung der Heiligen Allianz 1816 direkte Verhandlungen zwischen St. Petersburg und Konstantinopel aufgenommen werden, die aber zweimal für längere Zeit unterbrochen wurden: 1818, kurz vor der Unterzeichnung einer Vereinbarung über ein Reglement, als Absetzung und Flucht des vorletzten phanariotischen Hospodars der Walachei, Joanis Karadza/Ioan Caragea, zu neuen Spannungen zwischen den beiden rivalisierenden Mächten führten, und 1821, bei Ausbruch des Hetairistenaufstandes, als man schon einem günstigen Abschluß der Verhandlungen nahegekommen war. Im Mai 1821 wäre es beinahe zu einem russisch-türkischen Krieg gekommen, weil die Pforte unter Verletzung des Bukarester Friedensvertrags 8000 Janitscharen in die Moldau und die Walachei entsandt hatte, die dann bis 1824 dort verblieben. Zwar war diese Maßnahme weder politisch noch militärisch begründet, eröffnete dem Sultan aber eine bequeme Möglichkeit, die immer lästiger werdenden Janitscharen für einige Zeit von Istanbul fernzuhalten. Trotz der unverkennbaren eigenen innen- und außenpolitischen Schwächen hatte die Regierung des Osmanischen Reiches damals erwogen, die beiden Fürstentümer in Paşalyks umzuwandeln und damit jeder Autonomie zu entkleiden, war aber am Widerstand der europäischen Mächte gescheitert, so daß 1822 Grigore Ghica und Ion Sandu Sturdza, zwei rumänische Großbojaren, zu Hospodaren ernannt wurden.
Nach dem Tod Zar Alexanders I. änderte sich die russische Außenpolitik im Hinblick auf Südosteuropa grundlegend, denn Zar Nikolaus I. kam zu der Überzeugung, daß der „kranke Mann am Bosporus“ nicht mehr genesen könnte. Er unter-

stützte daher den Kampf der untereinander entzweiten Griechen gegen die Pforte, obwohl sie in seinen Augen Rebellen waren wie die russischen Dekabristen. Um Rußland in der griechischen Angelegenheit die Initiative nicht ganz zu überlassen, bemühte sich Englands Botschafter in St. Petersburg, Möglichkeiten der Zusammenarbeit zu eröffnen, die nach eingehenden Verhandlungen im Protokoll vom 4. 4. 1826 festgelegt wurden. Da sich Rußland jedoch nur in der griechischen Frage, nicht aber in der rumänischen seinem englischen Vertragspartner verpflichtet sah, übergab der russische Geschäftsträger in Konstantinopel ein Ultimatum, in welchem für die Donaufürstentümer die Wiederherstellung des „status quo ante“ und somit der Abzug der türkischen Polizeitruppen sowie die Wiederaufnahme der Verhandlungen über die Erfüllung des Bukarester Vertrages gefordert wurden. Sultan Mahmud sah sich infolge schwerer innenpolitischer Krisen, die zur Niedermetzelung und Verbannung der Janitscharen aus Konstantinopel geführt hatten, gezwungen, das Ultimatum Rußlands anzunehmen, die Räumung der Fürstentümer anzuordnen und die im Lande verbleibenden Polizeieinheiten den von den Hospodaren ernannten Kommandanten zu unterstellen. Fristgerecht erfolgte die Räumung, so daß bereits Anfang Juni die Verhandlungen über die Auslegung des Friedensvertrages beginnen und am 7. 10. 1826 in Akkerman (Cetatea Albă) mit jener Konvention abgeschlossen werden konnten, die zu einer wichtigen Grundlage für die konstitutionelle Bewegung wurde. Darin hatte sich die Pforte zur Anerkennung und Einhaltung aller hinsichtlich der Donaufürstentümer getroffenen Verträge, Konventionen und gewährten Privilegien verpflichtet und in einem Annex, dem „Acte séparé relatif aux principautés de Moldavie et de Valachie“, einer Neuordnung der inneren Organisation zugestimmt, die den Machtmißbrauch der Pforte, wenn nicht ganz ausschließen, so doch weitgehend einschränken sollte. Demnach durften die Hospodare nur aus den ältesten einheimischen Bojarengeschlechtern nach dem Prinzip der besonderen Eignung in einer Generalversammlung des Divans gewählt werden; der Sultan konnte die getroffene Wahl bestätigen oder ablehnen. Wie bereits in einem hat-i-şerif von 1802 vorgesehen, wurde die Amtsdauer auf sieben Jahre festgelegt und damit die Voraussetzung für ein Ende des Fürstenkarussells geschaffen. Ebenso wurden die finanziellen Verpflichtungen gegenüber der Pforte neu geregelt und die 1821 geflüchteten Bojaren in ihre alten Rechte eingesetzt. Von besonderer Bedeutung für die Anfänge der national-staatlichen Entfaltungsmöglichkeiten war die Bestimmung, daß die Hospodare gemeinsam mit ihren Divanen Maßnahmen zur Verbesserung der inneren Verwaltung als Grundlage eines allgemeinen Reglements beraten sollten und die auf rumänischem Boden errichteten türkischen Befestigungen in Brăila und Giurgiu der Landesverwaltung unterstellt wurden.

Bereits während der russisch-türkischen Verhandlungen im Sommer 1826 begannen führende Großbojaren, unter ihnen Iordache Rosetti-Rosnovanu, mit der Ausarbeitung von Vorschlägen für die Modernisierung der Verwaltung, die auf das künftige Reglement abgestellt waren; denn um die Beratungen in Gang zu setzen, hatten die Hospodare entsprechende Kommissionen gebildet. Der Ausbruch des russisch-persischen Krieges sowie die Seeschlacht von Navarino im Oktober 1827, in der die türkisch-ägyptische Flotte von den englisch-französisch-russischen Marineeinheiten vernichtet wurde, führten zu neuen militärischen Auseinandersetzungen. Der von der Pforte erklärte „Heilige Krieg" sowie die Aufkündigung der Konvention von Akkerman wurden von Rußland mit einer Kriegserklärung an die Pforte, der anschließenden Besetzung der rumänischen Fürstentümer sowie der Absetzung der beiden Hospodare beantwortet. Mit dem Frieden von Adrianopel (Edirne) konnte Rußland seine Position als Garantiemacht für die Donaufürstentümer festigen und die der Hohen Pforte auf jene eines suzeränen Staates einschränken, wobei sie außerdem verpflichtet wurde, alle Vereinbarungen der Konvention von Akkerman einzuhalten. In einem gesonderten Abkommen wurde ferner festgelegt, daß die Hospodare künftig auf Lebenszeit gewählt und ernannt werden sollten, das Osmanische Reich keinerlei Befestigung auf dem linken Donauufer mehr unterhalten durfte und die Niederlassung von Moslems nicht mehr geduldet zu werden brauchte.

Von entscheidender Bedeutung für die künftige gesellschaftliche und wirtschaftliche Entwicklung der Donaufürstentümer wurde die Aufhebung der Lieferverpflichtung von Lebensmitteln, Bauholz, Wachs, Wolle und sonstigen Gütern zu einem von der Pforte diktierten Preis. Darüber hinaus wurde den Bewohnern der beiden Länder das Recht der freien Donauschiffahrt und des Handels in allen Häfen und Städten des Osmanischen Reiches eingeräumt. Um die 1827 in Angriff genommenen Verwaltungsreformen, die in Form eines Reglements sowohl den Landesausbau vorbereiten als auch die Rechte und Pflichten der Landesbewohner festlegen sollten, mit Aussicht auf dauerhafte Wirkung abschließen und in Kraft setzen zu können, mußte sich die Hohe Pforte verpflichten, neuen administrativen Einrichtungen zuzustimmen, wie sie von den Notabeln der Länder gewünscht und während der Besetzung durch die Armee des Zaren installiert werden sollten. Damit war sichergestellt, daß unter dem Schutz der russischen Besatzungsmacht Reformen mit Aussicht auf Dauer in die Wege geleitet werden konnten, ohne daß der gewährte Freiraum zu einer Verletzung der türkischen Suzeränitätsrechte führte. Rußland sicherte sich in diesem Vertragswerk einen langfristigen Einfluß durch die Bestimmung, daß die Hospodare die „Ratschläge" der russischen Konsuln zu befolgen hatten. Das bis 1853 dauernde russische Protektorat wurde bis zur Bezahlung der in einem zweiten Separatakt festgelegten Kriegsentschädigung von dem jeweiligen kommandierenden General als Chef einer provisorischen zentralen Verwaltung mit der zusätzlichen Funktion eines Präsidenten der Divane beider Länder ausgeübt. In dieser Eigenschaft leisteten die russischen Statthalter einen langwierigen Okzidentalisierungsprozeß ein, indem sie zunächst die orientalische Kleidertracht der Bojaren abschafften und außerdem für die Verbesserung der sehr mangelhaften Hygiene in den Hauptstädten sorgten. „Täglich ritt ein russischer Commandant in Begleitung von drei oder vier Kosaken durch die Straßen und drang selbst in Häuser und Vorhöfe der Bojaren, um sich von ihrer Reinlichkeit zu überzeugen. Und wehe dem Einwohner, der seinen Befehlen nicht sogleich nachkam!"[151].

Der britische Konsul, der die russische Politik und ihre Repräsentanten während eines längeren Zeitraums aus unmittelbarer Nähe hatte beobachten können, zog bereits im Juni 1829 einen Vergleich zwischen den wenig populären Maßnahmen des russischen Statthalters Seltušin gegen die Barttracht und den Kalpak der Bojaren und den von Peter dem Großen 130 Jahre vorher in Rußland gegen die Altgläubigen erlassenen Verboten[152].

Die aus je vier Bojaren der Moldau und der Walachei zusammengesetzte Kommission zur Ausarbeitung des Reglements für die Neuorganisation der Verwaltung trat am 19. 4. 1829 in Bukarest zusammen und begann unter dem Vorsitz des russischen Konsuls mit den Verhandlungen, die bis Anfang April 1830 dauerten. In der Zwischenzeit war General Seltušin durch General Graf Paul Kiselev, einen ausgezeichneten Staatsmann mit liberalem Geist, ersetzt worden, dessen Berufung auf diesen Posten sowohl für den inneren Landesausbau als auch für die Geschichte der rumänisch-russischen Beziehungen einen Markstein bedeutete. Einer alten angesehenen Familie entstammend, hatte sich Kiselev während der napoleonischen Kriege ausgezeichnet, den Zaren nach Paris und zum Wiener Kongreß begleitet und 1828 unter General Diebitsch, genannt „Dibič-Zabalkanski", am Türkenkrieg teilgenommen.

Unter seinem Einfluß wurden die Pläne zur Neuorganisation der inneren Verwaltung zügig beraten und noch vor Abschluß der oft mühsamen Verhandlungen Innovationen auf dem Verordnungswege durchgesetzt. Das Ergebnis der Kommissionsverhandlungen über das Organische Reglement wurde nach Überprüfung durch eine russische Expertenkommission in St. Petersburg von je einer außerordentlichen Bojarenversammlung in Bukarest und Jassy erneut beraten, von den Versammlungen verabschiedet und der Hohen Pforte zur Genehmigung vorgelegt, so daß die beiden Verfassungen im Juli 1831 in der Walachei und im Januar 1832 in der Moldau in Kraft gesetzt werden konnten. Damit begann für die Landesverwaltung eine neue Ära.

Die sehr bestimmte Art der russischen Einflußnahme auf die rumänische Politik, die zu verschiedenen Zeiten rumänische Historiker veranlaßt hat, die Besatzungsmacht zu kritisieren, darf nicht darüber hinwegtäuschen, daß mit dem Frieden von Adrianopel und der in den Organischen Reglements erstmals staatsrechtlich verankerten Gewaltenteilung wichtige Voraussetzungen für Ansätze einer Rechtsstaatlichkeit, für die wirtschaftliche Emanzipation, die damit verbundene Modernisierung des öffentlichen Lebens sowie für die Umsetzung der liberalen Vorgaben in die Verfassungswirklichkeit geschaffen wurden.

[151] L. Storch: Des Wagnergesellen C. Ch. Döbel Wanderungen, 51.
[152] R. Florescu: The Struggle against Russia, 140–43.

Die Einführung der Gewaltenteilung durch das Organische Reglement

Seit dem beginnenden 19. Jahrhundert hatten die Vorstellungen von der Reorganisation des Landes nach westlichen Vorbildern konkretere Formen angenommen. Einige davon waren mit utopischen Vorstellungen von den politischen Möglichkeiten verknüpft, wie der Plan des Dimitrache Sturdza (1770–1852), der 1802 eine aristo-demokratische Republik konzipiert hatte. In seinen liberalen Schwärmereien machte er kein Hehl aus seiner Begeisterung für das politische System in England und äußerte die Hoffnung, daß alle freien Landesbewohner zu Bürgern werden und die Bojaren eine Repräsentativ-Demokratie bilden könnten[153]. Noch bevor die zahlreichen Reformpläne den Staatsmännern Rußlands, Österreichs und des Osmanischen Reiches zugeleitet wurden, hatte das neue Gesetzbuch der Moldau, das mit dem Namen Scarlat Callimachi in die rumänische Rechtsgeschichte einging, einige staats- und vor allem zivilrechtliche Vorgaben geschaffen, die in den seither mit Bedacht erarbeiteten Verfassungsentwürfen berücksichtigt wurden. Es hatte das fürstliche Recht auf eine höhere Stufe gestellt, als dies das ius receptum byzantinischen Ursprungs getan hatte, und darüber hinaus „die Bestätigung des einheitlichen nationalen Rechts vorbereitet“[154]. In staatsrechtlicher Hinsicht bedeutete das Organische Reglement einen Fortschritt bei der Entwicklung der Gewaltenteilung; auch wenn dem Landesherren das absolute Vetorecht erhalten blieb und er die Landesversammlung auflösen konnte, wurde ihm doch die Befugnis genommen, Gesetze ohne weiteres in Kraft zu setzen. Im Falle eines Konfliktes konnten beide, Fürst und Bojarenversammlung, die Entscheidung bei der Protektionsmacht Rußland suchen und somit dem russischen Konsul die Schiedsrichterfunktion übertragen. Die viel weitergehende Vorstellung, wonach die Versammlung das entscheidende Gewicht, das Vetorecht des Hospodars aber nur aufschiebende Wirkung haben sollte, wie es Ionică Tăutu in seinem Verfassungsentwurf gefordert hatte, blieb unberücksichtigt, denn eine derartige Einschränkung der Herrscher-Prärogative war zu dieser Zeit in Osteuropa oder gar Südosteuropa undenkbar.

Zu den Zielen des „gouvernementalen Konstitutionalismus“, wie ihn die liberalen Wortführer gefordert hatten, gehörte die anteilsmäßige Berücksichtigung der Bojaren beider Klassen bei der Qualifikation für die Wahlversammlung sowie nicht zuletzt die Entsendung von Vertretern der Städte, die an der Selbstverwalung ihrer Gemeinwesen bisher kaum teilgenommen hatten, und der Handel- und Gewerbetreibenden, die Erfahrungen im Bereich der lokalen Selbstverwaltung ihrer Zünfte besaßen. Dieses Ziel wurde dann auch erreicht, denn die Wahl des Fürsten erfolgte durch eine Große Nationalversammlung von 186 Delegierten für die Walachei und von 132 für die Moldau. Die Großbojaren bildeten eine eigene Klasse und hatten in der Walachei 50 und in der Moldau 40 Sitze in der Außerordentlichen Wahlver-

[153] E. Vîrtosu: Napoleon Bonaparte, 25ff.
[154] Val. A. Georgescu: Les contacts entre le droit moldave et le droit autrichien, 177.

sammlung, die Bojaren der zweiten Klasse 73 und 30, zu denen aus den 17 Kreisen der Walachei und den 16 der Moldau noch weitere 36 bzw. 32 Standesgenossen hinzukamen. Schließlich, wie es zu den Zielen des „gouvernementalen Konstitutionalismus" gehörte, erhielten auch die in den Städten und Märkten bestehenden zunftähnlichen Korporationen der Handwerker und Kaufleute das Recht, je 27 bzw 21 Delegierte zu entsenden[155].

Die Donaufürstentümer besaßen von da an eine Repräsentativ-Verfassung, ohne daß jedoch die soziokulturellen Voraussetzungen in jenem Umfang vorlagen, die eine dauernde Funktionsfähigkeit hätten gewährleisten können, so daß Kenner der Verhältnisse über den Grund rätselten, der „den Kaiser von Rußland, den absolutesten Monarchen in Europa, bewogen haben mag, diesen Ländern eine Repräsentativ-Verfassung zu geben, welche dieselben bisher nicht hatten ..." [156]. Neigebaur, der sich als preußischer Konsul hervorragende Landeskenntnisse hatte erwerben können, stand den Bojaren, die in der Gesetzgebenden Versammlung das abolute Übergewicht besaßen, sehr skeptisch gegenüber: „Ein paar tausend Bojaren machen die Nation aus. Nur diese befinden sich im Besitz der politischen Rechte und sie achten gewöhnlich kein Gesetz"[157]. Er kam schließlich zu dem Ergebnis, daß dieses Statut, „welches ... aller conservativen Grundlagen ermangelt, entweder die Anarchie permanent mache, ... oder später mit unwiderstehlicher Consequenz zur Republik führen muß"[158]. Er sollte jedoch nicht recht behalten, der Elan der liberalen Kräfte dauerte noch Jahrzehnte fort. Mit den Repräsentativ-Verfassungen war den Vorstellungen der „cărvunari" von 1822 sowie den Reformplanern der Walachei, die 1827 ein Memorandum über die Stellung des „Divans" und der „Assemblée Générale" verfaßt hatten, weitgehend Rechnung getragen. Sie entsprachen aber auch den liberalen Verfassungstheorien, die für die Wahl des Herrschers eine besondere Versammlung forderten[159]. Um bei der Konstituierung des Landtags langwierige Verhandlungen über die Person des Präsidenten zu vermeiden, war der Metropolit als höchster geistlicher Würdenträger für dieses Amt bestimmt worden.

Neben der Großen Nationalversammlung sah das Reglement die allgemeine Nationalversammlung vor, deren Zusammensetzung hinsichtlich der Bojaren den gleichen Relationen entsprach. Der höhere Klerus war durch den Metropoliten und zwei Bischöfe, die Großbojaren durch 20 bzw. 16 und die Bojaren der zweiten und dritten Klasse durch 19 Delegierte in der Walachei und 16 in der Moldau vertreten. Das bürgerliche Element, zu dem die Delegierten der Korporationen und Händler gerechnet werden könnten, fehlte dagegen!

155 Analele parlamentare I/2, 80f.
156 J. F. Neigebaur: Die staatlichen Verhältnisse, 62.
157 J. F. Neigebaur: Beschreibung der Moldau und Walachei, 6.
158 J. F. Neigebaur: Die staatlichen Verhältnisse, 102.
159 Vl. Georgescu: Mémoires et projets, 164, 168.

Unerfüllt blieb der Wunsch der Radikalliberalen, die eine Vereinheitlichung der Bojarenkategorien und ihre Wählbarkeit ohne Unterschied der Standesklassen gefordert hatten. So hate I. Tăutu 1829 einen Wahlvorschlag für das projektierte Reglement erstellt, demzufolge die Versammlung für die Wahl des Herrschers sich nach dem Zensuswahlrecht zusammensetzen sollte. Er argumentierte dabei mit dem Naturrecht und schlug vor, alle Einwohner zur Wahl zuzulassen, die mindestens 143 ha Landbesitz oder ein entsprechendes Einkommen nachweisen könnten. Die Annahme dieses Vorschlages hätte bedeutet, daß die Gewährung der politischen Rechte an ein wirtschaftliches Kriterium und nicht an ein standesmäßiges geknüpft worden wäre, so daß auch die Freibauern, Bojaren der unteren Schichten ohne öffentliche Ämter sowie wohlhabende Kaufleute hätten wählen können[160]. So scharf auch dieses Zensuswahlrecht geplant war, stieß sein Vorschlag doch auf einhellige Ablehnung, denn die Mitglieder der Protipendada besaßen in dem Ausschuß zur Erarbeitung des Reglements, der zur Hälfte aus den von dem russischen Militärgouverneur ernannten Bojaren bestand, ein entscheidendes Gewicht. In den Reihen der Moldauer war vor allem Mihai Sturdza, der spätere Hospodar, ähnlich wie vor ihm Iordache Rosetti-Rosnovanu, ein entschiedener Gegner jeder Rangerhöhung der Klein- und Mittelbojaren, und auch in den Reihen des Ausschusses für die Walachei fanden sich keine entscheidenden Argumente, um sich über die Anciennität der Geschlechter und ihre Besitzverhältnisse hinwegzusetzen. So nützte es wenig, daß Bojaren der zweiten Klasse der Walachei in einer Denkschrift an Graf Kiselev im Juli 1830 darlegten, es gebe nur einen einheitlichen Bojarenstand und die Unterteilung in ämterfähige oder -unfähige Klassen oder Ränge stelle eine künstliche Gliederung dar[161]. Die Zusammensetzung des Ausschusses bot trotz alledem eine gewisse Garantie dafür, daß wichtige Zukunftspläne und viele noch zu bewältigende Aufgaben im Reglement verankert wurden, so daß es eben nicht nur als eine Verfassung, sondern auch als „Entwicklunghilfeplan" bezeichnet werden kann. Dabei zeigte die Gruppe aus der Moldau – trotz Mihai Sturdzas oft reaktionärem Konservatismus – eine liberale Struktur; unter ihren Mitgliedern befanden sich auch Iordache Catargi, der 1810 ohne Erlaubnis das Land verlassen hatte, um in Paris Napoleon seine Reformpläne zu unterbreiten, ferner Costache Cantacuzino-Păscanu und Costache Conachi (1778–1849), Dichter, Übersetzer und Philosoph mit Sympathien für eine republikanische Staatsform, der sich ähnlich wie vor ihm schon Iordache Rosetti-Rosnovanu für die Verankerung des Rechts auf freie Wahl des Wohnsitzes und somit auf Reisemöglichkeiten ins Ausland eingesetzt hatte. Sekretär der Moldauer Bojarendelegation war der aus bürgerlichen Verhältnissen aufgestiegene Dichter, Polyhistor und Journalist Gheorghe Asachi (1788–1869), während die Großbojaren der Walachei einen ihrer Standesgenossen, Barbu Ştirbei, der später zum Fürsten gewählt werden sollte, zum Sekre-

[160] *Ders.:* Ideile politice, 111.
[161] E. Hurmuzaki: Documente XXI, 290.

tär bestellt hatten. Sowohl bei Costache Conachi, der in seiner Jugend von französischen Hauslehrern erzogen worden war und die politische Ideengeschichte Frankreichs gut kannte, als auch bei dem Pfarrersohn Asachi, der in Lemberg, Wien und Rom im Geiste des Josephinismus gebildet worden war, vereinigten sich Fortschrittsideen der Aufklärungsphilosophie und des Frühliberalismus mit einem pragmatischen Konservatismus. Asachi veranlaßte auch die Übersetzung des Codul Calimah ins Rumänische und soll außerdem an der Redaktion des Textes mitgewirkt haben.

Gegenüber den Exponenten der politischen Eliten in der Walachei besaß die Moldau in ihren Repräsentanten einen beachtlichen Vorsprung, vor allem im Hinblick auf die sittlich-moralischen Ansprüche, mit denen sie die Modernisierung des kulturellen Lebens und damit auch der Politik durchzusetzen verstanden. Diese Haltung der moldauischen Eliten war in St. Peterburg bekannt und spiegelte sich in der russischen Instruktion wider[162].

Kiselev, der seit seinem Amtsantritt an den Sitzungen des Ausschusses teilgenommen hatte, um eine Annäherung der oft divergierenden Standpunkte herbeizuführen, akzeptierte die liberalen Lösungsvorschläge, wonach auch diejenigen Landeskinder, die sich durch Verdienste um das Allgemeinwohl ausgezeichnet hatten, der Versammlung vom Fürsten zur Verleihung des Bojarentitels vorgeschlagen werden konnten. Durch diese in beiden Fürstentümern eingeführte Bestimmung wurde der im Werden begriffenen Bürgerschicht der soziale Aufstieg in die Bojarengruppe, die noch immer Inhaberin aller politischen Rechte war, erleichtert und die zahlenmäßig noch schwache Intelligenz ermutigt, sich um Anstellungen im Staatsdienst zu bewerben.

Zu den wichtigsten Neuerungen, die von allen liberalen Kräften gefordert worden waren und die auch bei den Reformkonservativen nicht auf Widerspruch stießen, gehörte die Einführung der Gewaltenteilung. Sie war zwar von Fürst Metternich und Friedrich Gentz, die man sowohl am Zarenhof als auch bei der Hohen Pforte sehr schätzte, abgelehnt worden, weil sie dem „monarchischen Prinzip" widerspräche und weil die „Teilung der Gewalten ... sich selbst überlassen, immer und überall zur gänzlichen Vernichtung aller Macht, mithin zur reinen Anarchie führen muß ..."[163], aber die Beschränkung der Macht der Hospodare, die das System des Absolutismus zu oft mißbraucht hatten, um sich und ihre Familienklientel rücksichtslos zu bereichern, war von allen Bojarengruppen so eindeutig gefordert worden, daß eine Ablehnung unmöglich schien und nur die Einzelheiten noch zu regeln waren. Entscheidend für die Einführung der Gewaltenteilung war jedoch, daß Graf Kiselev diese Maßnahme wünschte. So wurden das Mehrheitsrecht, das Budgetrecht und der Grundsatz des Habeas corpus im Reglement verankert und die Gesetzgebung der Assemblée Générale überantwortet, die alljährlich für die

162 Analele parlamentare I/2, 21f.
163 H. Brandt: Restauration und Frühliberalismus, 222.

Dauer von zwei Monaten einberufen werden sollte. Nicht minder wichtig für die Machtbeschränkung des Herrschers wie für den Grundsatz der Gewaltenteilung war die Bestimmung, daß rechtskräftig gewordene Gerichtsentscheidungen nicht wieder aufgehoben werden durften, um neue Verfahren in der gleichen Angelegenheit in die Wege zu leiten. Damit wurden Schranken gegen einen Rechtsmißbrauch im Bereich der Zivilprozesse gezogen, um das rumänische Sprichwort: „Ein fauler Kompromiß ist einem gerechten Urteil vorzuziehen" (mai bine o învoilă strîmbă decît o judecată dreaptă), zu widerlegen. Auch die Trennung der Justiz von der Verwaltung war verankert worden, doch fehlte es zunächst an geschulten Juristen, um die Richterstellen und Verwaltungsposten mit geeigneten Kräften zu besetzen, so daß die Gerichte und Kanzleien nicht funktionieren konnten[164]. In einem Bericht des österreichischen Konsuls aus Bukarest wird dieser chronische Mangel anschaulich geschildert: „Die Richter sind jedem Einflusse, dem verwandtschaftlichen, dem pekuniären und jenem ihrer eigenen Leidenschaften zugänglich"[165]. Ähnlich hart lautete auch das Urteil über die Verhältnisse in Jassy: „Das Departement der Justiz ist ohne Zweifel die mangelhafteste aller Abteilungen der Moldauischen Landesverwaltung"[166]. Übergriffe der Verwaltung in den Bereich der Justiz konnten daher nicht verhindert werden, denn so wichtig die Erfüllung alter Reformprojekte auch war, die eine Besoldung der Staatsbediensteten unter gleichzeitiger Steigerung des Verantwortungsbewußtseins und der Verantwortbarmachung gefordert hatten, sie konnte zunächst nur in der Verfassungstheorie, nicht in der Verfassungswirklichkeit erfolgen. Dazu fehlten die nötigen Staatseinnahmen, fehlten Steuergelder. Hier hatte sich das konservative Element der rumänischen Bojarenschaft mit dem praktizierten Gewohnheitsrecht schon im Ansatz der Reformprojekte verknüpft, so daß es bei der personenbezogenen Kopfsteuer blieb und nicht zur liegenschaftsbezogenen Grundbesitzabgabe kam, von der der Großgrundbesitz der Kirche und der Bojaren weiterhin befreit war. Zwar hatten Finanz- und Wirtschaftsfachleute wie Iordache Rosetti-Rosnovanu in der Moldau bereits 1818 die Einheitsbesteuerung für landwirtschaftliches Grundeigentum vorgeschlagen, ähnlich wie der weitaus liberalere Simion Marcovici, der 1830 die Einkommensteuer aller Bewohner befürwortet, doch beharrten die Bojaren, vom Klerus unterstützt, auf ihren Privilgien der Steuerfreiheit, einem Attribut aller östlichen Adelsnationen. Ähnlich wie in Preußen anläßlich der Steuerreform von 1820, konnte man auch in den Donaufürstentümern noch nicht wagen, das englische Vorbild der Einkommensteuer zu übernehmen. Obschon die Abschaffung der vielen indirekten zugunsten einer einzigen festen Steuer für die Masse der Steuerzahler, die Bauern, Kaufleute und Handwerker, eine Erleichterung bedeutete, ent-

[164] M. Galan: Dificultăţile aplicării Regulamentului Organic, 15–19.

[165] H. H. St. A. Wien: Moldau-Walachei, Kt. 58; Bericht vom 16. 11. 1840, hier als Anhang 3 abgedruckt.

[166] C. A. Kuch: Moldauisch-Walachische Zustände, 121.

sprach sie nicht den Vorstellungen Kiselevs, der darüber Klage führte, daß sich die Bojaren zu Richtern in eigener Sache gemacht hatten und die Bauern weiterhin die Träger hoher Lasten blieben[167]. Außerdem betrachteten sich die Bojaren mehr und mehr als Eigentümer des Landes und der darauf lebenden Menschen und verloren die ursprüngliche Aufgabe als Schützer und Führer der Dorfgemeinschaft, die hierfür den Zehent einfordern durften, aus den Augen. Gleichzeitig war aber die Zahl der Frontage durch das Reglement erhöht und die Abwanderung der Bauern zu weniger strengen Herren oder in Städte erschwert worden, so daß das Reglement eine Festigung des Bojarenstandes und einen leichteren Übergang zur Geldwirtschaft mit sich brachte. Die zunehmend günstigeren Exportmöglichkeiten für Getreide führten darüber hinaus zu einer Produktionssteigerung namentlich der Mittel- und Kleinbetriebe, aber diese wirtschaftliche Erschließung und Modernisierung des Landes, den die Reformprojekte vorgezeichnet hatten, wurde von da an mit dem Preis einer weiteren Ausbeutung der Bauernfamilien bezahlt.
Besonders erfolgreich waren die Modernisierungsimpulse für die Verkehrserschließung durch Straßen- und Brückenbau, Trockenlegung von Sümpfen und die Errichtung eines engmaschigen Netzes von Quarantänestationen entlang der Donau, um das Einschleppen von Seuchen zu verhindern. General Kiselev erwarb sich außerdem große Verdienste um den Ausbau der Häfen von Galatz, Brăila und Giurgiu mit Hilfe russischer Ingenieure; allein in den Jahren zwischen 1831 und 1833 kam es dadurch zu einer Verdoppelung des Aus- und Einfuhrhandels. Eine wirtschaftspolitische Maßnahme ersten Ranges war schließlich die Abschaffung der Binnenzölle zwischen beiden Fürstentümern, so daß seit der Eröffnung des Freihandels zwischen der Moldau und Walachei eine wichtige Voraussetzung für die 1859 erfolgte Vereinigung beider Fürstentümer bestand. Vor allem die vom Reglement eingeleitete Ordnung der monetären Probleme schuf wichtige Grundlagen für ein einheitliches nationales Währungssystem und damit für den Waren-Geldverkehr. Insgesamt betrachtet war dieses umfangreiche Grundgesetz eine für diese Epoche in Osteuropa sehr moderne und auch weitgehend liberale Regelung aller öffentlichen Angelegenheiten, vielleicht die fortschrittlichste, die das Land je besessen hat[168]. Es brachte allerdings auch eine verhältnismäßig komplizierte zentralistisch-bürokratische Verwaltung mit sich, die dem russischen und französischen System nachgebildet war; denn anders als in Mitteleuropa, wo eine stärker ausgeprägte Selbstverwaltung bestand, wurde die Landesverwaltung nach napoleonischem Vorbild ausgedehnt, allerdings mit dem Unterschied, daß sich hier die Gesellschaft auf Bodenbesitz stützte, nicht aber auch auf Gewerbe und Handel.
Der Grundsatz der Gewaltentrennung hat sich in der Praxis nur sehr zögernd durchsetzen lassen, weil sich viele neue Beamte, meist aus den Reihen der Bojaren, dem Reformwerk widersetzten, sei es aus politischer Überzeugung, sei es aus

167 D. Mitrany: Marxismus und Bauerntum, 34; und: Istoria parlamentului, 30.
168 R. Florescu: The Struggle against Russia, 138.

persönlichem Interesse. Und da die Mehrzahl der Bojaren aus Gesinnung oder Gewohnheit konservativ war, erhielt die Opposition, zu der auch die Geistlichkeit zu rechnen war, eine breitere Gefolgschaft. Vor allem der in der Ostkirche insgesamt nicht zu intellektuellen Arbeiten neigende Klerus lehnte das Reformwerk ab, als bekannt wurde, daß in Zukunft nur Absolventen von Priesterseminaren zu Pfarrern ernannt werden sollten[169].

Weitaus konstruktiver für die Modernisierung der Länder waren die liberalen Kräfte, die sich nicht damit abfinden wollten, daß viele Relikte der feudalen Ära konserviert und die Aufklärung der Bevölkerung nur zögernd fortgeführt wurden. Zu ihnen gehörten die jungen Intellektuellen, die im Ausland studiert hatten, sowie die Angehörigen der Bildungsschicht, die im Lande selbst ihre Kenntnisse erworben hatten. Zu dieser im Werden begriffenen bürgerlichen Intellektuellenschicht gehörte zunächst nur ein sehr kleiner Kreis, da höhere Bildung für lange Zeit ein Privileg der wohlhabenden Bojaren und Kaufleute, aber nur ausnahmsweise auch der Handwerker und Pfarrer war. Asachi, der Begründer und Förderer nationalsprachlicher Kultur in der Moldau, blieb eine seltene Ausnahme, was damit zu erklären ist, daß seine Eltern vermutlich aus Siebenbürgen stammten und der Vater schon als Wegbereiter der Aufklärung Werke von Young und Bernardin de Saint-Pierre übersetzt hatte. Auch der Umstand, daß Asachi in den Jahren zwischen 1797 und 1804 mit seinen Eltern in Lemberg gelebt hatte, wo er seine Kenntnisse der lateinischen, deutschen und polnischen Sprache vervollkommnen konnte, mag dem Pfarrersohn den Weg zu seinen Studien in Wien und Italien erleichtert haben.

Seine Leistung als Volksaufklärer und Journalist bestand zunächst darin, daß er 1829 die erste rumänische Zeitung der Moldau, die „Albina românească (Die rumänische Biene) gründete und mit seinen Artikeln starken Einfluß auf die öffentliche Meinung ausübte. Mit dem Erscheinen dieser Zeitung in Jassy und des „Curierul românesc" in Bukarest, den Ion Heliade Rădulescu (1802–1872), einer der engagiertesten Vertreter französischer Aufklärungsideen, Schriftsteller und gemäßigter liberaler Politiker, herausgab, begann für die Donaufürstentümer ein neuer Abschnitt der Kultur- und Sprachentwicklung. Heliade-Rădulescus rumänische Grammatik, die 1828 unter dem Titel „Grammatică romînească" erschienen war, „wurde zur Grundlage der rumänischen Orthographie"[170] und die in den beiden Zeitungen veröffentlichten Nachrichten und Beiträge förderten entscheidend die Entstehung und Verbreitung des „modernen politisch-sozialen Wortschatzes"[171], der dadurch geprägt war, daß viele bis dahin nur im Banat und in Siebenbürgen gebrauchte Begriffe nunmehr Allgemeingut des Rumänischen wurden.

Der Ausbau des Schulwesens in der Moldau führte nach 1830 zu einer relativ starken Zuwanderung von rumänischen Lehrern aus Siebenbürgen und der Buko-

[169] M. Galan: Difilcutăţile aplicării Regulamentului Organic, 28.
[170] G. Cioranescu: Heliade Rădulescu, in: Biograph. Lex. II, 144f.
[171] Kl. Bochmann: Der politisch-soziale Wortschatz, 70–72.

wina, so daß die bürgerlich geprägte Intellektuellenschicht, die auf die Einhaltung der Gewaltenteilung Einfluß nehmen konnte, eine breitere Basis erhielt. Sie konnte allerdings nicht in demselben Maße wachsen, wie die der Handwerker und Händler, die seit dem Frieden von Adrianopel und der Lockerung der Zunftordnung zu einer städtischen Mittelschicht mit polyethnischem Charakter zu werden begann[172]. Dennoch entstand bereits zu Beginn der dreißiger Jahre eine rumänische Leserschicht, die der gemäßigt-liberalen Presse den Absatz der Zeitungen und Zeitschriften sicherte. Wie in der Moldau, wo die Wachstumsrate der Bevölkerung in der ersten Hälfte des 19. Jahrhunderts etwa 150% betrug und wo sich die Zahl der Stadtbewohner zwischen 1832 und 1859 mehr als verdoppelte[173], stieg der Anteil der Städter auch in der Walachei, wobei der Zuzug von Lehrern und Pfarrern aus Siebenbürgen und dem Banat das bis dahin sehr schwache Potential der bürgerlichen Intellektuellenschicht rasch vermehrte. Den Kern dieser Gruppe bildeten in der Walachei neben Heliade Rădulescu und Gheorghe Lazăr, der bereits 1816 aus Siebenbürgen zugewandert war, die von der Bukarester Schulbehörde nach Pisa und Paris entsandten Stipendiaten: Eufrosin Poteca, Simion Marcovici und Constantin Moroiu, die Mitte der zwanziger Jahre nach Bukarest heimkehrten und für die Hebung des allgemeinen Bildungsniveaus, der sittlichen Verfassung sowie für die Verwirklichung der Gewaltenteilung zu wirken begannen. Sie alle traten für die Freiheit der Presse und des Wortes als wesentliche Voraussetzung für den Fortschritt des Landes ein. Nur die freie Aussprache über den Zustand des Landes, die Neuerungen, die noch eingeführt werden sollten, und sogar über die Maßnahmen der Regierung, die sich nicht vor ihren Söhnen zu fürchten brauchte, da sie „väterlicher Natur sei" (fiind părintească), könnten das Land vorwärts bringen, schrieb Marcovici 1829 in der Bukarester Zeitung „Curierul românesc"[174].
Es war dies eine der liberalsten Äußerungen, die in dieser 1829 mit russischer Erlaubnis gegründeten Zeitung erscheinen durfte. Die schon zwei Jahre vorher von E. Poteca angesprochene Pressefreiheit währte nur kurze Zeit, weil die Regierung des Zarenreiches erfahren hatte, daß ihre Offiziere in Bukarest und Jassy viele in Rußland spätestens seit dem Dekabristenaufstand verbotene Bücher fanden. Die Buchhandlungen mußten daraufhin die Listen der zum Verkauf aufliegenden Bücher der Zensurstelle vorlegen, was den Handel mit verbotener Literatur unter dem Ladentisch nur noch förderte.

Bedrückender als Maßnahmen der Zensurstellen, die in Österreich und Rußland noch viel rigoroser vorgingen, waren präventive Maßnahmen zur Verfolgung jeglicher liberaler Oppositionsäußerungen, vor allem dann, wenn damit eine Veränderung der konservativen Sozialordnung gefordert wurde. So bildete die Beibehaltung der Institution der Sklaverei (robie) für die Zigeuner einen erbitterten Streit-

172 A. Russo: Iaşii şi locuitorii lui, 306ff.
173 E. Negruţi-Munteanu: Situaţia demografică, 245, 251.
174 S. Marcovici: Ideile pe scurt, 151f.

punkt, denn die mit den westeuropäischen Verhältnissen vertrauten Liberalen sahen darin einen Verstoß gegen die Menschenwürde und einen Schandfleck, außerdem wurde sie als unberechtigte Konzession an Großgrundbesitzer und Klöster einhellig abgelehnt. So getreu die moldauische Rechtsreform unter Scarlat Callimachi auch das ABGB übernommen hatte, in diesem Abschnitt lehnten sich die Kompilatoren in Jassy an den Text des viel älteren Codex Theresianus an, um die Sklaverei der Zigeuner im Interesse des Großgrundbesitzes und des Hospodars selbst zu erhalten[175]. Aber da man die Unvereinbarkeit der Sklaverei mit dem Naturrecht deutlich erkannt hatte, trug man diesem Zwiespalt in § 27 Rechnung, der konstatierte, daß die „robia" sich von der römischen Sklavenhaltung unterscheide: Der Zigeuner galt nur im Innenverhältnis gegenüber seinem Herrn als „res", nach außen, im Verhältnis zu Dritten jedoch als Person, so daß nur sein Herr Gewalt über Leben und Tod hatte. Auf der Grundlage dieses Anachronismus sowie des Widerspruchs zwischen dem auch in der Walachei anerkannten Naturrecht und der normativen Kraft des Faktischen erhob E. Poteca bereits 1827, wenn auch vergeblich, seine Stimme für die Aufhebung der Zigeuner-Sklaverei. Auch das Organische Reglement wollte sich über das Gewohnheitsrecht und die Bedürfnisse der Bojaren wie der Klöster nicht hinwegsetzen.

Zu der Oppositionsgruppe, die vielleicht ohne Studienaufenthalt im Ausland – bei Ionică Tăutu besteht die Vermutung, daß er mehr gesehen hatte als nur die eigene Heimat –, nach kritischer Betrachtung der Regierungsmaßnahmen und der Rechts- und Verwaltungsentwicklung einen Reformkatalog aufstellte, gehörte in der Moldau auch der bereits erwähnte „Groß-vornic" Costache Conachi, der seit dem Inkrafttreten des Reglements als Innenminister fungierte. Auf Grund seiner Forderung nach Novellierung des Zivilrechts (1831) wurde eine Kommission bestellt, die die Übersetzung des bis dahin nur in der griechischen Fassung gültigen Gesetzbuches in das Rumänische in die Wege leitete und ebenso Widersprüche zwischen dem geltenden Gewohnheitsrecht sowie dem byzantinischen Recht auf der einen und dem neuen Recht auf der anderen Seite untersuchte. Die Übersetzung kam damals zustande, Novellierungen aber unterblieben, ebenso eine Veränderung des Status der Zigeuner, so daß die Opposition sehr bald aus berechtigten Gründen stärkeren Zulauf bekommen sollte.

Mit der Einrichtung einer nach Ständen gewählten Volksvertretung, die überwiegend aus Großbojaren bestand, der Periodizität der Sitzungen, dem Recht der Steuer- und Haushaltsbewilligung, der maßgeblichen Mitwirkung bei der Gesetzgebung sowie der Trennung der Verwaltung von der Rechtsprechung hatten die Donaufürstentümer eine den zeitlichen und räumlichen Bedingungen entsprechende moderne, in die Zukunft weisende, relativ liberale Grundordnung erhalten, die über die landständischen Verfassungen hinausragte und trotz aller Einschränkungen der persönlichen Freiheit den Charakter einer Repräsentation der Volkssou-

[175] Val. Al. Georgescu: Les contacts entre le droit moldave et le droit autrichien, 175.

veränität besaß. Die gewählten Repräsentanten waren ihren Ständen, Städten und Korporationen oder Zünften zu Rede und Antwort über ihr Verhalten in der Nationalversammlung verpflichtet. Daß nicht alle Stände vertreten waren, lag an der historischen Entwicklung, die das Recht der bäuerlichen Bevölkerung wie jenes der städtischen Bewohner hatte verkümmern lassen. Diesen Schichten wurden aber durch das Reglement und die darin vorgesehenen Freiräume Möglichkeiten für die Zukunft gewiesen, durch Selbstverwaltung und politische Gruppenbildungen die Verfassung auszufüllen sowie die Rechts- und Wirtschaftsordnung selbsttätig weiterzuentwickeln.

Modernisierungsversuche der Rechts- und Staatsordnung

Die im Gefolge der Aufklärung einhergehende Erweiterung der Bildung und verstärkte Wirtschaftsbeziehungen zu den Nachbarländern ließen die Köpfe des rumänischen Frühliberalismus seit Beginn der zwanziger Jahre nach Wegen suchen, auf denen Gerichts- und Rechtsreformen nach französischen oder deutsch-österreichischen Vorbildern auch in ihren Ländern Eingang finden könnten. Vor allem die Idee der Rechtsgleichheit, aber auch die Hoffnung, nicht mehr willkürlich verhaftet und gepeinigt werden zu können, hatte die junge vom Geist einer freien staatsbürgerlichen Entwicklung erfüllte Bevölkerungsschicht relativ früh veranlaßt, die Menschenrechte, oder wenigstens menschenwürdigere Behandlung auch für die zwar Verdächtigten oder Angeklagten, aber noch nicht Überführten und Verurteilten zu fordern. Die Anfänge dieser Abkehr von den byzantinischen Strafrechtsnormen lassen sich nachweislich seit dem ausgehenden 18. Jahrhundert in der Rechtsprechung belegen, und es wird von kompetenten Rechtshistorikern als zweifelsfrei angesehen, daß Andronache Donici, der als Richter in Strafsachen am Justizdepartement, einer der höchsten Instanzen in Jassy, tätig war, mit den Ideen Beccarias vertraut war. Selbst aus dem mittleren Bojarenstand stammend, war Donici zwar als anerkannte Kapazität in der Straf-, Verwaltungs- und Privatrechtsprechung formal zum Rang eines höheren Bojaren aufgestiegen, fühlte sich aber rechtlichen Normen stärker verpflichtet als dem neuen Stand. So hatte er in einem Vermögensstreit zwischen dem Großbojaren und damaligen Finanzverwalter der Moldau, Iordache Rosetti-Rosnovanu, und den Bauern Vranceas nach einem fast zwei Jahrzehnte währenden Rechtsstreit zugunsten der Bauern entschieden. Sowohl der Fürst als auch die einberufenen „Adunare obştească" akzeptierten diese Entscheidung, die von großer rechtshistorischer Bedeutung war[176]. Die Verteidigung des Privateigentums gegen die Staatsgewalt und in diesem Fall gegen eine vom Fürsten Ipsilanti 1801 verfügte Schenkung bedeutet einerseits die Anerkennung eines Gewohnheitsrechts, andererseits eine Abkehr von einem überholten Feudal-

[176] *Ders.:* Andronache Donici, 80ff.

system. Man wird nicht fehlgehen, wenn man bei Donici, der bereits 1805 ein umfassendes Werk über die materiellen und theoretischen Probleme der Rechtsprechung in der Moldau verfaßt hatte, jene Hinwendung zum Liberalismus sieht, die ein hohes Maß an Achtung vor den Rechtsnormen sowie nicht zuletzt die „Unantastbarkeit des Privateigentums der Staatsmacht gegenüber“ forderte[177]. Um dieses Ziel zu erreichen, war allerdings eine umfassende Neukodifizierung der Gesetze in der Landessprache erforderlich, wie sie Donici in Angriff nahm und wie sie von Flechtenmacher und anderen im österreichischen Recht geschulten Juristen fortgesetzt wurde. Damit schien der Weg für den Eintritt der beiden Fürstentümer in den Kreis der im bürgerlichen Sinn zivilisierten Staaten vorgezeichnet, denn die theoretischen und formalen Vorbedingungen waren gegeben, auch wenn ein Teil dieser als anerkannte Fassung geltenden Gesetzeswerke zunächst nur in griechischer Sprache erschien.

Mit der Aufnahme des Rechtskundeunterrichts in den Lehrplan der 1829 in Jassy gegründeten höheren Lehranstalt begann von 1830 an Christian Flechtenmacher die künftigen Juristen für Verwaltung und Justiz auszubilden. Seine in vorzüglichem Rumänisch gehaltene Antrittsvorlesung, in der er die Hörer aufrief, „Grundlagen für die Gerechtigkeit zu legen, um zur Beseitigung von Mißbräuchen und Leidenschaften zu sorgen, die sich im Despotismus der Richter spiegeln ...“, muß wie ein Orkan gewirkt haben[178].

In einer Zeit, in der man die Rückständigkeit besonders drückend empfand, weil man meinte, als Teil Europas am Kulturleben teilhaben zu müssen, dürften die Bemühungen Flechtenmachers, die sittlichen Grundlagen der angestrebten liberalen Rechtsordnung seinen Hörern zu vermitteln, in der Tat ihre Wirkung nicht verfehlt haben. Die aus dieser Lehranstalt 1835 hervorgegangene „Academia Mihăileană“ veranstaltete dann seit 1836 regelmäßig Kurse über Zivilrecht auf der Grundlage des Gesetzbuches von 1817 sowie seit 1843 für Strafrecht. Diese Lehrveranstaltungen und die schon 1834 erfolgte Veröffentlichung des Gesetzbuches in der seither gültigen rumänischen Fassung trugen entscheidend dazu bei, die zunächst noch fehlende Begriffsschärfe zu entwickeln.

In Bukarest am Sf. Sava-Kolleg erteilte der Pfarrersohn C. Moroiu seit 1830 als Professor für Rechtskunde Unterricht, der sich besonders dem Strafrecht, dem Handelsrecht und dem römischen Recht widmete. Als Mitherausgeber der Zeitung „Curierul românesc“ hatte er günstige Möglichkeiten, seine Reformvorschläge populär zu machen. Mit Moroius Übersetzung des Handelsgesetzbuches aus dem Französischen begann eine immer stärkere Hinwendung zu den napoleonischen Gesetzgebungswerken, denn Frankreich galt für die Rumänen nicht nur als vorbildhafte „große Schwester“ der lateinischen Völkerfamilie, das Französische schien auch leichter erlernbar als das Deutsche, und außerdem war Frankreich seit der

[177] V. Leontowitsch: Geschichte des Liberalismus in Rußland, 39.
[178] A. D. Xenopol: Istoria partidelor politice I, 206f. und 233.

Julirevolution für alle Liberalen erneut in den Mittelpunkt des politischen Interesses gerückt. Aus der Moldau jedoch wurden die ersten Stipendiaten der Academia Mihăileană seit 1836 nach Wien und Ofen geschickt, da nur an den Universitäten der Habsburgermonarchie die Geschichte und Weiterentwicklung des rezipierten ABGB sowie des Strafrechts verfolgt werden konnten. Sehr bald wurde aber auch nach Beendigung der Studien in Wien und Ofen ein Ergänzungsstudium in Padua und Pavia betrieben, weil die italienischen Strafrechtsreformer und Aufklärer, wie Beccaria und Gaetano Filangieri, einen tiefen Eindruck bei der ersten rumänischen Juristengeneration hinterlassen hatten. Trotzdem ging die Okzidentalisierung der Rechts- und Staatsordnung seit dem Beginn der dreißiger Jahre nur langsam voran, da die „Abrichtung" der Juristen für den Staatsdienst in Jassy und Bukarest und die Ausbildung der Studenten im Ausland den Bedarf an fähigen Juristen nur schwer decken konnten. Hinzu kam, daß trotz der Bemühungen General Kiselevs, 1831 die Gleichheit aller vor dem Gesetz einzuführen, die Widerstände der Großmächte blieben, deren Gesandte und Konsuln mit dem Einwand Erfolg hatten, die Bestechlichkeit der Richter sowie die fehlende Erfahrung in der Rechtsprechung ließen es nicht zu, die ausländischen Untertanen der rumänischen Justiz zu unterwerfen. Es sollte daher noch fast ein halbes Jahrhundert dauern, ehe die letzten Reste der Konsulargerichtsbarkeit aufgehoben wurden und Rumänien zu einer für alle Landesbewohner und Stände einheitlichen Rechtsentwicklung gelangen konnte.

Die Modernisierung und Liberalisierung des Strafrechts gehörte zu den schwierigsten Aufgaben, die sich die fortschrittlichen Kräfte in den Donaufürstentümern gestellt hatten. Vor allem die Abkehr von der Folter als gebräuchlichem Mittel zur Erpressung von Geständnissen und von der menschenunwürdigen Behandlung auch jener Personen, die nur aus Präventivgründen verhaftet waren, mußte erreicht werden. Die über das Maß der erforderlichen Sicherheit hinausgehende Härte sollte abgeschafft und Richter, Beamte und Steuereintreiber, welche bei Überschreitung ihrer gesetzlichen Rechte die Ehre des Beschuldigten verletzten, sollten zukünftig bestraft werden. Diese Maßnahmen zur Humanisierung von Strafrecht, Steuererhebung und Strafvollzug, wie sie schon von den an österreichischen und italienischen Modellen orientierten Autoren des Verfassungsentwurfes von 1822, Tăutu und Donici, gefordert worden waren, markierten die fortschrittlichsten Positionen in der Verwaltungs- und Rechtsgeschichte der Moldau. Die Absicht der von ihnen konzipierten Grundrechtsartikel 4–18, die nicht ohne Kenntnis der Menschenrechtserklärung der Französischen Revolution zu deuten ist, war unter anderem die Einführung eines neuen Strafrechts.

Der 1820 in Kraft gesetzte I. Teil des Strafgesetzbuches, das sich stark an das österreichische „Gesetzbuch über Verbrechen und schwere Polizey-Uebertretungen" vom 3. Sept. 1803 anlehnte, war in den Augen der Liberalen veraltet, weil die Erörterung der Strafrechtsreformen und Schuldtheorien inzwischen auch nach Ostmitteleuropa vorgedrungen waren und die unter Kaiser Franz II. 1803 vollzogene Rückkehr hinter die Position der von Sonnenfels maßgeblich beeinflußten Gesetzgebung Josephs II. ein Objekt liberaler Kritik innerhalb und außerhalb der Habsburgermonarchie bildete. Daß Tăutu und Donici, die dem Kreis der rumänischen Josephiner in der Moldau zuzurechnen sind, eine Generation nach dem Tod des Reformkaisers nicht hinter der Entwicklung im westlichen Europa zurückstehen wollten, ist verständlich, zumal die Ereignisse in Frankreich, Deutschland und Italien von der Jugend mit großem Interesse und lebhafter Diskussion verfolgt wurden. So hatte der als Übersetzer der Werke Condillacs und anderer philosophischer Arbeiten aus dem Griechischen bekanntgewordene Autodidakt Vasile Vîrnav die in ihren Grundzügen wohl schon vorher bekannte Schrift Beccarias über Verbrechen und Strafe 1824 ins Rumänische übersetzt. Damit bereitete er den geistigen Boden für die längst fällige Reform des veralteten Prozeßrechts vor, ähnlich wie in der Moldau der Bojar Donici zehn Jahre früher Tortur und Prügel beim Verhör hatte abschaffen wollen[179].

Die von Constantin Moroiu in seiner Dissertation über die Verhältnisse in den Bukarester Gefängnissen geäußerte Kritik (1827) fand schnellere Berücksichtigung als die Vorschläge von Tăutu und Donici, da das „Regulamentul închisorilor" (Die Gefängnisordnung) von 1831 die moderne Auffassung des Organischen Reglements rezipierte, an deren Konzeption Moroiu mitgewirkt hatte. Als gelehriger Schüler von Giovanni Carmignari (1778–1847), dessen Lehrveranstaltungen er in Pisa besucht hatte, bemühte er sich, das rumänische Strafrecht auf moderne Grundlagen zu stellen. In dieser „Disertaţie", der ersten in rumänischer Sprache verfaßten Untersuchung über das Gefängniswesen, stellte er aber das englische Modell als vorbildlich dar, wohl auch aus Abneigung gegen das italienische. Seine Kritik richtete sich ebenso gegen das geltende feudale Strafrecht, das er auf der Grundlage der neuesten Erkenntnisse reformieren wollte. So sollte der Gesetzgeber die mit Strafe bedrohten Handlungen genau bestimmen (nullum crimen sine lege) und die Strafandrohung klar festlegen (nulla poena sine lege), wie dies Beccaria als erster gefordert hatte. Zweck der Strafe sollte die Besserung der Schuldigen sowie die Entschädigung des Opfers und der Gesellschaft sein. Wie viele seiner juristisch gebildeten Zeitgenossen in Westeuropa lehnte er die Todesstrafe entschieden ab, da sie die Besserung des Rechtsbrechers wie die Entschädigung des Opfers verhindere und der Abschreckungseffekt unbedeutend sei. Ähnlich wie Beccaria verurteilte Moroiu die „barbarischen" Strafgesetze und die schlimmen Verhältnisse in den Gefängnissen, die grausamer seien als in der Antike bei Griechen und Römern.

Während der sechs Jahre russischer Besetzung des Landes wurde ein Teil seiner Reformvorschläge verwirklicht, zunächst unter tätiger Mitwirkung des russischen Generalkonsuls Minčaki, der den Bojaren in einer Versammlung der Divane vorgehalten hatte, daß unter den Folterungen auch der Unschuldigste jede Tat eingeste-

[179] A. und I. Rădulescu: Pagini din istoria dreptului, 318.

hen würde. Nach dem Vorbild der „aufgeklärten Länder" müsse diese grausame Gewohnheit für die Dauer der russischen Besetzung aufhören. General Kiselev führte diese Politik der Humanisierung des Strafrechts sowie des Strafvollzugs konsequent fort und widersetzte sich den reaktionär-konservativen Argumenten der Bojaren, die alles beim alten lassen wollten. Daher trug auch das Organische Reglement in den Kapiteln über die Rechtsfindung den Ansichten Beccarias Rechnung und verankerte den Grundsatz der Öffentlichkeit der Gerichtsverhandlungen, ferner eine unabhängige und mehrstufige Rechtssprechung sowie die Einführung eines die Willkür erheblich einschränkenden geregelten Gerichtsverfahrens. Ebenso mußte die Urteilsverkündung „bei geöffneten Türen des Gerichtssaals" erfolgen, damit die Öffentlichkeit hergestellt und – wie in Frankreich und den deutschen Staaten – das Urteil nicht Privatangelegenheit des Angeklagten blieb, ob er nun schuldig war oder unschuldig. Gerade auch dem Unschuldigen wollte man die Genugtuung verschaffen, vor der Öffentlichkeit freigesprochen zu werden. Eine weitere Stärkung der Rechtsposition des Individuums brachte die Verankerung der Habeas corpus-Akte, wonach dem Verhafteten innerhalb von 24 Stunden der Haftgrund vom Richter eröffnet und ein Pflichtanwalt bestellt werden mußte. Um die in weiten Bereichen Osteuropas wie Südosteuropas verbreitete Unsitte, mit bestochenen Zeugen gegen oder für den Angeklagten zu operieren, wenn schon nicht ganz abzuschaffen, so doch weitgehend einzuschränken, wurde das Verfahren für die Zeugenvernehmung bis in alle Einzelheiten geregelt, so daß der Angeschuldigte (învinuitul) oder der Angeklagte beim Vorliegen triftiger Gründe die Ablehnung der Zeugen beantragen konnte. Schließlich wurde die Vorbeugehaft erschwert und für jede Präventivhaft eine richterliche Entscheidung erforderlich gemacht.

Aber so gut die Rahmenbestimmungen dieses Grundgesetzbuches auch waren, im Bereich des Strafrechts mußte man die Gültigkeit der schon vorher in Kraft befindlichen Gesetze bestätigen, wie das in mancher Hinsicht in der moldauischen Fassung noch verschärfte Gesetzbuch über Verbrechen und schwere Polizey-Uebertretungen von 1803, das keine Weiterentwicklung unter Einbeziehung neuer Theorien und Forschungsergebnisse der österreichischen Rechtswissenschaft erfuhr, sondern in erster Linie zur Erhaltung von Ruhe und Ordnung und somit zur Unterdrückung politischer Aktivitäten ausgebaut wurde. Diese Praxis besaß eine alte Tradition, die auch führende Großbojaren zu spüren bekommen hatten, wie Alexandru Villara (1786–1852), ehemaliger Landesschatzmeister der Walachei, der sich für die Beseitigung des türkischen Handelsmonopols eingesetzt hatte und dann wegen angeblicher Unterschlagung mit Zustimmung der Pforte verhaftet und erst auf Vermittlung Englands freigelassen worden war. Weitaus schlimmer erging es bis zur Einführung geregelter Rechtsverhältnisse Handwerkern und Kaufleuten, die sich Übertretungen hatten zuschulden kommen lassen: „Wie in allen türkischen Städten", berichtete ein deutscher Handwerksbursch aus Bukarest, „ist es auch hier Gebrauch, daß die Bäcker, wenn sie zu kleines oder schlechtes Brot backen, mit dem einen Ohr an die Laden- oder Hausthüre genagelt werden, und ihr ganzer Vorrath unter die Armen geworfen wird"[180]. Eine mangelhafte Gerichtsorganisation hatte die Einbürgerung dieser vom Pöbel begrüßten Schnelljustiz begünstigt, zu der für Verbrechen die Bastonade auf öffentlichen Plätzen oder Straßen hinzukam. Für „eine Menge Volk, Damen und Herren" waren diese Exekutionen eine Belustigung![181]

Die allmähliche Einführung der Unabsetzbarkeit und Unversetzbarkeit der Richter, die für geregeltere Verfahren sorgen sollten, war zwar vorgesehen, wurde jedoch bis Ende des 19. Jahrhunderts nicht verwirklicht, so daß die Rechtsprechung sich nicht in jenen Bahnen entwickeln konnte, die Aufklärer und fortschrittsgläubige Liberale vorgezeichnet hatten, als sie sich auch in Rumänien von engeren Beziehungen zwischen Gesetz und Lebensumständen eine Überwindung der Willkür erhofften.

Vor allem die politischen Delikte, die von der Justiz der Walachei als „Kriminalfälle" eingestuft wurden, machten zu Beginn der vierziger Jahre monatlich neun Zehntel der Verfahren aus, so daß der Schluß naheliegt, daß schon geringste Oppositionsäußerungen gegen die staatliche Ordnung zur Einleitung von Strafverfahren führten. Da aber das Gesetz keine Strafandrohungen gegen politische Delikte vorsah, bemühte sich Fürst Al. D. Ghica im Dezember 1840, die Abgeordneten für die Ausarbeitung eines Sondergesetzes zu gewinnen, um Vergehen dieser Art leichter verfolgen zu können, zumal der Verschwörungsversuch Ion Cîmpeanus die auf Erhalt der sozialen und politischen Ordnung bedachten Großbojaren solidarisierte. Sie begrüßten Ghicas Plan daher mit der landesüblichen Unterwürfigkeit[182] in diesem Fall aus voller Überzeugung. Noch besaß die öffentliche wie die veröffentlichte Meinung nicht das erhoffte Gewicht, um die Humanisierung von Strafrecht und Strafvollzug durchzusetzen. Erst Mihail Kogălniceanu, ein führender liberaler Staatsmann und Gelehrter, wandte nach 1844 den hiermit zusammenhängenden Fragen seine Aufmerksamkeit zu und geißelte in der Zeitung „Propăşirea" (Der Fortschritt) die Mißstände auf den Gebieten von Rechtsprechung und Strafvollzug vor den Augen der lesenden Öffentlichkeit. Aber die Gefängnisse und vor allem die Salzbergwerke, in denen die zu lebenslanger Zwangsarbeit verurteilten Strafgefangenen nach Antritt ihrer Strafe auf immer verschwanden, blieben ein unbeschreibliches Elend. Trotz aller in den Reglements vorgesehenen Humanisierungsmaßnahmen fehlte es an Geld und vor allem an Einsicht, so daß der Fürst der Walachei, Gh. Bibescu, 1846 feststellen mußte, daß die Gefängnisse sich noch immer in demselben Zustand befanden wie in den vergangenen Jahrhunderten. Vor allem die Großbojaren konnten sich mit der postulierten Gleichberechtigung aller vor dem Gesetz nicht abfinden und einzelne Gerichtspräsidenten, die an dem

[180] L. Storch: Des Wagnergesellen C. Ch. Döbel Wanderungen, 53.
[181] Th. C. A. Hallberg-Broich: Reise nach dem Orient, 66.
[182] Istoria parlamentului, 42f.

Organischen Reglement Kritik übten, fuhren fort, für den Angeklagten (înculpat) körperliche Strafen anzuordnen. Auch scheinen Folterungen bei den Voruntersuchungen weiterhin angewandt worden zu sein, vor allem gegenüber Gewaltverbrechern. Es nützte auch nichts, daß sich Ion Ghica (1816–1897) zusammen mit Kogălniceanu für die Abschaffung der Todesstrafe einsetzte, denn allein in der Moldau wurden vom Fürsten Mihail Sturdza in der Zeit zwischen 1834 und 1847 fünfundzwanzig Todesurteile bestätigt und am Galgen vollzogen.

Das bürgerliche Recht der Nachbarn im Westen, wie die Gesetzbücher Österreichs und Preußens, die Ausdruck der gesamteuropäischen Aufklärung waren, übte seine Anziehungskraft auf die Donaufürstentümer bereits zu einem sehr frühen Zeitpunkt aus. Im Codex Civilis des Fürsten Scarlat Callimachi von 1817 und dem des Fürsten Caragea von 1818 kam die eindeutige Hinwendung der Gesetzgeber zu österreichischen Vorbildern zum Ausdruck. In noch stärkerem Maße als das Strafrecht trug das Bürgerliche Gesetzbuch des hervorragenden Rechtsschöpfers F. von Zeiller dem beschleunigten wirtschaftlichen Wachstum in Österreich Rechnung. Mag die von ihm vertretene Rechtsauffassung für die Moldau und vor allem für die Walachei zunächst primär theoretisch-rechtsphilosophischen Wert gehabt haben, war sie dennoch geeignet, einerseits die privatrechtlichen Beziehungen den modernen Gegebenheiten anzupassen, andererseits eine Bresche in die Privilegiengesellschaft der Bojaren, insbesondere der Großbojaren, zu schlagen. Mit dem Erscheinen und Inkrafttreten der rumänischen Fassung im Jahre 1834 begann dieses umfassende Gesetzeswerk für weitere Kreise Früchte zu tragen. Erstmals besaß die Moldau ein allein dem bürgerlichen Recht dienendes Werk, dem gesonderte Verfahrens-, Handels- und Strafgesetzbücher folgen sollten, während frühere Kodifikationen den Charakter einer alle Bereiche umfassenden Gesetzessammlung gehabt hatten.

Dieses nach nur wenigen Monaten der Übersetzungsarbeit und Drucklegung 1834 erschienene Gesetzbuch „Codica ţivilă sau politicească a Prinţipatului Moldavii“ geht nur zum Teil auf die 1812 in Czernowitz veröffentlichte rumänische Übersetzung des ABGB zurück. Vergleichende Untersuchungen haben ergeben, daß die Czernowitzer Übersetzung, deren Beitrag für die Herausbildung der bis dahin fehlenden modernen Rechtsterminologie im Rumänischen eine sprachschöpferische Leistung ersten Ranges darstellte, nur zum Teil als Vorlage für die 1834 herausgegebene Fassung gedient hatte, denn die von Flechtenmacher u. a. erarbeitete Ausgabe des Codul Calimah war eine schöpferische Synthese der älteren Rechtsnormen und der Rezeption des bürgerlichen Rechts, während die vermutlich von Ion Budai-Deleanu innerhalb kürzester Zeit erstellte rumänische Fassung von 1812 eine sinn- und wortgetreue Übersetzung des ABGB war. Daß die in Czernowitz erschienene Übersetzung, die in der Moldau mit Sicherheit nicht unbemerkt geblieben war, diesen Modernisierungssprung erleichterte, ist nicht zu bezweifeln. Die Verwendung umständlicher Beschreibungen von Rechtstatbeständen, die sowohl im ABGB als auch in der Czernowitzer Übersetzung von prägnanter Kürze sind, war notwendig, um den fehlenden Kommentar zu ersetzen, der Gebrauch des aus dem Italienischen abgeleiteten Wortes „drit" (diritto) statt des bereits von Cantemir und in der Czernowitzer Fassung verwendeten „drept" und „dreptate" für Recht und Gerechtigkeit läßt allerdings Zweifel an der Theorie von Mantzoufas aufkommen, wonach hier einfach abgeschrieben worden sei[183]. Dieses moldauische Privatrechtsgesetzbuch, das mit 2035 Paragraphen weitaus umfangreicher war als das ABGB mit 1502, folgte ebenfalls dem naturrechtlichen System, ging aber in einzelnen Abschnitten, wie in dem für das Land sehr wichtigen internationalen Privatrecht, eigene Wege, wobei der Einfluß Zeillers unbestritten bleibt. Daß die Institution der Zigeuner-Sklaven erhalten blieb, war auf originäre Impulse der Moldau wie der Walachei zurückzuführen. Dennoch bedeutete die Rezeption eines modernen bürgerlichen Gesetzbuches für beide Länder einen großen Schritt vorwärts in der Entwicklung des Privatrechts, hinter dem die Sozial- und Wirtschaftsstruktur noch viele Jahrzehnte nachhinkte. Die Einführung eines rationalistisch aufgebauten Gesetzeswerkes trug zur Lösung der Modernisierungsprobleme bei, vor denen die Donaufürstentümer seit Beginn der dreißiger Jahre standen. Die Wegbereiter der rumänischen Rechts- und Bildungsentwicklung P. M. Cîmpeanu, D. Bojîncă, Al. Papiu-Ilarian und S. Bărnuţiu konnten später entscheidenden Einfluß auf die Vertiefung der Jurisprudenz und auf die Verbreitung liberalen Gedankengutes ausüben. Daß es sich hierbei um einen sehr langwierigen Prozeß handelte, der Generationen bedurfte, um sich aus dem byzantinisch-römischen Rechtssystem zu lösen und das neue bürgerliche Recht zu rezipieren, ersieht man aus einem gescheiterten Versuch Flechtenmachers, im Jahre 1838 einen vierbändigen Kommentar „Codicele Civile" zur Subskription anzubieten, um die Kosten der Drucklegung zu sichern. Obwohl er auch in der rumänischen Zeitung Kronstadts „Foaie pentru minte, inimă şi literatură" dieses Vorhaben ankündigte, wohl in der Hoffnung, dieses in allen rumänischen Siedlungsgebieten gelesene Blatt würde bei den Rumänen Interesse wecken, fanden sich nur 150 Vorbesteller, eine zu geringe Zahl für ein umfangreiches und teures Werk, das fünf Dukaten kosten sollte. Dabei mag es eine Rolle gespielt haben, daß die Walachei seit 1818 zwar ebenfalls ein vom ABGB inspiriertes Zivilgesetzbuch besaß, das sich aber vom bürgerlichen Gesetzbuch der Moldau in vieler Hinsicht unterschied und nicht die begriffliche Straffheit und systematische Geschlossenheit des ABGB besaß.

Auch in Siebenbürgen, wo das ABGB erst 1853 Geltung erlangte, war bei der Vorankündigung des Kommentars die enge Verwandtschaft zwischen dem österreichischen und dem moldauischen Gesetzbuch unerwähnt geblieben, so daß eine praktische Nutzanwendung nur bedingt möglich schien. Flechtenmacher warb in

[183] Eine ausführliche Analyse hat zuletzt Val. Al. Georgescu: Trăsăturile generale, 73–106 vorgenommen, wo es ihm gelungen ist, die Zweifel von G. Mantzoufas an der Redlichkeit Flechtenmachers zu zerstreuen. Vgl. G. Mantzoufas: Die Gründe für die absichtliche Verschweigung, 326–333.

seiner Anzeige nur mit der für den Frühliberalismus typischen Formel: „zur Erleuchtung aller Beamten des Zweiges der Justiz und der Personen, die ein praktisches Wissen der Gesetze zu erlangen wünschen“[184].
Wie zäh die Bojaren der Walachei am byzantinisch-morgenländischen Gewohnheitsrecht festhielten, zeigt ein Beispiel aus dem Familienrecht, wonach Aussteuerversprechen für die Töchter absoluten Vorrang vor sonstigen Forderungen hatten, so daß Gläubiger häufig leer ausgingen, wenn mit Zeugenaussagen glaubhaft gemacht werden konnte, daß ein solches Versprechen vorlag. So wichtig der aus dem Kirchenrecht überkommene Grundsatz auch war, der Ehefrau zum Ausgleich für ihre untergeordnete soziale Stellung im materiellen Bereich größere Sicherheit zu gewähren, bedeutete seine Anwendung in vielen Fällen nur einen bequemen Ausweg für die in Zahlungsschwierigkeiten geratenen Schuldner. Der häufige Mißbrauch minderte die Kreditwürdigkeit des Landes und wirkte sich auf den privatwirtschaftlich-kapitalistischen Bereich so stark aus, daß der 1842 neugewählte Fürst Gheorghe Bibescu eine dem Ansehen des Landes dienende Novellierung zu erwirken versuchte. Er scheiterte jedoch am Widerstand der Bojaren im Landtag, die ihre persönlichen Interessen höher stellten als die des Staates und nicht darauf verzichten wollten, mißliebigen Gläubigern die Bezahlung der Schulden zu verweigern[185]. Die Übernahme bürgerlicher Wertmaßstäbe, wie sie der frühe Liberalismus in den westlichen Ländern – zum Teil auch in der Moldau – eingeleitet hatte, scheiterte an der noch sehr stark vom orientalischen Geist geprägten Geschäftsmoral, wonach eine geschickt eingefädelte Übervorteilung des Vertragspartners in der öffentlichen Meinung positiver bewertet wurde als die Einlösung eines Zahlungsversprechens. Insbesondere für die Entwicklung der mittelständischen Handels- und Gewerbebereiche, die nur selten in Händen rumänischer Unternehmer lagen, war die praktizierte Abwehr von Schuldforderungen ein großes Hindernis.
Die Gewährung bürgerlicher Freiheiten, wie sie Franz von Zeiller im Sinne einer Fortführung des josephinischen Rechtsstaatsdenkens intendierte, führte in der Moldau und Walachei nicht zu der allmählichen Beseitigung der sozialen Unterschiede in der Praxis der Rechtsprechung, so daß seit Beginn der 40er Jahre und verstärkt nach 1848 eine deutliche Abkehr vom österreichischen Vorbild und die Hinwendung zum Code Napoléon erfolgte, der schließlich 1865 zur Grundlage für das neue bürgerliche Gesetzbuch Rumäniens genommen wurde. Zu diesem Zeitpunkt war die Rezeption von Ideen der Volkssouveränität und des politischen Liberalismus, wie sie im Code civile Napoleons vorherrschend sind, leichter möglich als fünfzig Jahre vorher das Denken in Kategorien des bürgerlichen Rechtsstaates. So konnte sich die Rechtsbewegung, die als Teil des Liberalismus weitaus erfolgreicher war als die Verfassungsbewegung, auch nach 1848 weiterhin fortsetzen, auch wenn dies nur in kleinen Schritten erfolgen konnte.

[184] G. Mantzoufas: Ebd. 330.
[185] A. D. Xenopol: Istoria partidelor politice I, 183.

Nationalbewegungen versus Imperialismus und Nationalismus

Die Aufklärung hat ebenso wie der aus ihr hervorgegangene Frühliberalismus zur allmählichen Überwindung konfessions-nationaler Einengungen bei den Rumänen beigetragen, wobei die ursprüngliche Skepsis der Aufklärer gegenüber dem Nationalen in der Zeit des Vormärz schnell überwunden wurde, als die Notwendigkeit einer Opposition gegen drei bestimmende Faktoren erkannt wurde: gegen die ständische Landesverfassung, gegen den höheren, konservativ eingestellten Klerus des eigenen Ethnikums und gegen den Anspruch der Ungarn auf Vorrang des Magyarischen als offizieller Sprache und damit auf Umformung aller Landesbewohner zu einer national-magyarischen Sprach- und Kulturnation. Daß sich führende Köpfe der Siebenbürger Sachsen und der Rumänen gegen eine Inkorporation Siebenbürgens in das ungarische Königreich – um aus beiden Teilen einen magyarischen Nationalstaat zu formen – zur Wehr setzten, hat die rumänisch-sächsischen Konflikte nur geringfügig mildern können, dennoch begann in dieser Zeit eine Zusammenarbeit auf kultur- und sozialreformerischer Ebene.

Da der von den Siebenbürger und Banater Rumänen entwickelte dako-romanische Nationsbegriff alle Schichten der Bevölkerung einbezog, konnte er in den Donaufürstentümern erst zu dem Zeitpunkt rezipiert werden, als die Bojaren-Nation stärker in Opposition zu den Machthabern des türkisch-griechischen Kondominiums trat und sich die Einsicht durchsetzte, daß die sozialen Aufstiegs- und Abgrenzungskämpfe von geringerer Bedeutung waren als die Landesautonomien, die ohne den Patriotismus breiter Schichten und ohne Volkssouveränität nach westeuropäischem Muster kaum zu verwirklichen sein würden. Die Notwendigkeit, beim Aufbau einer Nationalkultur auf die romantisch verklärte bäuerliche Volkskultur zurückzugreifen, beschleunigte diesen Prozeß der Nationsbildung nur geringfügig, erleichterte aber die Entwicklung eines pathetisch begründeten Nationsbegriffes, der zwar alle zu Opfern verpflichtete, die Macht aber in den Händen weniger konservierte.

Die großen Modernisierungsimpulse für die im Werden begriffene nationale Hochkultur, die im Laufe der zweiten Hälfte des 19. Jahrhunderts eine wachsende Anziehungskraft auf die Rumänen jenseits der engen Grenzen der Donaufürstentümer entwickeln sollte, kamen nicht zuletzt aus dem Organischen Reglement und der Verteidigung der darin enthaltenen Rechte gegen Restriktionsversuche, denn seine Grundzüge einer neuen Staatsordung entsprachen den Forderungen der liberalen Kräfte. Darüber hinaus wirkten auch die radikal-liberalen Pläne Filipescus auf die jüngere Generation ein, doch behielt bei den einflußreicheren Trägergruppen der Realpolitiker die nationale Emanzipation weitaus größeres Gewicht als die sozialen Veränderungen für die Grundschichten.

So standen sich in der rumänischen Nationalbewegung zwei Richtungen gegenüber, deren ideengeschichtliche Ausgangspositionen und projizierte Geschichtsbilder zwar übereinstimmend auf die nationale Einheit abzuzielen begannen, deren sozialpolitische Ziele und deren Trägergruppen aber erhebliche Unterschiede aufwiesen: Der Anspruch der Rumänen innerhalb der Habsburgermonarchie richtete sich nicht nur auf Gleichberechtigung mit den anderen ständischen Nationen und Ordnungen, sondern auch auf Sozialreformen, die in den Augen der herrschenden Schicht sozialrevolutionäre Züge besaßen und die daher auch von Vertretern eines gemäßigten ungarischen Patriotismus nicht primär deswegen abgelehnt wurden, weil die Verfechter einer einheitlichen ungarischen Staatsidee nichtmagyarischen Nationalitäten gegenüber intolerant waren, sondern weil ihr konservatives Selbstverständis dem Aufstiegs- und Gleichberechtigungsanspruch quer durch alle Schichten und alle Glaubensrichtungen entgegenstand. Der staats- und landesrechtliche Legitimismus wie die Idee der „Heiligen Stephanskrone", auf der die „Hungarus-Konzeption" beruhte, sowie die Tradition der Sächsischen Nations-Universität, die auf den Privilegien der ungarischen Könige und einer gut ausgebauten Selbstverwaltung begründet war, betrachteten die Forderungen der Liberalen als Anmaßung, ohne zu erkennen, daß sie selbst durch die allmähliche Liberalisierung des Bildungswesens unter gleichzeitiger Förderung des muttersprachlichen Unterrichts, die bereits in der theresianisch-josephinischen Epoche eingeleitet worden waren, zu einer Aktivierung des Geschichts- und Nationalbewußtseins der aufstrebenden rumänischen Nationalität beigetragen hatten.
In den Donaufürstentümern wirkte sich die Bedrohung durch die Schutzmacht Rußland, die ihren Einfluß bis tief in das Verwaltungszentrum des Osmanischen Reiches ausgedehnt hatte, wesentlich stärker aus als die oben erwähnten innerstaatlichen und interethnischen Konflikte, die durch die straffe Rechts- und Staatsordnung des Habsburgerreiches gezügelt wurden. Angesichts der Gefahr durch äußere Mächte überwog in den Fürstentümern der sozialkonservative Nationalismus gegenüber reformerischen Tendenzen.

Die Einschränkung der konstitutionellen Rechte als Motivation der Nationalbewegung.

Kurz nachdem die Arbeiten der beiden Länderkommissionen am Organischen Reglement im April 1830 abgeschlossen waren, die kaiserliche Regierung in St. Petersburg es nach geringfügigen Änderungen genehmigt und den Bojarenversammlungen in Bukarest und Jassy zur formellen Annahme zugeleitet hatte, brach der polnische Novemberaufstand aus, der auch für die Donaufürstentümer nicht ohne Folgen blieb. Die Wahrung des „monarchischen Prinzips", das in Mittel- und Westeuropa hart umkämpft war, wurde nun auch für die kleine Gruppe der liberalen Rumänen zum Kernproblem aller politischen Richtungen. Und ähnlich wie der

Deutsche Bund nach 1819 immer wieder in die Souveränität der Einzelstaaten eingriff, versuchten St. Petersburg, Konstantinopel und gelegentlich auch London, Paris und Wien ihre unterschiedlichen politischen Interessen und Vorstellungen auf verschiedenen Wegen zu verwirklichen. Rußland war nach Abschluß des Vertrages von Unkiar Skelessi am 8.7.1833 zur alleinigen Schutzmacht des Osmanischen Reiches aufgestiegen. Als aber die Hohe Pforte in einem Zusatzabkommen zum Vertrag von Adrianopel am 29.1.1834 in St. Petersburg das Organische Reglement anerkannte, verpflichtete sich das Zarenreich als Gegenleistung zum Abzug seiner Verwaltung und der Besatzungstruppen aus den Donaufürstentümern. Dennoch blieb sein Einfluß auf die beiden Fürsten, deren Regierungen und auf die prorussischen Bojaren der Assemblée Générale stark. Schalthebel der Macht war nach dem Abzug der russischen Besatzung nämlich nicht, wie im Organischen Reglement vorgesehen, die Volksvertretung, sondern die Kanzlei des Fürsten, der sich den Wünschen des russischen Konsuls und erst recht des Gesandten in Konstantinopel, ferner den Anweisungen der Hohen Pforte fügen, aber auch den Vorstellungen Wiens Rechnung tragen mußte. Die drei Vielvölkerstaaten Ost- und Südosteuropas waren durch das Interesse an der Erhaltung des Status quo soweit miteinander verbunden, daß sie Informationen über politische Strömungen bei ihren Untertanen auszutauschen bereit waren, wenn sie damit die sich liberal oder gar radikal gebärdenden Bojarensöhne in den Fürstentümern unter Kontrolle halten konnten. Um die beiden Fürstentümer noch stärker an Rußland zu binden und gleichzeitig aus dem Einflußbereich des Osmanischen Reiches herauszulösen, wurde noch während des Jahres 1830 der Aufbau einer Miliz auf der Grundlage eines Militär-Reglements in die Wege geleitet. Russische Offiziere waren als Ausbilder für den Kern der rumänischen Milizoffiziere tätig, die einer strengen Disziplin unterworfen wurden, was bei manchen der verwöhnten Bojarensöhne zu herber Kritik am russischen Militarismus führte.

Bevor die wenig beliebten russischen Besatzungstruppen abgezogen waren, erfolgte 1833 mit Einführung der rumänischen Nationalfarben Rot-Gelb-Blau eine wichtige Weichenstellung für den Übergang von dem lockeren Gemeinschaftsbewußtsein, das innerhalb der Stände und Berufsgruppen bestand, zum nationalen Selbstfindungsprozeß. Dieser Wandel vollzog sich in wenigen Jahren, zunächst mit Unterstützung der aufgeklärten höheren Geistlichkeit. So wurde 1829 in der Metropolitandruckerei von Jassy das „Manual de patriotism", eine Übersetzung aus dem Griechischen von Jancu Nicolae, veröffentlicht, in dem auf 34 Seiten zahlreiche Verhaltensregeln für den „patriotischen" Untertanen enthalten waren. Ähnlich gebrauchte auch Tudor Vladimirescu 1821 diesen Grundbegriff nationaler Kohäsionsmechanik im Sinne einer alle sozialen Schichten umfassenden ethnisch-konfessionellen Einheit, die für Gerechtigkeit eintritt[186], und nach ihm Mumuleanu, so daß der Boden für eine stärkere Verbreitung des Begriffs vorbereitet war. Unter

[186] C. Aricescu: Acte justificative, 52f., 75 und insbes. 122.

„Patriot" verstanden der Verfasser und sein Übersetzer einen Menschen, der sein Vaterland ehrt, dessen Nutzen mit Freuden dient und sich verpflichtet fühlt, den Mitbürgern zu helfen, „denn diese stehen uns näher als andere fremde Völker". Wie bei den Griechen, wo diese Schrift in zwei Auflagen weite Verbreitung gefunden hatte, fand sie auch in der Moldau große Beachtung und wurde 1833 als Lehrbuch in der ersten rumänischen Schule in Brăila verwendet[187], weil die Hebung der sittlichen Normen und die Schaffung einer staatsbürgerlichen Loyalität der politischen Elite ein wichtiges Anliegen waren. Den im Werden begriffenen Nationalfürstentümern gelang es daher innerhalb weniger Jahrzehnte, die schwachen Primärloyalitäten zu einer einheitlichen, allerdings nur bedingten Loyalität umzuformen.

Der aus Siebenbürgen übernommene Nationsbegriff[188], der an die Seite des älteren Volksbegriffs „narod" trat, war während des Vormärz stark vom Lebensgefühl des Bojarenstandes geprägt und erfaßte daher nicht sogleich die ganze Breite des sozialen Schichtengefüges, sondern nur die Bojaren, die Freibauern und – am Rande – auch Gewerbetreibende, so daß das Bild der alten Ordnung und nicht die Idee der Volkssouveränität das Übergewicht erhielt. Neu war dabei, daß die Idee der Vereinigung der beiden Donaufürstentümer mit Siebenbürgen zu einem beliebten Topos und daher Michael der Tapfere (1593–1601) zum gern zitierten Vorbild erhoben wurde. Die Veröffentlichung eines der ersten rumänischen Geschichtsbücher aus der Feder des Siebenbürger Rumänen Aron Florian im Jahre 1835 kennzeichnete diese Entwicklung[189]. Zum erstenmal wurde in der Walachei das Bild Michaels des Tapferen in prächtigen Farben ausgemalt, wobei nicht nur seine Siege gegen die Türken und seine Ermordung in den Mythos der ersten Vereinigung der Walachei, Siebenbürgens und der Moldau einbezogen wurden, sondern ihm in Verkennung der historischen Situation seiner Zeit die Absicht der Schaffung eines alle Rumänen vereinenden Nationalstaates zugeschrieben wurde. Während in Deutschland der Gedanke der nationalen Einheit, „der so flott und hoffnungsfroh aus dem Freiheitskriege herausgetragen worden war ...", sich zurückgedrängt sah durch die „dringlicher gewordene Forderung nach bürgerlicher Freiheit ..." und sogar zu einer „Radikalisierung des öffentlichen Geistes" geführt hatte[190], verlief die Entwicklung in den beiden Fürstentümern – von kleinen Unterschieden abgesehen – in umgekehrter Richtung. Die Forderung nach nationaler Einheit oder wenigstens

[187] Diese hatte ursprünglich der Grieche Nikolaos Skoufos 1817 für seine Landsleute von den Ionischen Inseln verfaßt, um ihnen die glorreiche Vergangenheit ihrer Heimat und die Werte der endlich errungenen Freiheit vor Augen zu führen, wobei er den politischen Tugenden der unterschiedlichen sozialen Gruppen breiten Raum widmete. Vgl. N. Camariano: Despre un manual de patriotism, S. 123ff. und E. Turczynski: Kulturbeziehungen, 58.

[188] Kl. Bochmann: Der politisch-soziale Wortschatz, 88ff.

[189] V. Christian: Activitatea istoriografică a lui Aaron Florian, 113ff.

[190] F. Schnabel: Deutsche Geschichte II, 270.

nach Vereinigung der beiden Fürstentümer wurde immer häufiger erhoben, um auf diese Weise größere Autonomie gegenüber Rußland, der immer unverblümter eingreifenden Schutzmacht, zu erlangen. Dafür mußten die Wünsche nach mehr Freiheit für die im Werden begriffene Bürger- und Städterschicht, für die robotpflichtigen und landlosen Bauern und die als Sklaven lebenden Zigeuner in den Hintergrund treten. Zu den besonderen Merkmalen dieser Phase gehören einerseits die Verteidigung der im Organischen Reglement vorgesehenen Vorherrschaft der Großbojaren, andererseits der Versuch, für die Wahrung der politischen und nationalen Identität Verständnis und Unterstützung bei den Westmächten zu finden, die sich ähnlich wie im jungen Königreich Griechenland zu Fürsprechern liberaler Maßnahmen machten, soweit dies ihren eigenen politischen und vor allem wirtschaftlichen Interessen entsprach. Im entscheidenden Augenblick jedoch wurden die von den Westmächten erweckten Hoffnungen nicht erfüllt, denn zu einer wirksamen Unterstützung rumänischer Wünsche konnten sich weder Frankreich noch England entschließen.

Die erste Feuertaufe erlebte der junge rumänische Konstitutionalismus, als der russische Gesandte in Konstantinopel, Butenev, noch während der Verhandlungen mit der Pforte über die Bestätigung des Organischen Reglements einige gravierende Änderungen am Ende des Originaltextes durch einen Zusatzartikel vornahm, der eine noch stärkere Festschreibung der russischen Hegemonie bedeutete. Danach sollten alle künftigen Beschlüsse von Regierung und Volksvertretung über Verfassungsänderungen nur dann in Kraft treten, wenn die Hohe Pforte diesen im Einvernehmen mit dem Zarenhof ihre Zustimmung erteilte. Als 1836 eine Kommission zur Überprüfung des gesamten Textes sowie der Gesetze aus den Jahren 1828–1836 zusammentrat, um die gewonnenen Erfahrungen zu verwerten und Verfassungstheorie und -praxis in Einklang zu bringen, wurde dieser den rumänischen Volksvertretern bis dahin nicht bekannte Artikel zu einem Streitobjekt, das sowohl für die Solidarisierung der Nationsrepräsentanten als auch für die Ausformung politischer Wunschvorstellungen zunehmende Bedeutung gewann. In der Auseinandersetzung um die politischen Rechte der Volksvertretung und vor allem um die Autonomierechte[191] der Fürstentümer fand sich die Mehrzahl der konservativen Bojaren mit der liberalen Minderheit zu einer relativ geschlossenen Gesinnungsgemeinschaft zusammen. Dies läßt erkennen, daß die innen- und vor allem die außenpolitische Freiheit in der Wertskala der Abgeordneten einen wichtigen Platz einnahmen. Für die politisch interessierte Öffentlichkeit war die Teilnahme an den Sitzungen der Assemblée Générale ein besonderes Zuschauererlebnis, denn anders als in den erst allmählich populär gewordenen Aufführungen der Theatertruppe lief hier ein Schauspiel nach festen Verfahrensordnungen, aber mit ungewissem Ausgang vor den Augen aller ab. Da die Zeitungen über die Nationalversamm-

[191] Ausführlich dargestellt von Apostol Stan in: Istoria parlamentului, 48f.

lung nicht berichten durften[192], war das Interesse, bei den Debatten als Beobachter dabeizusein, bei der politisch interessierten Intelligenz recht groß. Auf diese Weise wurde der Zustrom nach Bukarest und Jassy noch größer, so daß neben der Politisierung auch die Urbanisierung zunahm.

Die Verteidigung der im Organischen Reglement vorgesehenen Rechte und Freiheiten wurde nicht nur unter formalrechtlichen Aspekten geführt. Die große Gruppe der mit der Bezeichnung „Westler" nur sehr ungenau charakterisierten Neuerer besaß einen wenig homogenen und bisher auch kaum näher erforschten Kern von liberalen Denkern, die ihre Forderungen mit moralischen und moralphilosophischen Argumenten aus dem reichen Arsenal der Aufklärung und vor allem des Josephinismus untermauerten, um eine Re-Okzidentalisierung nicht nur der äußeren Form, sondern auch der Gesinnung nach zu erwirken. Einer der ersten Vertreter dieser Richtung war der bereits erwähnte Aufklärer Dinicu Golescu, dessen weitverzweigte Familie seine Ideen zu verwirklichen suchte. Dinicu Golescu hatte bei den Vergleichen mit Westeuropa geschrieben: „Oh, welch ein Nutzen es doch für die ganze Gemeinschaft wäre, wenn Schmeichelei und Kriechertum den Großen gegenüber, sei es auch nur um ein weniges, nachlassen würde." Auch Iordache Golescu, Großvornik der Walachei und somit Innen- und Polizeiminister, trat in der Folgezeit in Reden und Briefen für moralische Grundsätze in der Politik ein und konstatierte 1832 sarkastisch, daß die Bojaren in zwei Kategorien, in „patrioţi" und „patrihoţi" – Vaterlandsliebende und Vaterlandsdiebe – zu unterteilen seien! Er bemühte sich, ein neues Verständnis für das Staatseigentum, für die öffentliche Hand und die Gemeinschaftsaufgaben zu wecken[193].

Auf ähnlichen, von Moral und Ethik getragenen Grundsätzen hatten die Reformplaner der frühliberalen Bewegung ihre Hoffnungen aufgebaut, als sie eine Gesellschaftsordnung nach westlichen Vorbildern konzipierten. Sie waren von der Annahme ausgegangen, daß der Rechts- und Verfassungsstaat schon dann funktionierte, wenn die modernen Gesetze für das Zivil- und Strafverfahren und die Gewaltenteilung in Kraft gesetzt würden. Bei dem damaligen Stand der Erfahrungen mit dem Konstitutionalismus konnten sie nicht ahnen, daß grundlegende Voraussetzungen hierfür noch fehlten: weder gab es ein Bürgertum, dessen Städte durch die rechtliche Trennung vom Land, vor allem durch die rechtlich fixierte Stellung ihrer Selbstverwaltung, die Entwicklung sittlicher Normen für das Zusammenleben in einem Gemeinwesen gefördert hätten, noch gab es eine von der griechisch-orthodoxen Kirche geformte Moraltheologie, wie sie die Kirchen des Abendlandes besaßen. Das Verhältnis von Staat und Kirche hatte im Bereich des morgenländischen Christentums andere Grundlagen als in den abendländischen Kirchen. In den von Orthodoxen bewohnten Provinzen des Habsburgerreiches hatten sich dagegen andere, politische Beziehungen entwickeln können, während

[192] A. von Demidoff: Reise nach dem südlichen Rußland I, 78ff.
[193] I. Filitti: Frământările politice, 146.

die Kirche in den Donaufürstentümern als Institution keine politische Rolle spielen konnte. Dies hatte mehrere Gründe, von denen die im Byzantinischen Reich entwickelte Tradition der Unterordnung der Kirche unter die Macht und den Schutz des Kaisers nur allzu bekannt ist. Schwerwiegender waren die sozialgeschichtlichen Realitäten. Bis zur Mitte des 19. Jahrhunderts war das Ansehen des Weltklerus sehr gering, denn viele Dorfpopen konnten kaum lesen und schreiben. Dementsprechend blieben auch Einkommen und Lebenshaltung sehr bescheiden, und oft waren die Geistlichen von den Bauern kaum zu unterscheiden. Sieht man von einigen Ausnahmen ab, gehörte dieser Klerus weder zur sozialen Elite noch zur Intellektuellenschicht, oft nicht einmal zur ländlichen Intelligenzschicht. Auch wenn die Klostergeistlichkeit, aus deren Reihen die Bischöfe und Metropoliten gewählt wurden, durch die ihr zur Verfügung stehenden Klosterbibliotheken und durch materielle Ressourcen oft bessergestellt war, blieb die Zahl der Bojarensöhne, die im 19. Jahrhundert geistliche Weihen erhielten, außerordentlich, ja verschwindend gering, denn, ganz gleich auf welcher Ebene, der Klerikerstand bot weder Einfluß noch Ansehen, Macht oder höheres Einkommen.
Daß es keine von der orthodoxen Kirche geformten und tradierten Grundsätze der Moraltheologie gab, ersieht man u. a. daraus, daß der Metropolit der Moldau, Veniamin Costache (1768–1846), einer der wenigen Kirchenfürsten aus einem Großbojarengeschlecht und Schüler des gelehrten Bischofs von Huşi, Iacov Stamati (1749–1803), seinen Segen für die Drucklegung einer üblen antisemitischen Hetzschrift hergab. Es handelte sich um die mit dem Suggestivtitel „Praştie" („Schleuder") versehene Übersetzung eines Pamphlets des russischen Mönchs Kiriak, in welchem ausführlich beschrieben wird, wie und zu welchem Zweck christlichen Säuglingen von den Juden zu rituellen Zwecken Blut abgenommen wird. Diese 1836 in der Druckerei des Klosters Neamţ erschienene Schrift macht deutlich, daß es mit dem Selbstverständnis eines aufgeklärten Metropoliten, der an der Ausarbeitung des Organischen Reglements sowie am Aufbau des Schulwesens maßgeblich beteiligt war, durchaus vereinbar zu sein schien, eine antisemitische Haltung einzunehmen[194].
Bis zum Beginn der Phanariotenzeit hatte der Dualismus Großbojaren – Hospodar den Bojaren ein bescheidenes Mitspracherecht gewährt, doch war die Rezeption des Naturrechts, die auch erst seit dem 18. Jahrhundert nachweisbar ist, nicht wirksam genug, um in wenigen Jahren eine breitere Trägerschicht für die dauerhafte Okzidentalisierung des politischen Lebens zu aktivieren. Ethische Grundsätze wurden in der Politik nur vereinzelt formuliert, meist eingebettet in den Gegensatz zwischen Gut und Böse, so daß sehr oft die Ästhetik an die Stelle der Ethik trat, das formale Prinzip das moralische ersetzte, wie wir es bei Dinicu und Iordache Golescu und bei anderen Vertretern von Aufklärung und Frühliberalismus auf rumänischem Boden finden können. Um so erstaunlicher ist die starke politische

[194] A. Stern: Din viaţa unui evreu-român, 20.

Kohäsion, die von den gewählten Bojaren-Volksvertretungen im Ringen um die Ausschaltung der russischen Eingriffe in die Innenpolitik sowie bei der Begrenzung der Macht der Hospodare, die sich dem Druck der russischen Konsuln fügen mußten, in der Zeit nach dem Inkrafttreten des Organischen Reglements an den Tag gelegt wurde.

Hauptrepräsentant dieses Widerstands gegen die Einschränkungen der politischen Autonomie war der Abgeordnete des Bezirks Brăila, Ion Câmpineanu, der seine politische Laufbahn als Anhänger der „Philiki Hetairia" begonnen hatte, dann Major und später Oberst in der seit 1830 unter russischer Anleitung aufgebauten Miliz der Walachei gewesen war, für kurze Zeit dem ersten Bukarester Stadtrat angehört hatte und schließlich 1833 in das erste Parlament seines Heimatlandes gewählt worden war. Zusammen mit seinem Freund Nicolae Golescu und anderen jungen Offizieren sowie mit dem liberalen Volksaufklärer Heliade-Rădulescu gründete er im gleichen Jahr die „Societatea Filarmonică" und benutzte jede Gelegenheit, hier wie im Parlament, als Verteidiger der Menschenwürde aufzutreten[195]. Er hatte zunächst in engem Einvernehmen mit dem Landesherrn Alexander Ghica, mit dem ihn seit seiner Tätigkeit als Prinzenerzieher freundschaftliche Beziehungen verbanden, die in der Verfassung vorgegebenen Möglichkeiten auszuschöpfen versucht, fand bei diesem aber nicht das erhoffte Maß an Bereitschaft. Mit einem relativ großen Anhang von etwa 20 Freunden und politischen Gesinnungsgenossen begann er seine Aktivität als Oppositionssprecher, wobei er sich auf Männer wie Nicolae Bălcescu, Cezar Bolliac, Ioan Voinescu, C. A. Rosetti und die Bischöfe von Buzău und Argeş stützen konnte. Câmpineanu und seinen Anhängern gelang es dann auch, die Annahme des von Rußland gewünschten Zusatzartikels zum Organischen Reglement durch die Volksvertretung abzuwehren. Sowohl die Kommission für die Revision der Verfassung als auch die Assemblée Générale lehnten im Juni 1837 die gewünschte Einschränkung mit großer Mehrheit ab, denn die Wortführer, die für eine Annahme plädierten – Villara, B. Ştirbei und M. Sturdza – fanden nicht genügend Unterstützung, da Câmpineanu inzwischen die Mehrheit hatte für sich gewinnen können. Daraufhin löste Fürst Ghica die Versammlung auf, doch ging aus den Neuwahlen vom Mai 1838 wiederum ein Landtag hervor, der keine Aussicht auf Erfüllung der russischen Wünsche bot. Angesichts der Wahrscheinlichkeit einer erneuten Auflösung der Volksvertretung – vielleicht sogar auf längere Zeit –, sah sich die liberale Opposition zum Nachgeben gezwungen, zumal weder England noch Frankreich bereit waren, sich für die Probleme der Donaufürstentümer mit Nachdruck einzusetzen und keine Alternativpläne oder

[195] Einen Gesamtüberblick für die Geheimgesellschaften und Befreiungsbewegungen gibt D. Berindei: Geheimgesellschaften und Befreiungsbewegungen der rumänischen Nation, 161–173. Einzelheiten der liberalen Postulate Câmpineanus gibt A. D. Xenopol: Istoria partidelor politice I, 162f. sowie P. Cornea: Originele, 437ff., ferner St. Apostol: Istoria parlamentului, 49f.

-programme besaßen, um dem wachsenen Einfluß des Zarenreiches Schranken zu setzen. Die Abgeordneten beugten sich daher dem Ferman des Sultans, der der Versammlung die Annahme der ergänzten, nun der legalen Möglichkeit einer Verfassungsänderung entkleideten Fassung des Organischen Reglements befahl.
Nach diesem Sieg der Reaktion – die auch im übrigen Europa fast überall die Oberhand behalten hatte – schien Câmpineanu und seiner engeren Anhängerschaft nur der Weg offenzubleiben, ihre politischen Ziele im Rahmen einer Geheimgesellschaft weiter zu verfolgen. Dabei scheinen ihn die im Rahmen der „Philiki Hetairia" gemachten Erfahrungen und Kontakte zu polnischen Emigranten beeinflußt und die Hoffnung genährt zu haben, mit Hilfe der liberalen Westmächte die Einhaltung parlamentarischer Spielregeln in einem konstitutionellen Staat durchsetzen zu können. Die bis dahin nur sporadisch gemachten Vorschläge für die Vereinigung der beiden Fürstentümer und eine Aktion zur Befreiung der im Vielvölkerstaat Rußland unterdrückten ethnischen Gruppen mit Hilfe der Türkei (!) wurden nun im Kreise der unter polnischem, französischem und englischem Einfluß in das nationalistische Fahrwasser geratenden Liberalen diskutiert. Die Räume des britischen Konsulats in Bukarest wurden zum Mittelpunkt der neuen Verfassungsplanungen, wobei Konsul Robert G. Colquhoun als eine Art Graue Eminenz mäßigende taktische Ratschläge erteilte und der französische Konsulatsassistent Felix Colson die Begeisterung zu beleben verstand. Letzterem ist die Überlieferung einer „Grundsatzerklärung" zu verdanken, die am 1. November 1838 von Câmpineanu und anderen Bojaren verfaßt und auch vom Bischof Chesarie von Buzău unterzeichnet worden war. Sie sah eine Verfassungsänderung vor, die umfangreiche Liberalisierungselemente enthielt. Alle männlichen Bürger über 25 Jahre sollten das allgemeine Wahlrecht erhalten, die Vorrechte der Bojaren abgeschafft werden, alle Staatsangehörigen vor dem Gesetz gleiche Rechte haben und zur Bekleidung öffentlicher Ämter entsprechend ihren Fähigkeiten zugelassen werden. Neu war die Forderung, die Gesetzgebende Volksvertretung mit dem Budgetrecht auszustatten sowie mit der Befugnis, Steuergesetze zu erlassen, Beschwerden der Bürger zu behandeln und vor allem die Kontrolle über die Minister und höheren Beamten auszuüben. Es waren Gedanken, die sich aus der Erfahrung in der mit geringer Zuständigkeit ausgestatteten Assemblée Générale ergeben hatten, zugleich aber ein Zeichen für die dem Liberalismus innewohnende Dynamik, die eine erhebliche Erweiterung der Zuständigkeit der Volksvertretung anstrebte, um ein möglichst ausgewogenes Verhältnis zwischen dem vom Zarenreich und der Hohen Pforte abhängigen Fürsten und dem Bojarenliberalismus herzustellen.
Die Reaktion der beiden Fürsten und vor allem des Zarenhofes konnte nur in einem „Einfrieren politischer Veränderungen in ihrem damaligen Zustand"[196] bestehen, wie dies Metternich und Gentz vorgeschlagen hatten. Ob allerdings die in der Grundsatzerklärung ebenfalls vorgesehene Bodenreform der Auffassung Câm-

[196] H. Brandt: Restauration und Frühliberalismus, 32.

pineanus entsprach und nicht der Feder Colsons entsprungen war, mag zweifelhaft erscheinen. Derart weitreichende Forderungen in Verbindung mit der Aufforderung an alle unterdrückten ethnischen Gruppen, sich zu erheben, bedeuteten nicht nur eine Kampfansage an das Zarenreich, sondern auch an die Habsburgermonarchie und die Hohe Pforte. Vor allem der Appell an die rumänischen Bauern, den Befreiungskampf der Polen aktiv zu unterstützen, war wenig realistisch, dazu war ihre Lage in den einzelnen Siedlungsgebieten zu unterschiedlich; zumal in der Bukowina und in Siebenbürgen waren die Lebensbedingungen in jeder Hinsicht günstiger als in den Donaufürstentümern. Câmpineanus Konzept zur Lösung der Bauernfrage sah nämlich nicht die Übertragung von Ackerland in das Eigentum der Robotpflichtigen vor, sondern nur die Schaffung von Gesamthandeigentum der Gemeinden, wobei die Landzuteilung großzügiger bemessen sein sollte, als sie das Organische Reglement vorsah. An die Stelle der Robotpflicht sollten freie Vereinbarungen zwischen Großgrundbesitzern und Bauern treten, eine ähnliche Form der Emanzipation, wie sie später bei der nur die Person berührenden Befreiung der Leibeigenen in Rußland in die Wege geleitet wurde. Im Hintergrund dieser umfassenden Emanzipationsbestrebungen erkennt man eindeutig den Einfluß von Fürst Adam Czartoryski, der von Paris aus die Fäden für die Wiedererrichtung Polens zu spannen versuchte und mit Hilfe seines Emissärs Janusz Woronicz alias Charles Verner einen einflußreichen Vertreter der rumänischen Bojarenelite gefunden hatte, um den Kampf gegen die Teilungsmächte vorbereiten zu können. Câmpineanu schwebte dabei neben der Wiederherstellung des Königreiches Polen die Errichtung eines Königreiches Dacien für die Rumänen vor[197]. Von diesen Plänen wurde zunächst nur die Vereinigung der beiden Fürstentümer auch in Jassy in Erwägung gezogen, denn dort besaß die Opposition gegen den Fürsten der Moldau, Mihail Sturdza, eine weit geringere Basis. Nur Leonte Radu trat als Vertreter einer radikaleren Richtung hervor, während die nationale Gruppierung, an deren Spitze Alexander Mavrocordat und Teodor Balş standen, an der Politik des Hospodars nicht viel auszusetzen hatte, zumal er durch die Verbesserung der Selbstverwaltung der Städte, des Sicherheits- und Sanitätswesens und durch die Errichtung der „Academia Mihăileană", einer Oberschule mit Kollegstufencharakter, die Sympathie vieler Intellektueller der älteren Generation gewonnen hatte[198].

Leonte Radu, der wie I. Tăutu aus dem Milieu der Bojaren minderen Ranges stammte, setzte sich zwar für die Gleichberechtigung aller Bojaren ein, blieb aber sonst weit hinter jenen Forderungen zurück, die von den radikaleren, wenn auch nicht immer politisch relevanten Kreisen der Bukarester um Câmpineanu formuliert worden waren. Diese hatten in Fortsetzung eines liberalen Katalogs aus der Zeit vor dem Inkrafttreten des Reglements auch die Gewährung der Pressefreiheit

[197] G. Blottner: Die Einflüsse der polnischen Emigranten, 137f.

[198] R. Florescu: The Struggle against Russia, 168–71.

und anteilmäßige Heranziehung aller Bürger zum Steueraufkommen verlangt[199]. Die Forderungen der von Radu 1839 gegründeten kurzlebigen Geheimgesellschaft zeigten ähnlich wie der Verfassungsentwurf der Männer um Tăutu und Donici eine eindeutige Stoßrichtung gegen die Großbojaren und verlangten in erster Linie eine Besserstellung der Kleinbojaren. Unter den über 70 Mitgliedern befanden sich Vertreter des gehobenen bürgerlichen Mittelstandes, deren Wünschen im Programm in hohem Maße Rechnung getragen wurde. Erstmals wurde sogar eine bescheidene rechtliche Besserstellung der Bauern befürwortet. Nicht nur die Aufhebung aller die Gewerbefreiheit hemmenden Schranken, sondern auch die für die Förderung der Wirtschaftsbeziehungen dringend notwendige Gründung einer Nationalbank, das Münzrecht für Kleingeld aus Silber und Kupfer sowie der Bau von Verbindungsstraßen „ähnlich wie in Österreich" wurden gefordert. Wie bei den von Câmpineanu entfalteten politischen Aktivitäten sind auch bei Radu Einflüsse polnischer Vorbilder und Kontakte feststellbar, so wenn für die vorgesehene Nationalversammlung die Bezeichnung „Sejm" gewählt und als Mittel für die Befreiung von der russischen Vormundschaft die Bildung einer Konföderation zwischen der Moldau, der Walachei und dem Fürstentum Serbien vorgesehen wurde.
Die innen- und rechtspolitischen Zielsetzungen hoben sich indes deutlich von den älteren Plänen aus dem Jahr 1822 ab. Für die Verbesserung der Gerichtsverfahren war die Erweiterung der Kreisgerichte (tribunale ţinutale) durch zwei gewählte Mitglieder vorgesehen, wobei der eine aus dem Kreis der Freibauern, der andere aus dem Stand der nichtprivilegierten Bauern stammen sollte. Schließlich wollte man den Polizeivorsteher (ispravnic) dadurch seiner oft unbeschränkten Macht entkleiden, daß man ihm vier durch Wahlen zugeordnete Beisitzer – zwei aus dem Kreis der Bojaren, einen aus dem der Freibauern und einen aus dem der Bauern – beratend und kontrollierend an die Seite stellte. Damit wurde erstmals die Idee einer dem Frühliberalismus entsprechenden Strukturveränderung der noch weitgehend absolutistisch amtierenden lokalen Ordnungshüter formuliert. Neben den Vorbildern der reglementierten und dadurch gegenüber den Untertanen und Bürgern in der Machtausübung eingeschränkten Polizeiorgane in der Bukowina und Siebenbürgen dürfte auch der Überdruß an den Resten orientalischer Despotie, die sich in den ländlichen Kreisen weitaus länger hatten halten können als in den wenigen Städten, zur Entwicklung dieser Vorstellungen beigetragen haben. Einflüsse des Josephinismus, aber auch der älteren Reformen Zar Peters des Großen erkennt man aus der Forderung nach Unterstellung des Kirchenvermögens unter die staatliche Verwaltung[200], daneben wirkten wahrscheinlich die Kontakte zu polnischen Emissären, da die Moldau ein Betätigungsfeld der polnischen Republikaner geworden war. Die Verwirklichung der Liberalisierungspläne hing nach

[199] C. Vlăduţ: Ion Cîmpineanu, 136.
[200] E. Hurmuzaki: Documente, supl. I, 6, 77–110 und A. D. Xenopol: Istoria partidelor politice I, 193–97.

Meinung ihrer Befürworter in erster Linie davon ab, in welchem Ausmaß ein gefestigter und vereinigter Nationalstaat sich den reaktionären Einwirkungen der konservativen Vielvölkerstaaten widersetzen konnte; die individuellen Freiheitsvorstellungen hatten keine Chancen, solange nicht die nationale Gemeinschaft und damit der Staat einen größeren Spielraum besaß.

Um die Möglichkeit der vom Fürsten der Moldau sowie von anderen realpolitisch denkenden Bojaren erwogenen Aktion zur Vereinigung der Fürstentümer unter gleichzeitiger Garantie der Autonomie durch Frankreich und England auszuloten, begab sich Câmpineanu 1839 auf eine Sondierungsreise nach Konstantinopel, Paris und London, die aber keine greifbaren Ergebnisse brachte. Seine Bemühungen, den britischen Außenminister Lord Palmerston davon zu überzeugen, daß eine weitere Entmachtung des Osmanischen Reiches durch Abtretung von Souveränitätsrechten an das Zarenreich weder staats- und völkerrechtlich vertretbar sei, noch im Interesse der Westmächte liegen könne, hatten nur ein geringes Echo, da gerade eine britisch-russische Annäherung vorbereitet wurde, in die auch Frankreich einbezogen werden sollte.

Câmpineanu, der erstmals die Begriffe „Verfassung" und "politisch verantwortungsbewußter Bürger" in den Wortschatz des Rumänischen einführte und an diese neue Trägerschicht die Erwartung knüpfte, sie werde im Bewußtsein der „heiligen Pflicht die Initiative ergreifen, um sich gegen die Tyrannen zu verteidigen"[201], kehrte von der Haltung der Westmächte enttäuscht heim. Auf Veranlassung Metternichs bei seiner Rückkehr verhaftet, aber bereits im Jahr 1841 mit Zustimmung Rußlands aus der Klosterhaft entlassen, nachdem er seine Verfehlungen bekannt und bereut hatte, zog er sich aus dem politischen Leben zurück und überließ die Fortführung des Ringens um größere Freiheiten seinen früheren Anhängern. Ein Teil der kompromittierten Exponenten der Geheimgesellschaften in Bukarest und Jassy hatte sich dem Zugriff der Polizeiorgane jedoch durch Flucht entziehen können. Die Bereitschaft der jüngeren Intellektuellen zur Fortsetzung der oppositionellen Bewegung gegen Rußland, die Hohe Pforte und den fürstlichen Absolutismus war trotzdem stärker geworden.

Neben Vertretern des Stände-Liberalismus, die in erster Linie die Wiederherstellung des ehedem vorhandenen Dualismus Herrscher-Großbojaren wünschten, und den jungen Liberalen, die für eine schnellere Okzidentalisierung der Verfassungswirklichkeit eintraten, gab es neuerdings eine kleine Schar von Anhängern der republikanischen Idee. Zu diesen gehörte eine Verschwörergruppe unter Dimitrie (Mitică) Filipescu, der ähnlichen Gedankengängen nachgegangen war wie der polnische Bergbauingenieur Adolf David, von dessen in Siebenbürgen gegründeter Geheimgesellschaft Fäden in alle rumänischen Siedlungsgebiete liefen. Filipescu propagierte die Idee einer Vereinigung aller Rumänen, allerdings in einer demokra-

201 C. Bodea: Lupta Românilor pentru unitatea naţională, 217. Vgl. ferner: Kl. Bochmann: Der politisch-soziale Wortschatz, 81 u. 86.

tischen Republik[202]. Im Unterschied zu Câmpineanu wurden Filipescu und einige seiner Anhänger, deren die Regierung hatte habhaft werden können, daher zu Gefängnisstrafen zwischen 8 und 10 Jahren verurteilt, denn bei Câmpineanu und dessen Anhang hatte es sich um Mitglieder von Großbojarenfamilien gehandelt, die mit 20 Vertretern Sitz und Stimme in der Assemblée Générale besaßen, während es bei Filipescu um nicht zur Protipendada gehörige Verschwörer und Anhänger aus allen Schichten ging. Die von ihm geplante Abschaffung der Fürstenwürde, auf die man gerade jetzt bei der Entdeckung der geschichtlichen Leistungen im Kampf gegen Magyaren, Tataren und Türken so stolz zu werden begann, war wohl auch in den Augen der Bukarester Öffentlichkeit ein schweres Vergehen. Die vom Fürsten Alexander Ghica persönlich betriebene und mit Bedacht auf Publizität angelegte Entdeckung und Verurteilung der „Gesellschaft für eine Revolution", wie man sie im Zuge der Untersuchungen bezeichnete, sollte die geschwächte Position des Hospodars festigen helfen, indem man den Großbojaren deutlich vor Augen führte, welche Gefahren ihnen drohten, falls sie sich nicht einmütig um den Herrscher scharten. Entsprechend der großen Aufmachung in den Zeitungsberichten des In- und Auslands wurden zahlreiche Verhaftungen unter jungen Intellektuellen, kleinen Staatsbediensteten und Kadetten in Bukarest und Umgebung vorgenommen, von denen die meisten nach kurzer Zeit wieder freigelassen wurden, da weder Waffen noch Munition gefunden wurden und auch die Statuten der Geheimgesellschaft, die vermutlich auf Anregung des Franzosen J.A. Vaillant entstanden waren, nicht entdeckt werden konnten. Nur D. Filipescu, der als das Haupt der Verschwörung galt, N. Bălcescu und C. Bolliac wurden belastet[203].
Die menschenunwürdigen Verhältnisse in den Gefängnissen und die Foltermethoden, mit denen Geständnisse erpreßt werden sollten, um die groß aufgemachte Aktion der vielen Verhaftungen und Hausdurchsuchungen nachträglich zu rechtfertigen, blieben der Öffentlichkeit nicht verborgen und trugen zur Verschärfung der Feindschaft zwischen den oppositionellen Strömungen und der Regierung bei. Insbesondere der Versuch des Fürsten, die Abgeordneten zur Ausarbeitung eines Sondergesetzes zu veranlassen[204], um die Verdächtigen entsprechend verurteilen zu können, gab den liberalen Kräften neuen Auftrieb, denn Anhänger republikanischer Staatsmodelle hatte es auch vorher schon vereinzelt gegeben. So gab es unter den Kleinbojaren der Moldau den Publizisten und Schriftsteller Alecu Russo, einen prominenten Geist, dem die operettenhafte Kulisse der Hospodarenherrschaft als Anachronismus und Hindernis für die dringend erforderliche Modernisierung von Verwaltung und Regierungsapparat erschien. Er war ein entschiedener Befürworter einer republikanischen Staatsverfassung, die er während seiner Studien am Institut Naville de la Vernier in der Schweiz kennengelernt hatte. Als er in Wien von

[202] G. Zane: Le mouvement révolutionaire de 1840, 43ff.
[203] *Ders.:* N. Bălcescu, 140–43; 146f. und 152.
[204] Istoria parlamentului, 42f.

der Polizei wegen seines Umgangs mit dem Bukowiner Rumänen Constantin Hurmuzachi verhaftet wurde, der im Ruf stand, Vertreter liberaler Anschauungen zu sein, machte er zum Erstaunen der Wiener Behörden von seiner Begeisterung für das Schweizer Verfassungsmodell kein Hehl[205].

Die Jahre zwischen 1840 und 1844 brachten für die Politisierung der Intellektuellen einen neuen Höhepunkt, der noch indirekt vom Ausklang der Verhandlungen über die Reformvorschläge der ungarischen Reichstage beeinflußt war. Dort hatte man die Vorschläge der Liberalen am Veto der Magnatentafel scheitern lassen, woraufhin sie sich auf dem Reichstag von 1839/40 zu einer etwas festeren Fraktion zusammenzuschließen versuchten, ein Vorgang, der bei den Wortführern der Liberalen in den Donaufürstentümern nicht unbemerkt bleiben konnte, denn das Zusammengehörigkeitsbewußtsein der „Fortschrittlichen" war zu diesem Zeitpunkt noch weitaus stärker als das trennende Element der ethnischen Unterschiede.

Neben der Vorbereitung und Ausgestaltung eines nationalen Geschichtsbildes, das von der ersten Schülergeneration mit großer Begeisterung aufgenommen wurde, weil sich hier ihr Vorsprung gegenüber den älteren Generationen besonders deutlich zeigte, war es das Bewußtsein der ethnisch-kulturellen Einheit aller Rumänen, das dieser verspäteten liberalen Bewegung, die allmählich auch breitere Schichten ansprach, als leicht faßliche und ohne Gefahr zu verbreitende nationale Idee besonders anziehend erschien. Der Tatendrang der Literaten, Journalisten und Bildungspolitiker fand hier ein weites Feld, das allerdings auch Vereinen und Geheimgesellschaften günstige Entwicklungsmöglichkeiten bot, die im Zusammenhang mit der Urbanisierung sowie den neuen Strukturen von Wissen und Gesellschaft gesehen werden müssen[206].

Für die Verbreitung der Nationalbewegung und die Festigung der Nationsidentität haben die nach 1833 entstandenen Kulturvereine wie die „Societatea Filarmonică" einiges geleistet, denn die Verherrlichung der noch beliebig zu beschreibenden Vergangenheit oder der Volksdichtung war unkomplizierter und ungefährlicher als der Kampf um individuelle Freiheiten. Die zunehmende Kontrolle durch Polizei- und Konsulatsbeamte Rußlands und Österreichs trug ihr Teil dazu bei, daß seit Beginn der vierziger Jahre eine wachsende Zahl wohlhabender Bojarensöhne zum Studium ins Ausland ging, vornehmlich nach Paris, wo die Freiheiten jeder Art ungestörter genossen werden konnten als in Wien, Berlin und anderen deutschen Universitätsstädten oder gar in St. Petersburg und Moskau, für die reichlich Stipendien angeboten wurden. In Bukarest und Jassy mußte man sich unterdessen damit begnügen, die von der Romantik glorifizierten früheren Herrschergestalten und die Verwandtschaft mit Franzosen und Italienern zur Hebung des nationalen Selbstbewußtseins herauszustellen. So war innerhalb weniger Jahre der Übergang

205 R. Mircea: Un paşoptist român, 62–79.
206 Vgl. Kapitel „Wissen und Gesellschaft".

von einem primär auf das junge Staatswesen bezogenen Patriotismus zu einem Nationalismus erfolgt, in dessen Mittelpunkt die historische Tradition stand.
Die Überbetonung der Frankophilie, die aus der Sprachenverwandtschaft wie aus der angenommenen Stammesverwandtschaft wichtige Impulse erhielt, führte bald zu einer Besinnung auf die rumänische National- und Volkskultur und somit zu einer Reaktion gegen die „Bonjurişti", die die Elemente der französischen Kultur nur äußerlich rezipiert hatten. Dabei scheint die Jugend der Walachei diesen oberflächlichen Modeerscheinungen stärker gefolgt zu sein als die der Moldau, wie im Zusammenhang mit einer Analyse des Verhaltens von Studenten in Paris festgestellt worden ist [207]. Ebenso scheinen die jungen Moldauer die brennenden sozialen Probleme viel klarer erkannt zu haben als ihre Altersgenossen in der Walachei. Mihail Kogălniceanu, der in Begleitung der Söhne des Fürsten Mihail Sturdza im August 1834 von Jassy über Czernowitz und Lemberg nach Lunéville zum Studium reiste, hat – obwohl damals erst siebzehnjährig – die Eindrücke von der besser entwickelten Wirtschafts- und Sozialstruktur der Bukowina sehr anschaulich in einem Brief an seinen Vater beschrieben. Von den regelmäßig bebauten Straßen, dem Pflaster und den Stadthäusern, die ihm wie Paläste vorkamen, schrieb er und – was viel erstaunlicher für sein Alter war – auch über die rationellere Bodenbewirtschaftung: „In der ganzen Bukowina habe ich keine Handbreite Boden gefunden, die nicht bearbeitet gewesen wäre, und dies zum Nutzen der Bauern. Die Äcker sind wie die längsgeschnittenen Scheiben einer Gurke, nämlich etwas gewölbt, damit das Regenwasser sich nicht auf ihnen staue. Die Felder und Hügel sind über Entfernungen von ein bis zwei Stunden mit Kartoffeln bedeckt, eine Sache, die, wenn es sie in der Moldau gäbe, die Bauern davor bewahren würde, sich über Hunger beklagen zu müssen, und niemals würde man in unserem Vaterland von Hungersnot hören"[208].
Das deutliche soziale Engagement der jüngeren Generation der Moldauer sowie die liberale Familientradition, die Dimitrache Sturdza begründet und die sein Sohn Mihail sowohl während der Tätigkeit in der Verwaltung unter den Fürsten Callimachi und Suţu als auch während der russischen Besetzung als Sekretär der Kommission für den Entwurf des Organischen Reglements im Rahmen der bescheidenen Möglichkeiten zu bewahren versucht hatte, haben die Moldau zunächst vor jenen politischen Spannungen bewahrt, welche in der Walachei zu einer rigorosen Bojarenopposition führten. Ein großangelegter Reformplan für die Fürstliche Akademie, der „heilsame Maßregeln" für die Hebung des Bildungsstandes vorsah, gewährte den Besuchern dieser Bildungsanstalt eine Reihe von Vorrechten, wie sie auch Rußland kannte, darunter die Befreiung von allen Abgaben sowie vom Militärdienst. Auch wurde den Jünglingen, „welche die regelmäßigen Curse der vorge-

207 R. Florescu: The Struggle against Russia, 189.
208 M. Kogălniceanu: Scrisori din vremea studiilor; in der von D. Berindei u.a. erstellten Auswahl: Texte social-politice alese, Bukarest 1967, ist dieser Brief nicht abgedruckt.

schriebenen Lehrgegenstände öffentlich mitmachen werden, ... das Recht des Vorzugs in den politischen und militärischen Ämtern ..." verbürgt[209]. Diese und andere Maßnahmen bewirkten eine stärkere Integration der jungen Generation in der Moldau, der ein wenn auch bescheidener Glauben „an den zentralen Wert des Staates" vermittelt werden konnte, wie ihn der Josephinismus im Habsburgerreich vornehmlich in der Beamtenschaft zuwege gebracht hatte[210]. Dennoch war die Opposition der „revolutionären Romantiker"[211], die einen Kreis von Gleichgesinnten, alle zwischen 1811 und 1820 geboren, umfaßte, sehr unzufrieden mit den gesellschaftlichen Verhältnissen, der Rechtsordnung und vor allem mit dem Kulturniveau. So klagte Kogălniceanu in einem Brief aus Berlin zu Beginn des Jahres 1837 über die mangelnde Hingabe seiner Landsleute an die Nation: „Die wahre Zivilisation beruht auf der Vaterlandsliebe und der Hingabe an die Zukunft des Vaterlandes, beruht auf der Beachtung der Gesetze, der Abschaffung der Sklaverei, die zu unserer Schande in unserem Vaterland noch besteht, sie beruht auf der Gleichheit aller Personen, ohne Rang- und Geburtsunterschiede ..." An seinen Vater schrieb er im Spätherbst 1837 ebenfalls aus Berlin: „Hier, im aufgeklärten Europa, beugen die Menschen ihr Knie nur vor Gott, nicht aber vor Menschen. Daher habe ich hier gelernt, daß alle Menschen gleich sind, daß sie sich von einander nur durch Verdienste und gute Taten unterscheiden ..."

Nach seiner Rückkehr in die Heimat ernannte ihn Fürst Mihail Sturdza zum Adjutanten-Stellvertreter und Hofsekretär, was Kogălniceanu Gelegenheit bot, tiefe Einblicke in die Korruption und die lasterhaften Lebensverhältnisse des Hofes zu gewinnen, so daß er sowohl mit der Pressezensur als auch mit dem Fürsten in Konflikt geriet. Dennoch blieb er seiner politischen Einstellung treu und führte seinen Kampf um grundlegende Reformen mit eindrucksvoller Ausdauer bis zum Erfolg fort. In der von ihm ab Januar 1844 redigierten Zeitschrift „Propăşirea" (Der Fortschritt), die bereits Ende Oktober 1844 auf Weisung des Fürsten ihr Erscheinen wieder einstellen mußte, war erstmals die Lage der Bauern zur Sprache gebracht worden, ein für die Öffentlichkeit unerhörter Vorgang, ebenso wie seine Eröffnungsvorlesung anläßlich des Beginns eines Kurses über Nationalgeschichte, in der er die panegyrische Historiographie kritisierte, die bisher nur Herrscherbiographien schrieb, sich aber nicht auch mit dem Volk befaßte. Die lange Zeit heiß umkämpfte Zigeunerbefreiung propagierte er in einem Aufsatz, in dem er den Grundsatz herausstellte, „daß alle Menschen frei geboren werden", wies aber gleichzeitig darin auf den Mißstand hin, daß auch in den französischen Kolonien und in den Vereinigten Staaten von Nordamerika noch Millionen Farbiger unter dem Joch der Sklaverei stöhnten. Aller Fortschritt galt ihm als banal, wenn es den

[209] H. H. St. A. Wien: Moldau–Walachei II, Kt. 58, Folio 59. Übersetzung einer Kundmachung der Unterrichtsverwaltung des Fürstentums Moldau vom 15. I. 1832.
[210] F. Valjavec: Der Josephinismus, 122.
[211] P. Cornea: Originele, 428.

Menschen nicht auch gleichzeitig gelang, ihre Rechte als Bürger durchzusetzen, wobei er die vorteilhafte Entwicklung in Frankreich und Preußen jener in Österreich entgegenstellte [212].

In Jassy war die jüngere Intellektuellenschicht mit den politischen Verhältnissen im Deutschen Bund besser vertraut als in Bukarest, denn die Verkehrsverhältnisse in der Moldau begünstigten die Büchereinfuhr aus Mittel- und Norddeutschland. Vor allem die in Österreich verbotene Literatur der Gegner Metternichs wurde viel gelesen, wie die „von lügnerischen und frechen Angaben und Anschuldigungen gegen die oesterreichische Staatsverwaltung strotzenden Broschüren mit den Titeln: Oesterreich und dessen Zukunft, und: Oesterreich im Jahre 1843", außerdem „Libellen, Flugschriften von inkorrekten und gefährlichen Tendenzen". Aber obwohl dieser von einem preußischen Untertanen betriebene Zeitungs- und Buchhandel „bereits die Aufmerksamkeit der moldauischen Regierung und die des Russischen Konsulates auf sich gezogen haben soll" und der österreichische Konsul auf Weisung Metternichs beim Fürsten für ein Verbot des Buchhandels intervenierte, konnte die einmal konstituierte Unabhängigkeit der Gerichte nicht mehr rückgängig gemacht werden, zumal der Buchhandel ein für viele Seiten lohnendes Geschäft war[213].

Das Ergebnis dieser Oppositions- und Kritikstimmung, die vor allem die „revolutionären Romantiker" erfaßt hatte, war eine Verschärfung der Zensur sowie der unvermeidliche Konflikt zwischen den Vertretern der „klassischen Aufklärung", die überwiegend der älteren und arrivierten Staatsdienergeneration angehörten, und den jungen Intellektuellen.

Ein schwer zu lösendes Problem bildete der Status des Klerus sowie seine Einbeziehung in den Prozeß der allgemeinen allmählichen Okzidentalisierung der überholten Wirtschafts- und Gesellschaftsstrukturen. Mit der zunehmenden Konsolidierung der staatlichen Macht ging der Ausbau der Verwaltung einher, die von einem wachsenden Beamtenapparat bedient wurde. Da der Fürst „alle drei Jahre einen großen Theil der Beamten" auswechselte, wurden die „Nichtangestellten oder Abgesetzten ... seine Feinde ..." und da „der Durst nach Amt, aus Ehrgeiz oder aus Noth" stärker denn je war[214], wuchs mit der Zahl der vom Staat Besoldeten auch sein Finanzbedarf. Die Abgeordneten der Assemblée Générale sahen sich daher genötigt, die Stellung der Kirche zu überprüfen, denn diese und die Klöster waren die reichsten Großgrundbesitzer, da ihnen ein Fünftel der land- und forstwirtschaftlich nutzbaren Fläche des Landes gehörte. Sie sollten daher sowohl mit ihrem Einfluß als auch mit ihrem Reichtum stärker in den Dienst des halbaufge-

[212] M. Kogălniceanu: Texte social-politice alese, 93, 98, 104–110, 111–113, 115–123 und 127–130.

[213] Bericht Eisenbachs aus Jassy an Metternich Nr. 181, 237, 351, und 385 von 1844–1847. H. H. St. A. Wien: Politisches Archiv, Moldau–Walachei II, Kt. 58.

[214] Bericht Nr. 34 Timonis aus Bukarest vom 16. 11. 1840, H. H. St. A. Wien: Polit. Archiv, Moldau–Walachei II, Kt. 58, Folio 169, hier als Anhang 3 abgedruckt.

klärten, halbabsolutistischen Nationalstaates eingebunden werden. Die Maßnahmen Napoleons, dem es gelungen war, alle Kräfte Frankreichs einschließlich der Kirchen dem Staatszweck unterzuordnen, wie auch Österreichs, die dem Landesherrn ein weitgehendes Aufsichtsrecht nicht nur über die zweckmäßige Verwendung des Vermögens, sondern auch über die seelsorgerische und erzieherische Tätigkeit zum Nutzen des Allgemeinwohls eingeräumt hatten, dürften ihre Vorbildwirkung nicht verfehlt haben, ebensowenig die kirchlich-organisatorischen Reformen im jungen Königreich Griechenland und in den protestantischen Staaten. Es lag daher nahe, daß in Bukarest die Abgeordneten begannen, als Schirmherren der Kirche zu fungieren, und im Sommer 1840 ein Gesetz verabschiedeten, das die Wahl des Metropoliten neu regelte und die Metropolie „hinsichtlich der temporalia" unter ihre Kontrolle brachte. Als die drei Bischöfe einsehen mußten, „daß die Majorität" sich ihrem Wunsche widersetzte, „den Metropoliten ganz unabhängig vom Staat zu stellen", fügten sie sich der Notwendigkeit, „das ganze Einkommen des Metropoliten (bei einer Million Piaster) der Verwaltung des Staates" zu unterstellen[215]. Damit entstand dem Fürsten eine neue Oppositionsgruppe. Zu den liberalen kamen die konservativen Kleriker, insbesondere die Äbte der Klöster, und der Erzbischof Neofit hinzu, denn sie sahen in dieser Reglementierung einen Eingriff in althergebrachte Rechte, zumal diese Maßnahmen des Staates diejenigen Güter ausnahmen, die Klöstern im Ausland, insbesondere auf dem Berge Athos, geweiht waren. Es sollte noch eine Generation lang um diese Klostervermögen gerungen werden, bis schließlich der liberale Staat Cuzas den Sieg davontrug.
Die liberale Opposition der jungen Bojaren konnte sich die wachsende Unbeliebtheit des Fürsten der Walachei zunutze machen und seinen Rücktritt fordern. Daraufhin untersuchte eine gemischte russisch-türkische Kommission die Anschuldigungen und kam zusammen mit der Assemblée Générale zu dem Ergebnis, daß seine im Stil phanariotischer Hospodare ausgeübte Herrschaft untragbar geworden war. Mit einem Absetzungsferman vom 7. Oktober 1842 wurde der Weg für die erste Neuwahl freigemacht, wie sie im Organischen Reglement vorgesehen war. Nun glaubten die Liberalen, in Gheorghe Bibescu, einem als frankophil bekannten Großbojaren, den geeigneten Nachfolger Ghicas gefunden zu haben, der in der Lage wäre, den direkten und indirekten Einmischungen Rußlands in die inneren Angelegenheiten der Walachei zu widerstehen, sahen sich aber getäuscht, denn er erwies sich als besonders untertänig, soweit es sich um Rußlands Wünsche handelte. Mit seiner Herrschaft begann eine Phase, die mit dem Neoabsolutismus der Habsburgermonarchie verglichen werden könnte, weil Bibescu eine Reihe von reaktionären Maßnahmen gegen die Freiheitsbewegungen ergriff. Einen nationalen Prestigegewinn bedeutete es, als er sich der erniedrigenden Form der Investitur durch den Sultan widersetzte. Diese forderte nämlich von dem Fürsten, während der

[215] Bericht Timonis vom 6. 7. 1840, H. H. St. A. Wien: Polit. Archiv, Moldau–Walachei II, Kt. 58, Folio 118–121, und L. Stan: Mirenii în biserică, 579f.

Zeremonie nicht nur den Fez als äußeres Zeichen der traditionellen Unterwerfung zu tragen, sondern auch die rechte Fußspitze des Sultans zu küssen. Bei seiner Rückkehr von der Investitur in Konstantinopel ließ er seinen Einzug in Bukarest großartig feiern und zeigte sich „am Tag seiner Krönung"[216] in der von den Historienmalern später so oft nachgebildeten Kleidung Fürst Michaels des Tapferen. Hand in Hand mit diesen Bekundungen rumänischer Nationalgeschichte vollzog sich ein bis dahin ungeahnter wirtschaftlicher Aufschwung, der insbesondere die Getreidehändler, Kaufleute und Handwerker der Städte Brăila, Galatz und Bukarest erfaßte, darüber hinaus aber auch den Handel mit Siebenbürgen belebte. Mitten in dieser Phase einer ersten wirtschaftlichen Blütezeit des Fürstentums kam es zu einer ernsten Staatskrise, die deutlich machen sollte, wie gering die Achtung des Hospodars vor den Organen der Repräsentativ-Verfassung und wie groß seine Unterwürfigkeit gegenüber der Schutzmacht Rußland war. Bibescu hatte einer russischen Bergbaugesellschaft Schürfkonzessionen für einen Zeitraum von 12 Jahren gewährt, ohne die Bestätigung dieses Abkommens durch die Assemblée Générale einzuholen, und hatte damit seine im Organischen Reglement festgesetzten Kompetenzen überschritten[217]. Als sich die Abgeordneten weigerten, die nachträgliche Zustimmung zu erteilen, löste er die Assemblée Générale auf. Die Konsuln Rußlands und Österreichs betrachteten diese verfassungswidrige Maßnahme lediglich als „Absetzung oppositioneller Bojaren", welche sich geweigert hatten, die eingegangene Verpflichtung des Herrschers zu erfüllen[218]. Damit begannen neue Pressionen gegen alle Liberalen, zumal die Konsulatsbeamten Rußlands und Österreichs durch ihre Vertrauensleute jede verdächtige Regung und alle fremden Reisenden beobachten ließen.

Bibescu, der gezwungen war, sich von allen demokratischen Eiferern zu distanzieren, um nicht wie sein Vorgänger abgesetzt zu werden, leitete indes auch Maßnahmen in die Wege, die zur Verbesserung der innenpolitischen Lage dienten, wie die Aufhebung der Zollgrenze zwischen den unaufhaltsam einer Vereinigung zustrebenen Fürstentümern. Ein Schritt zur Festigung der liberalen Prinzipien der Repräsentativ-Verfassung war seine Verordnung, wonach die Bestimmungen des Organischen Reglements für die Wahl der Kreisdelegierten strenger gehandhabt werden mußten, um diejenigen Großbojaren als Kandidaten für einen Parlamentssitz auszuschalten, die, obzwar in der Hauptstadt ansässig, in den Landkreisen zu kandidieren versuchten[219].

Trotz dieser eher bescheidenen Ansätze blieb das ängstliche Mißtrauen gegen die Opposition erhalten, beschränkte sich indes nicht nur auf die Walachei, denn selbst

[216] Foaie pentru minte, inimă şi literatură, VI, 1843, 323, zitiert nach A. D. Xenopol: Istoria partidelor politice I, 182.

[217] Die Art. 178 und 179 bestimmten, daß die Erteilung von Konzessionen dieser Art in die Zuständigkeit der Volksvertretung fallen.

[218] H. H. St. A. Wien: Akten der Staats-Kanzlei, Kt. 6, Bukarest 1832–1854, Folio 15–16.

[219] A. D. Xenopol: Istoria partidelor politice I, 185, 187.

in Jassy, wo erfolgreiche Maßnahmen zur Modernisierung aller Lebensbereiche der liberalen Opposition nur geringe Ansatzpunkte zu berechtigter Kritik übriggelassen hatten, schloß M. Sturdza vorbeugend die Öffentlichkeit bei den in der Volksvertretung geführten Verhandlungen über die Befreiung der Zigeuner aus[220], um kein Aufsehen zu erregen, zumal im benachbarten Rußland – von Jassy bis zum Pruth sind es nur wenige Meilen – auch die Bauern ihrer Persönlichkeitsrechte entkleidet waren und gemäß der Kodifikation im Uloženie quasi als Sache galten. Es schien daher nicht opportun, Probleme der Menschenrechte öffentlich zu verhandeln.

In Bukarest schränkte Bibescu, unter dessen Regierung die Zigeuner der Klöster und der Staatsdomänen erst 1847 gegen Entrichtung einer Ablösesumme befreit werden sollten, den Zugang der Zuhörer dadurch ein, daß er für sie einen besonderen Ausweis einführte. Auf diese Weise wurde die Öffentlichkeit zwar nicht ausgeschlossen, aber doch so gewählt, daß man vor Störungen und vor negativen Interpretationen der Verhandlungsführung, der Art der Beschlußfassung und des Auftretens der Abgeordneten sicher sein konnte. Der einmal durch das Organische Reglement konstituierte Parlamentarismus des halbautonomen Staates der Großbojaren und der heranwachsenden Mittelschicht konnte so zwar noch eingeschränkt, aber nicht mehr ganz rückgängig gemacht werden. Auch die Zensur der politischen Meinungsäußerungen konnte die wenigstens theoretisch verankerte Unabhängigkeit der Gerichte nicht mehr aufheben, so daß Abgeordneten, Richtern und Verwaltungsbeamten gegenüber den Interventionen der Großmächte ein bescheidener Freiraum gesichert war. Im Lande selbst blieb es in vielen Bereichen bei der alten Ordnung: „Ein paar Tausend Bojaren machen die Nation aus. Nur diese befinden sich im Besitze der politischen Rechte und sie achten gewöhnlich kein Gesetz“. Diese vom Konsul Preußens, Johann Ferdinand Neigebaur, 1844 niedergeschriebenen Zeilen charakterisieren die Beschränkungen, denen die Rechtsprechung und damit die Gewaltenteilung unterworfen war[221].

Die politischen Strömungen in Siebenbürgen

Die im September 1833 in Münchengrätz getroffene Vereinbarung zwischen Österreich und Rußland, im Falle eines erneuten polnischen Aufstandes die Hilfe russischer Truppen zu dessen Niederwerfung in Anspruch nehmen zu können, begann sich im innenpolitischen Klima Ungarns und Siebenbürgens nicht sogleich auszuwirken, obwohl die Polizei- und Zensurhofstelle in Wien Maßnahmen für

220 E. Hurmuzaki: Documente, Bd. XVIII, 1007.

221 J. F. Neigebaur, der Theologie und Jus studiert hatte und 1813 im Freikorps von Lützow am Freiheitskampf beteiligt war, wurde 1842 zum Generalkonsul Preußens für die Donaufürstentümer ernannt und blieb fast 3 Jahre auf diesem Posten. Der hier zitierte Ausspruch stammt aus: Beschreibung der Moldau und Walachei, 6.

eine schärfere Kontrolle aller politischen Strömungen ergriff und auch in Frankreich 1834 eine Verschärfung der Vereinsgesetze erfolgte. Trotzdem erschien es in Wien nicht opportun, spektakuläre Eingriffe in die Tätigkeit des „Jungen Ungarn" während der Sitzungen des ungarischen Reichstages vorzunehmen. Ebenso ließ man die Reichstags- und Munizipalberichte Kossuths weiterhin erscheinen, die den Inhalt der politischen Debatten einer breiten Öffentlichkeit zugänglich machten, so daß sogar in Siebenbürgen und dem Banat mehr und mehr Reformvorschläge zunächst bei Magyaren und Sachsen, dann aber auch in führenden Schichten der rumänischen bikonfessionellen Nationalität erörtert wurden. Die Aufbruchstimmung wurde noch verstärkt, als István Széchenyis „Stadium", dessen Erscheinen bei Otto Wigand in Leipzig trotz der Interventionen Metternichs nicht hatte verhindert werden können, insgeheim Verbreitung fand. Die darin enthaltenen Forderungen nach Gleichheit aller vor dem Gesetz, gerechterer Verteilung der Steuerlasten, zu denen auch der Adel beitragen sollte, sowie nach Abschaffung der Zünfte lösten lebhafte Diskussionen aus, denn die Notwendigkeit grundlegender Reformen war in vielen Kreisen unbestritten.

Bereits 1832 war ein Versuch unternommen worden, für die Hörigen in Siebenbürgen eine Befreiung aus der drückenden Robotpflichtigkeit und der Einschränkung der persönlichen Freiheit in die Wege zu leiten. Insbesondere auf Komitatsboden und im Szeklerland mußten die Bauern auf den Gütern der Großgrundbesitzer unter außerordentlich ungünstigen sozialen Bedingungen arbeiten. Darum wurde hier die Möglichkeit einer Bodenreform, die den Bauern echtes Eigentum gewähren sollte, ins Auge gefaßt, was über die Vorschläge Széchenyis hinausging[222]. Der damals noch kleine Kreis liberaler Adliger mit Baron Miklós Wesselény an der Spitze, zu dem sich später die Grafen Joszef Kemény und Imre Miko gesellten, hatte sich diesem Problem nicht verschlossen, und selbst einige andere Magnaten sahen die Notwendigkeit ein, Reformen von oben her einzuleiten, ehe der Druck der bäuerlichen Schichten von unten zu stark würde. Aber große Teile des Adels, des Klerus und der magyarischen Stadtgentry waren konservativ und geistig unbeweglich. Obwohl die Lage der Bauern in einzelnen Regionen Siebenbürgens, wie z.B. auf dem Fundus regius, weitaus günstiger war als auf dem Adelsboden der Komitate oder im Szeklerland und manche Leibeigene sich durch Abwanderung über die Karpatengrenze dem Zugriff zu strenger Gutsherren entziehen konnten, waren die Stände Siebenbürgens nicht gewillt, die Initiative für eine Bauernbefreiung zu ergreifen. Dabei hatte die beginnende Industrialisierung die Einwohnerzahl der Städte innerhalb von zwei Generationen, nämlich von 1787 bis 1847, nahezu verdoppelt und von 90 000 auf 170 000 anwachsen lassen[223]. Die Folge war, daß die drei Nationsterritorien eine unterschiedliche Entwicklung nahmen, weil die Städte Südsiebenbürgens, vorweg Kronstadt und Hermannstadt, eine starke Konzentra-

[222] E. Cseteri: O încercare de eliberare a iobagilor, 182f..
[223] V. Cheresteşiu: Adunarea, 38.

tion rumänischer Bewohner aus den Reihen der Mittelschicht und der Intellektuellen aufwiesen, so daß diese neben dem geistlichen Hauptort der unierten Rumänen, Blaj, in der Zeit des Vormärz zu Schwerpunkten ihrer politischen Willensbildung wurden. Die ethnopolitischen Wechselwirkungen zwischen den Bestrebungen der Rumänen nach günstigeren Bedingungen für den soziokulturellen Aufstieg breiterer Schichten, denen der Magyaren nach Überwindung der seit dem Mittelalter im Grund unveränderten feudalen Strukturen sowie der Wiederherstellung Großungarns und denen der sächsischen Führungsschicht nach Verteidigung des althergebrachten Besitzstandes sind leichter erfaßbar, wenn der historische Rahmen, innerhalb dessen sie auftraten, in die Betrachtung einbezogen wird.

Die Lage der Siebenbürger Sachsen blieb bis ins ausgehende 19. Jahrhundert grundverschieden von der aller anderen hier zu behandelnden Sprach- und Glaubensgemeinschaften, weil sie seit dem 12. Jahrhundert einen „staatsrechtlich verfaßten Siedlerverband" bildeten, der im Laufe der Jahrhunderte zu einer Rechts-, Sprach- und „Bewußtseinsgemeinschaft" wurde. Mit dem nationalen Erwachen der Magyaren und der Rumänen setzte jedoch auch bei den Sachsen eine vom deutschen Idealismus und der Romantik nachthaltig beeinflußte Veränderung ihres „soziokulturellen Selbstbewußtseins" ein[224]. Gleich den Ungarn Siebenbürgens bildeten die Sachsen einerseits eine Minderheit, waren aber andererseits wie eine privilegierte ständische Nation an den Verfassungsrechten des Großfürstentums beteiligt und daher bemüht, ihre numerische Unterlegenheit durch Wahrung der überlieferten und in vielen Stürmen bewährten Ordnung wettzumachen. Deshalb sahen sie sich häufig genötigt, gemeinsam mit den Ungarn die Forderungen der Rumänen nach Gleichberechtigung abzuwehren. Diese ungarisch-sächsische Interessengemeinschaft fand dort ihre Grenzen, wo in der sächsischen Publizistik mit Verständnis für die Lage des vom Adel unterdrückten rumänischen Ethnikums berichtet wurde, wie dies bei der Darstellung der Hintergründe des Horia-Aufstandes der Fall gewesen war[225]. Die gleiche Haltung zeigte sich beim Versuch des ungarischen Adels, das sächsische Privilegienpolster abzubauen, die Bauern des Fundus regius zu Kronbauern zu degradieren und durch staatspolitische Veränderungen das Großfürstentum Siebenbürgen in das Königreich Ungarn zu integrieren. Solange jedoch der Druck des „Metternichschen Systems" und insbesondere die Maßnahmen der Zensurbehörde des Polizeiministers Sedlnitzky, dessen Beamtenapparat die sächsische Selbstverwaltung zu erdrücken drohte, die liberalen Kräfte der Ungarn und der Sachsen zu einer ideellen Interessengemeinschaft formte, hoffte man in ihren Reihen, die ethnopolitischen Gegensätze überwinden zu können. Vor allem die „Jungen", eine meist an deutschen Universitäten ausgebildete Intellektu-

[224] P. Philippi: Das Problem des Selbstverständnisses, 1f., 5.

[225] Der bei Hochmeister für 1791 erschienene Kalender stieß auf heftigen Protest des Adels, da dieser die Schilderung des Aufstandes als „Herabsetzung und Beleidigung des Adels, der Grundherren und des ganzen Vaterlandes" empfand. Vgl. E. Weisenfeld: Die Geschichte der politischen Publizistik, 26. Vgl. M. Kroner: Der Aufstand von 1784 in der deutschen Graphik.

ellenschicht, die mit liberalen Reformideen heimgekehrt war, widersetzten sich dem Verwaltungsdespotismus und beschritten die gleiche Bahn wie vor ihnen Kossuth, d.h. sie wandten sich an die Öffentlichkeit und kämpften für die Freiheit der Presse und Abschaffung der Zensur. Mit Sympathie verfolgten sie die auf dem Siebenbürger Landtag von den Anhängern der liberalen Opposition eingebrachten Reformgesetze, waren diese doch ein getreues Spiegelbild der Forderungen, die die Liberalen der Preßburger Versammlung erhoben hatten. Die geschickte Politik der Magyaren, die Sachsen als „verschwisterte Nation" zu begrüßen, verfehlte ihre Wirkung auf die „Jungen" nicht. Im Hintergrund dieses auffälligen Werbens sahen viele Sachsen der älteren Generation die Versuche der Adelsnation, ihr großes politisches Ziel, die Eingliederung Siebenbürgens nach Ungarn und die gleichzeitige Magyarisierung der Bevölkerung, zu erreichen. Ein solcher Anschluß hätte die Reste der sächsichen Selbstverwaltung bedroht und so hielten sich die sächsischen Abgeordneten an die ihnen bei den Wahlen mitgegebenen Instruktionen: Die überlieferte Gleichberechtigung der drei Nationen und der vier rezipierten Religionen zu verteidigen und eine „Union" mit Ungarn abzulehnen.

Der wieder aufflammende Sprachenkampf, der den nach Hermannstadt einberufenen Landtag 1837 erneut beschäftigte, bestätigte die Sachsen in ihrer Zurückhaltung gegenüber den ungarischen Umarmungsversuchen. Den ungarischen Forderungen auf dem Landtag von 1841/42 trat daher eine erfahrene und in der Zwischenzeit mit stichhaltigen Argumenten ausgestattete sächsische Opposition entgegen. Die 35 sächsischen Abgeordneten lehnten geschlossen den Antrag von Dionis Kemény, dem Wortführer der Magyaren und Szekler, ab, anstelle der lateinischen die ungarische Sprache für alle Ämter im Großfürstentum Siebenbürgen einzuführen, unterlagen aber der Mehrheit der 275 Stimmen der vereinten adligen und Szekler Abgeordneten. Mit dieser Abstimmungsniederlage setzte eine neue nationalpolitische Strömung unter den Sachsen ein, die eine weitreichende Modernisierung und Liberalisierung zum Ziel hatte.

Da die national-sächsische Funktionselite, die überwiegend aus Staatsbeamten der älteren Generation sowie aus den Professoren der 1844 gegründeten Hermannstädter Rechtsakademie bestand, eine Union Siebenbürgens mit Ungarn entschieden ablehnte, sich aber für die Gewährung einer größeren Bewegungsfreiheit der sächsischen Presse einsetzte, waren die Unterschiede zu den Liberalen, die mit den national-magyarischen Forderungen sympathisierten in der Hoffnung, über die Union die längst fälligen Gesellschaftsreformen verwirklichen zu können, relativ gering[226]. Um das eigene Ethnikum vor der Zwangsassimilation zu bewahren, entstand ein umfangreiches Reformwerk der sächsischen Bildungspolitiker, das alle Bereiche umfaßte und Ansätze für eine liberale Entwicklung enthielt. Hierzu gehörten die Einführung der Bürgerschulen in den sächsischen Städten als neuer Schultyp, ferner von Real- und Gewerbeschulen mit dem Ziel, dem Handels- und

[226] E. Weisenfeld: Ebd. 41–45 gibt eine treffende Charakterisierung dieser Strömungen.

Handwerkerstand eine verbesserte Ausbildung zu vermitteln. Gleichzeitig trat der Lateinunterricht in den Hintergrund, um neben dem Ungarischen die modernen Fremdsprachen stärker berücksichtigen zu können.

Im Mittelpunkt der pädagogischen und philantropischen Bestrebungen des siebenbürgisch-sächsischen Lehrers und Nationalitätenpolitikers Stephan Ludwig Roth (1796–1849), einem Schüler und Mitarbeiter Pestalozzis, standen nicht nur Pläne zur Verbesserung des rückständigen sächsischen Schulwesens, seit Beginn der vierziger Jahre trat er mit Nachdruck auch für die Abschaffung der Leibeigenschaft, die Hebung des allgemeinen Wohlstands durch Modernisierung der Landwirtschaft auf der Grundlage bäuerlichen Eigentums auch für die rumänischen und magyarischen Fronbauern ein[227]. In Kronstadt, wo sich seit Mitte der dreißiger Jahre ein kraftvolles, liberal gesonnenes Bürgertum als Gegenpol zu der konservativen Führungsschicht der Hermannstädter Patriziergeschlechter entfaltet hatte, ging auch das Pressewesen neue Wege und paßte sich den steigenden Informations- und Kommunikationsbedürfnissen an, so daß das bei Johann Gött seit 1837 erscheinende „Siebenbürger Wochenblatt" im Jahre 1842 bereits 1000 Abonnenten[228] besaß, eine für Südosteuropa und für eine Sprachinsel vom Ausmaß Siebenbürgens beachtliche Zahl.

Hauptgründe für die große Nachfrage nach den bei Gött verlegten Zeitungen in deutscher, ungarischer und rumänischer Sprache waren die darin enthaltenen fortschrittlichen Ideen und die Aktualität der Nachrichten aus Wirtschaft, Literatur und Bildungswesen, so daß sie auch außerhalb Siebenbürgens gelesen wurden. Die Verhandlungen über den Bau der Eisenbahn, die von Temeswar über Kronstadt zu den Donauhäfen führen sollte und an denen Bariţiu im Rahmen einer fünfköpfigen Delegation siebenbürgischer Städte teilnahm, sowie die Auseinandersetzungen um Stephan Ludwig Roths „Sprachkampf", der im Verlag von Johann Gött erschienen war, boten interessantes Material für die gut redigierten Zeitungen, die in der Zeit des Vormärz einen wertvollen Beitrag für die sächsisch-rumänische Annäherung leisteten und ein Gegengewicht zum ungarischen Nationalismus herzustellen begannen. Auch die 1841 erfolgte Gründung eines „Lesekabinetts" in Kronstadt, das von Gött mit Zeitschriften aus der ganzen Monarchie versorgt wurde, darunter neben 17 deutschen und 12 ungarischen auch zwei rumänische sowie zwei „illyrische", bedeutete eine kulturelle Bereicherung für die sächsisch-rumänische Wirtschaftsmetropole und förderte die Freude am Lesen und nicht zuletzt am Politisieren.

Die „Literaten", wie man die Vertreter der liberalen Ideen nannte, die an den Zeitungen Götts mitarbeiteten und sich überwiegend aus den Reihen der Gymna-

[227] St. L. Roth: Wünsche und Rathschläge, 210f. und 216f. Vgl. ferner O. Folberth (Hrsg.): Roth, Stephan Ludwig: Gesammelte Schriften und Briefe. Aus dem Nachlaß hrsg., 7 Bde, Kronstadt, Hermannstadt, Berlin 1927/64. (Bd. 1–6 Berlin ²1970).

[228] F. Teutsch: Geschichte der Siebenbürger Sachsen III, 184.

siallehrer, Pfarrer und Kaufleute rekrutierten, besaßen gegenüber der konservativen Gruppe der Hermannstädter einen Bildungs- und Informationsvorsprung, weil viele von ihnen trotz eines bestehenden Verbots an deutschen Universitäten studiert hatten, während die Beamtenstellen vor allem mit sächsischen Juristen besetzt wurden, von denen die meisten an einer der Rechtsakademien Ungarns oder Siebenbürgens ausgebildet worden waren, da sie in der Regel nur dort die erforderlichen Kenntnisse im geltenden Recht erwerben konnten. Dementsprechend war die Bürokratie überwiegend konservativ, während die liberalen „Literaten", zu denen auch die in Siebenbürgen heimisch gewordenen Schriftsteller, Kaufleute und Handwerker aus Deutschland gezählt wurden, für eine Demokratisierung der Stadtverwaltung eintraten, die nach ihren Vorstellungen künftig „durch die gesamte Bürgerschaft zu wählen"[229] sein sollte. Aus dieser Einstellung der liberalen Kräfte entsprang auch die Sympathie für eine Union mit Ungarn; denn da dort die Anhänger grundlegender Reformen die Oberhand zu gewinnen schienen, versprach man sich für die in vieler Hinsicht nicht mehr zeitgemäße Selbstverwaltung neue Impulse, vor allem die Aufhebung der von Wien aus verfügten „Regulation" von 1806, durch die alle ursprünglich demokratischen Strukturen dieser Selbstverwaltung praktisch außer Kraft gesetzt worden waren. Es dauerte indes nicht lange, bis sich die Einsicht durchsetzte, daß zwischen den liberalen Reformplänen der Magyaren und ihrem Nationalismus ein schwer zu überbrückender Widerspruch bestand. Einen besonders reformfreudigen Ton schlugen die „Literaten" in der seit 1840 von Gött herausgegebenen Beilage des Siebenbürger Wochenblattes, dem „Satellit", an, wobei es um die Beseitigung der drückenden Abhängigkeit der Lehrer von Dorfrichtern und Gemeindeältesten ging, wie überhaupt die Abschaffung sozialer Härten die Gemüter der Liberalen bewegte und die Forderung, die „Aristokratie der Geburt" durch die „Aristokratie der Talente und Tugenden" zu ersetzen, eine breite Anhängerschaft in der jungen Generation fand. Allen voran führte seit 1839 der aus Wien oder Umgebung stammende Jurist Anton Kurz, Schriftsteller, Historiker und leidenschaftlicher Vertreter einer radikal-liberalen Gesinnung, seinen schon dort begonnenen Kampf gegen das Metternichsche Regime weiter, wobei seine freisinnigen Gedanken durch eine umfassende Korrespondenz mit den führenden rumänischen Literaten auch diesseits und jenseits der Karpaten bei den rumänischen Liberalen verbreitet wurden. Obwohl ihn historische Gestalten wie Michael der Tapfere faszinierten, galten für Kurz Kriege als „die eigentlichen Geißeln der Menschheit und der Völker"[230], womit er vor allem bei den Rumänen Zustimmung fand; denn so sehr sie von den Heldentaten ihrer großen Fürstengestalten begeistert waren, so sehr hatten sie die Lasten der Kriege des 18. und beginnenden 19. Jahrhunderts noch in lebhafter Erinnerung.

[229] C. Göllner: Betrachtungen zum fortschrittlichen Denken, 13, 24.
[230] *Ders.:* Anton Kurz. Leben und Werk, 48.

Wie in Deutschland gehörte auch bei den Siebenbürger Sachsen der Wunsch nach allgemeinem Frieden zum festen Bestand der liberalen Programme, ebenso das Streben nach Vorkehrungen gegen Übergriffe der Bürokratie und deren Geheimniskrämerei. Die starke Vermehrung der Beamten- und Schreiberposten sowie deren überflüssige Vielschreiberei galten Kurz als Ursache für die Unterdrückung der freien Initiative, für Geldverschwendung und für die Verhinderung des Fortschritts überhaupt. Obwohl sich die kommunalen Verwaltungsorgane gegen diese Vorwürfe wehrten und ihre Verbreitung zu unterbinden suchten, gewann die Auffassung, daß „frische Luft in die alten Sitzungsräume" einkehren müßte, eine breite Anhängerschaft[231]. Erste politische Erfolge dieser neuen Strömung ergaben sich aus den Wahlen zum Siebenbürgischen Landtag von 1846/47, als vier freisinnige Vertreter in die Repräsentativversammlung einzogen, die nicht dem Kreis der Verwaltungsbeamten entstammten, obwohl auch sie Juristen waren. Durch die 1844 in Hermannstadt eingerichtete Rechtsakademie, die künftigen Juristen größere Kenntnis des Landesrechts vermitteln sollte, waren auch junge Professoren ins Land gekommen[232], die mit ganzer Hingebung der Aufgabe dienten, „durch Fortschritt zur Freiheit" zu gelangen, und auf dem Landtag für die Einführung einer neuen Urbarialordnung eintraten, um die Rechte und Pflichten der Landbevölkerung, insbesondere der Hörigen, neu zu regeln. Daß die Vertreter der ungarischen Adelsnation, die sonst eifrig jede Gelegenheit wahrnahmen, in Opposition zur Wiener Regierung zu treten, in diesem Fall sich mit den konservativen Regierungs- und Hofkreisen verbanden, um eine Milderung der Robotleistungen zu verhindern, hat in der Folgezeit den Gegensatz zu den Sachsen weiter vertieft. So gewann auch hier die Frontstellung nach zwei Seiten, gegen die „Aristokraten der Geburt" und die daran geknüpfte Ordnung auf der einen, gegen die Macht der staatlichen und kommunalen Bürokratie auf der anderen Seite, in den Programmen der Liberalen breiten Raum.

Die Ansprüche der Rumänen

Die Langzeitwirkungen der theresianisch-josephinischen Reformen, die zu einer weitreichenden Alphabetisierung auch unter den Rumänen geführt hatten, sowie das von der verbesserten Gesundheitsfürsorge begünstigte Bevölkerungswachstum trugen vor allem auf dem Fundus regius zu einer verstärkten Mobilität bei. Dieser soziokulturelle Wandel spiegelte sich einmal in der zunehmenden Urbanisierung, zum anderen in der steigenden Zahl rumänischer Schüler an den höheren Bildungsanstalten. So haben an den „Fakultäten für Philosophie und Recht" in Klausenburg in den Jahren zwischen 1822 und 1835 unter den insgesamt 2716 Studenten 448

[231] Ebd. 50f.
[232] U. Acker: Zur Geschichte der Hermannstädter Rechtsakademie, 125f.

Rumänen ihre Ausbildung erhalten, wobei der jährliche Durchschnitt rumänischer Studenten kontinuierlich anstieg[233]. Ähnlich verhielt es sich mit der Zuwanderung von Rumänen in die Städte.

Da sich das alte städtische Patriziat gegen die Niederlassung von magyarischen Adligen ebenso wehrte wie gegen die Rumänen, bildeten die Vorstädte die ersten Ansätze für die rumänische Urbanisierung, wie in Kronstadt, wo Mitte der vierziger Jahre in den Stadtmauern rund 600 rumänische Einwohner unter den 4500 Sachsen lebten, während in den Vorstädten, insbesondere in Şchei, 8500 Rumänen wohnten und hier die Mehrheit der Bewohner stellten.

Der Aufstieg der rumänischen Kolonie Kronstadts hat eine lange Vorgeschichte, die mit der griechischen Handelskompagnie untrennbar verbunden ist und ihr das Signum einer ursprünglich polyethnischen Glaubens- und Wirtschaftsgemeinschaft bis weit in das 19. Jahrhundert erhielt. Zu den Besonderheiten dieser Gemeinschaft gehörten Erfahrungen in der Lösung schwieriger Rechtsfragen, da von den sächsischen Kaufleuten, denen die Begünstigung der „Griechen" ein Dorn im Auge war, wiederholt der Versuch unternommen worden war, deren Privilegien für die Wahl der eigenen Pfarrer und Richter in Frage zu stellen. Grund hierzu hatten sie vor allem seit dem beginnenden 19. Jahrhundert, denn Rumänen, Griechen, Bulgaren und Aromunen bildeten alles andere als eine ethnische „griechische" Händlergemeinschaft, auch wenn die Verkehrssprache überwiegend das Griechische blieb. Aber nicht das ethnische Problem war Stein des Anstoßes, sondern der Erwerb von Haus- oder Grundeigentum innerhalb der Stadtmauern, der die Voraussetzung für die Bürgerrechte war, denn sie bildeten nun eine bürgerliche, griechische Gemeinde, während die „privilegierte compagnie", die in der Vorstadt Şchei ihren Schwerpunkt hatte, überwiegend aus Rumänen bestand, die sich allerdings ebenfalls oft des Griechischen als Handels- und Verkehrssprache bedienten. Wohlstand, ein durch den Handelsverkehr mit Westeuropa sowie dem Balkanraum erweiterter politischer Horizont und das Bewußtsein, der griechischen Kulturgemeinschaft anzugehören, hatten hier der „Philiki Hetairia" zum Leidwesen der österreichischen Behörden einen breiten Resonanzboden geschaffen. Aber auch nach der Abwanderung einiger Griechen, die am Freiheitskampf der Jahre 1821–28 teilnahmen oder sich später im befreiten Vaterland niederließen, blieb das Bewußtsein wach, wonach jede Form der Freiheit nur Bestand haben konnte, wenn man bereit war, sie zu verteidigen.

Ein wichtiger Baustein für den kulturellen Aufstieg der Kronstädter griechisch-orthodoxen Gemeinde bis hin zum Mittelpunkt liberaler Reformbestrebungen war durch den Fürsten Grigore Brîncoveanu gelegt worden, der zweimal zusammen mit seinen Eltern, 1806–1812 und dann wieder 1821 während des Hetairistenaufstandes, für längere Zeit die Gastfreundschaft der Kronstädter Kirchengemeinde Sf. Treime (Hl. Dreifaltigkeit) genossen hatte, und ihr 1832 testamentarisch ein

[233] A. Andea: Cultura românească şi filozofia kantiană, 167.

beachtliches Vermögen hinterließ. Dieses war je zur Hälfte für die Seelsorge und Armenfürsorge sowie für die Erweiterung der Schule bestimmt, die von der Händler-Kolonie unterhalten wurde. Brîncoveanu hatte im Geiste der Aufklärung und des Frühliberalismus seine Verfügung dahingehend präzisiert, daß aus diesen Mitteln die griechischen Lehrer für den allgemeinen Unterricht der Grammatik und Philosophie, daneben aber auch ein Lehrer für die deutsche Sprache bezahlt werden sollten und daß der Schulbesuch sowohl den „Kindern des Vaterlandes als auch Fremden ohne Unterschied des Glaubensbekenntnisses unentgeltlich" gestattet sein sollte. Die um den sozialen Aufstieg bemühten Rumänen Kronstadts setzten sich 1834 dafür ein, ihren Kindern bessere Ausbildungsmöglichkeiten zu eröffnen, damit diese in Lehrstellen und in die Zünfte aufgenommen werden konnten. Die Vorsteher der Griechengemeinde legten jedoch keine besondere Eile an den Tag, den Schulausbau zu fördern, so daß die Rumänen fast zwei Jahrzehnte hindurch mit Bitt- und Klageschriften hartnäckig um die Errichtung eines eigenen Gymnasiums ringen mußten. Nachdem der bereits 1840/41 vorgeschlagene Lehrplan endlich genehmigt worden war, konnte die Schule 1851 ihre Pforten einer lernbegierigen Generation öffnen.
Im Kampf um dieses Schulprojekt bewiesen während der dreißiger und vierziger Jahre breite Kreise ihre Initiative und Ausdauer. Mit Unterstützung ihrer „Nachbarschaften" – einer für die Gemeinde in Şchei typischen Organisationsform philanthropischer Art, die von der Struktur der sächsischen Nachbarschaftsorganisation beeinflußt worden war, – wurde die Partizipationsgrundlage verbreitert, so daß einzelne Klageschriften von 25 Nachbarschaftsvätern und Zunftmitgliedern unterzeichnet sind[234]. So standen sich in Kronstadt zwei orthodoxe Gemeindegruppen gegenüber, eine aufstrebende liberal-nationale rumänische, die auf Hebung des allgemeinen Bildungsstandes bedacht war, und eine griechisch-konservative, bestehend aus arrivierten Kaufleuten, deren Augenmerk in erster Linie auf die Unterstützung des jungen Königreichs der Hellenen gerichtet war und die die Belange ihrer rumänischen Glaubensgenossen daher hintansetzten, was sie durch ihre große Spendenfreudigkeit unter Beweis stellten. Diese Spendenbereitschaft, die der Gründung des Kasino-Vereins in Kronstadt 1835, der zwar den Namen „Casina română" führte, sich aber aus griechisch-orthodoxen Kaufleuten rumänischer, griechischer, bulgarischer und armenischer Volkszugehörigkeit zusammensetzte, ebenso zugute kam wie noch 1837 der im Aufbau begriffenen Universität in Athen, hatte das Kulturleben der Griechen wie der Rumänen gefördert[235]. Wie schnell sich aber der in Handel und Gewerbe erworbene Wohlstand der neuen rumänischen Intelligenzschicht auf die Buchproduktion auswirkte, ersieht man aus

[234] V. Oltean: Acte, documente şi scrisori, 81–105.
[235] So entstand 1840 noch ein zweiter Kasino-Verein, der den Namen „Walachisch–griechisch–bulgarisches Casino" führte, aber bald seine Tätigkeit wieder einstellte. Die Vereinigung „Casina română" nahm dagegen bald einen „rein rumänischen Charakter" an. Vgl. C. Papacostea–Danielopolu: Organizarea şi viaţa culturală, 188–191 u. 205–209.

dem starken Anstieg rumänischer Buchdrucke in Kronstadt, die von Gheorghe Lazărs „Belehrung der Jugend" ... (Povețuitorul tinerimii cătră adevărată și drepta cetire. 1833) über die „Allgemeine Handlungs- und Wechselordnung" (1837) und die „Elemente de drept politic" (1846) bis hin zur rumänischen Übersetzung des „Till Eulenspiegel" reichten[236].

Kronstadt blieb Jahrzehnte hindurch das Gebiet mit der höchsten Abonnentenzahl der rumänischen Zeitung „Gazeta", gefolgt von den Kreisen Abrud, Blaj, Hermannstadt, Lugoj und Arad, was mit der besser entwickelten sozio-ökonomischen Lage der rumänischen Funktionseliten belegt wird, denn Klerus, Lehrerschaft (besonders im Banat) und Kaufleute stellten das Gros der festen Bezieher in den Jahren 1838 und 1842[237]. Die Mannigfaltigkeit der hier vertretenen Heim- und Verkehrssprachen, die vom Deutsch der Sachsen, Griechischen, Bulgarischen und Rumänischen über das Latein der Landesverwaltung bis zum Armenischen reichten, sowie die Erfahrung in Privat- und Staatsrechtsfragen, die der internationale Handel mit sich gebracht hatte, boten der rumänischen Intelligenz einen politisch und wirtschaftlich gut abgesicherten Standort, von dem aus liberale Positionen im Ringen um den gesellschaftlichen Aufstieg vertreten werden konnten. Mit größter Vorsicht natürlich, aber dies hatten diese Unternehmer ja gelernt.

Die rumänische Intellektuellenschicht Siebenbürgens, die Mitte der dreißiger Jahre hauptsächlich aus der Geistlichkeit der beiden Riten, den Lehrern und einer kleinen Zahl von Rechtsanwälten, Ärzten und Kaufleuten bestand, besaß keine politische oder berufsständische Vertretung außer den beiden Bischöfen, von denen der unierte aus Blaj allein Sitz und Stimme im Landtag hatte. Blaj blieb noch immer der kulturelle Mittelpunkt, denn die Absolventen des fünfklassigen Gymnasiums waren nach dem zweijährigen Philosophiekurs zum Eintritt in das Priesterseminar oder zum Studium an einer Rechtsakademie berechtigt.

Von den fast 200 Schülern des Gymnasiums sowie den rund 100 Philosophie- und Theologiestudenten stammten die meisten aus Pfarrhäusern, gefolgt von Bauern- und Lehrersöhnen, ferner von Kindern der Grenzer, Kaufleute und Beamten. Berücksichtigt man, daß dem Gesetz nach die Leibeigenen ihre Söhne nur mit Zustimmung ihrer Feudalherren in die Schule schicken durften, wird erkennbar, daß die Schicht der bildungsfreundlichen, vom Geist der Aufklärung und insbesondere des Spätjosephinismus beeinflußten Standesherren in allen drei Nationsterritorien nicht eben gering gewesen sein dürfte. Die Zahl der rumänischen Studierenden, die zwischen 1830–1845 die höheren Schulen in Klausenburg/Cluj sowie die philosophischen und juristischen Fakultäten in Großwardein/Oradea Mare oder Pest besuchten, dürfte nach Schätzungen von Zeitgenossen jährlich bis zu 100 betragen haben[238]. Obwohl die Schulen in Blaj nicht nur Kinder von Ange-

[236] J. Gross: Kronstädter Drucke, 103ff. und 162.
[237] G. Marica: Studii de istorie I, 32f.
[238] G. Barițiu: Părți alese I, 389f. u. 632.

hörigen des unierten Ritus, sondern auch solche orthodoxer Eltern aufnahmen, bestand das Gros der Intellektuellen in der Zeit des Vormärz aus Unierten, die auch bei der Artikulation liberaler Reform- und Emanzipationstendenzen tonangebend waren. In Blaj wurde der Philosophieunterricht, wie ihn Simeon Bărnuţiu (1808–1864) seit 1830 erteilte, in Anlehnung an Kant und Wilhelm Traugott Krug (1770–1842) gegeben, wobei der "juste-milieu"-Konstitutionalismus, wie ihn Krug 1823 erstmals dargestellt hatte, den allgemeinen Wünschen am besten entgegenkam und Bărnuţiu darin reichlich Argumente für seine Kritik an der Gesellschaft fand, in der er das rechte Maß an Freiheit vermißte. Auch an den anderen Lyzeen sowie an den Rechtsakademien und Philosophischen Lehranstalten fand die Philosophie der Aufklärung in ihrer gemäßigten Form Verbreitung, insbesondere seitdem die Lehren Kants didaktisch aufbereitet worden waren.
Folgt man den neuesten Forschungsergebnissen, dann waren viele Wegbereiter der Modernisierung des rumänischen Geisteslebens in Siebenbürgen wie George Bariţiu, Aron Pumnul, Avram Iancu, Alexandru Papiu-Ilarian vom Geist der Kant'schen Philosophie befruchtet worden[239]. Der Werdegang von Simeon Bărnuţiu macht die Auswirkungen anschaulich. Als er sich nämlich weigerte, die absolute Autorität des Bischofs anzuerkennen und eine liberale und auf Mitspracherecht des sobors – der Versammlung von Klerikern und Laien – beruhende Leitung der Diözese forderte, da für ihn die Kirche eine nationale Institution war, die zu einer „Festung der rumänischen Nation" gegen die Magyarisierungstendenzen ausgebaut werden sollte, kam es zum Streit mit Bischof Lemeny, an dem sich auf der Seite Bărnuţius neben zahlreichen Studenten auch einige seiner Kollegen beteiligten. Er wurde daraufhin 1842 aus dem Schuldienst entlassen und begann 1844 in Hermannstadt mit dem Studium der Rechtswissenschaft. Unter dem Einfluß der von Savigny begründeten historischen Rechtsschule entwickelte er seine Vorstellungen von der Verfassung Siebenbürgens und seine Definition der rumänischen Nation.
Die im Interesse der ungarischen Adelsnation propagierte Vereinigung Siebenbürgens mit dem Königreich Ungarn und die verstärkten Magyarisierungsversuche, die zunächst als Mittel zur Stärkung der nationalen Kohäsion im Ringen um die Verfassungsrechte Wien gegenüber dienen sollten, bewogen die Führung der bikonfessionellen rumänischen Nationalität zu neuen politischen Aktivitäten. An einem kritischen Punkt des Gegensatzes zwischen einer konservativen österreichischen Staatspolitik und einer liberalen, aber auch gemäßigt zentripetalen Tendenz der ungarischen Reformpartei versuchten Rumänen und Siebenbürger Sachsen, ebenso Serben und Kroaten, ein Gegengewicht zum magyarischen Nationalismus zu bilden. Auf diesem Hintergrund ist das Zustandekommen der Bittschrift an den Kaiser – nicht an den König von Ungarn – von 1834 zu sehen, in welcher die beiden Bischöfe, Vasile Moga und Ioan Lemeny, Forderungen nach Anerkennung der Rechte des Klerus und der Rumänen Siebenbürgens als politischer Nation

[239] A. Andea: Cultura românească şi fiolozofia kantiană, 167f.

vorbrachten. In ihr wurde auf die Möglichkeit einer Erhebung ähnlich jener von Horia vom Jahre 1784 hingedeutet und außerdem mit der Wahrnehmung eines elementaren Grundrechts, nämlich mit der Abwanderung aller Rumänen aus Siebenbürgen gedroht, falls diesen nicht die bürgerliche Gleichberechtigung gewährt würde[240]. Betroffenheit in den Kreisen der ungarischen Magnaten und Barone um Miklós Wesselény war zunächst die Folge. Gleichzeitig wurde bekannt, daß die liberale Opposition der Magyaren die Bauernbefreiung dazu nutzen wollte, die rumänische Grundschicht auf ihre Seite zu ziehen, um sie dann leichter magyarisieren zu können[241]. Damit begann eine taktische Neuorientierung der Siebenbürger Sachsen wie der Rumänen selbst. Im Hinblick auf die an Gewicht zunehmende Opposition der Magyaren wurde diese Bittschrift, wie schon ihre Vorläufer vor mehr als 40 Jahren, abgelehnt. Als sich bald darauf erhebliche politische Spannungen zwischen dem magyarischen Adel Siebenbürgens und den Sachsen entwickelten – seit 1836 wurden die Landesgesetze nur noch in ungarischer Sprache und nicht wie vorher auch in lateinischer veröffentlicht –, glaubte Bischof Vasile Moga 1837 die Gelegenheit wahrnehmen zu müssen und überreichte den in Hermannstadt versammelten Landständen eine sieben Punkte umfassende Bittschrift, in welcher er um die Genehmigung zur Errichtung einer Unterrichtsanstalt für den orthodoxen Priesternachwuchs in Siebenbürgen, ähnlich derjenigen in Czernowitz, Arad und Werschetz, an seinem Amtssitz in Hermannstadt bat, ferner um die Verbesserung der materiellen Lage seines Klerus sowie um die Gewährung der freien Gewissensentscheidung für Frauen, die bei konfessionell gemischten Ehen zur Religion ihres Mannes übertreten wollten.

Hauptpunkt der Forderungen war auch diesmal die Zubilligung politischer Rechte für die annähernd 200 000 Rumänen des Fundus regius. Dieser Aktion schloß sich Bischof Ioan Lemeny an, um den Bemühungen seines griechisch-orthodoxen Amtsbruders Nachdruck zu verleihen, zugleich aber auch, weil die Kritik an der politischen Abstinenz des unierten Bischofs zugenommen hatte, der bei den rumänischen Intellektuellen als Parteigänger der Ungarn galt[242].

Die sächsische Nationsuniversität[243] als Vertretung der freien Bauern und Stadtgemeinden, eine durch Jahrhunderte gewachsene Körperschaft der Selbstverwaltung, konnte dieser Bitte nicht entsprechen, da dies die Aufgabe der eigenen Verfassung bedeutet und dem magyarischen Feudaladel Rechte eingeräumt hätte, die man in der mehrhundertjährigen Verteidigung der Privilegien keiner Schicht zu gewähren bereit gewesen war. Es war aber eine Entscheidung, mit der Teile der sächsischen Jugend, darunter vor allem Angehörige der im Ausland gebildeten Intellektuellen,

240 L. Gyémánt: Acţiuni petiţionare, 36ff.

241 A. Papiu – Ilarianu: Istoria Romaniloru I, 185.

242 K. Hitchins: The Rumanian National Movement in Transylvania, 139, 177f.

243 Eine treffende Definition gibt Fr. Müller-Langenthal: Die geschichtlichen Rechtsgrundlagen der Sächsischen Nationsuniversität, 44–68.

durchaus nicht einverstanden waren, denn es hatte eine Annährung eingesetzt, die sowohl von der Romantik als auch vom wissenschaftlichen Interesse für die Geschichte der Rumänen getragen wurde und hier einen unbekannten Schatz an Volkskultur zu entdecken half. Als man erkannt hatte, daß die sächsische Volkskultur, einschließlich der Mundart, mit rumänischen, szeklerischen und magyarischen Elementen bereichert worden war, und umgekehrt, begannen die durch Unterschiede in Sprache, Glaube und Sozialstruktur aufgebauten Barrieren abzubröckeln.

Die wachsende Mobilität, die mit der Industrialisierung einherging, hatte den Handelsverkehr Siebenbürgens mit den Donaufürstentümern, mit Preßburg, Wien und Leipzig belebt und zugleich eine medial vermittelte Kommunikation erleichtert. Mit einer geographisch bedingten Phasenverschiebung begann zuerst in den urbanen Zentren Siebenbürgens und des Banats, dann auch der Bukowina und der Donaufürstentümer eine Anpassung an die Entwicklung in Mitteleuropa, die den sozialen Wandel und eine horizontale oder vertikale Mobilität begünstigte, d.h. zum Übergang von der Traditionalität zur Modernität beitrug. Breite Berührungsebenen boten hierfür Kronstadt, Hermannstadt und Klausenburg, wo man den Innovationen in den verschiedenen Wirtschaftszweigen größere Aufmerksamkeit schenkte. So hatte die Rübenzuckermanufaktur 1831 mit der Einfuhr moderner Maschinen aus Wien begonnen, hatten Broschüren neue Kenntnisse vermittelt, die mit der Gründung von Schulen für Handlungslehrlinge durch die Handwerkskammern von Hermannstadt und Kronstadt 1833 auf zunehmend breitere Grundlagen gestellt wurden. Es folgte die Mechanisierung des Bergbaues, wo der Einbau von Dampfmaschinen 1838 einsetzte und von einem raschen Anstieg der Manufaktur- und Handwerksbetriebe begleitet wurde. Von dieser günstigen Wirtschaftskonjunktur profitierten alle ethnischen Gruppen, wenn auch die bestehenden Munizipal- und Zunftordnungen dem Erwerb neuer Positionen im Sinne eines sozialen Wandels Grenzen setzten. Der Ausbau der Handels- und Verkehrswege in den Donaufürstentümern, wo sich die Entwicklungstendenzen des Organischen Reglements auszuwirken begannen, sowie der verstärkte Warenverkehr zwischen Österreich und der Walachei verliehen dem Wirtschaftsleben Südsiebenbürgens zusätzliche Innovationsimpulse, das sich mit der neuen Konkurrenzsituation auseinandersetzen mußte[244].

Im kulturellen und – dadurch bedingt – im politischen Bereich wirkte sich diese Modernisierung des Wirtschaftslebens für die Rumänen Siebenbürgens zunächst in Kronstadt aus. Dort besaß das rumänische Casino als Stätte der Begegnung eine Basis von etwa 500 rumänischen Stadt- und fast zehnmal so vielen Vorstadtbewohnern, vornehmlich Handwerker und Kaufleute, die sich eines zunehmenden Wohlstandes erfreuten. Sie schickten ihre Söhne zum größten Teil auf die höheren Schulen in Blaj, dem rumänischen Bildungszentrum in Siebenbürgen. Von dort

[244] G. Penelea: Relaţiile economice, 8, 20ff.

holten sie auch die geeigneten Hauslehrer für den Privatunterricht ihrer Söhne im Lateinischen, denn die altüberkommene Latinität im Bereich des siebenbürgischen und ungarischen Rechts hatte dieser dem Rumänischen so nahe verwandten Sprache einen hohen Stellenwert gesichert. Der junge Theologiestudent George Bariţiu kam auf diese Weise in die orthodoxe Hochburg der Rumänen Siebenbürgens, ungeachtet der Vorurteile seiner griechisch-katholischen Lehrer gegenüber den Orthodoxen, und betrat damit neue, zukunftsweisende Bahnen für die interkonfessionelle Annäherung sowie für die zwischenvolkliche Aussöhnung.

Wie viele führende Persönlichkeiten seiner Generation entstammte er einem unierten Pfarrhaus, hatte in Blaj das Untergymnasium absolviert und war dann Schüler eines bekannten Piaristenlyzeums in Klausenburg, damals Hauptstadt des Großfürstentums und gleichzeitig dessen größtes urbanes Zentrum. In der mehrsprachigen Umwelt vervollständigte er seine Kenntnisse der anderen Landessprachen: Ungarisch und Deutsch, wobei ihm Theateraufführungen und die Lektüre der in Klausenburg seit 1828 erscheinenden ungarischen Zeitung „Hazai Hiradó" (Volksbote), sowie des in Hermannstadt erscheinenden „Siebenbürger Boten", den sein Hauswirt, ein pensionierter sächsischer Gymnasiallehrer hielt, den Weg zur Mehrsprachigkeit erleichterten. Auf Wunsch seines Vaters studierte er dann in Blaj Theologie, doch lagen seine Interessen auf anderen Gebieten. Seine Erfolge als Hauslehrer während der Ferienaufenthalte in Kronstadt und der Einfluß seines Physik- und Philosophielehrers Simion Bărnuţiu bewogen ihn, die ihm unmittelbar nach Beendigung des Theologiestudiums angebotene Stelle als Physiklehrer am Lyzeum in Blaj anzunehmen.

Wohl in Kenntnis der günstigen Möglichkeiten für die kulturelle Entfaltung der Rumänen sowie für die Annäherung zwischen den beiden orientalischen Glaubensgemeinschaften hatte Bariţiu noch vor seiner Ernennung eine für sein Alter beachtenswerte Denkschrift verfaßt, in der er den Kronstädter Rumänen Vorschläge für den Ausbau der 1834 begründeten Elementarschule machte. Den Mitgliedern der Schulpflegschaft gefielen die auf Stärkung der eigenen Initiative und Selbsthilfe abzielenden Ideen des 23jährigen, den sie daraufhin für ihre Schule verpflichteten.

Mit dem Selbstbewußtsein eines Hochbegabten gelang es ihm, zunächst als engagierter Lehrer, die Bemühungen Damaschin Bojîncăs um die Hebung der moralischen Werte fortzusetzen und gleichzeitig neue pädagogische Grundlagen für das rumänische Bildungswesen zu erarbeiten. Von 1838 an leistete er als Redakteur der ersten politischen Wochenzeitung einen entscheidenden Beitrag zur Modernisierung durch die Bekämpfung des Analphabetentums, des Aberglaubens und nicht zuletzt der politischen Rückständigkeit. Dabei kamen ihm mehrere Umstände zugute, die er geschickt für seine Ziele zu gebrauchen verstand. Der wirtschaftliche Aufstieg Kronstadts, damals zweitgrößte Stadt Siebenbürgens, hatte den Einzug moderner Denkmodelle bei der sächsischen, der rumänischen und der ungarischen Bürgerschicht gefördert, so daß dort 1837 sowohl die erste sächsische Lokalzeitung, das „Siebenbürger Wochenblatt", mit einer literarischen Beilage, als auch die erste ungarische Zeitung Kronstadts, „Erdélyi Hirlap", erscheinen konnten. Da auch die Kronstädter Rumänen seit 1837 versuchten, für ein kirchliches Sonntagsblatt nach sächsischem Vorbild, die „Foaia Duminecii", breite Leserschichten zu gewinnen, zunächst allerdings ohne Erfolg, weil das Niveau der Leserschaft nicht zusagte, entschloß sich Bariţiu zur Herausgabe einer von ihm redigierten Zeitung, der „Gazeta de Transilvania". Seine anspruchsvollere und didaktisch klug gestaltete Publizistik fand viele Leser, zumal es ihm gelang, sechs junge Rumänen zur Mitarbeit an seinen Projekten, nämlich dem Schulausbau und dem auf Überregionalität und Überwindung konfessioneller Vorurteile bedachten Wochenblatt, zu gewinnen. Diese „junge Garde" im Alter zwischen 21 und 30 Jahren kam aus verschiedenen intellektuellen Berufsgruppen und erleichterte es Bariţiu[245], den politischen und literarisch-kulturellen Horizont der Leserschichten systematisch zu erweitern.

Die enge und gute Zusammenarbeit mit dem aus Frankfurt a. M. 1820 nach Siebenbürgen eingewanderten Johann Gött, seit 1835 Eigentümer der altehrwürdigen Honterusdruckerei, sowie die Unvoreingenommenheit, mit der Bariţiu die positiven Seiten der sächsichen Munizipalverfassung seinen Landsleuten nahezubringen versuchte, prägten den rumänischen Frühliberalismus. Um Johann Gött, den jungen Redakteur des „Siebenbürgischen Wochenblatts", der es innerhalb von fünfzehn Jahren geschafft hatte, vom Buchdruckergesellen zum Eigentümer einer Druckerei und Redakteur einer Zeitung aufzusteigen, hatten sich einige Kronstädter Intellektuelle sowie junge Unternehmer gesammelt, die überwiegend der sächsichen Bürgerschicht entstammten, aber gegen den aristokratisch-bürokratischen Konservativismus der Hermannstädter Führungsschicht opponierten. Und wie das Kronstädter Wochenblatt Johann Götts zum Organ des sächsischen Liberalismus und der bürgerlichen Opposition gegen das absolutistische System sächsisch-bürokratischer Prägung wurde, so wurde das rumänische Spiegelblatt, die „Gazeta de Transilvania", ein Blatt der jungen Generation, die Anschluß an fortschrittlich denkende Kreise der Magyaren und Sachsen suchte. Zugleich wurde diese Zeitung das Sprachrohr der liberalen Politiker der Moldau und Walachei, da die dort erscheinenden Blätter weit schärferen Restriktionen unterlagen als die Gazeta, die sehr geschickt Artikel aus dem Wochenblatt sowie aus den liberalen ungarischen Zeitungen übernahm, die mehr Bewegungsfreiheit besaßen.

1836 hatte Bariţiu zusammen mit T. Cipariu, einem seiner Lehrer aus Blaj, eine Reise in die Walachei unternommen und war gleich bei Ansicht der ersten Stadt auf dem Weg nach Bukarest, in Cîmpina, von der Unregelmäßigkeit der Straßen- und Hausbauweise betroffen. Denselben nachteiligen Eindruck gewann er dann von

[245] V. Netea: George Bariţiu, hat mit großer Akribie den Werdegang dieses Volksaufklärers gezeichnet, so die Schulzeit in Klausenburg, S. 37f. und die Anfänge der Tätigkeit in Kronstadt, S. 57ff.

Bukarest, das nur aus der Ferne wie eine europäische Stadt wirkte, im Innern aber die Struktur einer zufälligen Ansammlung von weit auseinanderstehenden Häusern aufwies, die den Dörfern in den ungarischen Komitaten glich. Ihm mißfielen die unorganische Bauweise und die engen und unregelmäßigen Gassen, in denen neben Palästen kleine Hütten standen. Die schärfste Kritik übte er aber an den sozialen Verhältnissen, wobei er weitaus härter urteilte, als dies Dinicu Golescu in seinen Reiseaufzeichnungen ein Jahrzehnt vorher getan hatte.

Vor allem die moralische Korruption und die unübersehbare Diskrepanz zwischen dem Wortlaut von Verfassung und Gesetzen auf der einen und deren Anwendung auf der anderen Seite erschütterten ihn. Die Mehrzahl der Bojaren erschien ihm ungehobelt, und wer etwas Griechisch, Französisch und Rumänisch verstand und schreiben konnte, bekleidete ein öffentliches Amt. Nicht minder streng beurteilte er den Klerus der Walachei im Vergleich mit Siebenbürgen. Vor allem das Pharisäertum der Mönche fand er geschmacklos. Das düsterste Bild auf dieser Reise war der Anblick des Elends der Bauern in der Landschaft zwischen Bukarest und Giurgiu an der Donau, wo die Landbevölkerung in Erdlöchern, ohne Stallungen, ohne Scheune[246] hauste.

Auf dem Hintergrund dieser Reiseeindrücke und der späteren Bekanntschaft mit dem Kronstädter Historiker Josef Trausch, den er oft besuchte, ist seine Hochachtung für das öffentliche Recht Siebenbürgens zu verstehen. Insbesondere die Freiheiten der sächsischen Munizipien schienen ihm eine geeignete Grundlage für eine Modellverfassung der rumänischen Nation, deren Anerkennung als vierte Landesnation Siebenbürgens er anstrebte[247]. Mit diesen Erfahrungen und Vorstellungen trat er seine Tätigkeit als Redakteur der ersten Zeitung der Rumänen Siebenbürgens und Ungarns an.

Bariţius Einfluß auf die politische Meinungsbildung waren aber in mehrfacher Hinsicht Grenzen gesetzt: Er war von den Quellen und Informationen abhängig, die ihm damals in Siebenbürgen zur Verfügung standen, ebenso von der Auseinandersetzung zwischen dem konservativen Blatt der sächsischen Patrizier, dem Hermannstäder „Siebenbürger Boten", und dem Kronstädter Wochenblatt. Das größte Hindernis für eine freie rumänische Berichterstattung und politische Meinungsbildung im liberalen Geist war aber die dreifache Zensurbarriere, nämlich des Kronstädter Magistrats, der Landesregierung in Klausenburg und schließlich der Wiener Behörden. Es ist daher um so erstaunlicher, daß Bariţiu bereits 1839 in der literarischen Beilage der „Gazeta de Transilvania", der „Foaia pentru minte, inimă şi literatură", so ab 1838, die ihren Titel in Anlehnung an die Beilage des „Siebenbürger Wochenblatts", „Blätter für Geist, Gemüt und Vaterlandskunde" gewählt hatte, den Mut besaß, die Schule hinsichtlich ihrer Bedeutung gleichberechtigt an die Seite der Kirche zu stellen. Ebenso kühn waren die Sätze, die einer seiner Schüler

[246] G. Marica: Notele de călătorie ale lui George Bariţ, 124–27.
[247] F. Killyen: Braşovul în preajma revoluţiei, 182.

geschrieben und die er 1839 veröffentlicht hatte: „Wenn ihr Kirchen errichtet, dann bitten wir mit Kindertränen auch einige Schulen mit etlichen Lehrern einzurichten, damit alle ihre seelische Nahrung finden können. Ein Gymnasium, meine Herren, eine reiche Schule, von der aus reicher Segen sich ergießen kann über die Seelen und Namen eurer Hochwohlgeborenen Herren“[248].

Diese Hinwendung zum Altar der Bildung, von der man sich als Kind des Spätjosephinismus noch immer die Erlösung aus allen Nöten versprach, war typisch für die politische Elite der Rumänen in den Westprovinzen in der Zeit des Vormärz. Es kann angenommen werden, daß Barițiu die Stimmung seiner Kronstädter Leserschicht erfaßt hatte, die aus dem im sozialen Aufstieg begriffenen rumänischen Bürgertum bestand – das damals die wohlhabendste und bedeutendste rumänische Schicht darstellte, die eine Stadt aufzuweisen hatte. Kronstadt erwies sich überhaupt als besonders geeigneter Standort für die Entwicklung des rumänischen Frühliberalismus, denn das Siebenbürgische Wochenblatt entfaltete im Laufe dieser Jahre das politische Programm des sächsischen Liberalismus bürgerlicher Prägung mit seinen Forderungen nach radikalen Reformen des gesamten Verwaltungsapparats der Städte, der Beseitigung der aristokratischen Bürokratenkaste und nach ihrer Ersetzung durch das ursprünglich praktizierte Recht aller Bürger, an der Wahl des Stadtrats teilzunehmen, sowie nach Öffentlichkeit der Ratssitzungen. Auch der Wunsch nach Aufhebung der Zünfte und der Anwendung neuer Methoden in Industrie und Handel entsprach den Bestrebungen der Rumänen, die sich nur im Falle einer grundlegenden Liberalisierung der Stadtverfassungen Chancen für erweiterte soziale Aufstiegsmöglichkeiten versprach.

Der ungebrochene Fortschrittsglaube, den diese Wochenzeitung vermittelte, war gepaart mit liberal-demokratischen Anschauungen, die allerdings mit gebotener Vorsicht formuliert werden mußten, um die Ansprüche auf Anerkennung als vierte politische Nation Siebenbürgens nicht zu gefährden. Um zu diesem Ziel zu gelangen, mußte Barițiu der politischen Elite der Siebenbürger Rumänen das Modell einer bürgerlich-freiheitlichen Gesellschaftsordnung vorstellen, das sich in einem Land bewährte, dessen Verfassung gewisse Ähnlichkeiten mit Ungarn und Siebenbürgen besaß. Diesen idealtypischen Staat sah er in England, denn dort waren sowohl die Zivilisation als auch die bürgerlichen Freiheiten weitaus vorteilhafter ausgebildet als in Frankreich, für das er weniger Sympathien zeigte, oder gar in den Nachbarländern Ostmittel- oder Südosteuropas. Das englische Parlament und die dort vertretenen politischen Parteien, die zu den ersten Organisationsformen dieser Art gehörten, faszinierten ihn derart, daß er seit 1838 den Inhalt zahlreicher englischer Parlamentsdebatten wiedergab, wobei er die Interessenlage der Leser geschickt einschätzte; denn eben zu jener Zeit tagte im benachbarten Hermannstadt der Landtag, der sich mit der Denkschrift Bischof Mogas befassen mußte. Barițiu

[248] G. Marica: Ideologia, 99, Anm. 242 zitiert aus der „Foaie pentru minte ...“ II, 1839, Nr. 8, 59.

schilderte die Freiheiten der Engländer, ihre Rechte bei der Wahl der Geschworenen, der Stadträte und der Abgeordneten sowie die Bedeutung der englischen Pressefreiheit, wobei er vor der schwierigen Aufgabe stand, die im Rumänischen fehlenden oder unbekannten Begriffe zu erläutern[249]. Seine Kenntnisse der englischen Verhältnisse entlehnte er der Augsburger Allgemeinen Zeitung sowie den Reden und Veröffentlichungen Széchenyis[250], für dessen liberale Politik er große Hochachtung hegte und den er in seinen Zeitungen seit 1838 wiederholt zitierte. In welchem Umfang Bariţiu von den Plänen Széchenyis zur Umbildung der ungarischen Adelsnation beeinflußt worden ist, wurde bisher nicht untersucht, doch liegt die Vermutung nahe, daß auch auf diesem Gebiet Anregungen rezipiert wurden. So hatte Bariţiu 1839 bereits seinen Nationsbegriff in einem Zeitungsaufsatz dahingehend formuliert, „daß die Menge des Volkes die Nation bilde, nicht aber jene wenigen stolzen Personen“[251]. Ein Jahr später, 1840, veröffentlichte er die Denkschrift des orthodoxen Bischofs Vasile Moga vom Jahre 1837 und trug damit zur Vorbereitung einer neuen Denkschrift bei, die modernere Argumentationen enthalten sollte. Dementsprechend waren auch die wirtschaftspolitischen Anschauungen liberal, ohne einem uneingeschränkten Wirtschaftsliberalismus das Wort zu reden. Die Forderungen beschränkten sich auf die von allen Frühliberalen gewünschte Aufhebung der Binnen- und Außenzölle, auf Beseitigung der drückenden Hörigkeitsverhältnisse, der Avitizität und der Zünfte. Ähnlich wie vorher schon Bojîncă und Carcalechi lehnte sich auch Bariţiu eng an die von Széchenyi vertretenen gemäßigt-liberalen Reformbestrebungen an und teilte den Optimismus des ungarischen Magnaten, der noch zu Beginn der vierziger Jahre hoffte, daß für Ungarn eine ganz neue Epoche anbrechen würde: „Es ist entschieden, daß wir vorwärtsschreiten sollen ...“ schrieb er nach Beendigung des Reichstags von 1839/40[252]. Dann begann – entsprechend der immer nationalistischer klingenden Forderungen der linksliberalen Ungarn mit Kossuth an der Spitze – ein Wandel in der politischen Konstellation Siebenbürgens, der durch die wachsende Besorgnis der Sachsen vor den ungarischen Radikalen und der sich intensivierenden Zusammenarbeit mit den führenden rumänischen Persönlichkeiten gekennzeichnet war. Dabei spielte das vertrauensvolle Verhältnis zwischen Gött und Bariţiu, die sich durch den gemeinsamen Fortschrittsglauben verbunden fühlten, eine ebenso große Rolle wie die zunehmende Westorientierung[253].

[249] V. Netea: George Bariţiu, 168f. Bereits im Januar 1838 befaßte er sich mit grundlegenden Fragen der Aufklärung, bekämpfte die Dunkelmänner auch in den Reihen des Klerus und formte einen umfassenden Kulturbegriff, denn er wollte allen Schichten der „naţie“ Kultur vermitteln. Vgl. den Text bei Gulian: Antologia I, 391f.; sowie G. Marica: Foaie, 65f.; und Kl. Bochmann: Der politisch-soziale Wortschatz, 84.
[250] G. Barany: Stephen Széchenyi, 135ff.
[251] V. Chereseşiu: Adunarea, 113, zitiert die Foaie ... vom Jahr 1839, Nr. 11–12, 94.
[252] M. Horváth: Fünfundzwanzig Jahre II, 55.
[253] V. Netea und C. Göllner: Die Beziehungen zwischen George Bariţ und dem Kronstädter Buchdrucker Johann Gött, 75–90.

Die Anfänge der Nationalitätenkämpfe

Widersprüche zum Modell westeuropäischer Nationalstaatlichkeit in Siebenbürgen

Die liberale Bewegung, die in Ungarn zunächst als Opposition des mittleren Adels gegen das Magnatentum aufgetreten war und seit den Landtagen von 1811/12 und 1830 vor allem in den Komitatversammlungen eine kräftige Resonanz gefunden hatte, machte während des anschließenden Jahrzehnts einen Wandel durch, der für Siebenbürgen verheerende Folgen haben sollte. Zunächst hatten die Beratungen von Verfassungsfragen und Problemen der Selbstverwaltung, besonders aber die Forderung nach Einrichtung einer parlamentarischen Regierung, nach Geschworenengerichten und Ministerverantwortlichkeit auch diejenigen ethnischen Gruppen und ständischen Nationen in ihren Bann gezogen, die von den liberalen Strömungen weniger durchdrungen waren als die Ungarn. Als diese ihr Interesse an der Aufnahme ihrer Stände und Klassen in die Verfassungskonzeption zu überdenken begannen, gewann die Frage nach der künftigen Verkehrs- und Staatssprache entscheidende Bedeutung; denn die eben erst zu einer literaturfähigen Sprache gekommenen Magyaren wünschten nichts sehnlicher als den Sieg des Verfassungsstaates und des Nationalitätenprinzips westlicher Prägung. Die von Széchenyi eingeleitete Vereinigung aller Klassen in den von ihm gegründeten Kasinos führte zu neuen Impulsen des Fortschrittdenkens, zu Kritik und Angriffen gegen die Magnaten, insbesondere gegen jene, die zum hohen Klerus gehörten, aber auch zu Versuchen, die Judenemanzipation und die Menschenrechte zu verwirklichen.

In Kronstadt, der heimlichen Hauptstadt des aufkeimenden Wirtschaftsliberalismus Siebenbürgens, trafen sich die Mitglieder des Kasinos regelmäßig, besprachen die in den dort erscheinenden Wochenzeitungen behandelten Fragen ebenso wie die nur mündlich verbreiteten Nachrichten und registrierten so das politische Geschehen in Ungarn, aber auch in West- und Mitteleuropa. Mit entsprechender Umsicht wurden Überlegungen über Änderungsmöglichkeiten der Landesverfassung diskutiert, wobei die rumänischen Kaufleute und Honoratioren zunächst die Verfassung des Königsbodens zu ändern wünschten, weil dort die Mehrzahl der fast 30 000 freien rumänischen Bauernfamilien lebte. Da aber auch auf den Territorien der Székler und des Adels Rumänen wohnten, stand die Änderung der Landesverfassung in dem dreigeteilten Territorium des Großfürstentums ebenfalls auf der Wunschliste der kleinen Elite rumänischer Politiker. Um zu ihrem Ziel zu gelangen, mußten sie Vorbilder für eine bessere Verfassung in einem wohlgeordneten und mächtigen Staat suchen. Es war daher naheliegend, daß sich das Augenmerk über Ungarn hinaus vor allem auf England richtete, denn der englische

Parlamentarismus und die dort entwickelte Rechtsordnung schienen Barițiu das Idealbild eines liberalen Konstitutionalismus zu bieten. Auch über die öffentlichen Sitzungen des Ungarischen Landtags wurde häufig in den Spalten der „Gazeta de Transilvania" berichtet, wobei auf Einzelfragen, wie die Zensur in Ungarn, näher eingegangen wurde, darüber hinaus aber auch auf die Modernisierungstendenzen der ungarischen Liberalen, wohl in der Hoffnung, daß auch der Landtag Siebenbürgens von dieser nach Neuerungen strebenden Strömung erfaßt werden würde. Denn im Vergleich mit den Mitgliedern der verschiedenen liberalen Oppositionsgruppen des Ungarischen Landtags erschien den Rumänen der Komitatsadel in Siebenbürgen – von wenigen Ausnahmen abgesehen, zu denen vor allem Baron Miklós Wesselényi zählte –, recht beschränkt und arrogant[254]. Da es aber in Siebenbürgen kein magyarisches Bürgertum gab, das sich zum Wortführer liberaler Reformprogramme hätte herausbilden können, war der Kreis derer sehr klein, die den Widerspruch zwischen den Forderungen des magyarischen Nationalismus und dem Ideengut des Liberalismus erkannten. Siebenbürgen war zwar seit dem Hochmittelalter ein Land der ungarischen Krone, besaß aber seit der Mitte des 16. Jahrhunderts eine staatsrechtlich verankerte Religionsfreiheit und ein an Landespatriotismus grenzendes Selbstbewußtsein, das vielleicht noch mit der polyethnischen „natio Hungarica", nicht aber mit dem auf einem verengten Kultur- und Nationsbegriff beruhenden magyarischen Nationalismus hätte in Einklang gebracht werden können.

So wurde in demselben Maße, in dem Széchenyis ausgewogenes Reformprogramm von dem scheinbaren Glanz der Forderungen der Radikal-Liberalen unter Kossuth in den Schatten gedrängt wurde, die Popularisierung der Demokratisierungspläne, die dem einzubeziehenden Mittelstand – Städter und landbesitzender Kleinadel – neues politisches Gewicht geben sollte, zu einem Argument für die Magyarisierung. Damit begann die Ablösung des alten ungarischen Nationsbegriffs, der nur den Adel umfaßte, durch einen modernen, der die Magyaren mit der Realität ihrer zahlenmäßigen Unterlegenheit gegenüber den insgesamt die Mehrheit bildenden Minderheiten konfrontierte. Hatte Széchenyi noch 1835 die ethnisch-nationale Gemeinschaft der Rumänen Siebenbürgens mit jenen der Moldau-Walachei im Prinzip anerkannt und ebenso die Notwendigkeit des muttersprachlichen Unterrichts, trat seit dem Reichstag von 1839/40 auch bei ihm ein Wandel ein, so daß er die allmähliche Verschmelzung aller ethnischen Gruppen mit Hilfe der Kulturüberlegenheit zu einer magyarisch-sprechenden Nation befürwortete[255]. Auch Baron Wesselényi, der später einer der führenden Vertreter der Autonomistengruppe wurde und sich eingehend mit den Problemen Siebenbürgens befaßte, vertrat die Auffassung, daß die aus dem Hörigkeitsverhältnis befreiten Rumänen erst

[254] G. Marica: Ideologia, 251–53.
[255] I. Széchenyi: Fenmaradt kézirataiból I, 99.

für das Magyarentum gewonnen und ihnen dann Bürgerrechte gewährt werden sollten[256].
Die Wortführer einer Bauernbefreiung in Siebenbürgen richteten seit der zweiten Hälfte der dreißiger Jahre ihr Augenmerk auf alle Maßnahmen ähnlicher Art und erörterten in der „Gazeta de Transilvania" die Sklavenbefreiung in den Kolonien Großbritanniens ebenso wie die Befreiung der Zigeuner in der Moldau, wobei die Sympathie mit den Entrechteten unverkennbar war. Wohl unter dem Einfluß der Verhandlungen über die Reformvorschläge der liberalen Opposition zu Gunsten der bäuerlichen Bevölkerung auf dem Ungarischen Landtag 1839/40 traten die Wortführer einer politischen Emanzipation der rumänischen Grundschichten auf den Plan. Dabei wurde sehr vorsichtig auch die Frage der gesetzlichen Voraussetzungen für den Loskauf der Hörigen von den drückenden Robotleistungen und Zehntzahlungen an die Öffentlichkeit gebracht. Weil die überwiegende Mehrzahl der sächsischen Bauern auf dem Fundus regius Freie waren und nur etwa 20% in Hörigkeitsverhältnissen lebten, also Jobagyen waren, sahen die Rumänen eine Chance, im Verein mit den etwa 42 000 Hörigen unter den Sachsen in den Komitaten eine Änderung der Verhältnisse zu erreichen, zumal die Mehrzahl der freien rumänischen Bauern auf dem Fundus regius und in der Militärgrenze lebte. Barițiu hatte gehofft, für die Liberalisierung der Hörigkeitsverhältnisse eine Mehrheit unter den Landtagsdeputierten zu finden, die sich anschickten, in Klausenburg zusammenzutreten. Er konnte dabei auf Präzedenzregelungen in einzelnen ungarischen Komitaten hinweisen, wie überhaupt Ungarn in mancher Hinsicht das Los der Bauern günstiger gestaltet hatte, als dies in Siebenbürgen der Fall war. Auf die in Ungarn ergriffenen Maßnahmen zur Beseitigung von Mißbräuchen gegenüber Hörigen und die Verminderung der Robotleistungen wurde daher in der „Gazeta de Transilvania" häufig eingegangen, denn nur die allmähliche Beseitigung der verkrusteten Sozialstruktur Siebenbürgens konnte zu einer Erweiterung der rumänischen Bürgerschicht führen. Daß hierbei im Kampf gegen die konservative Haltung magyarischer, sächsischer und rumänischer Führungselemente – bei den Rumänen galt vor allem Bischof Ioan Lemeny als Freund konservativer magyarischer Kreise – jede Gelegenheit wahrgenommen wurde, um ausländische Zeitungen zu zitieren, war ein Versuch, das Gewicht der Argumente zu stärken. Wie groß das Interesse für konfliktökonomische Lösungsansätze in der Form eines für alle Stände und ethnischen Gruppen annehmbaren Kompromisses war, geht aus den Bestrebungen Lemenys hervor, moraltheologische Argumente in die Erziehungs- und Bildungsarbeit der griechisch-katholischen Gemeinde einzuführen und ebenso aus einem anonymen, aber viel beachteten Beitrag in der „Foaie pentru minte", der unter dem Titel „Der Verstand – die Kraft" 1841 erschien. Es handelt sich dabei um einen Artikel von Timotei Cipariu (1805–1887), einem der gelehrtesten unter den Philosophielehrern und Theologen des Schulzentrums in Blaj, der ihn wohl

256 M. Wesselényi: Balitéletekröl, 233.

aus Rücksicht auf seine Stellung nur mit dem Pseudonym „H“ zeichnete, stand doch Bischof Lemeny allen weltlichen und vor allem politischen Aktionen seiner Beamten ablehnend gegenüber. Im Mittelpunkt seiner soziologisch-philosophischen Betrachtungen, die von den ethisch-rechtlichen Normen einer frühen konservativen christlichen Soziallehre geprägt waren, standen die Freiheitsideen seines Jahrhunderts sowie der Kampf um die Wiederherstellung der Menschenrechte. In einer diskursiven Argumentation stellte er die philosophisch-politischen Lehrmeinungen der Aufklärung vor, wonach „niemand durch die Natur zum Sklaven geschaffen, sondern nur durch die Gewalt des Stärkeren und sodann durch die Schwäche der Besiegten“ in dieses Abhängigkeitsverhältnis geraten wäre, und setzte sich mit dieser Auffassung kritisch auseinander. Er gelangte schließlich zu der Überzeugung, daß die unterschiedliche Ausstattung der Lebewesen mit Kraft und Verstand ein von der Natur geplanter Vorgang wäre und leitete daraus die Forderung ab, daß die Menschen sich den verstandesbegabten Artgenossen unterordnen müßten, nicht aber die Schwachen den Starken.

Der Redakteur der „Foaie“, G. Bariţiu, der den Verfasser kannte und schätzte, veröffentlichte in der übernächsten Folge eine ausführliche eigene Stellungnahme, in der er auf die Schwierigkeiten einer Abgrenzung zwischen Verstand und Kraft im Zusammenhang mit der Wiederherstellung der Menschenrechte einging, da sich diese Eigenschaften oft gegenseitig ergänzten, zumal er nicht wisse, welcher der beiden Kategorien er die Leidenschaft oder die Liebe zurechnen sollte. Daraus entwickelte sich eine lebhafte Diskussion um die Frage, ob sich die Masse den Eliten der Gebildeten unterzuordnen hätte. Cipariu[257], der sich sehr eingehend mit Problemen aller philosophischen Lehrmeinungen befaßt hatte, seit 1828 Philosophie nach Kant und Krug lehrte[258] und auf Grund seiner umfassenden Kenntnisse klassischer und moderner Sprachen die Originaltexte lesen konnte, tritt uns hier als erster Vertreter einer Menschenrechtstheorie im rumänischen Sprachraum entgegen, der sich auf die Anfänge der Naturrechtslehre des Altertums beruft, auf die Stoa der Spätantike, als die Idee von einer Gemeinschaft von Menschen entstand, „in die kein staatlicher Zwang mehr hineinreicht: das Weltreich der wahrhaft Weisen“[259]. Als guter Kenner der Lehren von Locke, Spinoza, Leibniz, Grotius, Pufendorf, Kant, Montesquieu und anderer Philosophen versuchte dieser Vertreter der rumänischen Romantik und einer politischen Kultur, die von christlicher Sanftmut und dem Glauben an die gottgewollte Ordnung[260] geprägt war, den hart aufeinanderprallenden Gegensätzen zwischen den Herrschenden und den Beherrschten ihre Schärfe zu nehmen und einen zunächst unpolitisch erscheinenden Weg zum Aufstieg zur Elite und damit zur Herrschaft aufzuzeigen.

[257] G. Marica: Studii I, 216–226 und *Ders.:* Foaie, 47.
[258] A. Andea: Cultura românească, 174.
[259] G. Ritter: Ursprung und Wesen der Menschenrechte, 205.
[260] P. Cornea: Originele, 601f.

Cipariu kann als Exponent einer kleinen Gruppe von Geistlichen angesehen werden, die, vom Josephinismus und der katholischen Aufklärung beeinflußt, einem gemäßigten Reformkatholizismus anhingen, da ihnen die Rationalisierung und Modernisierung der Wirtschaft im Bereich der Klöster seit dem Mittelalter vorbildhaft erschienen. Die Aufnahme und Verbreitung des Naturrechts sowie sozialrechtlicher Anschauungen, die der Domkapitular Cipariu im Hinblick auf das Los der Bauern vor Aufhebung der Leibeigenschaft vertrat, ließen ihn zu einem prominenten Anhänger des sogenannten „legalistischen"[261] Flügels der rumänischen Emanzipationsbewegung werden. Weder sein Wunsch, die Rumänen Siebenbürgens stärker an Rom zu binden, noch seine Hoffnung, die Ungarn würden sich den Rumänen gegenüber künftig toleranter verhalten, gingen in Erfüllung[262].
Als der Landtag Siebenbürgens im Januar 1842 – wie schon erwähnt – das Gesetz verabschiedete, welches das Ungarische zur einzigen amtlichen Sprache bestimmte, die innerhalb von zehn Jahren in allen Schulen, mit Ausnahme der sächsischen, offizielle Unterrichtssprache werden sollte, traten die bis dahin oft nur latent vorhandenen Spannungen zwischen Magyaren, Szeklern, Sachsen und Rumänen in eine akute Phase, von der auch die Serben, Rumänen und Schwaben des Banats nicht unberührt blieben, so daß die liberalen Strömungen in zunehmendem Maße von den nationalen überlagert wurden. Zieht man die im Februar 1842 auf der Szatmárer Generalversammlung von den ungarischen Ständen beschlossene „Charta des Liberalismus" in Betracht, das Programm für den in Vorbereitung befindlichen Reichstag[263], wird deutlich, daß in Ungarn anders als in Siebenbürgen zu diesem Zeitpunkt die liberalen Reformbestrebungen noch nichts von ihrem Schwung verloren hatten, denn in den 12 Punkten des Programms war alles enthalten, was zur Schaffung eines modernen Verfassungsstaates gehörte. Hierzu zählten neben der Aufhebung der Zünfte, der Monopole und der Avitizität auch die Einführung von Geschworenengerichten, die Wahl einer Volksvertretung, die Amtsfähigkeit aller Ungarn und die Verbesserung der Volkserziehung. Insbesondere diese konnten sich die Vertreter des ungarischen Adels allerdings nur in magyarischer Sprache vorstellen und wünschen.
Um neben der sozialen nicht auch noch einer verstärkten kulturellen Bedrückung ausgesetzt zu werden, bemühte sich Bariţiu, mit Hilfe des individualistischen Naturrechts und der von Krug und Rotteck formulierten liberalen Ideen die Gefahren aufzuzeigen, die von einem einheitlichen magyarischen Nationalstaat drohten, der nur noch die ungarische Sprache gelten lassen wollte. So hat der Frühliberalismus der Kronstädter Rumänen, der sich ähnlich wie jener des deutschen Großbürgertums stärker am englischen Vorbild orientierte als an Frankreich, vielfältige Anregungen auch aus den Lehren deutscher Philosophen und Staatsrechtler übernom-

[261] I. Ionescu: Wortartikel „Cipariu", in: Biograph. Lex. I, 316.
[262] K. Hitchins: The Rumanian National Movement, 174f. u. 185.
[263] F. Pulszky: Meine Zeit, mein Leben I, 283.

men. Das Fortschritts- und Reformfieber rückte jedoch die Sprachenfrage zunehmend in den Vordergrund, zuerst bei den Magyaren, die eine doppelte Barriere zu überwinden hatten, um den wirtschaftlichen und kulturellen Anschluß an Europa zu gewinnen: sie mußten das mittelalterliche Latein durch die im Werden begriffene ungarische Schriftsprache ersetzen und den Übergang von der Adelsnation zu einer auf breiten Grundlagen fußenden bügerlichen Nation finden. Karl Koch, ein kritischer Reisender auf dem Weg nach Konstantinopel, hat den in Ungarn und Siebenbürgen 1843 miterlebten Sprachenstreit treffend charakterisiert:
„Der unglückliche Sprachenstreit wird noch viele Jahre in Ungarn herrschen und es ist selbst die Frage, ob er unter gleichen Verhältnissen je zum Ziele führen kann. Die Sprache der Madjaren ist noch zu roh und verdient als Schriftsprache kaum einer Erwähnung. Warum man deshalb den nicht-madjarischen Völkern Ungarns (den Deutschen, Slawen und Wallachen) zumuthen will, eine in der gebildeten Welt nichtssagende Sprache zu erlernen und damit eine schöne Zeit der Jugend unnütz zu vergeuden, sehe ich durchaus nicht ein ... Es liegt schon etwas Unnatürliches darin, wenn man eine Sprache fast ohne alle Literatur gegen eine gebildete umtauschen soll, und muß als ein nicht unbedeutender Rückschritt betrachtet werden“[264].
Wie alle Völker der ungarischen Reichshälfte sympathisierten auch die Rumänen mit den Plänen der ungarischen Reformpartei zur Modernisierung der Wirtschafts- und Sozialstruktur, sahen sich aber ähnlich wie die ebenfalls liberalen Kroaten dort zum Einnehmen konservativer Positionen gezwungen, wo es um die Verteidigung des Anspruches auf kulturelle und nationalsprachliche Eigenständigkeiten ging. Während sich die Kroaten mit den konservativen Kräften Wiens verbinden mußten, um der Magyarisierungspolitik besser entgegentreten zu können, versuchten die liberalen Wortführer der Rumänen Siebenbürgens die Organisation der beiden orientalischen Kirchen in den Dienst ihrer politischen Ziele zu stellen. Um den Zensurstellen keinen Anlaß zum Eingreifen gegen die „Gazeta“ zu geben, trotzdem aber weite Kreise ansprechen zu können, beschränkte sich Bariţiu zunächst darauf, über die Landessynode der Reformierten zu berichten, die alljährlich zusammentrat, „um über die Verbesserung der glücklichen Zustände des protestantischen Volkes zu beraten“[265], und auf diese versteckte Weise auf die eigene Notlage hinzuweisen. 1842 wurde die Notwendigkeit eines festeren Zusammenschlusses aller politischen Kräfte gegen die Magyarisierungstendenzen immer offensichtlicher, als ein magyarischer Landtagsabgeordneter in der Öffentlichkeit die Auffassung vertrat, für die Einführung des Magyarischen in den rumänischen Kirchen genügte die Zustimmung der beiden Bischöfe. In einem Artikel wies Bariţiu darauf hin, daß die Entscheidungsfindung in der kirchlichen Selbstverwaltung genau geregelt sei: Nur die Erzpriester könnten im „sobor“ entscheiden, was die Bischöfe

[264] K. Koch: Wanderungen im Orient, 9–10.
[265] V. Netea: George Bariţiu, 177f., der hier die Gazeta, 1839, Nr. 26 zitiert.

genehmigen dürften, und die Erzpriester ihrerseits benötigten hierfür die Zustimmung des niederen Klerus und der Gemeinde, so daß die Bischöfe in einer so wichtigen Angelegenheit nur mit dem Rückhalt in der ganzen Geistlichkeit und im Volk entscheiden konnten[266]. In dieser Frage die Unterstützung der sächsischen Führungsschicht zu erhalten, war damals kaum möglich, denn zu groß waren die Unterschiede im sozio-kulturellen Bereich und außerdem waren Kirche und Schulen der Sachsen zunächst von der Magyarisierung nicht unmittelbar bedroht.
Nach langen Beratungen zwischen den beiden Bischöfen, die sich ihrerseits mit angesehenen Männern ihrer Kirchen besprochen hatten[267], wurde im Juli 1842 eine Klageschrift gegen die sächsische Nation im Landtag eingebracht. Anders als in den Jahren 1834 und 1837 behaupteten die Verfasser nunmehr, die rumänischen Bewohner des Fundus regius hätten ursprünglich dieselben Rechte wie die Sachsen besessen, die ihnen erst später abgesprochen worden wären. Ihre Forderung zielte darauf ab, den rumänischen Bewohnern des Fundus regius die politische Gleichberechtigung in der Form zu gewährleisten, daß sie „nach dem Verhältnis der Zahl an der Landesvertretung und den Staatsämtern" beteiligt würden, „daß die Vorsteher der Dorfgemeinden nicht durch den Stuhlbeamten eingesetzt, sondern durch die Gemeinden selbst zu wählen sein" und bei der Wahl der Landesdeputierten und der geschworenen Bürger die Verhältnisse der Nationen und Religionen berücksichtigt werden müßten. Bei den Landesämtern und den Berggerichtsstellen sollten auch Rumänen „im Verhältnis der Zahl und der Teilnahme an den öffentlichen Lasten" Anstellung finden, und ebenso dürften aus den gemeinschaftlichen Kassen nicht nur die Sachsen profitieren, denn auch der Bau der rumänischen „Kirchen, Pfarrei- und Kantorswohnungen" müßte aus diesen bestritten werden. Während das Szatmárer Programm der ungarischen Stände aber die Aufhebung der Zünfte und Monopole vorsah, begnügten sich die Wortführer der rumänischen Konfessions-Nationalität damit, die Zulassung von Jünglingen anderer Nationen zu den Zünften der Sachsen zu verlangen. Schließlich wurde die Forderung vertreten, daß „jeder dem Geistlichen seiner Religion den Zehnten entrichte", und daß die „Kirchenpersonen anderen Glaubens ebenso ihren Theil an den Gemeindegründen erhalten sollen, wie die der Augsburger Confession", also eine völlige Gleichstellung mit den vier anerkannten Glaubensgemeinschaften. Die im Landtag und in der Öffentlichkeit geführte Auseinandersetzung um den Inhalt dieser Klageschrift vertiefte zunächst die Kluft zwischen Rumänen und Sachsen, deren Wortführer ihre Privilegien verteidigten und darüber empört waren, daß die Rumänen nicht wie 1791 eine Änderung der Landesverfassung insgesamt anstrebten, sondern ihre Forderungen gegen die Sachsen allein richteten. Als kleinste der drei ständischen Nationen waren sie ohnehin mit einem relativ hohen Anteil am Gesamtsteueraufkommen Siebenbürgens belastet. Sie bestritten daher Priorität und Kontinuität der

[266] Ebd. Gazeta Nr. 20 von 1842.
[267] L. Gyémánt: Contribuţii privind mişcarea naţională, 46–49.

Rumänen auf ihren Territorien und forderten urkundliche Beweise für die von den Bischöfen vertretene Auffassung. Sächsische Deputierte, die offiziell zur Klageschrift Stellung nahmen, beschränkten sich auf formalrechtliche Einwände und verneinten das Recht der Bischöfe, „sich in weltliche Angelegenheiten zu mischen", zumal „diese Bittschrift nicht von einer gesetzlichen walachischen Volksversammlung ausgegangen" sei. Die Bischöfe wiederum beriefen sich in ihrer Antwort auf ihre Staatsbürgerpflicht und darauf, daß sie als geistliche Oberhirten verpflichtet seien, „jeden gesetzlichen Weg zu versuchen, der ihre Glaubensgenossen zum Vertrauen gegen ihre Mitbürger anderer Nationen, und zur Erhaltung der Ruhe führt". Dem Einwand, „daß nur der für die unterdrückten walachischen Bewohner des königlichen Bodens sprechen dürfe, der von deren Versammlung den Auftrag erhalten" habe, begegneten sie damit, daß sie „die rabulistische Argumentation" kritisierten, „da die Abhaltung solcher Versammlungen verboten ist"[268]. Die politischen Auswirkungen dieser von beiden Konfessions-Nationalitäten getragenen Denkschrift sind bisher nur im Zusammenhang mit den Emanzipationsbestrebungen der Rumänen Siebenbürgens untersucht worden, doch auch die Serben der Habsburgermonarchie, die sich von den Magyarisierungsbestrebungen ebenfalls bedroht sahen, haben das Vorgehen der Bischöfe sehr aufmerksam verfolgt, wie aus einer im September 1843 im ungarischen Landtag gehaltenen Rede des Erzbischofs und Karlowitzer Metropoliten hervorgeht[269]. Er verlangte darin ein höheres Maß an Autonomie sowie Zugang der Serben zu allen Staatsämtern, stützte seine Forderungen allerdings ebenfalls nur auf die konfessionelle, nicht auch auf die ethnische Disparität, so daß die Wahrscheinlichkeit groß ist, daß der orthodoxe Oberhirte die von seinem Hermannstädter Bischof und der orthodoxen Geistlichkeit entscheidend mitformulierte Denkschrift nicht nur gekannt, sondern, wie aus einigen Parallelen hervorgeht, für das Konzept seiner Rede herangezogen hatte.

Zu den unmittelbaren Auswirkungen des Disputs um die Berechtigung der rumänischen Wünsche nach Anerkennung als politische Nation auf dem Fundus regius gehörte zunächst die Verbreiterung der Partizipationsbasis unter den Rumänen Siebenbürgens: seit dem 1.1.1843 erschien die „Gazeta" zweimal wöchentlich. Umfang und Publizität wurden ebenso erweitert wie der Bezieher- und Leserkreis, der 1842 aus 630 Abonnenten bestanden hatte, davon 150 aus Siebenbürgen, 66 aus dem Banat und Westsiebenbürgen, sowie 7 aus den restlichen Gebieten der Habsburgermonarchie, 261 aus der Walachei – davon allein 159 aus Bukarest – und schließlich 146 aus der Moldau[270]. Wie liberal diese Blätter trotz aller Vorsicht des Redakteurs und trotz der Zensurmaßnahmen im Vergleich mit den Zeitungen der Donaufürstentümer waren, zeigt die Tatsache, daß auf Intervention des russischen

[268] Die „Augsburger Allgemeine Zeitung" hat damals ausführlich auch über diese Vorgänge berichtet, so z.B. in der Beilage Nr. 70 vom 10. 3. 1844, 554–555.

[269] Rajacsich/Rajačić: Rede, 4–22.

[270] G. Marica: Studii I, Tabelle zu S. 32 sowie G. Bariţiu: Părţi alese II, 71.

Konsuls in Bukarest 1844 ihre Einfuhr in die Walachei untersagt wurde, ein Verbot, das bis 1860 bestehen blieb[271].

Unter den Mitarbeitern der beiden Kronstädter Zeitungen, „Gazeta" und „Foaie", befanden sich Vertreter der liberalen Richtung wie auch solche, die primär die engen nationalen Interessen betonten. Zu den bekannteren Verfechtern der letzteren Richtung gehörten Nicolae Tincu-Velia, ein orthodoxer Kleriker, der an beiden Blättern mitarbeitete, sowie Andrei Mureşanu, ein eifriger Übersetzer von Schiller, Wieland, Bürger, Herder. Paul Vasici dagegen, Arzt und Pädagoge, der in Pest Medizin studiert hatte und bis ins hohe Alter ein begeisterter Josephiner und Anhänger der Volkssprache war, gehörte der ersten Gruppe an. Er veröffentlichte zahlreiche Beiträge zur Volksaufklärung und trug damit entscheidend zum besseren Verständnis der Naturwissenschaften sowie zur Bekämpfung des Aberglaubens, des Fatalismus und Obskurantismus bei. Durch ihn erfuhr erstmals eine breitere Leserschicht etwas über das heliozentrische Weltbild, den Nutzen der Dampfschiffahrt und über die Notwendigkeit, auch an die Frauenbildung zu denken, wobei er die Bedeutung der Mütter für das Kleinkind während der ersten Monate und Jahre besonders hervorhob[272]. Die Mitarbeiter aus dem Banat waren sonst nicht besonders aktiv, sowohl was die Berichterstattung als auch was die Werbung von Beziehern betrifft. Für sie bestand lange Zeit ein gewisses Mißtrauen gegen Bariţiu und die Unierten im allgemeinen, bis die Auseinandersetzungen mit der serbisch-orthodoxen Kirchenführung eine gegenläufige Tendenz, nämlich eine Hinwendung zu den politisch führenden Unierten Siebenbürgens bewirkten, und zwar primär aus nationalen Beweggründen, aus Opposition gegen die Serben.

Im Ringen der Rumänen um Anerkennung als politische Nationalität hat es aber nicht an Unterstützung und Sympathien von seiten liberaler Kräfte der Siebenbürger Sachsen gefehlt, die früh erkannt hatten, daß die numerischen Kräfteverhältnisse sowie die sozialen Konflikte auf die Dauer eine Gleichberechtigung erzwingen würden. Berühmt wurde die Schrift des Meschener Pfarrers Stephan Ludwig Roth: „Der Sprachkampf in Siebenbürgen", die 1842 in Kronstadt erschien und nicht nur die Magyarisierungsbestrebungen geißelte, sondern auch eindrucksvoll für die Wahrung der Menschenwürde plädierte. In kluger Einschätzung der weiteren Entwicklung schrieb er: Die „Fesseln, vom Rost der Zeit zernagt", werden abfallen müssen, denn die „öffentliche Meinung" fordere „Gerechtigkeit, nicht Fortdauer erschöpfenden Drucks", weil „Eigentumslosigkeit ... Mutlosigkeit" sei[273]. Neben dieser im Selbstverständnis der Liberalen unabdingbaren Forderung nach Eigentum für besitzlose Landarbeiter hat Roth im Bereich der bis dahin nur wenig durchdachten Nationalitätenproblematik einen wertvollen Beitrag zur Integrationstheorie geleistet. Er forderte eine verstärkte Einbindung der Nationalitäten

[271] V. Cheresteşiu: Adunarea, 127, Anm. 2.
[272] G. Marica: Ideologia, 79–83 u. 99.
[273] St. L. Roth: Wünsche und Rathschläge, 210f. u. 216–218.

durch besondere Fürsorge in den Bereichen von Wirtschaft und Erziehung, „Denn diese binden und diese trennen ... Durch Wohltaten fesselt sie ans Land! ... Gebt ihnen alles, was Recht und Billigkeit verlangt! ...“[274].
Die anschließende Auseinandersetzung in der ungarischen Presse lenkte die Aufmerksamkeit stärker auf die Person des Verfassers und vermittelte gleichzeitig dem magyarischen Nationalismus neue Auftriebe. Während der Revolutionsereignisse wurde Stephan Ludwig Roth zu einem der ersten Märtyrer des Widerstandes gegen den magyarischen Nationalismus und gilt seither bei Sachsen und Rumänen gleichermaßen als Vorkämpfer der Befreiung.
Zu den mittelbaren Auswirkungen der Aufklärungstätigkeit sowie der Auseinandersetzung mit den Gegnern der „Klageschrift“ und des „Sprachkampfes“ von Roth gehörte die Einrichtung der ersten Stiftungen zur Förderung von begabten Studenten, die nicht das Studium der Theologie ergreifen wollten, wie einige ältere Stiftungen für Blaj und Großwardein es voraussetzten. Die Mittel hierfür stammten aus dem Nachlaß des 1843 verstorbenen rumänischen Arztes Dr. S. Romontzai, der ebenso wie einer der namhaften Haupt- oder Mitautoren der Klageschrift von 1842, der Rechtsanwalt Alexandru Bohaţel, aus einem der wenigen rumänischen Adelsgeschlechter Siebenbürgens stammte.
Eine Verschärfung erfuhr der Nationalitätenkonflikt durch die 1843 von Miklós Wesselény in Leipzig veröffentlichte Schrift „Szózat a magyar és sláv nemzetiség ügyében“ (Mahnwort in Sachen der ungarischen und der slawischen Nationalität), die ein Jahr darauf in einer deutschen Übersetzung erschien. Wesselény befürwortete darin die Umwandlung der Habsburgermonarchie in einen Bund von fünf Gliedstaaten: 1. die Erbländer einschließlich der Krain, 2. Böhmen und Mähren, 3. Galizien und die Bukowina, 4. Lombardei-Venetien mit Istrien-Dalmatien und 5. die Länder der ungarischen Krone als größter Einheit. Dieser Konföderationsplan, der eine wenig sinnvolle Umstrukturierung der Habsburgermonarchie vorsah, sollte vor allem die ungarische Vorherrschaft im Karpaten- und Donauraum sichern helfen und als Handhabe zur Einschränkung des Gebrauchs der Sprachenvielfalt dienen.
Wesselény hatte in einer Reichtstagsrede das Recht auf „Hungarisierung“[275] – gemeint war Magyarisierung – dahingehend präzisiert: „Der Staat hat das Recht, seinen Bürgern aufzuerlegen, daß sie eine andere Sprache erlernen, nationale Idiome kann er beschränken, unter Umständen gänzlich ausrotten“[276]. Am 15. Februar hatte nämlich das Konsistorium der Unierten in Blaj Bischof Lemeny aufgefordert, beim Kaiser gegen die vom Landtag in Klausenburg beschlossenen Gesetze zu intervenieren. Diese Resolution des unierten Konsistoriums hatte mit beachtens-

[274] *Ders.:* Der Sprachkampf 47ff. und O. Folberth: Der Prozeß, 24ff.
[275] Im Wortbeitrag „Wesselény“ im Biograph. Lex. IV, 462f. ist die 1844 in Leipzig erschienene deutsche Übersetzung nicht erwähnt und die geplante Magyarisierung als „Hungarisierung“ bezeichnet.
[276] A. Fischel: Der Panslawismus, 70.

werter Schärfe die innerhalb einer Zehnjahresfrist durchzuführende Magyarisierung der Schulen kategorisch abgelehnt und zwar mit der auf dem naturrechtlichen Denken fußenden Begründung, daß „...wir und unsere Nation durch kein Gesetz verpflichtet werden können, welches für unsere Gewohnheiten und unseren Glauben eine Gefahr vorbereitet, für unsere rumänische Nationalität aber Ruin und Verderben“. Das orthodoxe Konsistorium hatte sich diesem Votum wenige Tage später angeschlossen mit einer Adresse, in der die Dauerhaftigkeit dieses auf Zwang beruhenden Gesetzes ausdrücklich in Frage gestellt wurde[277]. Offensichtlich als Reaktion auf diese Magyarisierungspolitik sind die 1844 in Hermannstadt erfolgte Einrichtung einer Rechtsakademie, deren Vortragssprache neben Latein vor allem das Deutsche war, sowie die 1845/46 von rumänischen Studenten in Klausenburg vorgenommene Gründung der Lesegesellschaft „Aurora“, die kurze Zeit hindurch auch ein literarisches Blatt herausgab, zu verstehen.

Die zunächst mit liberalem Gedankengut motivierte Emanzipationsbewegung, deren wirtschaftliche Hintergründe im letzten Jahrzehnt des Vormärz immer deutlicher artikuliert wurden, hat seit 1846 eine zunehmende nationalistische und demokratisch-radikale Akzentuierung erfahren, die sich eindeutig gegen den Konfessionalismus richtete. So erschien in der „Gazeta“ der Vorschlag eines Ungarn, in Blaj eine eigene Lehrerbildungsanstalt für Unierte und Nichtunierte zu errichten, um das stark vernachlässigte Volksschulwesen auf ein höheres Niveau zu heben. In dem unierten Gymnasium sowie in der Klerikalschule wurden damals Priester und Professoren, aber keine Lehrer herangebildet[278]. Solche wohlgemeinten Ratschläge im Geist des Vulgärjosephinismus ließen sich jedoch nicht verwirklichen, weil die Einbindung der Unierten in die römisch-katholische Kirchenorganisation viel zu stark war, als daß der Bischof zusammen mit seinem Konsistorium einen solchen Schritt hätte wagen können. Daher verschärfte sich mit der Abwehr der Magyarisierungsbestrebungen die antikatholische Strömung, die außer von Bariţiu auch von den Professoren der Blasendorfer Schulen, Josif Pop und Dimitrie Boer, sowie von 12 Theologen, die aus ihren Ämtern entlassen worden waren, angeführt wurde. Insbesondere bei Gebildeten und Halbgebildeten fand diese antiklerikale Einstellung eine wachsende Anhängerschaft[279].

Die berechtigte Frontstellung gegen Maßnahmen der zwangsweisen Assimilation hat indes den Blick der rumänischen Intellektuellen für die Liberalisierungsfeindlichkeit Rußlands nicht getrübt und den Bemühungen demokratischer Kräfte in den Donaufürstentümern, die mit den polnischen Emigranten sympathisierten, dadurch Rechnung getragen, daß in der „Gazeta de Transilvania“ Angriffe gegen Rußland veröffentlicht wurden, die in der Wiener Presse nicht hätten erscheinen dürfen. So wurde 1847 ein Flugblatt erwähnt, das den informativen Titel hatte „La

[277] G. Bariţiu: Părţi alese I, 752–54 u. V. Cheresteşiu: Adunarea, 134.
[278] G. Bogdan-Duică: Viaţa şi ideile lui Simion Bărnuţiu, 24 u. 65ff.
[279] V. Cheresteşiu: Adunarea, 135.

propagande démocratique en Pologne, paroles de Dieu au peuple polonais" und in den Donaufürstentümern verbreitet und bei der dort schnell wachsenden antirussischen Stimmung mit lebhaftem Interesse gelesen worden war. Daß die Zensurstellen in Siebenbürgen Berichte dieser Art durchgehen ließen[280], läßt erkennen, daß trotz interethnischer Spannungen in weiten Bereichen ein liberaler Konsens bestand.

Der rumänisch-serbische Gegensatz im Banat

Die rumänische Führungsschicht des Banats vollzog die volle Ausbildung der Konfessions-Nationalität mit eindeutigen monoethnischen Tendenzen unter gleichzeitiger Steigerung der primär nationalen und deshalb auch partiell überkonfessionellen Kohäsion innerhalb eines relativ kurzen Zeitraums. Der Beginn dieser Separation reicht zwar bis in die Anfänge des 19. Jahrhunderts zurück, als das Latinitäts- und Romanitätsbewußtsein in der Intellektuellenschicht größere Verbreitung fand, die Politisierung dieser Bestrebungen und ihre ersten Erfolge lagen aber eindeutig in den beiden Jahrzehnten zwischen 1830 und 1849. Dabei spielten Forderungen aus dem Katalog des Frühliberalismus eine weitaus geringere Rolle als im benachbarten Siebenbürgen, denn anders als dort waren die sozialen Spannungen geringer, die Gleichberechtigung innerhalb der Stände und Schichten unproblematischer, auch wenn die Zahl der in den ungarischen Adelsstand erhobenen Serben größer war als die der Rumänen. In den Städten besaßen die Rumänen dagegen eine vorherrschende Stellung in Handwerk und Handel, so daß sich leichter als in Siebenbürgen – Kronstadt ausgenommen – eine kleine Bürgerschicht hatte entfalten können[281].

Durch die Abwanderung zahlreicher Intellektueller, die teils durch die Aufdekkung der Geheimgesellschaft „Constituţia", teils durch die von Adolf David gegründete republikanisch-demokratische revolutionäre Verschwörung kompromittiert worden waren[282], hatte die rumänische Bürgerschicht ihre liberale Führung verloren. Geblieben waren die konservativ-nationalen Elemente, die während der Zeit des Vormärz ihre Hauptaufgabe im Ausbau der Bildungseinrichtungen sowie in der Eröffnung sozialer Aufstiegsmöglichkeiten für den aus Theologieschulen und Lehrerseminaren hervorgegangenen Lehrer- und Pfarrernachwuchs sahen; denn der zahlenmäßigen Überlegenheit des rumänischen Elements stand gerade in diesen Bereichen, die nicht vom Spiel der freien Kräfte reguliert wurden, ein sozial

[280] Bericht des österr. Konsuls Timoni aus Bukarest vom 16. 3. 1848 und dessen Beschwerde über die in der Gazeta de Transilvanie am 4. und 11. August 1847 erschienenen Angriffe gegen Rußland. H. H. St. A. Wien: Staats-Kanzlei, Konsularakte.

[281] I. D. Suciu: Revoluţia de la 1848–49 în Banat, 33f.

[282] Nähere Ausführungen hierüber sind im Kapitel über die Anfänge des Frühliberalismus erfolgt.

und wirtschaftlich bessergestelltes serbisches Element gegenüber, das in der höheren Geistlichkeit, aber auch in den serbischen Militärs der Grenzregimenter einen starken Rückhalt besaß. Da die serbische Konfessions-Nationalität mit Nachdruck die alte Forderung auf Syrmien und das Banat als „illyrisches Nations-Corpus" vertrat, war ihrer Führungsschicht sehr daran gelegen, die nationalen Regungen der Rumänen zu unterdrücken, um die eigene Zielsetzung nicht zu gefährden. Dies führte seit 1830 zu einer Entfremdung zwischen Rumänen und Serben sowie zu einer Annäherung zwischen griechisch-orthodoxen und unierten Rumänen, weil ein Konfessionswechsel im Vergleich zur Unterordnung unter die serbische Hierarchie als das kleinere Übel angesehen wurde. Eine erste Zäsur innerhalb der orthodoxen Glaubensgemeinschaft bedeutete die Verweigerung der Einführung der Bezeichnung „rumänische Nation" auf dem Nationalkongreß des Jahres 1837. Die einen wollten sich nicht mehr unter den alten Begriff „Illyrische Nation" subsumieren lassen, die anderen nicht die Fiktion der überethnischen Solidarität aufgeben, und so blieb es bei der formal richtigen Bezeichnung „illyrisch", die in den Privilegien der Habsburger gebraucht wurde[283]. Das Ausmaß der Enttäuschung im Kreise der rumänischen Eliten spiegelt sich weniger in öffentlichen Manifestationen wider als in der verstärkten Orientierung nach Bukarest, wo Ion Câmpineanu im Rahmen der von ihm geleiteten Geheimgesellschaft auch zu den Rumänen jenseits der Karpaten Verbindungen aufnahm, die jedenfalls bis nach Temeswar reichten [284]. Die latente Entfremdung zwischen Rumänen und Serben nahm seit Beginn der vierziger Jahre zu, zumal der serbische Metropolit in seiner Rede vor dem Magnatenhaus im September 1843 nur die Forderungen der Serben präsentiert, die rumänischen Wünsche aber unerwähnt gelassen hatte, so daß die Enttäuschung der Rumänen groß war. Da aber die Religion für die Nationszugehörigkeit keinen entscheidenden Faktor mehr bildete, wurde die Kirche auch im Banat primär als organisatorisches Vehikel für die Artikulation der sich einer eigenen nationalen Identität bewußt gewordenen und zu Gleichberechtigung, größerer individueller Freiheit sowie vor allem zu sozialen Aufstiegsmöglichkeiten drängenden Rumänen benutzt. Der unauffällige Übergang von den utilitaristischen Tendenzen des Josephinismus zu den politischen Forderungen des Frühliberalismus lieferte den um Gleichberechtigung mit den Serben ringenden Rumänen ein reiches Arsenal an Argumenten, die sich vor allem gegen die Simonie serbischer Dorfgeistlicher richtete, die ohne entsprechende theologische Ausbildung die Weihe erhalten hatten und dafür von den Einnahmen aus dem Kirchenzehnt und den Stolgebühren nicht nur den eigenen Unterhalt, sondern auch die Abgaben an die Erzpriester und Bischöfe bestreiten mußten. Den serbischen Bischöfen von Werschetz und Temeswar wurde dabei vorgeworfen, drei bis vier Geistliche je Dorf geweiht zu haben, nur um die persönlichen Einnahmen erhöhen zu können. Da auch die

[283] I. D. Suciu: Nicolae Tincu Velia, 108.
[284] *Ders.:* Un ecou în Banat al planurilor lui Cîmpineanu, 374f.

örtliche Schulaufsicht diesem Klerus unterstand und dadurch das politische Gewicht der Serben erheblich war, wurde eine drastische Verringerung der Pfarreien und des Klerus gefordert. Gleichzeitig suchten die Wortführer der rumänischen Emanzipationsbewegung eine Änderung der Delegiertenzahlen für die Wahl- und „Nationalkongresse" der Erzdiözese zu erreichen; denn die drei serbischen Diözesen entsandten 50 Delegierte in die Repräsentativversammlung, während die drei überwiegend rumänischen Diözesen Arad, Temeswar und Werschetz trotz einer mehr als doppelt so großen Bevölkerungszahl nur 25 Delegierte entsenden durften. Um diese nicht unbegründeten Ansprüche durchsetzen zu können, bedienten sich deren Anwälte in Ermangelung einer eigenen Zeitung der „Gazeta de Transilvania", die mehrfach aus dem Banat eingesandte Artikel zu diesem Komplex von Simonie, Habgier des Klerus und ungerechter Verteilung der Delegierten abdruckte. Gleichzeitig suchten sie sich die Unterstützung der ungarischen Adelsnation, insbesondere der Adlegaten des Landtages sowie der Vertreter in der Magnatentafel zu sichern. Dies gelang schließlich dem Wortführer der Banater Rumänen, Petru Mocioni – als Angehöriger des ungarischen Adelsstandes hieß er Mócsony –, der es verstanden hatte, zu den wenigen Stimmen der rumänischen[285] auch die einiger ungarischer Adliger hinzuzugewinnen, so daß mit Gesetz Nr. XX vom Jahre 1847 die Zahl der Delegierten für die Nationalkongresse der Orthodoxen auf 100 erhöht wurde.
Die Koalition der Banater Rumänen mit den ungarischen Liberalen gegen die konservative Nationalitätenpolitik der Serben in der Habsburgermonarchie war das Ergebnis einer geschickten Taktik, mit der man die Banater Probleme unabhängig von den nahezu unüberbrückbaren Spannungen zwischen den Rumänen Siebenbürgens und den Vereinigungsbestrebungen der liberalen magyarischen Opposition auf den ungarischen Reichstagen lösen zu können glaubte. Daß trotz der auch im Banat seit 1844 verstärkt einsetzenden Magyarisierung, von der Deutsche, Serben und Rumänen gleichermaßen betroffen waren, eine enge rumänisch-magyarische – wie übrigens auch eine schwäbisch-magyarische – Kooperation bestand und das Fehlen der Konfessionsbarrieren zwischen Ungarn und Donauschwaben häufig über die Integration zur Assimilation führte, war nicht zuletzt den fortschrittlichen Zielen der ungarischen Liberalen zuzuschreiben. Eine wesentliche Rolle spielte bei der Hinwendung der Deutschen zum ungarischen Volk die zu geringe politische Kohäsion des städtischen Bürgertums deutscher Herkunft. Dieses verstand es vor 1848 nicht, im Unterschied zu den Siebenbürger Sachsen, sich mit der Magyarisierungspolitik auseinanderzusetzen, sondern nahm das kosmopolitische Kulturangebot wahr, das in Temeswar reichlich zur Verfügung stand. So besaß das „Temeswarer Wochenblatt" eine beachtliche literarische Aktualität, die den Zeitungen im binnendeutschen Raum kaum nachstand. Auch die Leihbiblio-

[285] T. Botiş: Monografia familiei Mocioni, 29 nennt als weitere Rumänen auf dem Preßburger Landtag von 1847: Beöthy aus Bihor und Gavril Mihalyi aus Maramureş/Marmaros.

thek spiegelte die engen Beziehungen zum deutschen Sprachraum wider, doch fehlte der Versuch, über die Popularisierung von Freiligrath und Herwegh hinausgehende Akzente zu setzen, die zur Festigung der politischen Kohäsion des eigenen Ethnikums im Banat hätte führen können. Daher kam es hier auch nicht zu jener Konfrontation zwischen einer in sich geschlossenen Nationsvertretung der Deutschen und der im Werden begriffenen rumänischen Nationalbewegung wie in Siebenbürgen, von der die junge Elite der Rumänen hätte lernen können.
Das deutsche Bürgertum war indes bei weitem nicht von jener kulturellen und politischen Anspruchslosigkeit, wie dies der Inhalt des „Temeswarer Wochenblatts" bis 1840 hätte vermuten lassen. Als die Presse- und Zensurverhältnisse es erlaubten, erhielt das Blatt nicht nur ein beachtliches Niveau, es drückte dies auch im Untertitel aus, der von da an lautete: „Zeitschriftliches für Wissen, Kunst und Industrie". Es schloß sich den liberalen Reformtendenzen der Ungarn an und wurde so zum Sprachrohr einer „demokratisch-fortschrittlichen Haltung"[286]. Dem Zusammenleben von Deutschen, Serben und Rumänen wurde durch umfangreiche Informationen über das kulturelle und politische Leben dieser im Aufstieg begriffenen Nationen Rechnung getragen bis hin zur offenen Anteilnahme am Schicksal von Eftimie Murgu, „der von der revolutionär eingestellten Jugend ..." Temeswars befreit wurde, nachdem er über drei Jahre lang „ohne Verhör ..." inhaftiert gewesen war. Deutsche, Rumänen und Serben bemühten sich gemeinsam um eine größere politische und kulturelle Freiheitsphäre, wie die mit Sympathie verfaßten Berichte über die Revolutionsereignisse von 1848 diesseits und jenseits der Sprachgrenzen erkennen lassen. Für das deutsche Bürgertum bedeutete der Ausgang der Revolution eine erste große Enttäuschung, die zu einer erhöhten Anziehungskraft der Magyaren und damit zur Erleichterung von Assimilitationsvorgängen im Banat führte. Nicht so bei den Rumänen, ihre politischen Energien konzentrierten sich – da der soziale Aufstieg begabter Bauernkinder zu höchsten akademischen Würden möglich war und soziale Spannungen gering blieben – auf die Auseinandersetzungen mit der serbischen Kirchenhierarchie, so daß die politischen Äußerungen des Frühliberalismus die individuelle Freiheit[287] nicht in demselben Maße betonten wie in anderen Regionen.

Die Bukowina

Leichter als im Banat oder gar in Siebenbürgen fanden Rumänen und Ruthenen in der Bukowina die Möglichkeiten zur sozialen Differenzierung. Czernowitz, ein wichtiges Bildungs- und Verwaltungszentrum, besaß seit Beginn der zwanziger Jahre eine starke Ausstrahlung auf die angrenzenden Regionen. Die 1821 in die Bukowina geflüchteten Bojaren der Moldau vermittelten ebenso wie rumänische, deutsche

[286] W. Engel: Deutsche Literatur im Banat, 21–54.
[287] N. Bocşan: Conceptul iluminist de societate în Banat, 222.

und französische Reisende, die in der Zeit des Vormärz diese in zunehmendem Maße okzidentalisierte Region kennengelernt hatten, unter dem Eindruck äußerer Kontrastwirkungen ein überaus positives Bild dieser Stadt und der sie umgebenden Landschaft, ohne daß sie allerdings die Probleme der bäuerlichen Grundschichten näher kennenlernten. Dieses Bild spiegelte sich in Briefen und Reisebeschreibungen, die Czernowitz sogar mit dem Land der Phäaken verglichen, „wo es immer Sonntag ist", oder mit den Worten Homers kennzeichneten: „und es sich dreht ohn' End der Bratenspiess"[288]. Für viele Rumänen der benachbarten Moldau war Czernowitz darüber hinaus bis in die vierziger Jahre ein wichtiger Markt für mitteleuropäische Erzeugnisse des gehobenen Bedarfs, und – was besonders ins Gewicht fiel – hier konnten sie die in den Fürstentümern verbotenen kritischen und vor allem politischen Flugblätter aus Mittel- und Norddeutschland finden, die von der österreichischen Zensur zwar verboten, dafür aber um so eifriger geschmuggelt, gelesen und gehandelt wurden.

Als Folge der wachsenden Schülerzahlen des Czernowitzer Gymnasiums – 1830 waren es bereits 400[289] – wurden einerseits neue Lehrkräfte eingestellt, die mit den politischen Strömungen Wiens vertraut waren und in der Bukowina zum Aufkommen einer josephinischen Aufbruchstimmung beitrugen, andererseits nahmen immer mehr Absolventen des Gymnasiums in Wien, Prag und an anderen österreichischen Universitäten ihre Studien auf, wo sie mit der Opposition der jungen Intellektuellen gegen Metternich und die Zensurbehörden Bekanntschaft machten. So standen bereits 1836 die in Wien studierenden Bojarensöhne Constantin und Eudoxiu d.J. Hurmuzachi, die ältesten von fünf Brüdern dieser zu Ansehen und politischen Einfluß gelangten Bukowiner Familie, unter dem Verdacht des Umgangs mit freisinnigen Elementen. In der Tat hatte der aus Bessarabien stammende Kaufmannssohn Alecu Russo einige Zeit mit den Brüdern Hurmuzachi zusammengewohnt und bei seinem Verhör durch die Wiener Polizei kein Hehl aus seiner Begeisterung für das republikanische Staatsmodell der Schweiz gemacht[290]. Die fünf Söhne der Familie Hurmuzachi, die alle zwischen 1834 und 1845 nach Beendigung ihrer Studien in Wien in die Bukowina heimkehrten, waren, wie ihr Vater Doxachi, Anhänger einer gemäßigt liberalen Richtung und Befürworter einer Erweiterung der rumänischen Kulturautonomie im Habsburgerreich. Gemeinsam mit Bischof Eugen Hakman (1835–1875), der sein Theologiestudium Anfang der dreißiger Jahre in Wien ergänzt hatte, sorgten die Reformer der theologischen Ausbildung zunächst dafür, daß von 1836 an nur solche Stipendiaten zur Fortsetzung des Theologiestudiums nach Wien geschickt wurden, die das Czernowitzer Institut erfolgreich abgeschlossen hatten und für die Deckung des künftigen Bedarfs an Institutsprofessoren geeignet erschienen.

[288] J. G. Kohl: Reisen im Innern von Rußland, 3. Teil, 17f.
[289] A. Ficker: Hundert Jahre, 429.
[290] I. R. Mircea: Un paşoptist român, 66.

Trotz einer engen Zusammenarbeit zwischen rumänischen Bojaren und dem jungen Bischof zeigte die Kirchen- und Nationalitätenpolitik der Orthodoxie während der Zeit des Vormärz keine nationalistischen Übertreibungen wie im Banat, wo sich Serben und Rumänen bekämpften, sondern beschritt einen Weg der Verständigung mit den ruthenischen Glaubensgenossen. So erließ Hakman schon 1838 eine Verfügung, daß in seiner Diözese neben Rumänisch auch Ruthenisch als zweite Amtssprache gebraucht werden könne. Er dürfte diese Entscheidung in der Absicht getroffen haben, die Eintracht der beiden orthodoxen Sprachgemeinschaften zu erhalten und gleichzeitig die Pflege der Muttersprache zu erleichtern. In diesem Sinn verfaßte er mehrere Denkschriften, die auch vom Konsistorium getragen wurden und in denen die grundlegende Verbesserung des Schulwesens gefordert wurde[291]. Ein zusammen mit dem Landgerichtspräsidenten und Direktor des philosophischen Studiums in Czernowitz, Karl Umlauff von Frankwell, verfaßtes Memorandum führte schließlich dazu, daß ein großer Teil der orthodoxen Schulen der Aufsicht des Konsistoriums unterstellt und so die angestrebte Trennung der Verwaltung von Galizien eingeleitet wurde. Nachdem diese ersten Voraussetzungen einer bescheidenen Kulturautonomie geschaffen waren, konnten sich die Wortführer einer gemäßigten Liberalisierungspolitik, unter ihnen Doxachi Hurmuzachi und die Theologieprofessoren Ion Calinciuc und Constantin Popovici, für den weiteren Ausbau der Selbstverwaltung einsetzen. Sie forderten zunächst auf einer gut vorbereiteten Versammlung von etwa 200 Pfarrgeistlichen und Laien, daß ihnen künftig die Abhaltung von Kirchenkongressen erlaubt werde, an denen auch Laienvertreter teilnehmen sollten.

Weit über die kirchliche Selbstverwaltung hinausreichende Forderungen wurden von Vertretern einer gemäßigten liberalen Opposition formuliert, der auch die Brüder Eudoxiu d.J. und Georg Hurmuzachi sowie der Präfekt des Czernowitzer Gymnasiums, Anton Kral, angehörten. Diese schnell wachsenden Wünsche waren ein unverkennbares Zeichen für ein neues Solidaritätsgefühl der höheren Stände und des Bildungsbügertums, wie es der Liberalismus häufig hervorbrachte. Es entsprach den gesellschaftlichen Realitäten, daß die Erhebung der Bukowina zu einem selbständigen Kronland sowie die nationalpolitischen Ziele der Rumänen im Mittelpunkt standen, die Einführung der Gleichberechtigung aller Konfessionen sowie die „Aufhebung aller bisherigen Privilegien für einzelne“[292] aber erst an sechster Stelle der zwölf Forderungen standen. Noch waren die Gymnasial- und Theologieprofessoren und die wenigen rumänischen Adligen mit höherer Bildung das kleine Hauptpotential für die Planung von Modernisierungs- und Liberalisierungsmaßnahmen. Die Wahlen für das konstituierende Parlament im Juni 1848 ergaben dann allerdings ein anderes Bild, denn von den Abgeordneten kam nur einer aus dem Kreis des Bildungsbürgertums, der Czernowitzer Gymnasialpräfekt

[291] I. V. Goraş: Învăţămîntul romănesc în Ţinutul Sucevei, 58–62.
[292] E. Prokopowitsch: Die rumänische Nationalbewegung, 41.

Anton Kral, die übrigen Abgeordneten waren Bauern rumänischer Volkszugehörigkeit, und dementsprechend waren die „Postulate der Bukowiner Rumänen“, die der Reichsversammlung im August 1848 in Wien präsentiert wurden, weitaus stärker von sozialen und liberalen als von nationalkirchlichen Aspekten bestimmt [293].

[293] Die Postulate der Bukowiner Rumänen im Jahre 1848: H. H. St. A. Wien: Reichstagsakten, Kt. 474/1848.

Wissen und Gesellschaft

Der gesellschaftliche Strukturwandel in Siebenbürgen, dem Banat und der Bukowina

Die Sachsen

In den sechziger Jahren des 18. Jahrhunderts setzte in den sächsischen Städten ein Wandel ein, der sich im Laufe der folgenden drei Generationen auf weite Teile Siebenbürgens auswirken sollte. Es waren zunächst die äußerlich feststellbaren Veränderungen in der Mode, die zuerst bei Männern, später auch bei Frauen den Übergang von der traditonellen sächsischen Tracht zu „deutscher" Kleidung einleiteten und damit einen Strukturwandel bei den Zünften, später auch in den Manufakturen sowie der Industrie bewirkten. Dieser Anpassungsvorgang an die Wiener Mode, der bei den Städtern der Sachsen zwei Generationen, von 1767 bis Ende der zwanziger Jahres des 19. Jahrhunderts dauerte, führte dazu, daß die sächsische Tracht aus dem Bild des städtischen Gesellschaftslebens weitgehend verschwand[294]. Ein Phänomen, das insofern beachtenswert ist, als die sächsische Gesellschaft ausgesprochen konservativ war und in dem Bemühen nicht aufzufallen, auf Neuerungen ablehnend reagierte. Aus dem gleichen Grund hatten sich die Magistrate der Städte Kronstadt, Hermannstadt und Klausenburg wiederholt dagegen verwahrt, daß die „Siebenbürgische Zeitung" über lokale Ereignisse berichtete, und auch das Gubernium unterstützte die Neigung der Sachsen, alle Konflikte innerhalb des eigenen Ethnikums beizulegen, ohne sie an die Öffentlichkeit gelangen zu lassen.

Nur einmal hatten sich Ansätze zu einer oppositionellen Strömung entwickelt, die auch die städtische Gesellschaft erfaßte. Nach dem Tode Kaiser Josephs II. hatte das Restitutionsedikt die Unzufriedenheit im Lande derart gesteigert, daß als Reaktion darauf die Machtbefugnisse der Zensur erweitert wurden: „Alle Schriften, welche öffentliche landesfürstliche Gesetze und Anordnungen kritisieren oder tadeln" wurden verboten, „weil durch Verbreitung solcher Schriften die Folgsamkeit der Untertanen ... geschwächt wird"[295]. Selbst die Freimaurerloge „St. Andreas zu den drei Seeblättern" in Hermannstadt, die über 23 Jahre hindurch eine Begegnungsstätte hervorragender Vertreter aller Stände, Sprach- und Glaubensgemein-

[294] E. Sigerus: Vom alten Hermannstadt II, 15–17. Mit der Veränderung der Kleider unterlag auch der Schmuck einem Wandel, so daß in der ersten Hälfte des. 19. Jh.s. die einst berühmten Goldschmiede ihre Betriebe weitgehend einstellten. Ebd., S. 26ff.

[295] E. Weisenfeld: Die Geschichte der politischen Publizistik, 25.

schaften war, bei der insbesondere die „Staats- und Municipalbeamten" sowie Offiziere, Geistliche und Lehrer sehr zahlreich vertreten waren[296], mußte 1790 ihre Tätigkeit einstellen. Und als nach dem Tod Kaiser Leopolds II. die Restauration mit Nachdruck betrieben wurde, scheint die Enttäuschung besonders tief gewesen zu sein.

Damals fand sich eine Gruppierung unzufriedener Intellektueller zusammen, die unter der Bezeichnung „Jakobiner" in die Geschichte eingegangen sind. In geheimen Kreisen führten sie politische Gespräche und lasen verbotene Zeitungen oder Flugschriften. Die Forderungen nach Freiheit, Gleichheit und Brüderlichkeit erschienen ihnen gerechtfertigt. Ihre Angriffe richteten sie gegen die Mitglieder des Magistrats von Hermannstadt, und somit gegen die dünne Patrizierschicht, die sie in einem Pamphlet als „Diebe der sächsischen Freiheit" bezeichneten[297]. In einem Spottgedicht auf die sächsische Gesellschaft, das als „Lied eines Gänse Hirten an der französischen Grenze" bekannt wurde, geißelte der anonyme Verfasser die Langmut seiner Herde, die „dumm wie Stroh" und „ein sanftes Vieh" wäre. Deutlicher noch wurden die inneren Verhältnisse der „Sächsischen Nation" in dem Gedicht „Der stolze Hamon"[298] kritisiert. Dem damit gemeinten Hofrat Johann Closs von Kronenthal, einem Proselyten, den die Wiener Behörden zum Komes ernannt hatten, drohte man darin sogar mit gewaltsamer Amtsenthebung. Ein anderes Flugblatt trug den Titel „Der Hermannstädter Jakobiner Klub" und kündigte „meuchelmörderische Taten" an, falls keine Anstalten getroffen würden, die Arbeitslosigkeit zu mildern[299].

Als dann 1798 auch in Kronstadt eine ähnliche „Schandschrift" als Aufruf an die Bürger noch dazu am Pranger angeschlagen worden war, in welcher gegen Gehaltskürzungen der Schullehrer, Stadtangestellten „und übrigen Beamten" protestiert wurde, zu einer Zeit, da landesweit Zusammenkünfte jeder Art mißtrauisch überwacht wurden, wurde auch die Hermannstädter Lesegesellschaft, die über ein Jahrzehnt der Treffpunkt einer am politischen Geschehen interessierten Intellektuellenschicht war, aufgelöst[300]. Während der „Siebenbürger Bote" infolge der Zensureinschränkungen an Bedeutung verlor, konnte sich die wissenschaftliche Arbeit ungehindert entwickeln. Die 1790 gegründete „Siebenbürgische Quartalschrift" sowie die „Siebenbürgischen Provinzialblätter", die ihre Nachfolge antraten (1805–1824), wurden unter der Schriftleitung von Johann Filtsch zu wichtigen

296 F. von Ziegler: Geschichte der Freimaurerloge, 507f.

297 C. Göllner und E. Turczynski: Jakobinische Schriften, Anhang Nr. 3, S. 57f.

298 „Hamon" ist hier eine Anspielung auf Gott „Amon", der zuerst in der oberägyptischen Provinzstadt Theben während der Blütezeit des Mittleren Reiches verehrt wurde und später als Amon-Rê im Neuen Reich zum Götterkönig und damit zum Hauptgott der Ägypter wurde.

299 Ebd. Anhang Nr. 4, S. 58.

300 E. Sigerus: Vom alten Hermannstadt II, 35.

Organen der Landeskunde des Großfürstentums[301]. Versuche, eine Vereinigung zu gründen, die sich der „Förderung und dem Studium der Geschichte" widmen sollte, blieben indes erfolglos, obwohl Josef Benigni 1817 mit seinem Vorhaben der Verwirklichung nahekam.
Als die Neugründung von Manufakturbetrieben, die im Habsburgerreich seit der Regierungszeit Kaiser Josephs II. starke Anreize erhalten hatte, auch in Siebenbürgen zunahm, setzte eine Veränderung der Handels- und Wirtschaftsstruktur ein, die im Zeichen der beginnenden Industrialisierung stand. Seit Mitte der dreißiger Jahre erschienen Berichte über den Fortschritt im „technisch-ökonomischen" Bereich in den Zeitungen Siebenbürgens und machten die Leser mit technischen Neuerungen vertraut. In der „Transilvania, periodische Zeitschrift für Landeskunde" wurde für den Absatz heimischer Gewerbeerzeugnisse und gegen die Einfuhr von Modeerzeugnissen geworben. Es erschienen Werbeanzeigen für die Gründung von Zuckerfabriken, Mitteilungen über die Inbetriebnahme von metallverarbeitenden Betrieben und Einladungen zur Beteiligung an Industrieausstellungen. Besonders in Kronstadt, wo bereits 1835 eine „Allgemeine Sparkasse" ins Leben gerufen wurde – die erste Anstalt dieser Art in Südosteuropa –, konzentrierte sich der Handel mit der Walachei und der Moldau, der überwiegend in Händen rumänischer und griechischer Kaufleute lag.
Die Dampfschiffahrt auf der Donau hatte aber nicht nur den Handel mit den Provinzen des Osmanischen Reiches belebt, auch die Einfuhr von Waren aus Wien, Leipzig und Magdeburg erfuhr einen bisher nie dagewesenen Aufschwung, der vorübergehend sogar zu einer passiven Handelsbilanz führte[302].
Die Berichte über Gewerbe und Handel nahmen seit 1837 auffallend zu, ebenso über den Warenaustausch mit den Donaufürstentümern, und über Erleichterungen für Zoll- und Quarantäneformalitäten. Da der Getreidehandel mit der Walachei wuchs, wurde über Preisnotierungen, Transportbedingungen und Schiffahrtsverbindungen von und nach Galatz und Brăila[303] häufig berichtet und damit Voraussetzungen für einen Großwirtschaftsraum geschaffen, der einer neuen Mittel- und Oberschicht zu Wohlstand und Ansehen verhalf, den Kaufleuten und Fabrikanten.
Aber nicht nur Gewerbefleiß und Industrie prägten das neue Bild der städtischen Gesellschaft, auch Theater- und Kunstleben erlebten seit Beginn des 19. Jahrhunderts einen Aufschwung, der weit über die Landesgrenzen strahlte. In Hermannstadt war das Brukenthal-Museum mit seiner berühmten Gemäldesammlung ebenso Gegenstand der Bewunderung wie die Theateraufführungen. Vor allem für die Gäste aus der Walachei waren Museen und Theater ein Novum und die von der

301 H. Meschendörfer: Das Verlagswesen, 37.
302 C. Göllner: Die Siebenbürger Sachsen in den Revolutionsjahren, 18f.; u. A. Schuster: Eine Reise, 24.
303 I. Pervain, A. Ciurdariu, A. Sasu: Românii în periodicele germane I, 9ff., 22ff. und 59ff.

Gergerischen Theatertruppe 1822 inszenierte Aufführung in rumänischer Sprache „Die Flucht der Bojaren", die auf den Aufstand Tudor Vladimirescus einging, regte die vorübergehend in Kronstadt und Hermannstadt lebenden Bojaren zur Gründung der ersten rumänischen literarischen Gesellschaft an[304]. Ebenso dürfte das 1818 erschienene „Lehrbuch zur Beförderung der Kenntnis von Siebenbürgen", das eine große Zahl von Pränumeranden aus allen Kreisen und Schichten der Intellektuellen gefunden hatte[305], nicht ohne Wirkung gewesen sein, denn 55 Pfarrer, 42 Studenten, je 35 Lehrer und Beamte sowie 19 Handwerker, ferner 11 Kaufleute, 10 Ärzte und Apotheker aus allen Teilen Siebenbürgens sind als Subskribenten aufgeführt, und natürlich fehlte in dieser Liste auch Bischof Moga nicht. Daß Pfarrer, Studenten und Lehrer aller Kategorien an der Spitze liegen, zeugt nicht nur von der geistigen Aufgeschlossenheit, es läßt auch erkennen, wie groß das Interesse an der Wissenschaftsentwicklung war.

Ein Theater mit einer guten Schauspielergesellschaft, die im Winter Gastspiele auch in Temeswar, Arad und anderen Städten Siebenbürgens und des Banats gab, bildete eine so große Attraktion, daß 1826, als das Theatergebäude in Hermannstadt abbrannte, unmittelbar darauf ein modernerer Theaterneubau errichtet wurde[306]. Da Hermannstadt auch Sitz des kommandierenden Generals der in Siebenbürgen stationierten Truppen sowie der Militärgrenze war, trug die Anwesenheit eines standesbewußten Offizierskorps viel zur Belebung des gesellschaftlichen wie des kulturellen und wirtschaftlichen Lebens bei[307].

Die neuen gesellschaftlich-wirtschaftlichen Gegebenheiten hatten Stephan L. Roth und Samuel Folberth, Rektor in Schäßburg, bereits zu Beginn der zwanziger Jahre erkannt und auf die Notwendigkeit hingewiesen, daß künftig mehr Jugendliche eine handwerkliche Ausbildung anstreben und daher schon während des Schulbesuches auf ihre spätere Berufsrichtung vorbereitet werden müßten. Folberth schrieb weitblickend: „... über dem künftigen Gelehrten wird oft der Mensch, der Geschäftsmann und Weltbürger versäumt"[308]. In diesem Sinne konnte Johann Bergleiter, der wie alle sächsischen Theologen und Gymnasiallehrer in Deutschland studiert hatte, wo ihn Jena und Göttingen im Geiste Kants, Fichtes und Schillers geprägt hatten, während seines Wirkens als Landesbischof (1833–1843)

[304] E. Filtsch: Geschichte des deutschen Theaters, 287–354; ferner C. Göllner: Die Siebenbürger in den Revolutionsjahren, 39. Die sehr ausführlichen Berichte über das Theaterleben und die Konzerte in den Zeitungen des Banats und Siebenbürgens spiegeln das große Interesse der Öffentlichkeit am Kulturleben wider.

[305] Joseph Leonhard: Lehrbuch zur Beförderung der Kenntnis von Siebenbürgen. Hermannstadt 1818, 398 S.

[306] A. von Hochmeister: Leben und Wirken des Martin Edlen von Hochmeister, 88f. u. 148f.

[307] E. Sigerus: Vom alten Hermannstadt II, 72ff. Ausführlich berichten die Zeitungen, wie z.B. „Satellit des Siebenbürgischen Wochenblattes" Nr. 14 vom 2. März 1840, über den Ball des Offizierscorps, der ein gesellschaftlicher Höhepunkt des Faschings war.

[308] U. Jekeli: Die Entwicklung des siebenbürgisch-sächsischen Schulwesens, 48.

die Reform des Schulwesens in die Wege leiten. Er schuf auch die Grundlagen für die 1844 errichtete Rechtsakademie[309].
Die von Fichte entwickelte Idee der Einheitsschule, wie sie Johann Wilhelm Süvern in seiner auf „allgemeine Bildung" ausgerichteten Gymnasialordnung in Preußen verankert hatte, blieb nicht ohne Einfluß auf Siebenbürgen, wo überhaupt die geistigen Strömungen im deutschen Sprachraum, in England und Frankreich ein lebhaftes Echo fanden.
Sie liefen in die gleiche Richtung wie die Bemühungen István Széchenyis in Ungarn, der dort eine Umgestaltung der feudalen Gesellschaftsordnung anstrebte, was von den Liberalen bereitwillig aufgegriffen wurde, so daß der Reichstag von 1832/36 einen Gesetzesvorschlag erarbeitete, der die Einrichtung von Real- oder Gewerbeschulen in den größeren Städten und eines polytechnischen Instituts in Ofen-Pest vorsah. Die Regierung beauftragte nach ursprünglicher Ablehnung dieser Pläne dann eine Studienkommission in Ofen mit der Ausarbeitung von Plänen für die Errichtung der Gewerbeschulen und des Polytechnikums[310].
Noch bevor in Ungarn Schritte zur Verwirklichung dieser Vorhaben eingeleitet wurden, hatte das Oberkonsistorium, die oberste Verwaltungsbehörde der evangelisch-lutherischen Landeskirche der Siebenbürger Sachsen, die Notwendigkeit erkannt, Bürger- oder Gewerbeschulen zu errichten. „Wenn ... erwogen wird, daß von den Jünglingen der sächsischen Nation nur eine geringe Anzahl sich dem gelehrten Stand oder dem Beruf widmet, der die Kenntnis der lateinischen Sprache erforderlich macht, ... so leuchtet die Notwendigkeit von selbst ein, daß in Berücksichtigung der Mehrzahl ... eine verbesserte und hauptsächlich dahinzwekkende Schul-Einrichtung eintrete", die den neuen Berufsmöglichkeiten angepaßt werde[311]. Damit leitete die Kirchenverwaltung, der auch das Schulwesen unterstand, die Emanzipation der Schule in die Wege. Diesen Erkenntnissen Rechnung tragend, wurde 1838 mit der Errichtung von Bürgerschulen (auch Gewerbeschulen genannt) und mit der Gründung von Gewerbevereinen begonnen, so daß der Weg für die Industrialisierung geöffnet wurde[312].
Wie in Preußen, wo die Realschulbewegung eine lange Vorgeschichte hatte, ehe sie zu Beginn der dreißiger Jahre zur verstärkten Einrichtung von Gewerbe-, Real- und Technischen Schulen und damit zur Erschließung neuer Entwicklungsmöglichkeiten führte[313], hatte auch das sächsische Vorbild Auswirkungen auf die kul-

[309] H. Jekeli: Die Bischöfe, 269f. Seit 1835/36 durften keine Gymnasiallehrer eingestellt werden, die nicht „drei Jahre in Wien oder zwei Jahre in Berlin" studiert hatten, schreibt Fr. Teutsch: Geschichte der Siebenbürger Sachsen III, 163.
[310] M. Horváth: Fünfundzwanzig Jahre I, 421, 553f.
[311] H. Jekeli: Die Entwicklung des siebenbürgisch-sächsischen Schulwesens, 67.
[312] Der erste Gewerbeverein entstand 1840 in Hermannstadt; es folgten Kronstadt 1841, Bistritz und Mediasch 1847 sowie Schäßburg. Vgl. Fr. Teutsch: Geschichte der Siebenbürger Sachsen III, 169f.
[313] F. Schnabel: Deutsche Geschichte III, 302–319.

turpolitischen Strömungen der Rumänen und Ungarn Siebenbürgens. Vor allem George Bariţiu, einer der eifrigsten Verfechter des Wirtschaftsliberalismus, trat für eine Abkehr von den theologisch und neuhumanistisch orientierten Lehrplänen in den rumänischen Schulen und für die Hinwendung zur handwerklich-kaufmännischen Ausbildung ein, da nach seinen Vorstellungen die Überwindung der Rückständigkeit seiner Landsleute und damit der Weg zur Gleichberechtigung mit den anderen Nationen Siebenbürgens nur über eine Modernisierung des Schulwesens zu erreichen war[314].

Nahezu gleichzeitig mit der Hinwendung zu einer zeitgemäßen Ausbildung für Handel und Gewerbe begann sich die Welle von Vereinsgründungen, die für die dreißiger Jahre in Ungarn, Siebenbürgen und den Donaufürstentümern typisch war, auf das Bürgertum der Städte auszuwirken. So war 1835 in Kronstadt ein rumänischer Casino-Verein, und ein Jahr später ein deutscher „Kronstädter Singverein" entstanden. In Klausenburg veranstaltete ein ungarischer „Conservatoriumsverein" regelmäßig Konzerte mit einheimischen und auswärtigen Kräften, ebenso der deutsche Musikverein in Hermannstadt. Ferner gab es „Casino-Vereine" in Mediasch und Karlsburg, Vereine für Bienenzucht in Zeiden, für „Industrie und Oekonomie" in Neustadt, wo im Winter Vorlesungen über „Oekonomische und industrielle Fortschritte im Kronstädter District" gehalten wurden[315]. Die Gründung bürgerlicher Lesevereine war indes nicht nur auf die Städte im Kerngebiet des Königsbodens beschränkt, auch in Broos, östlich von Deva, gründeten deutsche Bürger einen Verein, dem jeder „Gewerbsmann" beitreten konnte, um das „rastlose Fortschreiten auf der Bahn der Erkenntnis" zu erleben. In dem Programm dieses Vereins wurde die Hinwendung zu neuen Produktionsformen in die Worte gekleidet: man dürfe nicht „in dem Rost und in der Verknöcherung althergebrachten Schlendrians ..." steckenbleiben. Und da schon bei der Eröffnung des Lesevereins eine Bibliothek von 300 Bänden zur Verfügung stand, „von denen ein Theil die vorzüglichsten belletristischen Meisterwerke deutscher und der Fremd-Literatur" umfaßten, wurde der im Programm verwendete Begriff vom „Weltbürger" verständlich, zumal auch Frauen der „Zutritt in den Verein" gestattet war[316]. Später als in anderen Städten entschloß sich das konservative Bürgertum von Hermannstadt zur Gründung eines „Bürgervereins zur Beförderung der Industrie und Gewerbetätigkeit", der einen Lese- und Vortragsraum einrichtete, wo an Sonn- und Feiertagen Vorlesungen stattfanden und Zeitschriften und Zeitungen auslagen[317], welche die Leser nicht nur mit den neuen Errungenschaften von Technik

[314] Eine primär auf das rumänische Ethnikum bezogene neue Darstellung von K. Hitchins: Studies on Romanian National Consciousness, 89f. belegt diese Tendenz.

[315] Satellit Nr. 42 vom 11. 6. 1840, 141–43.

[316] „Programm über den Szászvároser bürgerlichen Leseverein" in Satellit Nr. 38 vom 28. 5. 1840, 125f.

[317] Im Satellit Nr. 23 vom 2. 4. 1840 berichtet ein Mitarbeiter über die 4. allgemeine Versammlung und die damit verbundene Aufführung von Joseph Haydns „Der Sommer" aus

und Wirtschaft vertraut machten, sondern auch mit den politischen Strömungen in Frankreich, Deutschland und England.
Die in Böhmen und Mähren und in den Ländern des Deutschen Bundes entstandene Vorliebe für Geschichtsvereine[318] erfaßte zu Beginn der vierziger Jahre auch Siebenbürgen. So gründeten stärker vom Historismus und der Vaterlandsliebe beeinflußte Intellektuelle den „Verein für siebenbürgische Landeskunde", der sich die Aufgabe stellte, die „Ausarbeitung und Veröffentlichung von Forschungen in allen Zweigen der Vaterlandskunde" zu unterstützen. Damit betrat das kulturelle Leben Siebenbürgens und insbesondere der städtischen Gesellschaft neue Bahnen, die in der Einladung zur Gründung des Vereins wie folgt charakterisiert wurden: „Die Zeit fordert Rührigkeit, und sputen muß sich, wer in der vorwärtstreibenden Jetztwelt mit Ehre mitgehen und seinen Beitrag zum Besten des Ganzen ... liefern will"[319].
Bei der provisorischen Gründungsversammlung in Mediasch kam der „Hinterhofkomplex", der in den dreißiger Jahren Rumänen, Ungarn und Sachsen gleichermaßen erfaßt hatte, in den Worten zum Ausdruck, man wolle durch die Vereinsgründung die „dunkelgraue Stelle mit der Umschrift Siebenbürgens" auslöschen[320]. Daß bei der Wahl des Vorsitzenden Joseph Bedeus von Scharberg mit der Leitung des Vereins betraut wurde, ist zurecht als „Captatio benevolentiae" bezeichnet worden, denn er war als Landesoberkommissar „Inhaber eines der sogenannten Kardinalämter" und hatte sich wissenschaftlich eingehend mit der „Verfassung des Großfürstentums Siebenbürgen" beschäftigt[321]. Rechtsgeschichte war in der Zeit des Vormärz eines der vornehmsten Studienobjekte, denn seit der Verkündung der Konzivilität war die durch Privilegien gesicherte Sonderstellung der Sachsen aufs äußerste gefährdet, und diese Gefährdung erhöhte sich noch durch das Vordringen der neuen Nationsideen bei Magyaren und Rumänen[322].

dem Zyklus der Jahreszeiten. Vgl. ferner die Nr. 3, 7, 15, 24 und 42 von 1840 und E. Sigerus: Vom alten Hermannstadt II, 35.

318 H. Heimpel: Geschichtsvereine einst und jetzt, 4ff. teilt die seit dem ausgehenden 18. Jh. entstandenen Vereine in „gemeinnützig-patriotische" (1779–1819) und „vormärzliche" (1819–1848). Der Verein für siebenbürgische Landeskunde kann m. E. zu beiden Gruppen gezählt werden, denn Aufklärung und „gemeiner Nutzen" standen hier ebenso im Vordergrund wie Patriotismus.

319 H. Herbert: Geschichte des Vereins, 142.

320 Ebd. S. 143ff. Baron Miklós Wesselény übernahm diese Formulierung sinngemäß, als er 1843 schrieb, auch in Ungarn „giebt es leider Viele, denen Siebenbürgen eine eben solche «Terra incognita» ist, wie dem Auslande unser ganzes Vaterland." Vgl. M. Wesselény: Eine Stimme, 62.

321 H. Zimmermann: Zur Geschichte des Vereins, 30. Leider geht der Verf. dieses Aufsatzes nicht der Frage nach, ob der Verein der Mediziner und Naturforscher in Jassy, der bei der Wahl des Vorstandes ähnlich verfahren war, in diesem Kreis bekannt war und möglicherweise als Vorbild gedient hatte, oder ob die bei den deutschen Geschichtsvereinen oft wirksamen Regierungsabsichten eine Vorbildwirkung gehabt haben.

322 A. Möckel: Geschichtsschreibung und Geschichtsbewußtsein, 2–5.

Die historischen, statistischen und naturwissenschaftlichen Untersuchungen wurden unter der Bezeichnung „Vaterlandskunde" zusammengefaßt, mit dem Gewicht auf Landesgeschichte. So richtete der Landeskundeverein, der rund 500 Mitglieder zählte, 1844 eine pädagogische Sektion ein und trug dem Ausbau des Schulwesens sowie der Differenzierung der bedarfsorientierten Lehrpläne stärker als bisher Rechnung. 1849 wurde dann der „Siebenbürgische Verein für Naturwissenschaften" ebenfalls mit Sitz in Hermannstadt ins Leben gerufen. Der Landeskundeverein wurde zwar im Laufe der Jahre ein „Sachsenverein", – wie dies Szekfü mißgünstig formulierte –, obwohl Ungarn, wie der Graf Joszeph Kemény, sogar dem Vorstand angehört hatten, doch suchte man bewußt die Verbindung zu politisch und wissenschaftlich einflußreichen Größen bis hin zu Theodor Sickel, Georg Weitz u. a.[323]. Seiner Grundkonzeption nach sollten Vertreter aller Nationalitäten einbezogen werden, um gesamtsiebenbürgischen Fragen Vorrang zu geben, er wurde aber, bedingt durch die Präpotenz der Interessen seiner sächsischen Mitglieder, zu einem sächsischen Verein, allerdings wohl auch deshalb, weil Rumänen und Ungarn in Siebenbürgen zu eigenen Vereinsgründungen schritten. Die interethnischen Kontakte blieben indes erhalten und führten zu fruchtbaren Wechselbeziehungen[324]. Publizistisches Organ des Vereins wurde das „Archiv", das von 1843 an bis heute in verschiedenen Folgen erscheint. Es gilt als die bedeutendste wissenschaftliche Publikationsreihe Siebenbürgens.

Die Zeitschriften und Zeitungen der Siebenbürger Sachsen, die seit den dreißiger Jahren eine für Südosteuropa beispiellose Vielfalt besaßen, boten den Intellektuellen ein reiches Betätigungsfeld und der gesamten Intelligenz einen mannigfaltigen Lesestoff. Mit der Ausweitung der Handelstätigkeit in den Nahen Orient wuchs auch das Interesse an den historischen Grundlagen, so daß neben Berichten über den Schiffsverkehr mit Konstantinopel und Triest Artikel über die Anfänge der Wirtschaftsexpansion vor Beginn der Osmanenherrschaft veröffentlicht wurden[325]. Die Verdichtung und Beschleunigung des Verkehrs Siebenbürgens mit den Donaufürstentümern einerseits und mit Wien andererseits hatte auch den „Nachrichtenumschlag" intensiviert. Da viele Sachsen in Bukarest, Jassy und anderen rumänischen Städten als Ärzte, Apotheker, Lehrer, Handwerker und Kaufleute tätig waren, berichteten die Wochenblätter nicht nur über Wirtschaftsprobleme, sondern würdigten auch die kulturelle Entwicklung in den rumänischen Donaufürstentümern positiv, druckten Reisebeschreibungen ab und sorgten überhaupt für einen schnellen Wissenstransfer[326].

[323] H. Zimmermann: Zur Geschichte des Vereins, 38f.

[324] H. Herbert: Geschichte des Vereins; und M. Kroner: Die wissenschaftlichen Leistungen des Vereins, 132f.

[325] Berichte über die Provinz Dazien unter der Römerherrschaft, die Völkerwanderung und Berichte über den Fürsten der Walachei, „Wlad genannt der Pfahlwüterich" – der später den Romanstoff für Dracula liefern sollte – füllten die Spalten des Satellit, so z. B. im Jahr 1840.

[326] Berichte über den kulturellen Fortschritt in den Donaufürstentümern nahmen seit 1838

Ein für heutige Verhältnisse in Siebenbürgen und Rumänien überhaupt unvorstellbares Maß an Pressefreiheit erlaubte den Redakteuren der liberalen Zeitungen z.B. die Übernahme von Berichten aus der „Preußischen Staatszeitung“ oder der „Augsburger Allgemeinen“, über die politischen Strömungen in Frankreich. So erschien 1841 im „Satellit“ ein ausführlicher Beitrag über „Die Gesellschaft der Kommunisten in Frankreich“ und drei Jahre später über die Schriften der „utopischen Sozialisten“[327].
Die im gleichen Verlag erscheinenden rumänischen Zeitungen, die „Gazeta“ und die „Foaie ...“ übernahmen wiederum Beiträge aus den Zeitungen der Sachsen und Magyaren, so daß eine beachtliche Kommunikationssteigerung unter gleichzeitiger Hinwendung zu den freiheitlichen und sozialen Bestrebungen in Westeuropa eintrat. So bemühten sich führende Kreise Kronstadts, deren Sprecher Senator Peter Lange war, seit 1839 um die Errichtung einer „Dienstmädchen-Erziehungsanstalt“, und auch in Hermannstadt war man sich der sozialen Fürsorgepflicht für die fast 2000 Handwerksgesellen bewußt und strebte die Errichtung eines allgemeinen Krankenhauses an. Künstler, Kaufleute und wohlhabende Bürger spendeten namhafte Beträge, um dieses Vorhaben zu verwirklichen[328].
Der Horizont der Redakteure und der politisch interessierten Öffentlichkeit Siebenbürgens blieb nicht auf den engeren Raum des Großfürstentums beschränkt. Das Schicksal der Polen, ihre Bemühungen um Wiedererrichtung eines freien Nationalstaates sowie die damit im Zusammenhang stehende Feindschaft gegen das Zarenreich bewegte die Phantasie der Rumänen, Magyaren und Sachsen, die mit den polnischen Emigranten sympathisierten. Als dann in der „Gazeta“ 1847 versteckte, aber recht deutliche Angriffe gegen Rußland im Zusammenhang mit einem in den Donaufürstentümern verbreiteten Flugblatt in französischer Sprache veröffentlicht wurden, die in der Wiener Presse nicht hätten erscheinen können, weil diese einer besonders scharfen Zensur unterlag, war die Aufregung in St. Petersburg und Wien groß. Nur der Ausbruch der Märzrevolution verhinderte Verbotsmaßnahmen gegen die Kronstädter Zeitungen, die sich durch geschicktes und kluges Verhalten einen großen Freiraum für die Verbreitung fortschrittlicher und liberaler Anschauungen und einen breiten Abonnentenbestand sichern und die Revolutionsjahre überdauern konnten. Die nüchterne bürgerliche Sinnesart der Sachsen fand ihren Ausdruck in der Verbindung der neuen Wirtschaftsimpulse mit den gesamteuropäischen Geistesströmungen von Historismus, Romantik und Liberalismus. Die Öffnung dieser sonst eher verschlossenen Patrizier-Gesellschaft

zu. So berichtete das „Siebenbürgische Wochenblatt“ Nr. 18 vom 4. Mai 1838 über die Entwicklung von Publizistik, Geschichtsforschung und Schulwesen der letzten 10 Jahre in der Walachei. Ebenso in Nr. 20 vom 7. März 1839.

327 Satellit Nr. 83 und 84 vom 24. u. 28. Okt. 1841, 338–340, 344.

328 „Bericht über die Fundation der Dienstmädchen-Erziehungsanstalt in Kronstadt“: Satellit Nr. 8 vom 28. 1. 1841, 29 und „Ueber gemeinnützige Anstalten in Hermannstadt“: Satellit Nr. 90 vom 18. 11. 1841, 369f.

gegenüber den aus dem binnendeutschen Raum nach Siebenbürgen versetzten Beamten und Offizieren sowie den auf der Suche nach neuen Betätigungsmöglichkeiten zugewanderten Unternehmen bedeutete für beide Teile, für Einheimische wie für die Gäste, häufig einen großen Gewinn.

Ihren ersten Höhepunkt erfuhr diese Bereicherung des Geistes- und Gesellschaftslebens von der Mitte der dreißiger Jahre bis zur Gründung der Hermannstädter Rechtsakademie 1844, als Männer wie Johann Gött, Anton Kurz, Friedrich August Credner, Heinrich Schmidt und Leopold Max Moltke, der Dichter der Volkshymne „Siebenbürgen Land des Segens“[329], in Siebenbürgen eine neue Heimat fanden und zu eifrigen Vertretern sächsischer Belange wurden[330]. Moltke auf deutscher und Bariţiu auf rumänischer Seite sprachen sich für eine Verbrüderung zwischen Rumänen, Sachsen, Magyaren, Serben und Armeniern aus, und so wurde in der Volkshymne „Siebenbürgen Land des Segens“ tatsächlich „ein wahres siebenbürgisches – und nicht kleinsächsisches – Empfinden ...“[331] zum Ausdruck gebracht. Damit wurde eine Säkularisierung des bis dahin primär religiös orientierten Liedgutes eingeleitet, die 1847 im „Liederbuch der Siebenbürger Sachsen“ von Friedrich Geltch eine kritische Zuspitzung erreichte. Seine Angriffe auf Bürokratie und Behörden wurden nur noch von dem Feuergeist J. Marlin übertroffen, der in den Romanen „Hora“ und „Dezebalus“ die Idee der Freiheit mit dem Ruf „Krieg den Palästen, Friede den Hütten!“ zu vereinen verstand. So wurden exogene und endogene Faktoren von der sächsischen Intellektuellenschicht liberaler Prägung in verschiedener Form miteinander verknüpft, um neben der großartigen Wissenschaftsentwicklung und dem technischen Fortschritt auch eine psychische Mobilisierung der politischen Eliten zu erzielen. Gleichzeitig trugen sie entscheidend dazu bei, das politische Denken in den Rhythmus der gesamteuropäischen und damit auch der deutschen Bewegung einzufügen, die am liberalen Rechtsstaat weiterbaute.

Seit Beginn der vierziger Jahre tauchte – mit der gebotenen Vorsicht gegenüber Gubernium, Nationsuniversität und konservativem Großbürgertum – die Frage nach der Reformbedürftigkeit einer Verfassung auf, die nur einem Teil der Landesbewohner, nämlich den „Bevorrechteten Schutz und Gerechtigkeit“ gelobt zu haben schien. „Welcher rechtlich und väterlich gesinnte Fürst wollte noch Schutzherr eines Landes heißen, ... dessen Verfassung ihn hindert, jedem treuen Unterthan ohne Unterschied des Standes Schutz und Recht zu gewähren, ohne auf Verbesse-

[329] E. Weisenfeld: Die Geschichte der politischen Publizistik, 47; und H. Meschendörfer: Das Verlagswesen, 39f.

[330] Anton Kurz trat nicht nur für die Liberalisierung des politischen Lebens ein, er wurde auch ein eifriger Vorkämpfer für die Wiedereinführung der Nationaltracht, da diese „auch wesentlich zur Erstarkung des Nationalgefühls beitrage“. Vgl. E. Sigerus: Vom alten Hermannstadt II, 17, wo die „Blätter für Geist, Gemüt und Vaterlandskunde“ von 1843 zitiert werden.

[331] C. Göllner: Die Siebenbürger Sachsen in den Revolutionsjahren, 35.

rung dieser Verfassung ernstlich bedacht zu sein?"[332] Doch wurde im Ringen um die Verteidigung alter Privilegien stets auch in historischen Kategorien gedacht, wenn von den Bemühungen die Rede war, die Interessen der Nation wahrzunehmen: „Indessen wo sind die großen Römer und Griechen? Bärentreiber, Gypsfigurenhändler und Hausirer sind selbe geworden, wer weiß mit was unsere Kinder hausiren werden, ... nichts dauert ewig" schrieb der langjährige Hermannstädter Bürgermeister Martin von Hochmeister[333].

Die Rumänen in den Städten der Sachsen, Szekler und Ungarn

In den zwölf Städten Siebenbürgens, die dem mitteleuropäischen Stadttypus zugezählt werden, hatte sich die ständisch gegliederte Sozialstruktur bis in die Zeit des Vormärz erhalten können[334]. Trotz wiederholter Versuche, die von Kaiser Joseph II. den Rumänen gewährte „Konzivilität" in die Praxis umzusetzen, gab es weder in den vier Freistädten des magyarischen Adelsterritoriums, Karlsburg, Klausenburg, Gherla und Elisabethstadt, oder in der einzigen Stadt des Szeklerlandes, Maros-Vásárhély, noch in den sächsischen Städten Rumänen als Vollbürger, sieht man von den wenigen Ausnahmen in Kronstadt und Hermannstadt ab[335]. Zwar hatte man den freien Rumänen 1792 auf dem Königsboden das Recht zu allen Ämtern eingeräumt, „welche nicht durch Gesetz den vier rezipierten Religionen vorbehalten" waren, doch hatten die Verwaltungsorgane dieses Territoriums es verstanden, rumänischen Bewerbern den Aufstieg in die städtische Verwaltung oder in die der Dorfgemeinden bis 1848 zu verwehren, obwohl den Rumänen seit 1785 der Zutritt zu den sächsischen Nachbarschaften gestattet war[336]. Da den Rumänen 1820 mit königlichem Dekret das Recht zum Erwerb von Grundeigentum auch in den Städten zugestanden worden war, konnten die als Handwerker oder Kaufleute in den

[332] Politische Aphorismen hervorgerufen durch den gegenwärtigen Landtag. In: Satellit Nr. 97 vom 12. Dez. 1841, 398.

[333] A. von Hochmeister: Leben und Wirken des Martin Edlen von Hochmeister, 152.

[334] In den Städten Siebenbürgens siedelten 1841 nur 8 % der Gesamtbevölkerung des Großfürstentums, das damals 2 143 310 Einwohner zählte. Davon waren: neben den Sachsen Rumänen: 1 290 970, Magyaren: 606 009, Armenier: 9141 und Juden: 3155. Vgl. C. Göllner: Die Siebenbürger Sachsen in den Revolutionsjahren, 10.

[335] In Hermannstadt wurden 1781 und 1782 erstmals Armenier, Aromunen, Griechen und Rumänen (Radul Stoica) nach Ablegung des Bürgereides zu Bürgern. Die Zuwanderung der Rumänen in die Vorstädte war so stark, daß ihnen bereits 1817 die Erlaubnis zur Erbauung einer gr.-orth. Kirche in der Langegasse gewährt wurde. Vgl. E. Sigerus: Vom alten Hermannstadt III, 114. Im Jahre 1820 konnte Bischof Moga in Hermannstadt ein Anwesen für die Einrichtung des theologischen Seminars erwerben, das im Laufe der folgenden Jahrzehnte zu einem wichtigen kulturellen Mittelpunkt des kirchlichen Lebens der Orthodoxen wurde. Vgl. I. Lupaş: Sibiul ca centru. 52 56.

[336] G. Müller: Die ursprüngliche Rechtslage, 263ff. 285.

Vorstädten und auf dem Lande zu Wohlstand gekommenen Familien in den Städten Fuß fassen, so daß die bis dahin sehr tiefe ethnisch-konfessionelle ebenso wie die sozialrechtliche Kluft zunehmend geringer wurde. Vor allem in Kronstadt, wo die Mitglieder der privilegierten „griechischen" Handelskompagnie nach und nach romanisiert worden waren, erwuchs den rumänischen Bewohnern jene tragfähige Intellektuellenschicht, die das kulturelle und politische Profil der städtischen Gesellschaft dieses Ethnikums maßgeblich prägte[337].

Kronstadt wurde daher neben Hermannstadt zu einem der Hauptdruckorte für rumänische Bücher und Zeitungen. Nicht nur dort ansässige Verfasser, auch viele Rumänen aus dem Banat und der Walachei ließen in Kronstadt ihre didaktischen und belletristischen Schriften drucken, die von Gheorghe Lazărs Lesefibel, Übersetzungen von 1001 Nacht und Till Eulenspiegel bis zu einer „Wallachischen Sprachlehre für Deutsche" reichten[338]. Deutlicher noch als bei diesen für die neue Leserschicht in den Städten und Dörfern Siebenbürgens, des Banats und der Donaufürstentümer bestimmten Druckerzeugnissen spiegelte sich die gestiegene Nachfrage nach rumänischen Veröffentlichungen in den 167 rumänischen Druckschriften, die zwischen 1804 und 1824 in der Universitätsdruckerei von Ofen erschienen[339], denn diese waren überwiegend für die Käuferschicht in der Habsburgermonarchie bestimmt.

Um die Verleger zur Herausgabe rumänischer Veröffentlichungen zu bewegen und ihr Geschäftsrisiko zu verringern, sammelten in Hermannstadt, Făgăraş, Haţeg, Blaj, Kronstadt und in anderen Städten und Märkten die rumänischen Ärzte, wie Ioan Molnár, oder Bischofs-Vikare und Erzpriester (Protopopen) Vorbestellungen, so daß auf der Grundlage einer kulturnationalen Konsensfindung ein „Werbeapparat" entstand, der die Funktion der späteren Bildungs- und Kulturvereine vorwegnahm. Dabei waren bis etwa 1830 Pfarrgeistliche und Lehrer die Hauptabnehmer literarischer Erzeugnisse, die sich vom Inhalt her ja primär an Theologen und Pädagogen wandten[340]. Seit Anfang der dreißiger Jahre begann sich dann in den Reihen der Intellektuellen der zweiten Generation – meist Kinder von Pfarrern und Lehrern[341] – eine Verlagerung des Interesses abzuzeichnen, in dessen Mittelpunkt nicht mehr kirchliche Fragen standen sondern politische. Der Übergang von der bikonfessionellen Nation zur primär politisch orientierten Nation begann sich naturgemäß bei der dünnen Intellektuellenschicht von Kronstadt und Blaj abzuzeichnen, wo Orthodoxe und Unierte die Notwendigkeit erkannt hatten, eine überkonfessionelle Verständigung im Sinne des Liberalismus auf breitere Grundlagen zu stellen und das Bildungswesen zu modernisieren. Angesichts der in

[337] C. Papacostea-Danielopolu: Organizarea şi viaţa, 187–192.
[338] J. Gross: Kronstädter Drucke, 103–105.
[339] A. Tarnai: Die Universitätsdruckerei von Buda, 62.
[340] C. Bodea: Preocupări economice-culturale, 99–101.
[341] Eine Aufzählung bringt K. Hitchins: Studies on Romanian National Consciousness, 75.

Kreisen der ungarischen Liberalen erörterten Reformvorschläge zur Belebung der Wirtschaft und angeregt durch das Vorgehen der sächsischen Eliten, die das Bildungswesen den Anforderungen der Zeit anzupassen begannen, bemühten sich auch die Wortführer der Rumänen um eine sinnvolle Hinwendung zur Moderne. Und da sie dem dörflichen Milieu entstammten, vollzog sich ihre Urbanisierung zusammen mit ihrem sozialen Aufstieg. In der Regel legten sie dabei ein hohes Maß an praktischer Begabung an den Tag und orientierten sich mit Vorliebe stärker am sächsischen Bauern- und Bürgertum als am ungarischen Adel[342]. Insbesondere in Kronstadt und Umgebung, wo es eine recht beachtliche Konzentration rumänischer, griechischer und bulgarischer Kaufleute gab[343], begann die kulturelle Integration der Rumänen in die städtische Gesellschaft der Sachsen Früchte zu tragen, denn hier schufen sie sich ihre ersten Vereine. Wie groß die Zahl der rumänischen Mitglieder in den Kasino-Vereinen Siebenbürgens war – einschließlich der „partes adnexae", wie die Distrikte Kövar, Kraszna, Mittel-Szolnok und Zarand bis zu ihrer Angliederung an Ungarn hießen[344] –, ist bisher nicht bekannt, wie es auch noch keine Untersuchung der in den Städten Ungarns entstandenen Vereine gibt[345]. Aber es ist nicht auszuschließen, daß vereinzelt auch in anderen Städten rumänische Lehrer und Gewerbetreibende, ähnlich wie in Kronstadt, in diesen Gesellschaften mitgewirkt haben.

Um ihre gesellschaftliche und politische Zurücksetzung gegenüber den ständischen Nationen leichter überwinden zu können, propagierten die Wortführer der Rumänen den Wirtschaftsliberalismus, denn nur die Aufhebung der Zünfte und anderer restriktiver Maßnahmen konnte die Wege zum sozialen Aufstieg städtischer Schichten ebnen. Außer in Kronstadt gab es noch in Neumarkt etwa 30 Rumänen als Angestellte (Kanzlisten) der obersten Gerichtsinstanz Siebenbürgens[346], ferner

[342] Dieser Adaptionsvorgang war eine natürliche Folge der günstigen Schulverhältnisse, denn die rd. 200 000 Rumänen, die auf dem Königsboden in enger Wirtschaftsgemeinschaft mit den Sachsen lebten, hatten etwa 200 Elementarschulen, während den Kindern von über 1 Mio. Rumänen in den Komitaten nur knapp 100 Elementarschulen zur Verfügung standen. Vgl. V. Cheresteşiu: Adunarea, 109; und C. Göllner: Die Siebenbürger Sachsen in den Revolutionsjahren, 29.

[343] C. Papacostea-Danielopolu: Organizarea şi viaţa, 187–192, macht hier sehr genaue Angaben. Ähnlich auch V. Cheresteşiu: Adunarea, 63. Diese dürften K. Hitchins entgangen sein, da er die rumänische „commercial und industrial middle class" als kaum existent bezeichnet. Vgl. Studies on Romanian National Consciousness, 79.

[344] Eine knappe Charakterisierung dieses zwischen Ostungarn und Siebenbürgen gelegenen Raumes, der keine feste Größe war und daher unterschiedlich definiert wird, findet sich bei E. Turczynski: Konfession und Nation, 78ff.

[345] Der Siebenbürger Bote Nr. 97 vom 8. Dez. 1840/LV. Jg. erwähnt die Generalversammlung der Kasino-Gesellschaft von Karlsburg, wo Magyaren, Sachsen, Juden und Rumänen Stadtbürger waren. Karlsburg war die einzige Stadt, in der den Juden der Aufenthalt erlaubt war. Vg. J. von Steeger: Darstellungen der Rechte, 200f.; und E. Sigerus: Vom alten Hermannstadt III, 114.

[346] K. Hitchins: Studies on Romanian Consciousness, 79.

in Klausenburg, Karlsburg, Hermannstadt, Aiud, Odorhei, Zălău und natürlich in Blaj, dem ersten und ältesten Bildungs- und Kirchenzentrum der Rumänen des Großfürstentums.

Verglichen mit der Zahl der Kleriker, die 2553 betrug, und zwar 1505 des griechisch-katholischen Ritus und 1048 des orthodoxen, war die der Lehrer mit 300 relativ klein[347], während die Rumänen, die an einer der Rechtsakademien oder Universitäten ihr Studium absolviert hatten, vor 1848 mit 30 noch kaum ins Gewicht fielen. Alle Notare, Ärzte und Professoren an Gymnasien zusammengenommen übertrafen die Zahl der Rechtsanwälte nicht, so daß es kaum 300 Rumänen gab, die in Siebenbürgen für öffentliche Ämter in Frage kamen. Da sich die städtische Gesellschaft aus diesen Anwärtern auf Anstellung im öffentlichen Dienst des Großfürstentums, einem Teil der Lehrer und der Geistlichkeit sowie den Kaufleuten und Handwerkern zusammensetzte, wird man ihre Zahl mit etwa 1000 bis 1200 annehmen können, davon etwa die Hälfte in Kronstadt und Hermannstadt. Die Gesamtzahl aller Rumänen, die um 1848 lesen und schreiben konnten, betrug in Siebenbürgen, dem Partium und dem Banat insgesamt nur etwa 10 000[348].

Dieser geschätzten Zahl entsprach auch der Stand der Bezieher rumänischer Zeitungen in den Jahren 1838 und 1842, die sich auf 117 bzw. 126 belief; denn hier kann davon ausgegangen werden, daß die Leserschicht ein Vielfaches der Bezieherzahl ausmachte. Da der Anteil der Kaufleute unter den Beziehern von 24% auf 33% zunahm und nur von den Klerikern übertroffen wurde (53% bzw. 40%), wobei zunächst 75% bzw. 76% auf Bezieher in den Städten entfielen, 1847 aber nur noch 70%[349], kann davon ausgegangen werden, daß die Urbanisierung der rumänischen Städterschicht sehr langsam zunahm.

Eine Sonderstellung nahmen Rumänen und Szekler in den Marktflecken der Militärgrenze ein, wobei 7 der 11 Marktflecken von „Gränzern und Provinzialisten" gemeinschaftlich bewohnt wurden, während nur vier reine Grenzerkommunitäten waren. In diesem Bereich war der Alphabetisierungsgrad verhältnismäßig hoch, obwohl die regulären Schulen nur von etwa 15% aller schulpflichtigen Kinder besucht wurden, doch gab es noch sog. „Winterschulen", die stärker frequentiert wurden[350]. Von den vier Marktflecken im Bereich der beiden rumänischen Grenzregimenter waren zwei „gemeinschaftliche" und zwei „pure". In Năsăud, dem Stabsort des 2. Regiments, bestand seit 1784 eine rumänische Oberschule, die mit

[347] J. Söllner: Statistik, 390.

[348] G. Barițiu: Părți alese II, 70–71. V. Cheresteșiu: Adunarea, 107 und K. Hitchins: Studies on Romanian National Consciousness, 79.

[349] G. Marica: Studii I, 19 u. 32–33.

[350] Die Frequenz der 32 regulären Schulen im Bereich des 1. Rumänischen Inf. Rgts. betrug 1834: 1676 Grenzerkinder; 1836 in 34 Schulen bereits 1948. Die Frequenz der Winterschulen betrug dagegen 9898 bzw. 10 910. Auffallend stark war die Frequenzsteigerung bei Mädchen, für die 3 Schulen bestanden, die 1834 von 91 und 1836 bereits von 269 Kindern besucht wurden. Vgl. C. Göllner: Die siebenbürgische Militärgrenze, 113.

einer „mathematischen Zeichenschule“ und einem Internat verbunden war, in dem 50 „Aerarial Plätze für Stiftlinge“ und nahezu ebensoviele Plätze für „Kostzöglinge“ vorhanden waren. Obwohl aus dem Erziehungsinstitut seit seiner Errichtung bis 1834 neben 49 Geistlichen auch 1 Major, 9 Hauptleute, „20 Oberlieutnants, 16 Unterlieutnants“, 3 Fähnriche, 2 Oberlehrer und 18 Unterlehrer hervorgegangen waren[351], gab es unter den Offizieren nur vereinzelt Bezieher rumänischer Zeitungen. Es kann angenommen werden, daß auch hier die Geistlichkeit nach außen als Bezieher auftrat. Im allgemeinen aber scheinen die Offiziere durch die traditionelle Bindung an die Dynastie und an die Religion, die bei den Rumänen Siebenbürgens und der Bukowina besonders deutlich war, bis 1848 stärker beeinflußt worden zu sein als durch die nationale Kohäsion, die vor den Kasernentoren Halt zu machen pflegte.

Die städtische Gesellschaft im Banat und in der Bukowina

Das Banat, integraler Teil Ungarns ebenso wie das auch als Westsiebenbürgen bekannte Partium, hatte keine so komplizierte verfassungsrechtliche Struktur wie das Großfürstentum Siebenbürgen, weshalb seine Städte und Märkte eine vorwiegend polyethnische Einwohnerschaft aufwiesen.
Weil nämlich die Bürger den vierten Reichsstand im Königreich Ungarn bildeten und ihre Pflichten und Rechte gegenüber dem Staat genau festgelegt waren, hatten „Erzschatzmeister“ und „Personal“, die beiden Stellvertreter des Königs in Gerichtssachen, stets darauf geachtet, daß Aufnahmeformalitäten für neue Bürger in den königlichen Freistädten streng eingehalten wurden und die Staatskasse nicht zu kurz kam. Handwerksmeister und Kaufleute, die in der Regel nicht dem magyarischen Ethnikum entstammten, bildeten die vorherrschende Bürgerschicht, so daß bis zur Mitte des 19. Jahrhunderts in den meisten dieser Städte Deutsch und zum Teil auch Serbisch die Umgangssprachen waren. Den einheimischen Bauern war die Aufnahme in die Städte dagegen verwehrt, es sei denn, daß sie es in einem Handwerk zum Meister gebracht hatten und das erforderliche Zeugnis über die Entlassung aus der Untertänigkeit durch ihren Grundherrn vorlegen konnten[352]; denn da der Adel keine Steuern zu zahlen brauchte, mußten die öffentlichen Lasten und somit das gesamte Staatsaufkommen von den Städten und den Bauern getragen bzw. aufgebracht werden. In den Städten am Rande des magyarischen Volksbodens war die Neubildung deutscher, serbischer und rumänischer Stadtviertel bereits im 18. Jahrhundert erfolgt, und diese polyethnische Struktur spiegelte sich in den gewählten Stadtverwaltungen, dem „Inneren“ und dem „Äußeren“ Rat, wider.

[351] Benigni von Mildenberg: Statistische Skizze der Siebenbürgischen Militärgrenze, 19f., 137–139.
[352] J. von Steeger: Darstellung der Rechte, 136–144.

Da auch den „nicht-unierten Griechen", d.h. den Anhängern der orthodox-orientalischen Kirche, die bürgerlichen und kirchlichen Freiheiten auf dem Reichstag vom Jahre 1791 von seiten der Reichsstände gewährt worden waren, war die Stellung der Serben und Rumänen im Bereich des ungarischen Staatsrechts günstiger als in Siebenbürgen[353]. Die wirtschaftlichen Verhältnisse der rund 900 000 Einwohner[354] – die Militärgrenze nicht mitgerechnet – waren Mitte der vierziger Jahre auf Grund der sehr fruchbaren Ackerböden und der für den Wein- und Obstbau sowie die Viehzucht günstigen klimatischen Bedingungen besser als die der Masse der unfreien Untertanen in Siebenbürgen.

Ein dichtes Netz von Elementar-Schulen für alle Sprachgemeinschaften sowie Präparandien und Priesterseminare sorgten für eine umfassende Alphabetisierung.

Deutsche und ungarische sowie serbische Zeitungen, Theateraufführungen und eine vom Wiener Stil geprägte Form der Geselligkeit gaben der städtischen Gesellschaft einen mondänen Zug. Die in den ungarischen Adelsstand erhobenen Serben, Rumänen und Banater Schwaben fühlten sich von Ofen und Pest, Preßburg und Szegedin ebenso angezogen wie von Wien, so daß die Oberschicht ein kosmopolitisch schwarzgelbes Profil zeigte, das nicht zuletzt vom kaiser- und königstreuen Offizierskorps geprägt wurde. Daß in Temeswar und anderen Städten dieser Region die Kirchen der Katholiken, Orthodoxen und Protestanten in umittelbarer Nähe, oft sogar auf demselben zentralen Platz standen, dokumentierte die, wenn auch manchmal unterschiedlich praktizierte, Konfessionstoleranz, die sich die römisch-katholische Kirche auf Grund ihrer beherrschenden Stellung und „tief eindringenden geistigen Macht" leisten konnte[355].

Der soziale Aufstieg stand bis zu einem gewissen Grad jedem Tüchtigen offen, ein Umstand, der sich besonders deutlich an der relativ hohen Käuferzahl literarischer Erzeugnisse ablesen läßt. So konnte Damaschin Bojîncă für sein 1832/33 in der Universitätsdruckerei von Ofen in zwei Teilen herausgegebenes Werk über die Antiquitäten der Römer (Anticile romanilor ...) allein im Banat 328 Käufer finden. In Pest, wo eine große rumänische Kolonie bestand, wurden 28 Exemplare vorbestellt und in Großwardein sogar 44. Der Rest von 131 Exemplaren ging in die anderen von Rumänen bewohnten Gebiete, vor allem in die Donaufürstentümer[356].

Die Kaufkraft der relativ breiten rumänischen Intelligenz- und Intellektuellen-

[353] A. v. Virozsil: Das Staats-Recht des Königreichs Ungarn II, 31–39.; M. Wesselény: Eine Stimme, 50f. schätzt für die insgesamt 126 Städte – davon waren nur 53 königl. Freistädte – die Zahl der „Wallachen" auf 40 454.

[354] Diese verteilten sich wie folgt auf die vier großen Ethnien: 450 000 Rumänen, 193 000 Deutsche, 138 000 Serben und 115 000 Magyaren. Vgl. E. Fényes: Magyarország leírása II, 325–52.

[355] R. Kann: Werden und Zerfall, 23. (Die Prälaten waren der erste Stand im Königreich Ungarn).

[356] V. Cristian: Editarea şi difuzarea, 65.

schicht – nur einen Teil der alphabetisierten Bevölkerung wird man zur Intellektuellenschicht rechnen dürfen – ist auf den ungehinderten Zugang zu Handel, Gewerbe und kommunaler Selbstverwaltung zurückzuführen. Schuldirektoren und Erzpriester in Arad, Beiuş, Großwardein waren die Vermittler für den Bücherkauf, denn Hauptabnehmer waren bis weit in die zweite Hälfte des 19. Jahrhunderts vor allem Lehrer und Pfarrer, die seit 1774 und 1786 von allen Steuerabgaben befreit waren und über ein festes Einkommen verfügten[357].

In Lugoj, einem kleinen Städtchen, wo zwischen 1830 und 1834 die rumänische Geheimgesellschaft „Constituţia" bestanden hatte, konnten die überwiegend rumänischen Einwohner von 1839 an einen der Ihren zum Bürgermeister wählen. Auch in Arad, Temeswar und Caransebeş war der Anteil der Rumänen an der Städterschicht beachtlich, und ähnlich verhielt es sich mit den Städten Westsiebenbürgens, Großwardein, Sighet und Sathmar. Caransebeş dagegen nahm als Hauptort des Banater rumänischen Grenzregiments wie alle Militärkommunitäten eine Sonderstellung ein, denn auf dem Boden der österreichischen Militärgrenze, wo nur jeder vierte Mann zum Dienst mit der Waffe herangezogen werden durfte, war die wirtschaftliche Lage der Bauern günstiger als in den Komitaten. Großwardein war Sitz eines griechisch-katholischen Bischofs und somit eines der klerikalen Kulturzentren, bei weitem aber nicht so bedeutsam wie Blaj.

Die führende Schicht der rumänischen städtischen Gesellschaft bildeten Priester, Lehrer und Rechtsanwälte. Unter diesen nahm Eftimie Murgu (1805–1870), Sohn eines Grenzer-Offiziers, eine hervorragende Stellung ein, da er seit 1842 in seiner Anwaltskanzlei in Lugoj ein Zentrum des Widerstandes gegen die Bedrückung der Komitatsbauern zu organisieren begann und auch nicht mit Kritik am Metternichschen System sparte. 1845 wurde er wegen seiner Agitation gegen die magyarischen Grundherren eingesperrt und erst 1848, im Zuge der Revolutionsereignisse, wieder aus dem Gefängnis in Pest befreit[358].

Murgu hatte in Lugoj Mitstreiter aus den Reihen der Intelligenz gehabt, die nunmehr, durch seine Verhaftung eingeschüchtert, den Kampf für die Verbesserung der soziokulturellen Verhältnisse und gegen die Magyarisierung unauffälliger fortsetzten.

In Temeswar, das ein Spiegelbild der ethnischen Struktur des Banates bot, übte der ungarische Adel eine nicht geringe Anziehungskraft auf die arrivierten Bewohner aus und verstand es, weite Kreise der deutschen wie der rumänischen und serbischen Bürgerschicht für die Ideen der liberalen Reformbestrebungen zu gewinnen. So konnten bereits bei Gründung des „Casinovereins" im Jahre 1838 stattliche 366 Mitglieder registriert werden, deren Zahl bis März 1840 auf 421 anstieg[359].

[357] C. Bodea: Preocupări economice-culturale, 99–103.

[358] V. Cheresteşiu: Luptătorul, 66–70 und A. Papiu-Ilarianu: Istoria Romaniloru II, CXXVff.

[359] Satellit Nr. 15 vom 5. März 1840, 35.

Die 1839 von Ärzten und Apothekern gegründete Gesellschaft, die sich „Verein für praktische Heilkunde" nannte und von ihren Mitgliedern den standesgemäßen Beitrag von 30 fl. kassierte, um einschlägige Zeitschriften und Fachbücher kaufen zu können, wählte einen Rumänen zum Vorsitzenden[360].
Insgesamt war das Wirken der rumänischen Intelligenz und ihrer städtischen Gesellschaft im Banat und Partium unauffällig, denn die Anziehungskräfte der ungarischen Liberalen waren stärker als die kulturnationalen Strömungen[361].
In den urbanen Mittelpunkten der Bukowina war die städtische Gesellschaft wesentlich neueren Datums, denn sie hatte sich – sieht man von Suceava, der alten Hauptstadt des Fürstentums Moldau ab – erst nach der Annexion durch Österreich entwickelt. Czernowitz, Sereth und Radautz – letzteres erst 1818 vom Dorf zum Marktflecken erhoben und aus einer älteren rumänischen und einer jüngeren deutschen Gemeinde gebildet[362]–, sowie andere Marktflecken erhielten ab Mitte der zwanziger Jahre einen starken Zustrom neuer Einwanderer aus Galizien und Bessarabien, darunter viele Juden. Dieser Zuzug ist sowohl dem wirtschaftlichen Aufschwung als auch dem Ausbau des Schulwesens zuzuschreiben, nicht zuletzt aber der Vereinfachung des Steuersystems, der Anlage eines „stabilen Grundcatasters" und der systematischen Rechtspflege[363]. Rumänische Bojarenfamilien, deutsche Beamte, armenische Großgrundbesitzer und Kaufleute, schließlich Juden, Polen und Ruthenen sehr unterschiedlicher sozialer Kategorien bildeten die Einwohnerschaft, die oft nach Wohnvierteln, Straßenzügen oder Vorstädten abgesondert ihren eigenen Wohnstil prägte.
Von unschätzbarem Wert für den wirtschaftlichen Aufschwung waren die Handwerker, die nach der Einführung des Zunftwesens in der Bukowina im Jahre 1804 deutsche Zunftbräuche heimisch werden ließen, so daß die Lehrlinge eine geregelte Ausbildung erhielten[364]. Die Lehrlings- bzw. Gesellen- und Meisterprüfungen sorgten für einen hohen Leistungsstand, der auch dem Warenabsatz förderlich war. Wie in den Städten des deutschen Sprachraumes führten die Straßen oft Handwerksnamen. Nur der Kern der Städte unterlag einer planvollen Gestaltung, die zunächst im klassizistischen, später im Stil des Biedermeiers erfolgte, „und diese Bautätigkeit wurde beispielgebend für das ganze Land"[365]. Für Czernowitz, das 1830 bereits 9160 Einwohner zählte, wurde der Ringplatz mit einem „nach kapitolinischem Vorbild" von Andreas Mikulicz erbauten Rathaus gestaltet. Die Stadtkerne von Czernowitz, Sereth, Suceava und Radautz erhielten durch diese moder-

[360] Dr. Csokerlyan – der Name dürfte vom Rumänischen „Ciocîrlan" abgeleitet sein. Über den Verein für praktische Heilkunde berichtet der Satellit Nr. 16 vom 9. März 1840, 38f.
[361] A. Papiu-Ilarianu: Istoria Romaniloru I, 236f.
[362] Radautz war „nach dem Muster von Theresienfeld nächst Wiener-Neustadt angelegt..." wie aus einem Bericht aus dem Jahre 1851 hervorgeht. Vgl. F. Wiszniowski: Radautz, 27.
[363] Ebd. 22, 136, 147–150 und 217f.
[364] E. Beck: Zur Wirtschaftsgeschichte, 174.
[365] J. Lehner: Die bildenden Künste, 475.

ne Bauweise ein völlig anderes Gesicht als die Vorstädte, deren Gebäude im traditionellen Stil der rumänischen, deutschen und ruthenischen Dorfhäuser erbaut waren.

Die Beamten der Verwaltungen, des Czernowitzer Landgerichts und der 13 Bezirksgerichte, die sich gleichmäßig auf Städte und Marktgemeinden verteilten, ferner der Finanz-Bezirksdirektion und des Religionsfonds hatten der städtischen Oberschicht einen unverkennbaren schwarzgelben Anstrich verliehen, dem sich weite Teile der polyethnischen städtischen Gesellschaft, insbesondere die Lehrer und Rechtsanwälte, anzupassen bemühten. Langsamer war der Strukturwandel bei den rumänischen Bojaren, denn diese orientierten sich einerseits nach den neuen Machthabern und der von diesen verkörperten Ordnung, andererseits waren sie sowohl durch die Tradition als auch durch enge Familien- und Gesellschaftsbeziehungen mit den Bojaren der Moldau verbunden. Hier scheinen die Frauen den exogenen Einflüssen in der Mode besonders schnell gefolgt zu sein, denn bereits 1823 waren sie „meist deutsch gekleidet, auch elegant ...", während von den in Czernowitz wohnenden Bojaren nur einige „deutsch gekleidet" waren[366]. Fünfzehn Jahre später berichtete der bekannte Reisegeograph Johann Georg Kohl, Czernowitz sei ihm „deutschsteinern" erschienen, weil das Äußere des Stadtbildes ihn an „eine Vorstadt von Wien" erinnerte[367]. In den beiden dazwischenliegenden Jahrzehnten hatte die Entwicklung zu einer beachtlichen sozialen Mobilisierung unter den Rumänen geführt. Daher konnte die nächste Generation der Bojaren, wie die fünf Söhne Doxachi Hurmuzachis, die nach Beendigung des Czernowitzer Gymnasiums in Wien Rechtswissenschaft studiert hatten, zwischen 1834 und 1845 mit der festen Überzeugung heimkehren, daß die Rumänen der Bukowina ein freies und autonomes Leben innerhalb des Habsburgerreiches führen könnten[368].

Wie in Jassy und Bukarest wirkten auch in den Städten der Bukowina, vor allem in Czernowitz deutsche und französische Privatlehrer aus Siebenbürgen, Preßburg, Wien und sogar Paris. Viele Musiklehrer, insbesondere Pianisten, fanden hier ein reiches Betätigungsfeld und vermittelten dem Gesellschaftsleben einen mondänen und musischen Zug, der die starke Orientierung nach Wien und Paris aufscheinen ließ. Klavierauszüge aus Mozarts Zauberflöte waren zu Beginn der dreißiger Jahre sehr beliebt, und ähnlich wie in Klausenburg, Hermannstadt und Temeswar erzielten Opernaufführungen in den Jahren 1839–1842 „ungewöhnliche Erfolge". Die Opernaufführungen von Cosi fan tutte, Figaros Hochzeit, Don Juan und Die Zauberflöte erfreuten sich besonderer Beliebtheit, und regelmäßig war der rumänisch-orthodoxe Bischof Hakman unter den geladenen Gästen. Auch hier war –

366 Reisetagebücher des österr. Kaisers Franz I. (Hrsg. von R. Wagner) 85.
367 J. G. Kohl: Reisen im Innern von Rußland, 5–18.
368 N. Iorga: Românismul, 81f.

ähnlich wie im Banat und Siebenbürgen – der Besuch von Franz Liszt, der acht Tage in Czernowitz weilte, eines der größten musikalischen Ereignisse[369].
Wohlhabende Bürger- und Bojarenfamilien engagierten qualifizierte Lehrkräfte für den privaten Musikunterricht, wie Doxachi Hurmuzachi, in dessen Haus Madame de Guyeux, eine Schwester Victor Hugos, unterrichtete, und Baron Petrino, für dessen Familie der Wiener Klavier- und Gesangslehrer Greiner tätig war. Neben der Hausmusik war es der im Theologischen Seminar und am Gymnasium gepflegte Chorgesang, der zu besonderem Ansehen gelangte, denn Franz Pauer, der noch in Orchesterkonzerten mitgewirkt hatte, die Beethoven dirigierte, sowie der Egerländer Karl König haben diese musikalische Breitenarbeit nach modernen musikpädagogischen Erkenntnissen gestaltet[370], wie überhaupt die Hingabe an die Musik und gesellige Veranstaltungen in der Bukowina die Kompensation für das relativ geringe politische Interesse war.
Der 1830 in Czernowitz von Andreas Mikulicz angelegte „Volksgarten", eine großzügige Parkanlage nach Art des Wiener Volksgartens mit einem Musikpavillon, war für die umliegenden Regionen eine große Sehenswürdigkeit, die von Reisenden aus der Moldau, Bessarabien und Rußland ebenso bestaunt wurde wie die den Wiener Vorbildern angepaßte Kleidermode[371].
So groß auch die kulturelle Strahlungsfunktion von Czernowitz und anderen Städten der Bukowina für die Moldau war, weil Rechtspflege, Verwaltungsstruktur, Bildungseinrichtungen, Handwerk und nicht zuletzt das Musikleben Vorbildwirkungen hatten, im literarischen Bereich hatten weder die Deutschen noch die anderen Sprachgemeinschaften vor 1848 nennenswerte Leistungen aufzuweisen. Deutsch, Rumänisch und Polnisch waren Amts- und Verkehrssprache, aber die Blickrichtung der städtischen Gesellschaft war eindeutig nach Wien orientiert, nicht etwa nach Jassy oder Lemberg. Eine stärkere Bindung an Wien zogen daher auch die liberalen Rumänen vor, denn die Trennung von Galizien schien allen politischen Führungskräften die beste Voraussetzung für eine Erweiterung der Autonomie zu bieten.
Der Landgerichtspräsident und Direktor des philosophischen Studiums in Czernowitz, Karl Umlauff von Frankwell, hatte mit einem Memorandum bewirkt, daß ein großer Teil der orthodoxen Schulen der Aufsicht des Konsistoriums unterstellt und so die angestrebte Trennung von Galizien eingeleitet wurde.
Über die kirchliche Selbstverwaltung hinausreichende Forderungen wurden von Vertretern einer gemäßigten liberalen „Opposition" formuliert, ein unverkennbares Zeichen für ein neues Solidaritätsgefühl der höheren Stände und des Bildungsbürgertums. Die Erhebung der Bukowina zu einem selbständigen Kronland sowie die nationalpolitischen Ziele der Rumänen standen im Mittelpunkt, „Aufhebung

[369] A. Norst: Der Verein zur Förderung der Tonkunst, 19–24.
[370] St. Stefanowicz: Das Musikleben, 489–492.
[371] E. Păunel: Bucovina de altă dată, 6–8.

aller bisherigen Privilegien für einzelne"[372] aber erst an sechster Stelle der zwölf Forderungen. Die „Postulate der Bukowiner Rumänen", die der Reichsversammlung im August 1848 in Wien präsentiert wurden, waren ihrerseits (s. o.) weitaus stärker von sozialen und liberalen als von nationalkirchlichen Aspekten bestimmt[373].

Die städtische Gesellschaft in den Donaufürstentümern

Die Stellung der rumänischen Stadt des Mittelalters ist in zahlreichen Untersuchungen erhellt worden[374], während über die Stadtentwicklung der Neuzeit, insbesondere des 19. Jahrhunderts, zusammenfassende Darstellungen noch fehlen. Es kann aber davon ausgegangen werden, daß die Städte des östlichen Habsburgerreiches seit dem ausgehenden 18. Jahrhundert eine starke kulturelle Strahlungsfunktion für die Städte und Märkte der Moldau und Walachei besaßen und darüber hinaus die natürliche Verbindung zwischen dem Westen und Südosteuropa durch eine rege Verkehrs- und Kommunikationstätigkeit herstellten, wie dies für Ofen-Pest[375], Leipzig und Wien bekannt ist. Besonders deutlich wurden die Modernisierungsimpulse, die von diesen städtischen Gesellschaften ausgingen, nachdem eine größere Zahl rumänischer und griechischer Großbojaren während des Jahres 1821 nach Hermannstadt, Kronstadt oder Czernowitz geflüchtet waren und dort unter dem Eindruck okzidentaler Gesellschaftsordnungen Pläne für innovatorische Maßnahmen entwickelten, die zu einer fruchtbaren Kulturarbeit führten[376].
Umwälzender als die Gründungen dieser Geheimgesellschaften und Kulturvereine waren jedoch die Maßnahmen, die im Organischen Reglement für die Umgestaltung und den Ausbau der Städte vorgesehen waren, sowie die nach 1830 äußerlich sichtbare Abkehr der Bojaren vom Orient, die an Kleidung, Wohnungseinrichtung, Haartracht, Schmuck und Kutschen auffiel. Vor allem die verbesserte Ge-

[372] E. Prokopowitsch: Die rumänische Nationalbewegung, 41.
[373] Die Postulate der Bukowiner Rumänen im Jahre 1848. H. H. St. A. Wien: Reichstagsakten, Kt. 474/1848.
[374] H. Weczerka: Die Stellung der rumänischen Stadt des Mittelalters im europäischen Städtewesen. In: Die Mittelalterliche Städtebildung im südöstlichen Europa. Hrsg. v. Heinz Stoob, 226–56. *Ders.:* Deutsche Siedlungen und Einflüsse deutschen Stadtrechts, 151–178.
[375] L. Sziklay: Das Zusammenleben, 113–127.
[376] So wurde die 1822 in Kronstadt von rumänischen Flüchtlingen gegründete Geheimgesellschaft zur Wiege der 1827 von Heliade-Rădulescu und Dinicu Golescu gegründeten „Societatea literară. Vgl. P. Cornea: Originele, 257–260; und für die nach Czernowitz Geflüchteten E. Prokopowitsch: Moldauische Bojaren als Emigranten in der Bukowina, 390–393. Die 1821 in Czernowitz gegründete Geheimgesellschaft wurde bereits erwähnt. Die Zahl der nach Hermannstadt geflüchteten Bojaren soll „mehrere Hundert" betragen haben. Vgl. A. v. Hochmeister: Leben und Wirken des Martin Edlen von Hochmeister, 133.

sundheitsfürsorge durch konsequente Impfmaßnahmen, Krankenhausbauten, Quarantänen, Abwassergräben innerhalb der Städte, wie z.B. in Bukarest, Trokkenlegung von Sümpfen und viele andere Sanierungsmaßnahmen, die von den russischen Statthaltern eingeleitet und von russischen, deutschen[377] und französischen Ingenieuren und Baumeistern durchgeführt wurden, haben Bukarest und Jassy innerhalb von zwei Generationen zu modernisierten Städten mit Vorbildwirkung für andere Städte und Märkte gemacht. Diese als „Städte" bezeichneten Siedlungen, die ursprünglich „in den meisten Fällen eine Anzahl von Bojarenhöfen mit Nebengebäuden und Lieferantenhäusern" gewesen waren[378], veränderten ihr Aussehen, als Häuser im westeuropäischen Stil gebaut wurden. Aber noch um 1841 sahen die Häuser Bukarests ähnlich aus wie die in den bis heute erhaltengebliebenen Altstädten von Tirnovo und Plovdiv in Bulgarien[379].

In Anlehnung an Vorbilder städtischer Selbstverwaltung, die nach Ausgang des Mittelalters in „fast allen rumänischen Städten"[380] nachweisbar sind, dann aber während der Osmanen- und Phanariotenherrschaft untergingen, wurden zunächst für Bukarest und Jassy Ende 1831 die ersten Stadträte gewählt, um die innere Verfassung zu erneuern. Bukarest, das damals 60 587 Einwohner (13 065 Familien) zuzüglich etwa 10–12 000 Pendler zählte, wies durch Zuzug aus der näheren und ferneren Umgebung ein starkes Wachstum auf, so daß die „Rururbanisation" und die an der Oberschicht sichtbare Okzidentalisierung gleichzeitig erfolgten.

Der auffallende Luxus der Bojaren legte „seine anatolischen Formen ab" und näherte sich westeuropäischen Geschmacksrichtungen, Paläste und ärmliche Hütten, die dörflichen Charakter hatten, standen nebeneinander[381].

Ähnlich charakterisierte Graf Pons Bukarest, wo er sich 1838 aufhielt: „Diese nicht sehr alte Stadt ist planlos gebaut und bildet ein seltsames Untereinander von Hütten, Marktbuden und Palästen, welche die schönen Quartiere von Paris nicht entstellen würden[382]." Paris blieb das Vorbild der rumänischen Bojaren, die sich mit Bereitwilligkeit der französischen Kultur ergaben und den Übergang von einer traditionellen zu einer modernen Gesellschaft bewältigen mußten, eine Entwicklung, für welche die Bewohner der sächsischen Städte Siebenbürgens Jahrhunderte Zeit gehabt hatten. Die 615 Bojaren mit ihren Familien, Dienern und Zigeunersklaven, insgesamt 8335 Personen, die in Bukarest um 1830 lebten, blieben die tonangebende Schicht, da die über 48 000 Seelen zählende Mittelschicht, zu der viele

[377] Über die Tätigkeit deutscher Ingenieure vgl. D. Berindei: Cu privire la biografia ingenerului, 205–213; ferner D. Ciurea: Civilizația, 40.

[378] M. Manoilescu: Rolul și destinul burgheziei, 87.

[379] Aufschlußreich sind die Abbildungen in Ion Ghica: Documente literare inedite, 12/13; und bei D. Berindei: Orașul București, 168f., 176f., 242 und 249.

[380] H. Weczerka: Deutsche Siedlungen und Einflüsse, 164.

[381] Bois le Compte. Memorandum vom 14. Mai 1834. Abgedr. bei E. Hurmuzaki: Documente XVII, 358–359 und XXI, 562.

[382] P. Pons: Ungarn und die Walachei, 115.

Griechen, Armenier, Deutsche, Serben, Bulgaren, Polen u.a. gehörten, keine nennenswerten politischen Rechte besaß und ebensowenig die 2583 Juden[383]. Weil aber der Zustrom der Juden aus der Moldau trotz des Verbots von 1827 unvermindert anhielt, verfügte der Fürst 1834 ihre Registrierung und – soweit sie nicht genügend Mittel für die Sicherung der Existenz nachweisen konnten – ihre Ausweisung. Maßnahmen gegen die Einwanderung armer Juden bestanden nach ähnlichen Grundsätzen seit Jahren auch in der Moldau, wo die Juden in zwei Kategorien eingeteilt waren: im Lande Geborene oder Aufgewachsene und Neueingewanderte. Letztere mußten ein Kapital von mindestens 5000 Lei[384] nachweisen können, um nicht ausgewiesen zu werden[385]. Zur Milderung fiskalischer oder administrativer Härten galt die Annahme von Geschenken als altbewährtes Mittel[386]. Durch einen entsprechenden Geldtransfer konnten die Einnahmen der Staatsbediensteten – meist Bojaren der oberen oder mittleren Ränge – aufgebessert und Ausweisungen vermieden oder wenigstens aufgeschoben werden. Schließlich war der Geldbedarf der Bojaren sehr groß, denn sie bemühten sich, mit der schnell wechselnden westlichen Mode Schritt zu halten und erachteten es z.B. für weit unter ihrer Würde, zu Fuß zu gehen, nur die Stadtfahrt in der Kutsche war standesgemäß[387]. Daneben mußte aber für Pferdeknechte, Küchen- und Hausgesinde mindestens der Unterhalt sichergestellt werden. Der Kontrast zwischen Herren und Diener war oft sehr groß, so wenn ein barfüßiger Kutscher auf dem Bock einer aus Wien für teures Geld importierten Kutsche saß; aber dergleichen störte die Bojarenfamilien noch Jahrzehnte hindurch selten. Eine allmähliche Verwischung der Standesunterschiede trat erst ein, als das Bildungswesen auf solidere Grundlagen gestellt wurde und der Besuch öffentlicher Schulen Kindern aus allen Schichten unentgeltlich offenstand. Wer es sich jedoch leisten konnte, hielt einen oder mehrere Hauslehrer

[383] K. Bochmann: Der politische-soziale Wortschatz, Stichwort „Tîrgoveţi". Über die Bevölkerungsstruktur Bukarests gibt Auskunft D. Berindei: Oraşul Bucureşti, 190 und 235.

[384] Lei und Piaster wurden in den Donaufürstentümern gleichgesetzt, da sie primär Rechnungseinheiten waren. Um 1831 rechnete man für einen venezianischen, österreichischen oder holländischen Dukaten 31 Lei. Vgl. M. N. Popa: La circulation monétaire, 43f.; und A. D. Xenopol: Istoria Românilor, V/II, 127f.

[385] I. C. Filitti: Domniile Române sub Regulamentul Organic, 12f., 28, 455, 473, 495.

[386] Eindrucksvoll geschildert von W. v. Kotzebue: Aus der Moldau, 127ff. und von einem griechischen Juristen, G. M. Panas. Vgl. C. C. Angelescu: Justiţia în Moldova, 186. In der Malerei hat N. Grigorescu mit dem Ölgemälde: Evreu cu gîsca (Der Jude mit der Gans) die in weiten Teilen Südosteuropas verbreitete Sitte illustriert, bei Eingaben und Bittschriften ein Geschenk nicht zu vergessen!

[387] W. Wilkinson: An account of the Principalities, 90 (1820); und P. Pons: Ungarn und die Walachei, 115 (1838). Ende 1847 wurden etwa 12 000 Kutschen in Bukarest gezählt. D. Berindei: Oraşul Bucureşti, 203. Die Mode- und Verschwendungssucht der Bojaren in der Moldau um 1840 beschreibt sehr anschaulich E. Tollhausen: Reisebilder aus der Moldau, Satellit Nr. 96 v. 9. Dez. 1841, 393f.

oder gab seine Kinder in eines der vielen privaten Erziehungsinstitute, die in Bukarest und Jassy wie Pilze aus dem Boden schossen.

Mit der Herausgabe der ersten langlebigeren Zeitungen[388], „Curierul românesc" in Bukarest und „Albina românească" in Jassy, begann im Jahre 1829, wie wenige Jahre vorher mit der publizistischen Tätigkeit der „Matica srbska" in Ofen, eine Belebung der kulturellen und ganz vorsichtig auch der politischen Ideenströme. Die in Bukarest 1827 nach älteren Plänen gegründete „Societatea literară", die sich im Unterschied zu ihrer 1822 gegründeten kurzlebigen Vorgängerin nur kulturelle und literarische Ziele gesetzt hatte, war eine Honoratiorenvereinigung, die sich dem Ausbau des Schulwesens, der Förderung literarischer Übersetzungen und der Gründung eines rumänischen Theaters widmen wollte, ihre Tätigkeit aber zu Beginn des russisch-türkischen Krieges von 1828 wieder einstellte. Erst der dritte Anlauf im Herbst 1833 führte zur Gründung der „Societatea Filarmonică", die sich mit größerer Ausdauer und Erfolg den Zielen ihrer Vorgängerin widmete. Obwohl auch hier Großbojaren neben dem Landesherrn und dem russischen Konsul Einfluß ausübten, gelang es schließlich Ion Câmpineanu, der 1835 zum Vizepräsidenten gewählt wurde, im Rahmen des engeren Vorstandes eine bürgerlich-liberale Einstellung zur Geltung zu bringen, zumal er sich auch maßgeblich an der Finanzierung des ehrgeizigen Programms beteiligte. Erstmals gehörten auch junge aus dem Bürger- oder Bauernstand aufgestiegene Intellektuelle als gleichberechtigte Mitglieder einem Verein an, in dem Vertreter der „Protipendada" und des höheren Klerus saßen. Die Anfangserfolge waren bemerkenswert, denn die 1834 mit Hilfe des Vereins eröffnete Schule für Literatur, Deklamation und Gesang erfreute sich großen Zulaufs, hatten es die Organisatoren doch verstanden, namhafte Lehrkräfte zu verpflichten, wie Heliade-Rădulescu, H. Winterhalder, Duport, Schalb u.a., so daß eine erste Generation rumänischer Schauspieler ausgebildet bzw. angelernt werden konnte. Durch gelungene Aufführungen sowie die 1835 begonnene Herausgabe der Zeitschrift „Gazeta Teatrului Naţional" wurde das für die dauerhafte Existenz eines Theaters erforderliche Publikum an die Kunst herangeführt. Einer der Höhepunkte des Wirkens der Philharmonischen Gesellschaft war eine Opernaufführung im Jahre 1836. Da aber die erhoffte Förderung durch die öffentliche Hand ausblieb, die innere Kohäsion der ohnehin recht heterogenen Mitglieder durch abweichende politische und künstlerisch-ästhetische Anschauungen geschwächt wurde, stellte die Gesellschaft 1838 ihre Tätigkeit ein. Heliade-Rădulescu, ein schöpferischer aber auch wankelmütiger Patriot, gab ab 1837 an Stelle der Theaterzeitschrift eine vermeintlich zugkräftigere Literatur- und Kulturzeitschrift heraus: „Curier de ambe sexe", die jedoch in zehn Jahren nur fünfmal erschien. Trotzdem soll sie etwa 300 Bezieher gehabt haben[389], da sie durch ihre Originalbei-

[388] Im Jahre 1827 erschien kurze Zeit die von dem Großbojar Dinicu Golescu subventionierte Wochenzeitung „Fama Lipschii pentru Daţia", die von zwei Medizinstudenten, I. M. C. Rosetti aus der Walachei und Anastasie I. Lascăr aus der Moldau redigiert wurde.
[389] G. Marica: Studii I, 96f.

träge und Übersetzungen die Literatur in den Dienst der nationalen Emanzipation stellte.

Die Selbstbestätigung der städtischen Gesellschaft Bukarests war ein langsamer Prozeß, denn die Anfänge der „Vergesellschaftung" im Rahmen moderner Vereinsgründungen, die der nationalen Bewegung zuzuordnen sind, endeten häufig mit der Selbstauflösung infolge Mangels an Mitteln und Mitgliedern oder wegen fehlender Konsensfähigkeit. Auch die kleinen informellen Zusammenschlüsse, die im Geheimen zu wirken versuchten und die den Vertrauensmännern des Fürsten ebensowenig verborgen blieben wie den Konsuln, die im Sinne des Bündnisses, das die konservativen Mächte der drei Schwarzen Adler geschlossen hatten, jede Regung oder gar Bewegung mißbilligten, die von oppositionellen und studentischen Kreisen mitgetragen wurden, konnten diesen Prozeß nicht wesentlich beschleunigen. Daher ist die Hypothese, daß erst durch „die nationale Vereinsbewegung ..." die moderne Nation „konstituiert" werde, wie sie Otto Dann kürzlich formuliert hat[390], nicht ohne nähere Prüfung auf die Donaufürstentümer und die rumänische Nationalbewegung anwendbar.

Hier hatten die Zeitschriften und Zeitungen diesseits und jenseits der Karpaten mit ihren Beiträgen zur Geschichte der im Werden begriffenen Nationalkultur weitaus größere Bedeutung als konstitutiver Faktor, denn sie führten zusammen mit den Geschichtsbüchern zu einer „Vergemeinschaftung" der Nationsideologie. Es hat zwar nicht an Versuchen gefehlt, Vereine und Gesellschaften zu gründen, doch waren diese Zusammenschlüsse meist nur von kurzer Lebensdauer und daher kein verläßlicher „Indikator für Meinungsbildung und das politische Verhalten innerhalb einer Gesellschaft"[391].

In der Moldau gab es eine geringere Organisationsdichte als in der Walachei, dafür aber eine größere Aktivität in den Bereichen von Wissenschaftspflege und Forschung, die für die Nationalbewegung von besonderer Relevanz werden sollte. Aus einem 1830 gegründeten Lesezirkel von Ärzten war auf Initiative von Dr. Jakob Czihak (1800–1888), der als Chefarzt der russischen Besatzungstruppe nach Jassy gekommen war, im Zusammenwirken mit den Bukowiner Ärzten Dr. Mihai Zotta (1800–1864) und Dr. Ion Ilasciuc, dem aus Hildesheim gebürtigen Chirurgen Basilius Bürger sowie Gh. Asachi[392] 1833 die „Gesellschaft für Natur- und Heilkunde in der Moldau" (Soţietatea medico–istorii naturale în Moldova) entstanden. Czihak, der 1824 in Heidelberg promoviert hatte, übertrug das Modell deutscher

[390] Nationale Bewegung und soziale Organisation, S. XVI.

[391] O. Dann: Ebd. S. XVII.

[392] In der Präambel der zweisprachigen Satzung wird in § 1 ausdrücklich auf das Zusammenwirken der beiden Ärzte Dr. von Zotta und Dr. von Czihack hingewiesen, das zur Gründung der Gesellschaft geführt hatte. Gh. Asachi findet hier keine Erwähnung. Anders bei P. Cornea: Originele, 438, wo Asachi an erster Stelle genannt wird. Auch in der Istoria ştiinţelor în România. Biologia. redigiert von Emil Pop und Radu Codreanu, Bucureşti 1975, 23f., findet Asachi keine Erwähnung.

Bildungsvereine mit Erfolg in das kosmopolitische Milieu des Jassyer Bildungsbürgertums, das sich als Sachverwalter der verspäteten Aufklärung[393] mit Nachdruck um die Hebung des allgemeinen Wissensstandes bemühte. Man gab sich eine Satzung nach dem Muster deutscher Vereine, bemühte sich um wissenschaftliche Kontakte zu Gelehrten des In- und Auslandes, um insbesondere das „Medicinalwesen in der Moldau" zu fördern und durch „zwanglos erscheinende Hefte das Ausland mit den Merkwürdigkeiten der Moldau in medicinisch-naturhistorischer Beziehung bekannt zu machen" (§ 5).

In dieser ersten demokratisch organisierten Gelehrtengesellschaft, deren Reformprogramm die Rückständigkeiten im sanitären Bereich beheben sollte, wurden in den „ordentlichen Versammlungen ... alle die Gesellschaft betreffenden Beschlüsse durch Stimmenmehrheit gefasst" (§ 27). Dies bedeutete einen enormen Fortschritt, denn noch war die Moldau ein primär ständisch strukturierter Staat. Aber die Satzung dieser Gesellschaft hatte General Paul von Kiselev genehmigt, der zum Dank für seine Hilfe zum Ehrenmitglied gewählt worden war. Erster Präsident wurde der Großschatzmeister (marele vistier) Mihail Grigore Sturdza (1794–1884), einer der Mitverfasser des Organischen Reglements und von 1834 bis 1849 Fürst der Moldau. Auch diese Verbindung erwies sich als förderlich, denn Sturdza gewährte der Gesellschaft einen jährlichen Beitrag von 8000 Piaster, „welcher zur Anschaffung von nöthigen wissenschaftlichen Werken und sonstigen Behelfe" bestimmt war. Mit 160 Mitgliedern – „wirklichen und Ehrenmitgliedern" – zählte sie Jahrzehnte hindurch zu den mitgliederstärksten Vereinen der Donaufürstentümer. Neben den meist im deutschen Sprachraum ausgebildeten Ärzten und Apothekern gehörten ihr auch „mehrere Bojaren und andere Individuen, die sich vorzüglich mit der Landwirtschaft und naturwissenschaftlichen Gegenständen beschäftigen", an[394].

Zu den Verdiensten Czihaks, der nach dem Abzug der russischen Besatzungstruppen als Professor der Naturwissenschaften an der „Academia Mihaileană" wirkte, und Dr. Bürgers, der nach Zotta Präsident der Gesellschaft wurde, gehörte die Gewinnung international bekannter Gelehrter als korrespondierende Mitglieder der Gesellschaft, unter ihnen Alexander von Humboldt, Brogniart in Paris, Georg Ludwig Maurer in München, G. Struve in St. Petersburg, I. Berzelius in Stock-

[393] Umfangreiches Material über die engen Beziehungen deutscher Ärzte und Apotheker, sowie von Rumänen und Griechen, die an deutschsprachigen Universitäten studiert hatten und später in den Donaufürstentümern wirkten, hat V. Gomoiu: Repertor de Medici, hier insbes. 54 und 474. Zum Problem der verspäteten Aufklärung vgl. E. Turczynski: Die städtische Gesellschaft in den Staaten des Donauraums, 85.

[394] Bericht Nr. 27 des österreichischen Konsuls in Jassy, Wallenburg, an Metternich vom 25. Mai 1835. H. H. St. A. Wien: Moldau-Walachei II, Fasz. 53. Weitere Literatur zu dieser Gesellschaft bei F. Valjavec: Geschichte der deutschen Kulturbeziehungen IV; und P. Cornea: Originele, 669f.; sowie bei E. Pop und R. Codreanu, die auch die Verdienste der Botaniker Julius Edel und Ioszif Szabó (1803–1874) erwähnen.

holm, Hufeland in Berlin u.a.[395]. Auf diesem Wege knüpfte Jassy unmittelbare Kontakte zur Wissenschaftsentwicklung in Westeuropa und erhielt darüber hinaus durch die Anstellung von Lehrern und Verwaltungsbeamten, die in Siebenbürgen, dem Banat und der Bukowina ihre Schulbildung genossen hatten, eine Orientierung, in der „Züge der deutsche Schule zu erkennen sind ...“[396].

Diese Kulturorientierung erfaßte jedoch nicht das ganze Land, nicht einmal alle Städte. Bei einer Gesamtbevölkerung der Moldau von etwa einer Million im Jahre 1838 belief sich die in 44 Städten und Märkten gezählte Einwohnerschaft auf 168 625 Seelen. Da aber nur 8 Städte mehr als 1000 Familien aufwiesen und viele Städte und Märkte auf kirchlichen oder privaten Liegenschaften entstanden waren, kann davon ausgegangen werden, daß vornehmlich nur in Jassy, Botoşani, Galatz, Bîrlad, Huşi und Roman von einer städtischen Gesellschaft gesprochen werden kann. Hier gab es Krankenhäuser und Schulen, doch schon bei der Einrichtung von Selbstverwaltungsorganen mit eigenem Budgetrecht entstanden rechtliche Probleme, da für Roman, Huşi und Botoşani Bistum, Großbojaren und Klöster verbriefte Ansprüche geltend machten[397]. Die von General Kiselev und den liberalen Reformern beabsichtigte Schaffung von selbständigen städtischen Korporationen stieß auch auf den Widerstand der Konservativen und der Bürokraten, die eine Verwaltungszentralisierung nach französischem Vorbild wünschten und Städte und Märkte primär als Staatsanstalten mit beschränkter Eigenverantwortlichkeit betrachteten. „Ein Bürgerstand, der die schroffen Gegensätze zwischen dem übermächtigen Bojaren und dem ihm untergeordneten Landvolke vermitteln könnte, hat sich zur Zeit noch nicht entwickelt“, schrieb der ehemalige Provisor der Academia Mihaileană, E. Tollhausen, 1841[398]. Die mangelnde Fähigkeit der Großbojaren zu wirtschaftlichem Rationalismus, ihre Abneigung gegen „Körperbewegung“, die sich auch auf das Reiten erstreckte, ferner die Abhängigkeit von den Pächtern ihrer Güter und nicht zuletzt die Eitelkeit der Frauen und deren Neigung zur Verschwendung[399] lockten Glücksritter aller Art, Quacksalber und Geldverleiher in ihre Nähe.

395 A. D. Xenopol: Istoria Românilor XI, 241; und J. Livescu: Die Entstehung der rum. Universitäten, 30. Georg Ludwig von Maurer, der als Staatsmann und Rechtsgelehrter bereits Mitte der dreißiger Jahre großes Ansehen genoß, nachdem er in Griechenland die Modernisierung der Rechtspflege eingeleitet hatte, war stolz, Mitglied dieser Gesellschaft zu sein, wie aus dem Titelblatt seines dreibändigen Werkes: Das griechische Volk..., Heidelberg 1835, zu ersehen ist. Vgl. ferner V. Gomoiu: Repertor de Medici, 54.

396 J. Livescu: Die Entstehung der rum. Universitäten, 23.

397 I. C. Filitti: Domniile române sub Regulamentul Organic, 494; und D. Ciurea: Civilizaţia în Moldova, 17.

398 Reisebilder aus der Moldau. In: Satellit des Siebenbürgischen Wochenblattes Nr. 95, 5. Dez. 1841, S. 390.

399 E. Tollhausen: Reisebilder aus der Moldau, Satellit Nr. 96 und 97, v. 9. und 12. Dez. 1841, S. 393f. und 397f.

Eine durch Neuernennungen schnell wachsende Bojarenschaft[400], die die mittelständisch-liberale Gruppe der Stadtbewohner verstärkte, und daneben die vom Agrarexport profitierenden Bojaren, Kaufleute, Fuhrunternehmer und Bauhandwerker haben die Enstehung einer recht heterogenen Bürgerschicht gefördert. Die Städter der nördlichen Moldau richteten ihre Blicke stärker nach Czernowitz, Lemberg, Breslau und Wien, die der südlichen Moldau eher nach Griechenland, Frankreich und England.

In Jassy bildeten die östrreichischen Untertanen (482) unter den Fremden (995) die größte Gruppe, einer der Gründe für die Kulturorientierung zum deutschen Sprachraum. Der Okzidentalisierungsprozeß der dreißiger und vierziger Jahre spiegelte sich indes nicht nur in der Baugeschichte und dem Wandel der vom Westen geprägten Mode, auch der Zuzug von Ärzten, deren Zahl von 24 im Jahre 1832 auf 75 im Jahr 1842 stieg, obwohl die Einwohnerschaft nur von 48 314 auf 54 000 zunahm, läßt die Verbesserung der Infrastruktur erkennen[401]. Jassy war damals hinsichtlich der Bewohner keine rein rumänische Stadt, sondern eine ausgesprochen polyethnische, da sich auch unter den moldauischen Untertanen viele Juden, Armenier, Russen, Deutsche u. a. befanden[402]. Der sozio-kulturelle Wandel der städtischen Einwohner spiegelte sich in der wachsenden Zahl von Kaufleuten und Handwerkern, die 1845 in Jassy die stärkste Gruppe mit 62,4 % der Gesamtbevölkerung bildeten. Die jüdischen Kaufleute und Handwerksmeister hatten gegenüber den rumänischen ein zahlenmäßiges Übergewicht und besaßen für einige Handwerker und Handelspartner eine Monopolstellung[403].

Die Bojaren, die fast ausschließlich in den Städten wohnten, hatten 1832 im Landesdurchschnitt der Moldau 2,4 %, in Jassy sogar nur 2,14 % ausgemacht, doch stieg ihre Gesamtzahl von 980 im Jahr 1834 auf 2680 im Jahr 1849 und auf 3325 im Jahr 1853[404].

Der Kleriker- und Mönchsstand, einschließlich der Familienangehörigen und der Dienerschaft, betrug im Landesdurchschnitt 2,73 % der Stadtbewohner der Moldau (1832). Er besaß in Jassy 1190 Häuser gegenüber 274, die Bojaren gehörten.

[400] 1835 waren es 835 Bojaren, 1844 bereits rd. 2000. Vgl. D. Ciurea: Civilizaţia în Moldova, 28f.

[401] D. Ciurea: Civilizaţia în Moldova, 40f. und 43, nennt glaubhafte Ärztezahlen. Demnach war die ärztliche Versorgung der Moldau vor der Mitte des 19. Jhs. besser als jene Rußlands am Ende des 19. Jhs., als 135 Ärzte auf 1 Million Einwohner kamen. Vgl. J. N. Ščapov: Russische Studenten, 399.

[402] Al. Russo: Iaşii şi locuitorii lui în 1840; E. Tollhausen: Reisebilder aus der Moldau, Satellit Nr. 98 v. 16. Dez. 1841. S. 401f.

[403] Gh. Platon: Geneza revoluţiei, 129f. So waren Geldwechsler und Altkleiderhändler eine jüdische Domäne, ebenso der Handel mit Mehl, Leipziger Waren; Schankwirtschaft, Silberschmiede, Schneider, Schuster, Mützenmacher und Metzger waren ebenfalls überwiegend jüdische Domänen.

[404] D. Berindei: Mutations dans le sein, 361; und P. Cernovodeanu: La structure sociale.

Auch der Besitzstand von 753 klösterlichen Läden in Jassy – gegenüber 3718, die Bojaren und anderen Bewohnern gehörten[405], läßt darauf schließen, daß der Ausschank der Klosterweine und -branntweine sowie der Verkauf von Erzeugnissen, die auf den Gütern der Bojaren erwirtschaftet wurden, eine nicht geringe Rolle im aufstrebenden Wirtschaftsleben dieser schnell wachsenden Stadt spielten. Eine besondere Sozialkategorie bildeten die „Bediensteten" mit 18,14 % (23 471), wobei die 30 731 Juden 40,43 % der als „Bedienstete" ausgewiesenen Personen beschäftigten, ebensoviele, wie bei den Kaufleuten und Handwerkern ihr Brot verdienten. Zu den Besonderheiten des Landes gehörten schließlich noch die Zigeunersklaven, die meist Eigentum der Bojaren waren und 3,2 % der Stadtbewohner ausmachten[406].

Die Anlehnung der modebewußten Bojarenschicht an die westlichen Hochkulturen, insbesondere an die französische, blieb indes nicht ohne negative Auswirkungen, denn sie führte zu Desintegrationserscheinungen zwischen der Schicht dieser Halbintellektuellen und den Grundschichten. Vasile Alecsandri (1818–1890), der große Dichter, der selbst in Paris studiert hatte, geißelte in seinen Lustspielen sowohl den verstaubten Konservativismus der älteren Bojarengeneration als auch die Sucht zur Nachahmung westlicher Modeerscheinungen, nicht zuletzt aber auch das Auftreten der Ausländer, die weitverbreitete Korruption und andere moralische Schwächen seiner Landsleute[407].

Die Gegensätze zwischen der klerikal-orthodoxen Intoleranz gegenüber den aus Wien, Berlin, Paris oder Ofen-Pest eindringenden neuen Erkenntnissen in den Bereichen von Philosophie und Pädagogik einerseits und der oberflächlichen Okzidentalisierung in der Kleidermode andererseits waren in der Tat zu auffällig, um sie nicht zu literarischen Stoffen zu verarbeiten. So hatte Eftimie Murgu, der nach Beendigung seiner Philosophie- und Jurastudien in Pest (1826–1834), wo er sich auch publizistisch betätigt hatte, nach Jassy ging, um Philosophie und Naturrecht zu lehren, die Moldau wieder verlassen müssen, weil die hohe Geistlichkeit, die das gesamte Schulwesen kontrollierte, den Fürsten dahingehend beeinflußt hatte, Murgu abzuraten, seine Lehrtätigkeit als Philosophieprofessor fortzusetzen[408].

405 Gh. Platon: Geneza revoluţiei, 128.

406 E. Negruţi-Munteanu: Date noi privind structura demografică, 248ff., insbes. Anhang I–IV.

407 Iorgu de Sadagura, 1844 in Jassy mit Erfolg aufgeführt, ist das bekannteste sozialkritische Lustspiel dieser Art, zu dem Al. Flechtenmacher die musikalische Begleitung komponierte. Vorher hatte schon Constantin Faca (1800–1845) in Bukarest in dem Lustspiel „Comodia vremii", das 1835 von Theater-Schülern der Philharmonischen Gesellschaft aufgeführt wurde, diesen Stoff behandelt. DLR, 344f.

408 V. Cheresteşiu: Luptătorul revoluţionar, 69, nimmt an, daß Murgu durch seine Kritik an den in der Moldau herrschenden Verhältnissen in Schwierigkeiten geraten war. E. Tollhausen: Reisebilder aus der Moldau, 137, führt Murgus Scheitern auf die Ränke der geistlichen Oberbehörde zurück.

Weniger auffällig als dieser Fall einer Beschränkung der Lehrfreiheit war die „Verkäuflichkeit der bedeutenderen Stellen bei den Schulen“, denn viele Lehrer mußten ... „um Aemter zu erlangen und solche beizubehalten ... einen Theil ihrer Besoldung unter Bescheinigung, selbe vollständig erhalten zu haben ...“ ihren Dienstvorgesetzten überlassen[409]. Der Mangel an geeigneten Lehrern und Beamten führte zu sonderbaren Ämterkarrieren. Viele Bojarensöhne wurden Gerichtsassessoren oder gar Präsidenten von Handelsgerichten ohne einschlägige Vorbildung, so daß die Überlassung eines Teiles der Besoldung angenommen werden kann. Daß die fremden Händler, Kaufleute und Handwerker in diesen Reigen von Nehmen und Geben einbezogen wurden, war Teil der normativen Kraft des Faktischen.
Besonders bunt war in der Zeit des Vormärz die Einwohnerschaft der Hafenstadt Galatz, wo Österreich, Rußland, Großbritannien, Frankreich, Preußen, Sardinien und Holland konsularische Vertretungen unterhielten und der Handelsverkehr seit 1834 durch die Österreichische Donau-Dampfschiffahrtsgesellschaft und später noch zusätzlich durch die in Triest ansässige Lloyd-Gesellschaft belebt wurde. Der größte Teil des Ausfuhrhandels – 1847 waren es sogar über 90 % – wurde über diesen Freihafen abgewickelt[410]. Aber die orientalische Vielfalt und Geschäftigkeit übte auf die Funktionseliten der Rumänen keine besondere Anziehungskraft aus, denn sie trachteten nicht, „mit den Mitbewohnern in organische Verbindung zu treten und sich gegenseitig die zum Gewerbe nöthigen Kräfte mitzuteilen“; sondern überließen den Handel lange Zeit den Fremden[411].
So war bis 1848 die in Jassy gegründete „Gesellschaft für Natur- und Heilkunde“ die einzige Vereinigung in den Donaufürstentümern, die durch den Bezug von Fachzeitschriften aus den Ländern des Deutschen Bundes und Frankreich sowie durch die Pflege wissenschaftlicher Beziehungen einen grundlegenden Beitrag zur Hebung des medizinisch-naturwissenschaftlichen Bildungsstandes leistete. Die Einrichtung von Sektionen für Medizin, Naturgeschichte und Agronomie, der Aufbau einer Bibliothek, die 1843 bereits über rd. 4 000 Bände bzw. Schriften verfügte, und schließlich die Veröffentlichung botanisch-naturwissenschaftlicher Forschungen haben das überregionale Interesse an dem Wirken dieser Gesellschaft gefördert[412].
Die mit Hilfe von Forschung, Bildung und Erziehung zu erzielende Verbesserung der Verhältnisse war ein mühsamer und langwieriger Vorgang mit ungewissem Ergebnis. Den Anhängern schneller und radikaler Veränderungen der Gesellschaftsordnung mußte es paradox erscheinen, daß der wissenschaftlichen Beziehungspflege keine Schwierigkeiten im Wege standen, während die Einfuhr von

[409] E. Tollhausen: Reisebilder aus der Moldau, Satellit Nr. 30/31, 1842, S. 138.
[410] C. Bușe: Comerțul exterior, 41 ff., 51.
[411] E. Tollhausen: Reisebilder aus der Moldau, Satellit Nr. 98, 184, S. 401.
[412] J. F. Neigebaur: Beschreibung der Moldau und Walachei, 321–323; und D. Ciurea: Civilizația în Moldova, 47 f.

Veröffentlichungen politischen Inhalts ebenso streng zensiert wurde, wie alle dem Fürsten und der Regierung unerwünschten Äußerungen in den einheimischen Druckerzeugnissen unterdrückt wurden. Vor allem in Jassy bekamen die Vertreter liberaler Reformbestrebungen die Eingriffe der Zensur wiederholt zu spüren, so daß die Stimmung für die Gründung von Geheimgesellschaften, zu deren Entstehen die polnischen Emissäre einen nicht unwichtigen Beitrag leisteten, seit dem Ende der dreißiger Jahre besonders günstig gewesen zu sein scheint[413]. Alte Pläne zur Beseitigung von Privilegien der Großbojaren, die schon Fürst Ion Sandu Sturdza (1822–1828), der mit den „cărvunari" sympathisiert hatte, im Sinn gehabt hatte, wurden von seinem Sohn Iorgu Sturdza wieder aufgegriffen und gemeinsam mit Leonte Radu und Alexandru Rosetti zu einem zeitgemäßen Reformprogramm liberaler Bojaren und Bürger ausgebaut[414]. Die hierbei angestellten Überlegungen, die Bauern nach dem Vorbild Österreichs der Patrimonialgerichtsbarkeit zu unterstellen, lassen erkennen, wie wenig realistisch die politischen Verhältnise beurteilt wurden[415] und in welchem Ausmaß die neue städtische Gesellschaft unter dem Einfluß des Wirtschaftsliberalismus primär die eigenen Vorteile im Auge hatte. Die Entdeckung und Zerschlagung dieser revolutionären Vereinigung konnte die einmal in Bewegung geratenen Kräfte nicht hindern, neue Zusammenschlüsse zu suchen, wie die „Asociaţia Patriotică" beweist, der auch Alexandru Ioan Cuza, der spätere Fürst der Vereinigten Fürstentümer, angehörte. Die Schaffung eines demokratisch-republikanischen Staates, bestehend aus beiden Fürstentümern, und die Einführung einer liberalen Gesellschafts- und Rechtsordnung waren die Hauptziele dieser nur 9 oder 10 Mitglieder umfassenden Geheimgesellschaft[416].

Ähnliche studentische Zusammenschlüsse ohne festen organisatorischen Rahmen und daher von kurzer Lebensdauer hat es in Bukarest und Paris in den vierziger Jahren wiederholt gegeben. Sie waren entweder Ausdruck des guten Willens, die einmal erkannte kulturelle Rückständigkeit zu beseitigen, oder sie strebten umfassende politische Veränderungen an. Zur ersten Gruppe gehörte die in Paris 1839 gegründete „Gesellschaft für die Bildung des rumänischen Volkes", die sich die Versorgung der Heimat mit fortschrittlicher Literatur zum Ziele gesetzt hatte, aber auch eng mit der Aktionsgruppe um Ion Câmpineanu und dem polnischen Emi-

[413] G. Blottner: Die Einflüsse der polnischen Emigranten auf die rumänische Nationalbewegung, 113; und V. Cioban: Relaţiile politice, 185ff. und 205ff.

[414] Eine Charakterisierung der Reformpläne befindet sich im Kapitel „Die Einschränkung der konstitutionellen Rechte als Motivation der Nationalbewegung". Die Namen der etwa 80 Mitglieder z.T. bei A. D. Xenopol: Istoria Românilor XI, 197f.

[415] D. Ciurea: Civilizaţia în Moldova, 24, Anm. 69, geht auf die utopischen Elemente näher ein. Vgl. auch G. Blottner: Die Einflüsse der polnischen Emigranten auf die rumänische Nationalbewegung, 168f.

[416] A. D. Xenopol: Istoria Românilor, XI, 203; und G. Blottner: Die Einflüsse der polnischen Emigranten auf die rumänische Nationalbewegung, 170.

grationszentrum Hotel Lambert zusammenarbeitete, so daß eine Annäherung zwischen den Studenten aus der Moldau und aus der Walachei stattfand. Einige der Studenten, die aus der Walachei kamen und dort im Erziehungsinstitut des Franzosen Jean Alexandre Vaillant (1804–1886) auf das Studium in Frankreich vorbereitet worden waren, wie Ion Ghica, Constantin A. Rosetti, Nicolae Bălcescu, Grigore Alexandrescu u. a. waren von den liberalen und revolutionären Ideen beeinflußt und bemühten sich um die Stärkung des politischen Selbstbewußtseins der neuen Eliten durch Vermittlung von Nachrichten für die französische und englische Presse, um die Probleme der Donaufürstentümer, insbesondere die dort herrschende Vormachtstellung des Zarenreiches, in breiteren Kreisen des Auslandes bekanntzumachen[417].

Der starke Zusammenhalt unter den Intellektuellen aus der Moldau hatte aber auch noch andere Ursachen. So wirkte M. Kogălniceanu als Kristallisationspunkt durch sein hohes Ansehen, das er sich als Herausgeber der literarischen Zeitschrift „Alăuta românească“ (Die rumänische Laute) erworben hatte, weil er hier der jungen Schriftstellergeneration Publikationsmöglichkeiten bot. Als Kogălniceanu mit seiner Kritik an den Höflingen des Fürsten der Zensur eine Handhabe zum Verbot dieser Zeitschrift gab, hatte sich bereits ein Kreis von Männern der jüngeren Generation gebildet – alle zwischen 1810 und 1819 geboren –, die als Vertreter der liberalen Opposition im Jahre 1848 eine führende Rolle spielen sollten. Einige von ihnen hatten in Paris studiert und galten als „aufrechte Demokraten“, wie z. B. Alecu Mavrocordat[418]. Doch auch der Pariser Studentenvereinigung war keine lange Dauer beschieden, denn die österreichische Geheimpolizei gelangte in den Besitz vertraulicher Briefe kompromittierenden Inhalts, worauf St. Petersburg informiert und dann Jassy und Bukarest veranlaßt wurden, den jungen Herren in Paris einen Studienortwechsel zu „empfehlen“.

Als 1840 die von Dimitrie Filipescu, einem Großbojaren, der sich die Errichtung einer Republik zum Ziel gesetzt hatte, in Bukarest gegründete Geheimgesellschaft, der auch N. Bălcescu und J. A. Vaillant angehört hatten[419], durch Verhaftungen und Verurteilungen aufgelöst wurde, wurde Vaillant des Landes verwiesen. In der Moldau fand er dann für einige Jahre ein fruchtbares Betätigungsfeld und Anschluß an die fortschrittlich gesinnten Kreise um M. Kogălniceanu, Alecu Russo, Costache Negruzzi und andere junge Intellektuelle, obwohl der Fürst den Umgang dieser Bojaren „mit dem französischen Liberalisten“ mißbilligte[420]. Welche Zusammensetzung die von Vaillant in Jassy gegründete Geheimgesellschaft „Fiii colo-

[417] C. Bodea: Lupta Românilor, 21–25.

[418] Ebd. 229f., Anhang Nr. 11; A. Mavrocordat ließ sich später in Griechenland nieder, wo er Professor der Rechtswissenschaft, später Unterrichts-, Außen- und Kultusminister wurde.

[419] G. Zane: Le mouvement révolutionaire de 1840, 16ff.

[420] Bericht Eisenbachs an Metternich vom 8. Nov. 1844, H. H. St. A. Wien: Moldau-Walachei II, Kt. 62.

niei lui Traian" (Die Söhne der Kolonie Trajans) hatte, die schließlich zu seiner Ausweisung und Übersiedlung nach Konstantinopel führte, ist nicht bekannt[421]. Diesen Bildungs- und Geheimgesellschaften war seit Mitte der dreißiger Jahre eines gemeinsam: die antirussische Gesinnung sowie das Bestreben, aus der Anonymität einer in Westeuropa unbekannten Sprach- und Glaubensgemeinschaft herauszukommen. Ion Ghica hat in seinen Briefen und Erinnerungen anschaulich geschildert, wie man ihn und seine Landsleute in Paris für Moskowitter oder Türken, bestenfalls für „Moldowlachen" – abgekürzt „moldac" – gehalten hat[422]. Dies macht verständlich, daß mit großer Energie brauchbar erscheinende Wege des sozio-kulturellen Wandels sowie der Herauslösung aus dem Einflußbereich des Zarenreiches gesucht wurden. Die Entwicklung der antirussischen Stimmung[423], die nachgerade den Charakter einer Ideologie annahm, war einer dieser Wege. Die orientalische Krise der ausgehenden dreißiger Jahre, die damit begonnen hatte, daß Frankreich durch eine britisch-russisch-preußische Konvention genötigt wurde, die Unterstützung Ägyptens einzustellen, und ihren Höhepunkt mit dem Dardanellen-Vertrag von 1841 erreichte, durch den das russische Übergewicht am Bosporus ausgeglichen wurde, hatte auch für die Donaufürstentümer vielfältige Auswirkungen. Der Donauschiffahrtsvertrag vom Juli 1840, den Österreich und Rußland abschlossen, garantierte die völlig freie Schiffahrt und belebte den Handelsverkehr, der zu einer verstärkten Ausrichtung der Handelspolitik nach Mittel- und Westeuropa und gleichzeitig zu einer starken Zunahme der Flüchtlingszuwanderung aus den Gebieten südlich der Donau führte. Hand in Hand mit dem Wachstum der Hafenstädte Brăila und Galatz kam es zu einer Konzentration bulgarischer Kaufleute, Handwerker und Hafenarbeiter, die für politische Strömungen revolutionärer Art empfänglich waren. So hatten bulgarische Kaufleute und ehemalige Freischarführer sowie serbische Offiziere[424] im Sommer 1841 Freiwillige angeworben, um einen in Niš, an der damaligen bulgarisch-serbischen Sprachgrenze ausgebrochenen Aufstand gegen die Übergriffe der Machthaber der Hohen Pforte zu unterstützen. Die Begeisterung für dieses Unternehmen war groß, weil bekannt geworden war, daß auch auf Kreta und in Thessalien Unruhen ausgebrochen waren, so daß die Erinnerung an den erfolgreichen griechischen Freiheitskampf wachgerufen wurde. Sowohl Griechen wie Rumänen trugen sich in

421 C. Bodea: Lupta Românilor, 34; G. Zane: Nicolae Bălcescu, 152, geht davon aus, daß der Fürst Vaillant gerne ausreisen ließ, um eine Anklage zu umgehen, da diese zu diplomatischen Spannungen mit dem französischen Gesandten in Konstantinopel hätte führen können.

422 I. Ghica: Opere I, 199f.

423 G. Blottner: Die antirussische Stimmung, 228–230.

424 Der im Exil in Bukarest lebende ehemalige Fürst Serbiens, Miloš Obrenović, hatte einen seiner Vertrauten veranlaßt, an den Aufstandsvorbereitungen mitzuwirken, in der Hoffnung, im Falle eines Sieges über die Türken wieder den Fürstenthron in Belgrad besteigen zu können. Vgl. C. Velichi: România şi renaşterea bulgară, 9ff.

die Anwerbungslisten ein, viele aus Verbundenheit zu der gemeinsamen freiheitlichen Gesinnung, manche wohl auch aus Abenteuerlust, denn eben damals war die Zahl der Arbeitslosen in Brăila groß. Der Versuch, bewaffnete Freiwilligenscharen für die Befreiung Bulgariens einzusetzen, scheiterte aber an der dilettantischen Organisation und an der rumänischen Wachsamkeit gegenüber der Gefahr, wegen innerer Instabilität Besatzungsobjekt türkischer oder russischer Truppen zu werden. Dennoch bewirkte dieser Versuch, daß die politischen Führer der bulgarischen Befreiungsbewegung, die damals ihren Sitz in Athen hatte, auf das revolutionäre Potential Brăilas aufmerksam wurden und Georg Rakowski (1821–1867), der erste politische Kopf unter den Freiheitskämpfern, den Entschluß faßte, von dort aus den Kampf um ein unabhängiges Bulgarien zu organisieren. Aber auch die Aufstandsversuche vom Februar 1842 und September 1843 scheiterten bereits im Vorbereitungsstadium an der Aufmerksamkeit der Konsulats- und Sicherheitsorgane sowie an der fehlenden Homogenität der bulgarischen Emigrantenbewegung.

Auch die städtische Gesellschaft der Rumänen war zu Beginn der vierziger Jahre wenig homogen, denn wie in der Moldau war in der Walachei die Zahl der Privilegierten und damit der Bojaren erheblich vermehrt worden. Wer es sich leisten konnte, zahlte beträchtliche Summen für die Verleihung des Bojarenkaftans und die damit verbundene Steuerbefreiung. Diese Investition lohnte sich vor allem für die im Handel und Gewerbe erfolgreichen Unternehmer oder für Pächter, denn die Ausbeutung durch den Fiskus war weitaus härter als durch die Feudalschicht[425]. Die Stadt war jedenfalls nicht Gestaltungsraum ihrer Bewohner, denn weder die Bojaren noch die Kaufleute waren am inneren Ausbau, an der Gestaltung der städtischen Kulturlandschaft interessiert und in zu geringem Maße an der Stadtverwaltung beteiligt. Der einzige Konsens zwischen denen, die nicht nur vom Gewinnstreben oder vom Kampf um eine standesgemäße Existenz gefangen waren, war das Bemühen um einen größeren Freiheitsraum, denn Okzidentalisierung bedeutete nicht nur den Ausbruch aus dem Dunkel der Unwissenheit, sondern auch Sehnsucht nach politischer Freiheit und damit nach Rechtsstaatlichkeit.

Die Eigendynamik der Aufsteigerschichten aus Handel und Handwerk führte bei den als Staatsbediensteten oder Literaten tätigen Intellektuellen zu einer Reaktion, die eine Veränderung der politischen Atmosphäre in Teilen der städtischen Gesellschaft einleitete. Ion Ghica, N. Bălcescu und ein junger Hauptmann, Christian Tell, beschlossen im Herbst 1843 zur Belebung des fehlenden Patriotismus und der nationalen Energie eine Geheimgesellschaft zu gründen, die in kleinen Gruppen je zehn Mitglieder umfassen sollte, von denen jeder „Bruder" (frate) nur den Leiter dieser Zelle, den „Diakon" oder „Priester", kennen sollte, und der sie den Namen „Frăţia" gaben. Treibende Kraft war der aus Bukarest stammende Ion Ghica, ein

[425] Gh. Platon: Geneza revoluţiei, 127f.; wörtlich heißt es auf S. 169: „... opresiunea fiscală în Principate era superioară alei feudale".

Neffe Ion Câmpineanus und Schüler Vaillants, der in Paris Mathematik, Bergbau und Volkswirtschaft studiert hatte. In Jassy lehrte er seit 1842 an der Academia Mihaileaă Geometrie, Geologie, Mineralogie und Volkswirtschaft, pflegte aber den Kontakt zu seinen Bukarester Freunden und verstand es, der Geheimgesellschaft einen überregionalen Charakter zu geben.

Diese Oppositions- und Erneuerungsbewegung, der auch zahlreiche Staatsangestellte und Offiziere angehörten, umfaßte neben den tonangebenden liberalen Bojaren, zu denen Alexandru Golescu-Negru, C. A. Rosetti, der Major Ioan Voinescu u. a. gehörten, auch Vertreter des Bürgertums, wie Dimitrie Bolintineanu, Cezar Bolliac u. a.

Um sich vor Entdeckung zu schützen, wurde eine „Literarische Gesellschaft in Bukarest" (Societatea literară din Bucureşti) geschaffen, die den Rahmen für öffentliche Zusammenkünfte abgab und deren Gründung zu Beginn des Jahres 1844 sowohl in der Jassyer Zeitschrift „Propăşirea" (Fortschritt) als auch in der Kronstädter Wochenendbeilage der Gazeta, „Foaie pentru minte ...", angekündigt wurde.

Aber wie so oft in der Geschichte rumänischer Gesellschaftsgründungen war die Lebensdauer begrenzt, obwohl die „Frăţia", deren Parole „Gerechtigkeit und Brüderlichkeit" war, sich in kleinen isolierten Gruppen nach dem Vorbild der Hetairia und der Carbonari organisiert hatte[426].

Als Fürst Gh. Bibescu die Abgeordnetenkammer auflöste und einige Staatsbedienstete entließ, „weil sie mit der Opposition gegen die Regierung gestimmt" hatten[427], wurde der Kampf für Gerechtigkeit und Freiheit vorübergehend eingestellt, denn nicht nur in Bukarest griff die Regierung hart durch, auch in Jassy wurde der Wortführer der Liberalen, M. Kogălniceanu, der als Vertreter der Stadt Botoşani in einem Rechststreit mit einem Kloster sich öffentlich in der Gerichtsverhandlung „über das schlechte Betragen, über Ignoranz und niedrige Habsucht des moldauischen Klerus" ausgelassen hatte, wegen dieser „unangemessenen Ausfälle" in einem Mönchskloster interniert, und der Schriftsteller C. Negruzzi (1808–1868) wegen eines kritischen Aufsatzes unter Hausarrest gestellt.

Folgt man den Berichten des österreichischen Konsuls in Jassy und den Aufsätzen Vaillants, dann machte Jassy Mitte der vierziger Jahre, insbesondere am 18. Dezember, wenn der Namenstag des Zaren Nikolaus I. gefeiert wurde, den Eindruck einer Stadt „irgend eines russischen Regierungbezirkes". In der offiziösen „Albina" wurde das ausführliche Programm für „die feierliche Begehung dieses Tages" veröffentlicht,

[426] I. Ghica: Opere I, 451; C. Bodea: Lupta Românilor, 49–54; G. Blottner: Die Einflüsse der polnischen Emigranten auf die rumänische Nationalbewegung, 166f.; D. Berindei: Nicolae Bălcescu, 46, neigt zur Annahme, daß die Organisationsform der Freimaurer adaptiert wurde.

[427] Bericht Timonis aus Bukarest an Metternich vom 29. 3. 1844. H. H. St. A. Wien: Konsularberichte, Moldau-Walachei II, Fol. 15–16.

und 1844 wurden zum erstenmal auch während des Gottesdienstes „nach der russischen Singweise die üblichen Gebete für den Kaiser abgesungen ...“[428].
Als Kogălniceanu und Negruzzi nach einigen Wochen vom Fürsten begnadigt wurden, „wie man erzählt auf die Fürbitte des Herrn von Kotzebue“, wurden sie in Jassy „von ihren zahlreichen Freunden als Märtyrer liberaler und patriotischer Gesinnung gepriesen, während zahlreiche Klagen über die gegen dieselbe von Seiten des Fürsten und der Regierung geübten ungesetzliche und harte Verfahren laut werden ...“[429].
In Jassy, Bukarest, Galatz und Brăila verlagerte die oppositionelle Intelligenzschicht ihre Tätigkeit in die privaten Salons, wo literarische Neuerscheinungen aber auch politische Pamphlete diskutiert und weitergegeben wurden. Viele vom Studium im Ausland heimgekehrte Jünglinge brachten neue Ideen mit und trugen „nicht wenig zur Democratisation bei“[430]. Die Buchhandlungen wurden zu Kommunikationszentren und sorgten zum Mißfallen der österreichischen und russischen Konsuln für die Verbreitung von „Druckschriften mit schlechten Tendenzen“, wie die Buchhandlung des preußischen Untertanen Adolf Hennig in Jassy. Außer mit dem Vertrieb von Zeitungen aus dem Ausland beschäftigte dieser sich „mit dem Verkauf und der Verbreitung von Libellen, und Flugschriften von inkorrekten und gefährlichen Tendenzen“[431]. In Bukarest war es der aus Österreich stammende Schriftsteller Heinrich Winterhalder (1808–1889), der gemeinsam mit C.A. Rosetti eine Buchhandlung betrieb, in der über oder unter dem Ladentisch die neuesten Bücher und Broschüren aus den Ländern des Deutschen Bundes und aus Frankreich, wo Rosetti die meiste Zeit lebte, zu haben waren. Die Buchhandlung war der Treffpunkt der Jugend, denn von dort aus wurden die politischen Nachrichten, die aus Europa kamen, weiterverbreitet[432]. Aber diese Kontakt- und Kommunikationspflege war nicht ungefährlich. Die Überwachung durch Organe der Regierung und der Konsulate war gut organisiert, konnte den Tatendrang der vom Geist der Romantik beseelten Dichter, Schriftsteller und Revolutionäre jedoch nicht völlig lahmlegen. Die einmal entwickelte Freude am gemeinsamen Wirken für Aufklärung, Bildung und Verbreitung der im Entstehen begriffenen Nationalliteratur führte bereits 1845 zur Gründung der „Literarischen Gesellschaft Rumäniens“ (Asociaţia literară a României), hinter der möglicherweise Mitglieder der

[428] Bericht Eisenbachs an Metternich Nr. 209 B und 219 C vom 8. Nov. und 27. Dez. 1844. H. H. St. A. Wien: Moldau-Walachei II, Kt. 62. Eisenbach hatte bereits in einem früheren Bericht (Nr. 176 C vom 14. Juni 1844) eine „Sammlung von auf die Moldau bezogenen Artikel“ vorgelegt, darunter die von Alfred Vaillant (1804–1886), einem engagierten liberalen Publizisten, der Rußland vorwarf, die Moldau russifizieren zu wollen.

[429] Bericht Eisenbachs an Metternich vom 27. Dez. 1844 Nr. 219 C, H. H. St. A. Wien: ebd.

[430] Bericht Timonis an Metternich vom 16. Nov. 1840, H. H. St. A. Wien: Konsularberichte, Moldau-Walachei I, Fol. 169–170.

[431] Bericht Eisenbachs an Metternich vom 1. 7. 1844, H. H. St. A. Wien: ebenda Fol. 28f.

[432] I. Ghica: Opere I, 458.

„Frăţia" standen. Dieser Vereinigung war eine längere Lebensdauer beschert, denn man war dem Beispiel der Jassyer Naturforschergesellschaft gefolgt und hatte den Fürsten für die Übernahme des Patronats gewonnen. Ähnlich wie die gleichzeitig gegründete historische Zeitschrift „Magazin istoric pentru Dacia" (1845–48), die sich an Rumänen aller Provinzen wandte, war auch die „Literarische Gesellschaft Rumäniens" der erste gelungene Versuch, eine überregionale Zusammenarbeit aller rumänischen Schriftsteller und Historiker in die Wege zu leiten.
Angespornt durch das Beispiel der Bukarester Literaten fanden auch die in Paris studierenden Rumänen, die enge Kontakte zu Kreisen polnischer Emigranten unterhielten, unter Führung von C.A. Rosetti, einst in Bukarest Mitglied der Geheimgesellschaft „Frăţia", den Weg zur Neugründung der „Gesellschaft rumänischer Studenten in Paris", für die Lamartine die Schirmherrschaft übernahm. Ion Ghica, der gemäßigte Reformtendenzen vertrat, wurde Vorsitzender, C.A. Rosetti, der republikanische Vorstellungen verwirklichen wollte, zum Vertreter des radikalen Flügels[433]. So standen sich von da an radikale Demokraten und gemäßigte Liberale, die für die Hebung des allgemeinen Bildungsstandes auch der Landbevölkerung sowie für Freiheit und Rechtsgleichheit im Rahmen konstitutioneller Fürstentümer kämpften, einander gegenüber.
Wenn auch die Trägergruppen dieser verschiedenen Vereinigungen bei den revolutionären Demonstrationen des Jahres 1848 eine führende Rolle spielten und ihre Programme zu den fortschrittlichsten und liberalsten ihrer Art gehörten, wird man bei Berücksichtigung der Gesamtströmungen und der geringen Mitgliederzahlen dieser oft ephemeren Gesellschaften die These Otto Danns, wonach erst „die nationale Vereinsbewegung" eine Nation konstituiere, auf die Donaufürstentümer wohl kaum anwenden können.
Unter den ethnischen Minderheiten der städtischen Gesellschaft der Städte Bukarest, Brăila und Galatz nahmen die Bulgaren eine besondere Stellung ein, da sie sich durch eine starke Hinwendung zu intellektuellen Berufen und zu politischer Betätigung von der Haltung anderer ethnisch-konfessioneller Gruppen unterschieden. Die unmittelbare Nachbarschaft zum bulgarischen Heimatland und vor allem der Kontrast zwischen den relativ autonomen Donaufürstentümern und der starken, oft willkürlichen Fremdbestimmung der Länder innerhalb der Grenzen des Osmanischen Reiches hatten seit dem ausgehenden 18. Jahrhundert Auswanderungswellen zur Folge, die verstärkt während der russisch-türkischen Kriege von 1806/12 und 1828/29 auftraten.
Die Sozialstruktur dieser bulgarischen Einwanderer, deren Zahl bis 1815 auf etwa 40 000 angestiegen war, erfuhr unter den veränderten Lebensbedingungen eine weitreichende Differenzierung, da Handwerker und Kaufleute günstigere Erwerbsmöglichkeiten erhielten als im Herkunftsland, während Bauern und Hirten

[433] DLR, 751; und M. Bucur: C. A. Rosetti, 15ff., 86ff.

sich den Verhältnisen des Gastlandes nur schwer anpassen konnten[434], weil diese Anpassung mit einem sozialen Abstieg verbunden war. Ihre Wortführer, meist Kleriker und Kaufleute, bemühten sich daher um günstige Niederlassungs- und Arbeitsbedingungen sowie um größere Freiräume. Das erste Auftreten einer politisch handelnden Gruppe zeigte sich schon nach 1806 anläßlich der Verhandlungen mit den Befehlshabern der russischen Besatzungsarmee, die den Christen aus dem Osmanischen Reich Unterstützung zugesagt hatten.

In einer Bittschrift, die Sofronie von Vraca als Repräsentant einer Gruppe von bulgarischen Kaufleuten und Dorfnotabeln verfaßte, formulierte er umfangreiche Forderungen nach Autonomie innerhalb der Walachei, vor allem nach Niederlassungs- und Handelsfreiheit, aber auch nach Zoll- und Steuerbefreiung, doch finden sich darin keine Hinweise auf Spuren eines frühen Wirtschaftsliberalismus, denn nicht nur Juden und Türken sollte die Ansiedlung verwehrt werden, auch für die christlichen Armenier wurde ein Niederlassungsverbot gefordert. Ein Ergebnis brachten diese Forderungen allerdings nicht, da das Interesse des Zarenreichs angesichts des bevorstehenden Vormarsches der Grande Armée nach Rußland auf andere Probleme gelenkt war und das Ende des russisch-türkischen Krieges die von den Bulgaren geleisteten Kriegsdienste bedeutungslos werden ließ. Die veränderte politische Lage in Südosteuropa brachte es mit sich, daß die russische Regierung dem Prozeß der Umwandlung der bulgarischen Minderheit in der Walachei vom passiven Objekt der Politik zu einer handlungsfähigen politischen Gemeinschaft während der nächsten Jahre keine Aufmerksamkeit mehr schenkte.

Das kriegerische Potential der Bulgaren war andererseits aber zu gewichtig, um nicht von der „Philiki Hetairia" in die Pläne für die Vorbereitung des griechischen Befreiungskampfes einbezogen zu werden[435]. Daher faßten die Bulgaren seit 1821 erneut Hoffnung auf eine Autonomie, ja sogar auf Errichtung eines eigenen Fürstentums, wie dies ein alter Pandurenführer, Aleksander Nikolajević Pavlović, verkündet haben soll[436]. Die Niederlage der Hetairisten in den Donaufürstentümern sowie neue Auswanderungswellen, die viele Bulgaren nach Kronstadt und in andere Städte und Märkte Siebenbürgens brachten, haben auch der in Bulgarien noch in den Anfängen steckenden Modernisierung starke Impulse vermittelt, da viele Familien nach Beendigung der Kampfhandlungen wieder in die Herkunftsgebiete südlich der Donau zurückkehrten, wo sie nunmehr wieder günstigere Lebensbedingungen als in den rumänischen Fürstentümern zu finden hofften. Möglicherweise unter dem Eindruck der während des Aufenthaltes in Kronstadt gemachten Erfahrungen führte z.B. der aus Sliven, einer Stadt am Südhang des Balkangebirges stammende Ivan Seliminski (1798–1867) nach seiner Rückkehr aus Siebenbürgen eine sehr effektive Reorganisation der einheimischen Zünfte durch,

[434] C. Velichi: Activitatea politică a emigraţiei bulgarilor în Ţara Romînească, 29.
[435] *Ders.:* Emigrarea bulgarilor în Ţara Romînească, 50.
[436] N. Todorov: La participation des Bulgares, 74.

die wesentlich zur Hebung des Wohlstandes, aber auch zur Festigung der kommunalen Selbstverwaltung beitrug[437]. Auch Petăr Beron (1797–1871), der einen beachtenswerten Beitrag zur geistig-kulturellen Entwicklung Bulgariens im 19. Jahrhundert geleistet hat, war in Bukarest und dann in Kronstadt mit den Auswirkungen der Aufklärung vertraut geworden, ehe er selbst zu einem „führenden Vertreter der bulgarischen Aufklärung"[438] wurde. Seine 1824 in Kronstadt gedruckte „Fischfibel" (Riben bukvar), die Grammatik, Realienbuch und Rechenbuch in einem war, schuf nicht nur Grundlagen für den muttersprachlichen Unterricht, ihr Erscheinen verursachte eine ethnopolitische Aufbruchsstimmung unter den Zeitgenossen, denn sie war „das erste in neubulgarischer Sprache gedruckte Buch mit weltlichem Inhalt"[439].

Noch vor Ausbruch des russisch-türkischen Krieges von 1828–29 entstand eine erneute Befreiungseuphorie, in deren Gefolge Denkschriften und Pläne für ein unter den Schutz Rußlands zu stellendes Bulgarien sowie für eine weitreichende politische Autonomie der in den Donaufürstentümern als Emigranten lebenden Bulgaren verfaßt wurden. Wieder war die Enttäuschung groß, als im Frieden von Adrianopel nur eine Amnestie für die Kombattanten bulgarischer Herkunft vereinbart wurde, die auf seiten der russischen Armee gekämpft hatten, der Traum von einem unter dem Schutz Rußlands zu errichtenden autonomen Bulgarien aber unerfüllt blieb[440].

Vergleicht man den Tenor der Denkschriften von 1811 und 1828 miteinander, so wird deutlich, daß mit der erbetenen Genehmigung für eine eigene Verwaltung sowie für die Ernennung bulgarischer Richter, Lehrer und Gemeindepfarrer ein auf den Grundsätzen der Personalautonomie beruhendes „Volksgruppenrecht" angestrebt wurde, das dem Status der Siebenbürger Sachsen oder dem der „Handelscompagnie" in Kronstadt, zugleich aber auch jenem der Serben in der Habsburgermonarchie angeglichen werden sollte. Im Forderungskatalog bulgarischer Frühliberaler spielt die Beseitigung der eklatanten Rechtsunsicherheit im Osmanischen Reich und in den Donaufürstentümern und die Hinwendung zu modernen europäischen Rechts- und Verfahrensnormen eine wesentliche Rolle. Der von Montesquieu und Voltaire geprägte Freiheitsbegriff, „von nichts anderem abzuhängen als von Gesetzen", wurde zu einem der großen Leitmotive aller politischen Reformprojekte fortschrittlicher Gruppen. Man wird nicht fehlgehen in der Annahme, daß Ivan Seliminski, dem seine Landsleute den Vorwurf machten, die Ideen Voltaires zu verbreiten, sowohl während seiner Schulzeit, die er in Kleinasien verbracht hatte, als auch während des Aufenthalts in Kronstadt, als er dort mit den bulgarischen Honoratioren verkehrte, von den Anschauungen der Aufklärungs-

[437] C. Velichi: Emigrări la nord şi la sud, 85ff.
[438] J. Roth: Petăr Beron, 116.
[439] Ebd. 117.
[440] C. Velichi: Emigrarea bulgarilor din Sliven, 293.

philosophie und wohl auch vom politisch akzentuierten Josephinismus beeinflußt worden war[441].
Betrachtet man die bulgarische Intelligenz in den Donaufürstentümern unter sozialen Aspekten, wie dies neuerdings Elena Siupiur tut, stellt man bis 1830 ein Übergewicht der Autodidakten sowie von Personen mit mittlerer Bildung fest, während das Universitätsstudium in Westeuropa erst mit der Zeit des Vormärz ins Gewicht zu fallen beginnt und eine besondere Vorliebe für die Medizin erkennen läßt. Ein weiteres Merkmal der städtischen Gesellschaft des bulgarischen Ethnikums war die für die Donaufürstentümer typische Flexibilität beruflicher Tätigkeiten, die sowohl den schnellen Berufswechsel als auch das Nebeneinander unterschiedlicher Arbeiten erleichterte. Diese überwiegend aus dem Kleinbürgertum hervorgegangene bulgarische bürgerliche Intelligenz zeigte aber im Unterschied zur rumänischen Intelligenz eine für Emigranten kennzeichnende Neigung zur politischen Betätigung, wobei das generative Verhalten eine deutlich ansteigende Tendenz aufweist[442]. Es ist daher nur natürlich, daß es wiederholt zu Auseinandersetzungen mit den örtlichen Herrschafts- und Verwaltungsorganen kam[443], so daß die latent vorhandene Widerstandsstimmung gestärkt wurde und man den einzigen Ausweg in der Errichtung eines unabhängigen, wenigstens aber autonomen bulgarischen Staatswesens sah. Versuche der Wortführer, eine Koordination zwischen den politischen Gruppierungen der einzelnen Kolonien durch eine zentrale Verbindungsstelle in Bukarest zu erreichen, schlugen jedoch fehl, da sich noch kein gemeinsamer Tenor in der Willensbildung abzeichnete. Trotz dieser Fehlschläge schritt der Politisierungsprozeß der Bulgaren in Brăila, Galatz und Bukarest fort, so daß sie zunächst 1848 die revolutionäre Bewegung der radikal-liberalen Gruppen unterstützten, um sich auf diesem Wege den Forderungen nach politischen Rechten anzuschließen. Bukarest und Brăila wurden in der Folgezeit bis zur Befreiung von der Türkenherrschaft zu Haupterscheinungsorten bulgarischer Zeitungen und Zeitschriften – gefolgt von Konstantinopel und Leipzig – sowie zum Sitz der Komitees, die maßgeblich zur Vorbereitung einer umfassenden Modernisierung Bulgariens beigetragen haben. In diesen Städten des Donauraums, die zugleich wichtige Verkehrsknotenpunkte waren, hatte sich eine bedeutende Anzahl bulgarischer Intellektueller niedergelassen. Diese, vom österreichischen Konsul in Galatz als „in der Regel fleißige, sparsame und auch wohlhabende Leute“ charakterisierten, Bulgaren[444] förderten durch ihre umfangreichen Zeitungs- und Büchersubskriptionen nachhaltig die bulgarische Literatur und Publizistik: von 7680 Sub-

[441] *Ders.:* România şi renaşterea bulgară, 130, 149.
[442] E. Siupiur: Bulgarskata emigrantska inteligencija, 24ff.; vgl. auch *dies.:* Bulgarian Writers in Emigration, 49f.
[443] C. Velichi: Emigrarea bulgarilor din Sliven, 310; und *ders.:* Emigrări la nord şi la sud, 67ff.
[444] Bericht Hubers an Metternich Nr. 31 vom 15. Jan. 1844, H. H. St. A. Wien: Moldau-Walachei II, Kt. 62.

skriptionen für bulgarische Bücher in der Zeit zwischen 1806 und 1848 entfielen 3089 auf Emigranten, davon allein in der Walachei 2416[445]. Im engen Kontakt mit der rumänischen Umwelt und den westeuropäischen Institutionen, wie Konsulaten, Handels- und Schiffahrtsvertretungen, ergaben sich für diese unterschiedlich agierende Intellektuellenschicht[446] vielfältige Möglichkeiten, in den Komitees und Geheimgesellschaften mitzuwirken, so daß bereits in den sechziger und siebziger Jahren ein hohes Maß von Teilnahme am politischen Leben erreicht war.

Der gesellschaftliche Strukturwandel in den Donaufürstentümern und die Anfänge des rumänischen Historismus

Die Veränderung ihrer Mentalität[447], die die städtische Gesellschaft im Verlauf von zwei Generationen durchgemacht hatte, war die Folge der aufgeklärten und modernen Geisteshaltung ihrer Funktionseliten, vor allem der Publizisten. Neue Erwartungsdispositionen entstanden und wurden mit Hilfe der kulturellen Infrastruktur West- und Mitteleuropas allmählich Bestandteil der öffentlichen Meinung.

Einen früher weniger beachteten Anteil an der kulturellen Neuausrichtung breiter Schichten hatten die in Buchform erscheinenden Volkskalender, die sich vor allem im bäuerlichen Bereich deshalb großer Beliebtheit erfreuten, weil sie Vorschläge zur Verbesserung der Wirtschaftsweise, der Tierhaltung und der Gesundheitspflege enthielten. Wie schnell die Nachfrage nach diesen Hauskalendern in deutscher, rumänischer und ungarischer Sprache wuchs, ersieht man aus dem seit 1800 stark vermehrten Angebot, das nach 1836 einen vorher unvorstellbaren Umfang annahm. Wien, Ofen, Pest, Hermannstadt, Kronstadt und Czernowitz waren Erscheinungsorte preiswerter Kalender, die wegen ihrer Angaben über Jahrmärkte, Messen und andere Ein- und Verkaufsmöglichkeiten im Habsburgerreich sowie in den benachbarten Ländern oft überregionale Verbreitung fanden. Dagegen besaßen die in Jassy und Bukarest verlegten Almanachs vorwiegend regionalen Charakter, sprachen ihre Leser aber aus anderen Gründen besonders an, z.B. weil sie die noch lange Zeit sehr beliebten Deutungsmöglichkeiten für Blitz, Donner und anderer Naturerscheinungen enthielten[448].

In dieser historischen Übergangsperiode[449] vollzog sich die Eingliederung in den Kreislauf der Neuzeit Europas. Insbesondere im Banat, der Bukowina und Sieben-

[445] C. Velichi: România şi renaşterea bulgară, 147.

[446] E. Siupiur: La formation des intellectuels de l'émigration bulgare, 787.

[447] Zum Begriff von „Mentalität" im Allgemeinen vgl. R. Reichardt: Histoire des Mentalités, 131ff.

[448] Răduică G. und N.: Calendare şi almanahuri româneşti, 216, Nr. 454–456; vgl. ferner: E. Turczynski: Die Rolle des Volkskalenders, 143–149.

[449] A. Zub: Rumänische Studierende an europäischen Universitäten, 21.

bürgen kam der höchste Anteil an Lehrkräften, gelehrten Theologen und Historikern aus Pfarrerfamilien, weil die Pfarrhäuser, trotz aller „Rückständigkeit" im Vergleich mit den sächsisch-lutherischen oder magyarisch-calvinischen, oft die einzige ländliche Kulturoase darstellten. Der Übergang aus dem eng begrenzten Bereich religiöser Kultur in den der allgemeinen Bildungskultur vollzog sich hier reibungsloser als bei Kindern aus bäuerlichen Familien, wobei in den Westregionen der soziale Aufstieg sehr viel leichter war als in den Donaufürstentümern.
Bis zum Jahr 1848 waren jedenfalls Kleriker- und Bojarensöhne die beiden großen Sozialkategorien, die als Intellektuelle Ansätze zu einer Ideologie und einen moralischen Einfluß in der Gesellschaft zur Geltung zu bringen versuchten[450]. Ihnen ist die schöpferische Umformung der Volkskultur zur Hochkultur und der Volks- zur Hochsprache zu verdanken, wobei den Bewohnern ethnisch-kultureller Grenz- und Mischzonen eine besondere Mittlerfunktion zukam, da sie oftmals die neugewonnenen Erkenntnisse in die Binnenräume weitertrugen. Dieser Modernisierungsvorgang hatte aber mitunter einen schweren Stand gegenüber dem Beharrungsvermögen überkommener Mentalitätsstrukturen, insbesondere dann, wenn es um die Übernahme neuer moralisch-ethischer Grundsätze ging, die den an ihre Privilegien oder auch an despotische Willkür gewöhnten Großbojaren unbequem erschienen.
Die äußerliche „Okzidentalisierung", deren Schein nur selten die geringere Veränderung der Mentalität verbarg, konnte jedenfalls schneller nachvollzogen werden als die innere Umstellung, denn das in den Donaufürstentümern beliebte französische „Modell" führte meist „zu einer Nachahmung ohne Inhalt"[451], eine Tendenz, die bis weit in die zweite Hälfte des 19. Jahrhunderts wirksam blieb. Ihr bereits 1838 entgegengetreten zu sein, bleibt das historische Verdienst Bariţius und Ioan Maiorescus (1811–1864), die ihre Vorliebe für die Verbreitung deutscher Literaturmodelle als Element einer breitangelegten Volksaufklärungskampagne damit begründeten, daß nur diese ein Ganzes darstellten, weil sie die moralische Veredelung des Individuums im Geist der Harmonie und der Ethik der Wahrheit anstrebten, während die französischen Klassiker in ihren Augen ein auf die Geburtseliten ausgerichtetes Konzept verfolgten[452]. Stimmen dieser Art kamen auch aus der Moldau, wo Costache Conachi (1778–1849), ein von französischen Hauslehrern erzogener Großbojar, obwohl Vertreter der französischen Aufklärungsphilosophie, eine Intensivierung des Deutschunterrichts empfahl, weil im deutschen Bildungssystem moralische Werte verankert seien[453]. Wie groß der moralisch-politische Sumpf in Bukarest und Jassy war, wurde den jungen Reformern meist erst

[450] E. Siupiur: L'écrivain roumain, 36ff.
[451] A. Duţu: Die Entwicklung der rumänischen Kultur, 675.
[452] G. Bariţiu: Scriitorii clasici. In: Foaie literară Nr. 16 (1838), 123–128; und G. Marica: Foaie, 40.
[453] C. Conachi: Corespondenţă II, 78.

bewußt, wenn sie die Verhältnisse in Frankreich, den deutschen Ländern oder in den zum Habsburgerreich gehörenden Kronländern kennenlernten. So hatte sich Alecu Kogălniceanu, ein Bruder des Historikers, in Paris entschlossen, sich zusammen mit anderen Rumänen „der politisch-moralischen Aufrichtung seines Volkes zu widmen", und Petrache Poenaru (1799–1875) kehrte tief beeindruckt von der „Privatinitiative" und dem „Gemeinschaftsgeist" heim, die er in England kennengelernt hatte[454].

Diese deutliche Westorientierung der Intellektuellen, die seit dem ausgehenden 18. Jahrhundert ständig zunahm, stieß bei der älteren Generation und den meisten ungebildeten Klerikern in den Donaufürstentümern auf Skepsis oder gar auf Ablehnung. Auch Heliade-Rădulescu (1802–1872), der 1823 den Versuch unternahm, den Metropoliten der Walachei für eine Vereinfachung des kyrillischen Alphabets zu gewinnen, mußte eine herbe Enttäuschung erleben. Aber wie der serbische Sprachreformer Vuk Stefanović Karadžić, dessen Grammatik der serbischen Sprache 1814 in Wien erschienen war, einen entscheidenden Wendepunkt der serbischen Kulturgeschichte bedeutete und sich vom Widerstand der serbisch-orthodoxen Geistlichkeit nicht beirren ließ, so hat auch Heliade-Rădulescu mit seiner 1828 in Hermannstadt erschienenen rumänischen Grammatik die Grundlagen der modernen rumänischen Orthographie und Literatursprache geschaffen. Der Weg seiner Kulturorientierung war durch die Zusammenarbeit mit dem Siebenbürger Rumänen Gheorghe Lazăr vorgezeichnet, seine Bemühungen um den Aufbau eines eigenständigen Schul- und Bildungswesens seit Beginn der dreißiger Jahre von großen Erfolgen gekrönt[455].

Paul Cornea, einer der besten Kenner der rumänischen Literaturgeschichte des 19. Jahrhunderts, hat das vierte Jahrzehnt des 19. Jahrhunderts in diesem Zusammenhang als einen der fruchtbarsten Zeitabschnitte für die Integration der rumänischen Kultur in den Rhythmus der europäischen Literaturstömungen charakterisiert[456]. Und in der Tat wurden in den beiden Jahrzehnten vor Ausbruch der bürgerlichen Revolution von 1848 gesamtgesellschaftliche Prozesse eingeleitet, die dem rumänischen Volk den Aufstieg zur Kultur- und später zur Staatsnation ermöglichten. Der Mentalitätswandel wies zahlreiche Komponenten auf, von denen die nationsbildenden Kräfte am bekanntesten sind. Die krisenhaften Wirtschafts- und Gesellschaftskonflikte wurden indes im Kreise der Intellektuellen sehr deutlich gesehen, auch wenn sie in den Donaufürstentümern nicht offen ausgesprochen werden durften. Hier verbanden die Vertreter der rumänischen Romantik, die bis in das achte Jahrzehnt wirksam blieb, politische Befreiungsbestrebungen mit Elementen der Aufklärung und wurden so zu einer „militanten Avantgarde", weil die Schriftsteller und Dichter sich noch nicht als eigenständige Gruppe, sondern als Wegbe-

[454] A. Zub: Rumänische Studenten an europäischen Universitäten, 37f.
[455] Tomoiagă: Personalităţi, 89ff.
[456] P. Cornea: Originele, 450.

reiter einer bürgerlichen und zuweilen auch demokratischen Gesellschaftsordnung verstanden. Von 394 Schriftstellern im weitesten Sinne des Wortes bekleideten in der Zeit bis zur Unabhängigkeit Rumäniens 118 politische Funktionen, woraus einerseits die enge Verquickung der aus dem Bojarenstand hervorgegangenen Männer mit politischen Funktionen, insbesondere in der Walachei und der Moldau, hervorgeht, andererseits die schnelle Verbreiterung einer unorganisch gewachsenen Intellektuellen- und Schriftstellerschicht, die sich zu vielseitigen Aufgaben berufen fühlte. Die Mentalitätsunterschiede zwischen diesen Rumänen der einzelnen Regionen waren nicht in allen Bereichen gleich groß. Vor allem die Einstellung zur privaten und öffentlichen Moral wies gravierende Unterschiede auf, war doch in den Donaufürstentümern der Erwerbssinn der Erfolgsgesellschaft weitaus stärker entwickelt als in Siebenbürgen, dem Banat und der Bukowina, wo die christliche Morallehre tiefere Wurzeln hatte entwickeln können. Hier ist der Einfluß westlicher Theologieansätze sowie insbesondere der Aufklärungsphilosophie und josephinischer Erziehungsnormen unverkennbar. Diese Forderungen nach Tugend (virtute) und natürlicher Moral scheinen Teil jener Aufbruchsstimmung gewesen zu sein, die seit 1821 den soziokulturellen Wandel ankündigte und sich mit dem Optimismus der Frühliberalen verband[457].

Mit Hilfe einer die nationale Selbsterhöhung erleichternden Historisierung wurden schöpferische Impulse mobilisiert, die zur Bildung neuer Mentalitätsstrukturen mit ideologischem Charakter beitrugen. Sie hatten 1821 starke Anstöße erhalten, wie die Adaption eines patriotischen Marschliedes von Adamantios Korais aus dem Jahre 1800 belegt, das seit dem Ausbruch des griechischen Freiheitskampfes unter dem Titel: Trîmbiţa românească“ (Die rumänische Posaune) in einer erweiterten Fassung mit 414 Versen als Flugblatt kursierte. Die Namen großer Gestalten der rumänischen Geschichte ersetzen in diesem anti-osmanischen Kampflied die drei großen Heerführer aus der griechischen Antike[458]. So wurden die rumänisch-griechischen Wirtschafts- und Kulturverflechtungen gemeinsam mit dem rumänischen Philhellenismus, der trotz der antiphanariotischen Strömungen bis weit in die zweite Hälfte des 19. Jahrhunderts eine beachtliche Rolle im Gesellschafts- und Geistesleben der Donaufürstentümer spielte[459], zum Ausgangspunkt des rumänischen Historismus.

Das Interesse an der Geschichte hatte seit 1821 ständig zugenommen, weil die Vergangenheit als Quelle von Rechtsansprüchen eine politische Dimension gewann, die den Weg zur romantisch-politischen Historiographie vorzeichnete. Neben Geschichtsbüchern, die einen universalhistorischen Überblick vermittelten und noch weitgehend vom Geist der Aufklärung geprägt waren, wie die „Allge-

457 *Ders.:* Structuri tematice, 11; und E. Siupiur: L'écrivain roumain, 40ff. Die Lebensgewohnheiten der Bojaren, ihren Bildungsstand sowie die Familienmoral schildert sehr anschaulich W. Wilkinson: An Account of the Principalities, 90, 129, 143, 145f., 147ff.

458 P. Cornea: Originele, 296–299.

459 C. Papacostea-Danielopolu: Intelectualii români, 41ff.

meine Weltgeschichte für denkende und gebildete Leser" in der Bearbeitung von J.B. Schütz (Wien 1805), die Ioan Alboteanu vermutlich während seines Studiums in Czernowitz kennengelernt hatte, ehe er sie in Jassy zur Grundlage seines Unterrichts machte[460], oder den moralisierenden und religiös eingebundenen Unterrichtsmethoden des Siebenbürger Rumänen Grigore Pleşoianu (1808–1857)[461], der in Bukarest lehrte, begann sich sehr bald die romantisch-politische Historiographie neue Leserschichten zu erobern und die Mentalität zu formen. Dabei wurde, wie bei vielen anderen kleinen Völkern Ost- und Südosteuropas, die geschichtliche Vergangenheit mit Hilfe der neuen Lehrbücher und der Zeitungen schnell popularisiert. Die im Bildungsbereich engagierten Großbojaren und die wenigen Angehörigen der bürgerlichen Intellektuellengruppe bedienten sich bei diesem Identifikationsprozeß häufig des Rückgriffs auf die Vergangenheit, wie dies Iordache Golescu, ein Bruder des Aufklärers Dinicu Golescu, tat, als er 1831 in einem Schreiben an die Abgeordnetenkammer vom „Fortschritt der Wissenschaft und des Handwerks", aber auch von der „Vereinigung Siebenbürgens mit der Walachei unter der Herrschaft Mihai des Tapferen" sprach[462].

An diesem Prozeß der nationalen Selbstfindung und Selbstdarstellung hatte auch der Metropolit der Moldau, Veniamin Costache (1768–1846), maßgeblichen Anteil. Er förderte die Sprach- und Bildungsreform und half mit, den Unterricht des Priesterseminars in Jassy sowie der Elementarschulen auf neue Grundlagen zu stellen, wie er überhaupt mit seinem Segen wohl nicht sehr wählerisch gewesen sein dürfte[463]. Die beiden Pfarrersöhne Gh. Asachi und Gh. Săulescu, die in Lemberg, Wien, Rom, Chios und Czernowitz[464] studiert hatten, verdankten diesen Bildungsweg dem Metropoliten. Asachi, der ältere der beiden Stipendiaten, hat die national-sprachliche Kulturerneuerung maßgeblich beeinflußt, als Journalist und Volksaufklärer mit Nachdruck die Auffassung vertreten, daß „die Geschichte das

[460] V. Cristian: Inceputurile învăţămîntului istoric, 478ff.

[461] Neben zahlreichen Übersetzungen aus dem Französischen veröffentlichte er 1838 auch eine Übersetzung der „Geschichte der Genoveva von Brabant" (Istoria Ghenovevii de Brabant) des katholischen Theologen, Schulmannes und Volksschriftstellers Christoph Daniel von Schmid (1768–1854), der starken Einfluß auf das Denken Pleşoianus ausgeübt hat. Vgl. DLR 682f.

[462] A. Duţu: Kulturmodelle, 564.

[463] Daß Veniamin Costache im Verlauf dieser Okzidentalisierungs- und Nationalisierungsmaßnahmen auch antisemitischen Veröffentlichungen seinen Segen nicht versagte, gehört zu den Merkmalen der Mentalität der orthodoxen Geistlichkeit jener Epoche. Vgl. Ad. Stern: Din viaţa unui evreu-român, 20.

[464] Gh. Săulescu (1798–1864) hatte zunächst die Chios-Akademie besucht und von 1821–1826 in Czernowitz seine Ausbildung forgesetzt, wo er Deutsch, Latein, Französisch, vor allem aber alte Philosophie studierte. Seit 1828 wirkte er als Professor an der Lehrerbildungsanstalt in Jassy und am Gymnasium, wo er Rumänisch, Weltgeschichte und Philosophie lehrte. Neben zahlreichen Aufsätzen in der von Asachi gegründeten „Albina Românească" verfaßte er eine Weltgeschichte. Vgl. DLR, 766f.

erste Lehrbuch einer Nation" sei, und 1832 das Staatsarchiv in Jassy eingerichtet[465]. Zusammen mit Săulescu rückte er die ruhmreiche rumänische Vergangenheit in den Mittelpunkt des Leserinteresses und begann mit der Herausgabe zahlreicher bis dahin unausgeschöpfter Quellen. Ähnlich wie der deutschen Geschichtswissenschaft während des 19. Jahrhunderts blieb auch der rumänischen angesichts des enormen Forschungsrückstandes, der von M. Kogălniceanu während seines Studienaufenthaltes in Berlin besondes deutlich empfunden worden war, keine Zeit zu theoretischen Reflexionen. So wurden die methodischen Grundsätze des Historismus unbesehen übernommen und mit Lehrinhalten der Spätaufklärung in einer romantisch politisierenden Publizistik zum Vehikel einer nationalen Selbstfindung zusammengebaut[466].

Ganz in der Tradition der „Siebenbürgischen Schule" wurden die romanische Vergangenheit und die reine Latinität[467] der Rumänen überbetont und die Hypothese von der völligen Ausrottung der Daker zur historischen Wahrheit erklärt. Mit diesen Argumenten wurden die Kontinuität und die legitimen Ansprüche auf die seit altersher bewohnten Gebiete untermauert. Die Taten Stefans des Großen und die Leistungen Vasile Lupus wurden besonders herausgehoben, beim ersten waren es die militärischen Siege über Erobererheere der Osmanen, beim zweiten die Anstrengungen für eine Bildungsreform, die auf diese Weise gewürdigt werden sollten. So wurde der Blick der Intellektuellen mit Hilfe der romantisch-politischen Historiographie, ähnlich wie bei den „preußisch orientierten" Historikern von Droysen bis Meinecke[468], von Anfang an auf die Abwehrkämpfe gegen die imperialen Nachbarmächte und auf eine Analyse der Taten einzelner Herrscher gelenkt. Für alle anderen Bereiche, die außerhalb des politischen und nationalkulturellen Spektrums lagen, blieb kein nennenswerter Raum in den Spalten der „Albina românească", die seit 1829 mit einer Auflage von 204 Exemplaren und einem Jahrespreis von vier Dukaten nur für die Schicht wohlhabender Bojaren und Kaufleute erschwinglich war. Da diese Zeitung aber das erste Presseorgan der Moldau war und umfangreiches Material zur Geschichte enthielt, diente sie späteren Historikern, wie z.B. M. Kogălniceanu[469], als Quelle und vielen Lesern als Materialsammlung für literarische Inspirationen, nicht zuletzt auch für die Belebung und Neubildung historischer Sagen.

Herausgeber der in Bukarest auf Initiative von Dinicu Golescu gegründete Zeitung „Curierul românesc", die, wie die Albina in Jassy, seit 1829 das Hauptpresseorgan des Vormärz war, wurde Heliade-Rădulescu. Sie hatte jedoch trotz der größeren

[465] Über Asachi vgl. Biograph. Lex. I, 101f.; und DLR, 55–60.

[466] Eingehend behandeln diesen Aspekt Şt. Lemny: Conştiinţa naţională, 238ff.; und D. Berindei: Ein angehender rumänischer Staatsmann in Berlin, 17–25.

[467] Săulescu gehörte zu den eifrigsten Verfechtern der Latinitäts- und Kontinuitätstheorien. Vgl. V. Cristian: Contribuţia, 247.

[468] G. G. Iggers: Deutsche Geschichtswissenschaft, 34.

[469] V. Cristian: Contribuţia, 251.

Einwohnerzahl der Walachei nur eine Abonnentenzahl von 280 (1829) und 250 (1834), die 1839 sogar auf 150 sank, was z.T. auch auf die Gründung der Zeitschrift „Muzeu naţional" und der Tageszeitung „România" zurückzuführen sein dürfte, die beide von Aron Florian (1805–1887), dem ersten bedeutenderen Historiographen dieser Jahrzehnte, entscheidend mitgestaltet wurden. Nachdem G. Pleşoianu im Curierul seine „Geschichte Rumäniens im Überblick" veröffentlicht hatte[470], setzte eine Art Wettbewerb zwischen den beiden Landeshauptstädten im Bereich der nationalkulturellen und vor allem der historischen Publizistik ein.
Mindestens drei Umstände haben diese Entwicklung besonders begünstigt: die Emanzipation der Schulen von der ständisch geformten Bojarengesellschaft, die den Lehrern der höheren Bildungsanstalten ein erhöhtes Sozialprestige gewährte; dann die steigenden Einkommen der Getreideproduzenten, Handwerker und Kaufleute, die vom Anschluß der Donaufürstentümer an die europäischen Märkte profitierten; und schließlich die von General Kiselev eingeleiteten archäologischen Ausgrabungen, die zu einer wachsenden Neugier für historische Entdeckungen führten[471]. Der damit in vielfältiger Form verbundene Lese– und Bildungshunger der Käuferschicht bot dem Wegbereiter des rumänischen Historismus, A. Florian, die Möglichkeit, für die auf mehrere Bände berechnete erste moderne Synthese der rumänischen Vergangenheit zunächst 355 Subskribenten zu finden, eine Zahl die mit der Zeit zurückging, aber immerhin zwischen 1835 und 1838 eine Durchschnittszahl von 276 Vorbestellern ergab[472]. Diesem Werk, das sich auch auf ältere Darstellungen in deutscher Sprache, wie die Geschichte der Moldau und Walachey von Johann Chr. Engel (Halle 1804) und L.A. Gebhardis Geschichte des Reiches Hungarn (Leipzig 1782), stützte, wurde sowohl wegen seiner Periodisierung der rumänischen Geschichte, die sich an die ungarische anlehnt, als auch wegen seiner sehr ausführlichen Behandlung Michaels des Tapferen große Beachtung geschenkt. A. Florian gilt daher als einer der ersten Dako-Rumänen und als militanter Wegbereiter der nationalen Einheit, zugleich aber auch als ein vom Josephinismus geprägter Gelehrter, der – wie seine Gesinnungsgenossen – ein Anhänger des sozialen Wandels in der Walachei war[473]. Und wie die Zeitungen und Zeitschriften in den Dienst eines Mentalitätswandels gestellt wurden, der die Abkehr von einer klientel- und sippenbezogenen patriarchalischen Gesellschaft und dafür die Hinwendung zur Nation einleitete, wurden auch die in Ofen, Jassy und Bukarest erscheinenden Buchkalender wichtige Instrumente des Historismus. Gh. Asachi, der aus Kronstadt gebürtige Kunstmaler Constantin Lecca (1807–1887), die Österreicher

[470] Der rum. Titel lautete: Idee repede despre istoria românilor. Er erschien im I. Jg. Nr. 59 und 60.
[471] P. Cornea: Originele, 488.
[472] V. Cristian: Editarea şi difuzaria, 62.
[473] P. Teodor: Contribuţia lui Aaron Florian, 578; und P. Cornea: Originele, 430; V. Cristian: Opera istorică a lui Aaron Florian, 116ff.

J. Rey und A. Kaufmann u. a. illustrierten die Almanachs und Kalender mit Lithographien zu historischen Themen, um die Heldentaten Stefans des Großen, Michaels des Tapferen sowie anderer Herrscher zu verherrlichen.
Die von M. Kogălniceanu seit 1842 und dann von Asachi seit 1847 in Jassy herausgegebenen Kalender wurden aber auch zu Aufklärungswerken ersten Ranges, bemüht, einer breiten Leserschicht Bildung und gute Literatur zu vermitteln, um den geistigen Horizont bis hin zur Geschichte und Kultur der „Istro-Rumänen" zu erweitern[474]. Hier begann erstmals auch die Abkehr von der im Volks- und Aberglauben fest verankerten Vorstellung vom Einfluß der Gestirne auf das Schicksal der Menschen und die Hinlenkung der Leser zum modernen heliozentrischen Weltbild, einer der mühsamsten und wohl auch langwierigsten Vorgänge der Modernisierung, an deren Realisierung die in Siebenbürgen gedruckten Kalender ebenfalls maßgeblich beteiligt waren.
Mit der Einführung eines Reglements für die öffentlichen Schulen (1833/35), durch welches eine straffe Zentralisierung sowie ihre Kontrolle durch die Fürsten nach russischem Vorbild gewährleistet wurde, eröffneten sich der historischen Publizistik günstige Absatzmöglichkeiten. Eine große Anzahl dieser Bücher wurden für die neueingerichteten Schulen angeschafft. Die Thesen Gh. Asachis und A. Florians, daß eine Nation nicht ohne Geschichte leben könne, fanden in den Schulaufsichtsbehörden, in denen beide ein gewichtiges Wort mitredeten, volles Verständnis. Damit begann seit der Mitte der dreißiger Jahre eine von der öffentlichen Meinung mitgetragene Hinführung der Jugend zum Nationalismus, was zur Folge hatte, daß die staatsbürgerlich-freiheitlichen Elemente der Erziehung in den Hintergrund treten mußten.
Die strenge, von einem Teil der konservativen Geistlichkeit übertriebene Zensur sowie die Spannungen zwischen dem Fürsten Mihail Sturdza und seinem ehemaligen Adjutanten Mihail Kogălniceanu führten zu einer konsequenten Unterdrükkung aller liberalen oder gar sozialreformerischen Äußerungen[475].
Der Ethnozentrismus erfuhr 1842 einen spektakulären Höhepunkt, als der neugewählte Fürst der Walachei, Gheorghe Bibescu, am Tage der Krönung im Kostüm Michaels des Tapferen erschien und im darauffolgenden Jahr zum Gedenken dieses Nationalhelden an seinem Grab im Kloster Dealul niederkniete[476]. Seither gab es eine Flut von Veröffentlichungen, die dem Leben und Sterben dieses Nationalhelden gewidmet waren, insbesondere aus der Feder des Dichters D. Bolintineanu

[474] So z. B. im Kalender Gh. Asachis für das Jahr 1847. Vgl. G. und N. Răduică: Calendare şi almanahuri, Nr. 1207, S. 440.
[475] Seit 1837 wurde „Geschichte des Vaterlandes" (Istoria patriei) offiziell als Unterrichtsgegenstand im Lehrplan der Moldau aufgeführt. Seit 1843 erfuhr dieser Unterricht durch Ioan Maiorescu eine stärkere Akzentuierung dako-romanischer Lehrinhalte. Vgl. V. Cristian: Cursul de istorie, 264.
[476] A. D. Xenopol: Istoria partidelor, 182; und Foaie pentru minte VII. Jg. Nr. 40, 1844, 318–320.

sowie des Historikers Florian. Der so geförderte romantische Nationalismus überlagerte den politischen Reformeifer in demselben Maß, in dem Vereinigungs- und Unabhängigkeitspläne als Mittel zur Selbstbestimmung der im Werden begriffenen Staatsnation geschmiedet wurden, bevor noch der Übergang zur Kulturnation eingeleitet worden war. Eine der Folgen dieser hektischen Entwicklung war der Versuch, mit allen Mitteln die im Laufe der Okzidentalisierung übernommenen Modernisierungsimpulse benachbarter Kulturräume zu minimalisieren, ganz zu verschweigen, oder gar krampfhaft umzudeuten.
Zu den richtungsweisenden Anstößen für die Wiederherstellung der nach außen hin sichtbaren Würde des Staates und seiner Einrichtungen gehörten die von den Fürsten geförderten nationalen Symbole, insbesondere die Fahnen der Regimenter, die seit 1834 gegen entsprechende Zahlungen an die Hohe Pforte als Nationalembleme geführt werden durften[477]. Auch sonst machte sich der Einfluß der Regierungen dahingehend bemerkbar, daß den nationalistischen Affirmationen in der Regel mit Wohlwollen begegnet wurde, während auch nur Anspielungen auf Reformbestrebungen, die zu einer Liberalisierung hätten führen können, unterdrückt wurden. Die verstärkte Hinwendung zur Nationalgeschichte war somit einer der Auswege, um Zukunftspläne auf einer scheinbaren Vergangenheit aufzubauen[478]. Daß die zunächst nur vorsichtig und im Zusammenhang mit der Glorifizierung Michaels des Tapferen angedeuteten Sehnsüchte nach Vereinigung aller Rumänen in einem Staat von Baron Miklós Wesselény bereits zu Beginn der vierziger Jahre registriert wurden[479], ist ein sichtbares Indiz für das Echo dieser Träume von einem künftigen Großrumänien. Geschichte wurde zu einem wichtigen Mittel der Modernisierungstransformation, wurde zu einem „Ansporn" auf dem Hintergrund der „großen Vergangenheit"[480]. Auch N. Bălcescu, einer der literarisch hochbegabten Historiker, schrieb zwei Jahrzehnte später in Anlehnung an Asachi in dem Prospekt für die Zeitschrift „Magazinul istoric pentru Dacia", daß „die Geschichte das erste Buch für die Nation ist. Vergangenheit, Gegenwart und Zukunft werden darin erhellt. Eine Nation ohne Geschichte ist noch ein barbarisches Volk".
Diese Einladung zum Bezug der Zeitschrift hatte große Breitenwirkung, denn sie erschien sowohl im „Curierul românesc" als auch in der Kronstädter Beilage zur „Gazeta", in der „Foaie". Für Bălcescu, dessen erstes Werk „Puterea armată şi arta militară", 1844 erschienen, große Verbreitung bei einem begeisterten Publikum fand, war Geschichte „die Religion der Erinnerungen"[481].

477 P. V. Năsturel: Steagul. Stema Română, 46ff. und 52ff.; vgl. ferner G. Fotino: Boierii Goleşti, I, 32.
478 Die strengen Zensurmaßnahmen während des vierten Jahrzehnts charakterisiert treffend Şt. Lemny: Conştiinţa naţională, 235f.
479 M. Wesselény: Eine Stimme, 67.
480 Gh. Asachi schrieb schon 1822: „Die Geschichte sei uns jetzt Ansporn!" Zit. nach D. Berindei: Geschichte und Nationalliteratur, 171.
481 N. Bălcescu: Scrieri alese, 5.

In ähnlicher, wenn auch mit Ideen der Geschichtsphilosophie angereicherter Form hielt M. Kogălniceanu seine Antrittsvorlesung in Jassy, wo er die Verdienste der Rumänen als „christliche Verteidigungsmauer gegen die Türken“ apostrophierte. Die „explosionsartige Entwicklung des Historismus“, die zu einer „tiefen Bewußtseinskrise“ führte, erfaßte aber primär nur die wenigen Intellektuellen und die halbgebildete Städterschicht, in der sich eine Veränderung der Mentalitätsstruktur abzuzeichnen begann, während die Masse der ländlichen Bewohner von diesem „Delirium der Phantasie und der Exaltierung der Herren“[482] unberührt blieb. Zweifellos hat dieses enorm schnell wachsende Interesse für die individualisierende Nationalgeschichte, in deren Mittelpunkt immer stärker Michael der Tapfere stand, die Nationalkohäsion gestärkt, gleichzeitig aber von den liberalen und sozialen Reformplänen abgelenkt. Aus der regionalen Verteilung der Subskriptionen ist zu ersehen, daß Florians Werke nicht nur Bukarest, das stets den ersten Platz unter den Käufern einnahm, sondern auch die anderen Städte und Märkte der Walachei eroberten. Und da die Zahl der Bezieher ohne Rangangabe eine steigende Tendenz aufwies, liegt der Schluß nahe, daß das im Werden begriffene Bildungsbürgertum von diesen Strömungen ebenso erfaßt worden war wie die Intellektuellen aus dem Bojaren- und Klerikerstand der Walachei.

In der Moldau, wo Mittel- und Kleinbojaren die Hauptabnehmer historischer Publikationen blieben, scheinen Kaufkraft und Interesse der städtischen Mittelschicht ohne Bojarenrang geringer gewesen zu sein, während in Siebenbürgen die rumänische Käuferschicht auch weiterhin aus Klerikern und Lehrern bestand. Insgesamt gesehen waren es die dünne Bürgerschicht und das liberale Bojarentum, die zu den Hauptrezipienten des rumänischen Historismus gehörten[483], der mit der Entwicklung der Nationalliteratur in ihrer romantischen Phase einherging.

[482] P. Cornea: Originele, 484; und D. Berindei: Geschichte und Nationalliteratur, 167.
[483] V. Cristian: Editarea şi difuzaria, 65f. und 73.

Zusammenfassende Betrachtungen

Die gewaltigen Kräfte des Geistes, die, von den Ideenströmungen der Aufklärung und des Frühliberalismus erfaßt, seit Beginn des 19. Jahrhunderts im unteren Donau- und Karpatenraum einen großartigen Prozeß gesellschaftlicher Veränderungen im Rahmen der gesamteuropäischen Entwicklung einleiteten, wirkten regional sehr unterschiedlich. Dabei gründete sich die Erkenntnis von der Notwendigkeit einer umfassenden Angleichung der Rechts- und Gesellschaftsordnung der Donaufürstentümer an die in West- und Mitteleuropa entwickelten Strukturen sowohl auf das philosophische Denken einer zunächst nur sehr dünnen Intellektuellenschicht als auch auf das Räsonieren einer breiteren Intelligenzschicht, die zwar nicht zur Bildungsschicht gehörte, dafür aber den Resonanzboden der „vernünftigen" Ideen bildete. Zunächst von älteren Formen einer in der Überlieferung als erprobt angesehenen Selbstverwaltung ausgehend, wurden die Forderungen nach Begrenzung der Macht der Fürsten und der Protipendada sehr bald mit jenen nach Sicherheit des Individuums und schließlich nach Erweiterung der Autonomie verknüpft, bis schließlich eine Synthese von Verbesserungsplänen entstand, die man für realisierbar hielt. Dieser Drang zur Modernisierung, der in den Donaufürstentümern nur ein Jahrzehnt später einsetzte als in Ungarn, wo er auf dem Landtag von 1811/12 einen ersten Durchbruch erzielt hatte, leitete nicht nur einen Wandel der politischen und sozio-ökonomischen Strukturen ein, er schuf auch die Grundlagen für die Nationswerdung, die in der zweiten Hälfte des 19. Jahrhunders die älteren ständischen und konfessions-nationalen Denkschemata weitgehend ablösen sollte.

Bei einer vorerst nur in Ansätzen möglichen vergleichenden Untersuchung des Frühliberalismus in den mehrheitlich von Rumänen bewohnten Gebieten, d.h. in den Donaufürstentümern, Siebenbürgen, dem Banat und der Bukowina, zeigten sich die von Gebiet zu Gebiet verschieden gelagerten verfassungsrechtlichen und sozio-kulturellen Gegebenheiten als eine sich nur sehr langsam ändernde Komponente im Verhältnis zur schnelleren Rezeption moderner Denkmodelle und zu den variablen Faktoren der politischen Emanzipationsbewegungen.

Um trotz einer wohl noch lange Zeit nicht befriedigenden Quellenlage zu wenigstens annähernd verifizierbaren Werten zu gelangen, wurde im Rahmen der bestehenden Möglichkeiten eine Quantifizierung der am politischen und kulturellen Leben Beteiligten während der ersten Hälfte des 19. Jahrhunderts, insbesondere in der Zeit des Vormärz versucht. Eine erste Auswertung des Datenmaterials[484] nach der generativen Struktur, den Herkunftsregionen sowie nach Beruf, Abstammung

[484] Vgl. Anhang Nr. 1.

und Sozialisation ergab: Von den 391 namentlich erfaßten Männern und Frauen zeigt die generative Verteilung, daß der Anteil der vor 1800 Geborenen gegenüber der Generation der „Jungen“, die zwischen 1801 und 1830 geboren wurden, immerhin 50,6% der Gesamtzahl der Träger ausmacht. Bezüglich der Herkunftsgebiete bzw. der Gebiete, in denen die politsche Tätigkeit festgestellt werden konnte, liegt die Moldau mit 34% vor der Walachei und Banat-Siebenbürgen mit 31,9%, während die Bukowina mit 3% vertreten ist. Korreliert man die Herkunftsverteilung mit der generativen Aufschlüsselung, steht die Moldau bei den vor 1800 Geborenen mit 51% an der Spitze, gefolgt von der Walachei mit 26%, Siebenbürgen und dem Banat mit zusammen 19,1%. Allerdings verschiebt sich das politische Gewicht bei der nach 1800 geborenen Generation, denn der Anteil der Walachei und auch Siebenbürgens nehmen deutlich zu. Für die Zeitspanne von 1800 bis 1810 scheinen der Geburtenrückgang sowie die Kindersterblichkeit infolge der Bandeneinfälle der Kŭrdžalijen, des russisch-türkischen Krieges von 1806–1812 sowie wegen der Seuchen relativ groß gewesen zu sein, insbesondere in der Walachei. Dieser Ausfall wird aber durch die besonders rege Aktivität der zwischen 1801 und 1820 Geborenen wettgemacht, denn aus ihren Reihen kamen überdurchschnittlich viele Träger von Modernisierungsimpulsen und zwar sowohl in Siebenbürgen, wo die „junge Garde“ der Kronstädter Rumänen als typisches Beispiel betrachtet werden kann, als auch in der Walachei, wo sich ein Nachholbedarf ergab, weil die Generation der vor 1800 Geborenen eine starke politische Abstinenz an den Tag gelegt hatte. Besonders aufschlußreich ist die Wechselbeziehung des generativen Verhaltens mit der Herkunftsverteilung und der Berufs- und Abstammungsstruktur, denn sie bestätigt die in der Nationalismusforschung für Siebenbürgen und das Banat gemachten Erfahrungen, wonach die politischen Wortführer der Emanzipationsbestrebungen des rumänischen Ethnikums in Ermangelung einer tragfähigen Bürger- und Adelsschicht in der Zeit vor der Jahrhundertwende fast ausschließlich aus dem Klerikerstand stammen.

Die Wortführer der engagierten radikal-liberalen Gruppierungen standen in den Donaufürstentümern am Rande der sozialen und daher auch nicht im Mittelpunkt der kulturellen Hierarchie, während die Vertreter des gemäßigten Frühliberalismus, die über Reformen zum Ziel ihrer Idealvorstellungen gelangen wollten, weitaus häufiger sowohl in der sozialen als auch in der kulturellen Hierarchie einen festen Platz hatten. Auffallend bleibt jedoch die starke politische Abstinenz der Intellektuellenschicht insgesamt[485].

In der Zeit des Vormärz erfolgte dann der gleitende Übergang zu den zunehmend aktiveren bürgerlichen Gruppen, nämlich den freien akademischen Berufen, von denen nicht wenige, trotz ihrer Herkunft aus Pfarrerfamilien, einen gemäßigten Antiklerikalismus an den Tag legten.

[485] Vgl. Anhang Nr. 2.

Auffallend gering war die Teilnahme von Bukowiner Rumänen am politischen Leben. Dies mag mit dem Umstand zusammenhängen, daß diese überwiegend griechisch-orthodoxe Bevölkerungsgruppe sowohl hinsichtlich ihrer Zahl als auch hinsichtlich ihrer Sozialstruktur das herrschende Element gegenüber den meist griechisch-katholischen Ruthenen (Ukrainern), den sporadisch eingewanderten ashkenasischen Juden und den aus drei sehr unterschiedlichen Landschaften des deutschen Sprachraums stammenden Pfälzern, Böhmerwäldlern und Zipsern, sich gegenüber der neuen Verwaltung und Wirtschaftsordnung wie überhaupt gegenüber der Überlegenheit der österreichischen Herrschaftsstruktur nur sehr allmählich durchzusetzen lernte. Die Buchenlanddeutschen, die vom Überbau der überwiegend deutsch-österreichischen Lehrer- und Beamtenschicht langsam zu einer Sprach- und Kulturgemeinschaft zusammengeführt wurden, sympathisierten mit den Rumänen und traten mit diesen gemeinsam für eine Loslösung der Bukowina von Galizien ein. Aus diesem Kräfteverhältnis konnten die Rumänen die größten Vorteile für sich verbuchen, denn die orthodoxe Kirche besaß ein beträchtliches Klostervermögen, das im Sinne der josephinischen Reformen zur Hebung des allgemeinen Bildungsstandes verwendet wurde. Darüber hinaus waren auch die rumänischen Großgrundbesitzer – die zunächst die untertanenfreundliche Politik der österreichischen Verwaltung energisch bekämpft hatten – weitaus zahlreicher als in Siebenbürgen oder dem Banat, so daß aus den Kreisen der Bojaren und des gebildeten Klerus allmählich eine josephinisch gesinnte dünne politische Führungsschicht hervorging, die in zunehmendem Maße österreichisch-vaterländische und rumänisch-nationale Gefühle miteinander zu verbinden verstand.

Die führende Rolle der Moldauer Mittel- und Kleinbojaren in der konstitutiven Phase moderner Gruppenbildungen mit eindeutig emanzipatorischem Charakter hat bereits Xenopol in seinen Darstellungen vor dem Ersten Weltkrieg hervorgehoben. Sie findet ihre Bestätigung insbesondere in der Tatsache, daß die Generation der vor 1800 Geborenen mit 51 % an der Spitze der untersuchten Regionen steht und damit mehr aktive Kräfte aufzuweisen hat als die Walachei, obwohl die Bevölkerungszahl der Moldau mit 1 268 760 im Jahre 1831 fast um die Hälfte geringer war als jene der Walachei mit 2 032 362 Seelen. In der Walachei hatten aber die vor 1800 Geborenen nur 26 % der politisch engagierten Persönlichkeiten aufzuweisen, ähnlich wie Siebenbürgen und das Banat, das zwar keine große rumänische Bojarenschicht besaß, trotzdem aber 19,1 % der Mitstreiter für rumänische Belange besessen hat. Das flächen- und bevölkerungsmäßig kleinste Gebiet, die Bukowina, steht dagegen mit 3 % innerhalb der Relation.

Wie bei allen Protestbewegungen gegen politische Mißstände war auch in der Moldau, in Siebenbürgen und dem Banat die jüngere Generation besonders stark vertreten, denn vor allem die geburtenschwachen Jahrgänge aus dem Jahrzehnt zwischen 1800 und 1810 empfanden ihre Stellung zwischen den Generationen als Herausforderung. So entstand nicht zufällig 1828 der politische Begriff „Jugend" (Junimea), der später als Name für eine Studentenvereinigung im Pariser Exil, für eine ephemere Zeitschrift und schließlich für eine angesehene literarische Gesellschaft, gegründet 1863 in Jassy, Verwendung fand. So wurde im Laufe einer Generation aus einer Protestbewegung der akademischen Jugend gegen soziale und rechtliche Bedrückungen eine für die Hebung des Bildungsstandes und des literarischen Schaffens wirkende Honoratiorengesellschaft.

Hinsichtlich der Herkunftsgebiete ist der Vorsprung der Moldauer gegenüber ihren Landsleuten im Norden und Süden mit der weitaus geringeren Durchmischung mit griechisch-phanariotischen Elementen als in der Walachei oder fremden Beamten in der Bukowina und mit den stärkeren Einflüssen petrinischer und vor allem josephinischer Aufklärungs- und Modernisierungsmodelle zu erklären.

Legt man diese Zahlen, die nichts über die persönlichen Qualitäten, die Ausstrahlungskraft und das Charisma der hier zahlenmäßig erfaßten Trägergruppen aussagen, dem von Miroslav Hroch für die Nationsbildungsvorgänge entwickelten Raster eines in drei Phasen eingeteilten Modells zugrunde und bezieht sie auf die Übergänge von der Aufklärung zum Frühliberalismus, dann kann man die vor 1790 geborene Generation politischer Wortführer noch der Phase der Aufklärung und der pränationalen Kohäsionsbildung zuzählen. Erst mit der Generation der nach 1791 geborenen Träger politischer Emanzipationsbestrebungen begann der Frühliberalismus eine größere Anhängerschaft zu gewinnen und durch politsche Meinungsbildung Gleichgesinnte zu mobilisieren, die seit 1821 in losen Gruppen zu gemeinsamen Aktionen und Willensbildungen zusammentrafen. Auch hier zeigten sich die stärker auf politische Mitbeteiligung breiterer Kreise gerichteten Ziele der Moldauer, während die Bojaren der Walachei zunächst vorrangig den kulturellen Fortschritt im Auge hatten.

In dieser Phase der „zielbewußten nationalen Agitation“, wie Hroch sie nennt, behielt der Klerus im Banat und in Siebenbürgen noch seine Bedeutung, doch begannen die Vertreter aus akademischen – besonders freien – Berufen die Führung zu übernehmen, während in der Moldau und Walachei die Bojaren der Mittelklasse, später auch die Kleinbojaren und die wenigen aus dem Bürgerstand aufgestiegenen Lehrer weiterhin ihre führende Stellung behaupten konnten. Da in dieser Phase frühliberaler Kämpfe konstitutionelle Reformen der gesamten im Werden begriffenen Nation dienen sollten, um allen Menschen freiere Entfaltungsmöglichkeiten zu bieten, gewannen die Publizisten großes Gewicht für die Bildung der öffentlichen Meinung, so daß das politische wie das geistige Weltbild eine enorme Erweiterung erfuhren.

Die Rezeption des modernen, von den Naturwissenschaften wie von der Aufklärungsphilosophie geprägten Bewußtseins führte zur Lockerung der Loyalität gegenüber der Kirche. Damit verlor die religiöse Bindung an Bedeutung und gab Raum für die stärker werdende nationale Identitätsausformung, so daß in dieser Phase des Frühliberalismus, die mit der Agitationsphase der Nationalbewegung zusammenfiel, die Loyalität gegenüber der Nation stärker wurde und schließlich der Kampf gegen die klerikale Rückständigkeit einsetzte. Ärzte und Naturwissenschaftler vertraten entschieden die Positionen des gemäßigten Frühliberalismus, weil der Übergang vom Mittelalter zur Neuzeit im Balkan- und Donauraum noch keinen allgemeinen Meinungsumschwung herbeigeführt hatte.

Auffallend ist bei dieser neuen Führungselite der trotz allem hohe Anteil an Klerikern in der Vätergeneration vor und auch nach 1800, wie überhaupt Siebenbürgen, das Banat und die Bukowina als „Sozialisationsregion" einen beachtlichen Vorsprung vor den Donaufürstentümern haben. Blaj, Klausenburg und Arad waren die am häufigsten besuchten Ausbildungsstätten dieser neuen Führungsschicht, gefolgt von Wien, Rom, Padua, Paris, Ofen und Leipzig, erst später kamen dann Berlin und Czernowitz hinzu. In der Walachei war es das Gymnasium Sf. Sava, das den meisten der hier erfaßten politisch tätigen Persönlichkeiten den Weg zu einer höheren Bildung eröffnete und sie gleichzeitig zum Studium in Paris motivierte. Die Träger aus diesem Fürstentum waren fast zur Hälfte an diesem Kolleg vorgebildet worden und 40% hatten einen Studienaufenthalt in Paris angeschlossen, wenn auch nur die wenigsten einen Studienabschluß erreichten.

Für die aus den Ländern der Habsburgermonarchie stammenden Rumänen und Siebenbürger Sachsen waren Wien und Pest die Hauptstudienorte, gefolgt von Klausenburg, Neumarkt und Hermannstadt, wo die Juristen ihren Ausbildungsdrill erhielten, der erst allmählich in die Bahnen eines echten akademischen Studiums einschwenkte. In der Reihe der Studienfächer hatte die Jurisprudenz mit über 30% den Vorrang, gefolgt von der Theologie mit 25%, während Medizin, Naturwissenschaften, Geschichte und Kunst deutlich zurücklagen.

Angesichts der stürmischen geistigen Umwälzungen während des Vormärz, die diesen einmaligen Modernisierungsprozeß in Gang setzten, ist die geringe Zahl der Personengruppen erstaunlich, von der dies bewirkt wurde. Nur etwa 400 rumänische Namen tauchen in diesem Zusammenhang auf, wobei der jeweilige Forderungskatalog in seinen Schwerpunkten ganz entscheidend von der Rechtsstellung und Sozialstruktur der entsprechenden Trägergruppe, von der Effizienz der staatlichen Verfassung und Verwaltung und nur am Rande von den Interessen der Gesamtbevölkerung bestimmt wurde. Zwischen Untertan und Bojar, zum Teil auch zwischen Untertan und „Staatsbürger", soweit diese soziale Kategorie überhaupt vertreten war, blieb ein nicht zu übersehender Unterschied, denn nicht alle Untertanen konnten hoffen, in den Stand eines Freien – auch im Sinne wirtschaftlicher Unabhängigkeit – zu gelangen. In Kategorien der Nationalismusforschung ausgedrückt: die „Bojaren-Nation" der Rumänen in der Moldau und Walachei, die für Ostmitteleuropa mit den Adelsnationen der Polen und Ungarn in einer Typengruppe zusammengestellt werden kann, hatte in der Walachei größere Hindernisse zu überwinden als in der Moldau, um den Schritt vom Stände- und Bojarenliberalismus zu einem System gleichberechtigter Bürger vollziehen zu können.

Die Reformbewegung der Bojaren war zudem zweigeteilt, weil die größere, aber nicht einflußreichere Gruppe der liberalen Reformer für eine schrittweise Emanzipation zunächst der Mittel- und Kleinbojaren, dann auch der Bürger und Bauern eintrat, während die konservativen Reformer keine nennenswerten innenpolitischen Emanzipationsbestrebungen verfolgten, sondern in erster Linie die Macht des Herrschers und des Oberherrn oder der Schutzmächte durch die Wiederbelebung alter Verfassungs- und Vertragsrechte einschränken wollten. Wie in weiten Teilen Ostmittel-, aber auch Westeuropas war die Vorliebe der Konservativen für ständische und damit überschaubare Gliederungen der Gesellschaft unverkennbar. Ihr Hauptberührungspunkt mit den Liberalen lag im Bereich der Wirtschaft, wo ihnen eine Liberalisierung, wie allen Großgrundbesitzern, nur Vorteile bringen konnte. Im Rahmen dieses wirtschaftlichen Liberalismus strebten die Großbojaren in erster Linie die Durchsetzung ihrer Standesinteressen an, forderten aber theoretisch Gleichheit aller Bojaren. Bei ihnen dominierte das konstitutionelle Anliegen noch lange Zeit über das nationale. Die breitere Trägergruppe der Mittel- und Kleinbojaren strebte eine Erweiterung des passiven und aktiven Wahlrechts an, um die Macht der Bojarenoligarchie durch ihren „revisionistischen Liberalismus“[486] einzuschränken. Das traditionalistische Element war demnach im gesamten Spektrum des Bojaren-Liberalismus vorhanden, nicht zuletzt auch wegen der Haltung der Schutzmächte, auf deren Einfluß- und Eingriffsmöglichkeiten Rücksicht genommen werden mußte. Obwohl der Bojaren-Liberalismus den Weg für umfassende soziokulturelle Strukturveränderungen zu ebnen begann, waren die traditionalistischen Züge dieses Frühliberalismus ohne Bürgertum so stark, daß bestimmte Charakteristika über Generationen hinaus erhalten blieben, wie dies auch bei der ungarischen Adelsnation der Fall war. Das Bürgertum konnte daher in den Donaufürstentümern kein Standes- bzw. Klassenbewußtsein entwickeln, denn die Aufnahme in den Bojarenstand blieb auch dann noch das Ideal vieler Aufsteiger aus dem Bauern- oder Handwerkermilieu, als die Bojarenklasse längst nicht mehr bestand. Über diesen Zug konservativer Mentalität breiter Schichten können auch die wenigen radikalen Programme, die eine Bauernbefreiung und eine umfassende Bodenreform vorsahen, nicht hinwegtäuschen.

Viel stärker als in den Donaufürstentümern war die Rezeption ethisch-moralischer Handlungsmaxime des christlichen Naturrechts bei den Vertretern des Frühliberalismus und der Romantik im Banat, in Siebenbürgen und der Bukowina, denn die deutschen, magyarischen und rumänischen Zeitungen und Zeitschriften der Banater und Siebenbürger nutzten die Möglichkeit, im national-liberalen Geist sowohl über den vom internationalen Philhellenismus geförderten Freiheitskampf der Griechen wie über die grausame Abschlachtung oder Skalpierung griechischer Gefangener berichten zu können[487], wie sie später mit Entrüstung die Verletzung

[486] L. Gall, Liberalismus, 175.

[487] Die „Banater Zeitschrift“ berichtete Ende der zwanziger Jahre auch über die Aufführungen des historischen Dramas „Die Sulioten, oder die Übergabe von Suli, eine Begebenheit aus dem Anfange des Befreiungskrieges der Griechen“ von Wallmark, Sekretär des Philhellen-Komitees zu Stockholm, und der „Satellit des Siebenbürger Wochenblattes“ Nr. 92 vom

der Menschenrechte und des sittlichen Anstandes bei Judenverfolgungen in der Moldau und Walachei geißelten oder die mit dem Ämterschacher verbundene Korruption anprangerten. Auch daß der „echte constitutionelle Sinn hier noch gar nicht geweckt ..." sei, wurde beklagt, denn „die nordische Großmacht" habe den „russischen Stempel auf das Äußere der Bojaren gedrückt ..."[488], nicht aber auch eine Distanzierung von der in der Mentalität verwurzelten Orientalisierung bewirken können. Durch diese Berichte, die ähnlich wie die des österreichischen Konsuls Timoni aus Bukarest von kritischem Wohlwollen geprägt sind[489], wurden diese Mißstände und Schwächen zwar nicht beseitigt, doch wurde das Bewußtsein der kulturellen Überlegenheit der Banater, Siebenbürger und Bukowiner gegenüber den Bewohnern der Donaufürstentümer gefördert. Zwar wurde dabei nicht übersehen, daß dort der Übergang von einer in der orientalischen Kultur befangenen zu einer äußerlich okzidentalisierten städtischen Gesellschaft in so kurzer Zeit vollzogen wurde wie in keinem anderen Land, doch blieb an der Tatsache kein Zweifel, daß die Mentalität dieser Gesellschaft diese Veränderung nur sehr langsam nachvollziehen konnte. Es bedurfte eines langen Zeitraums, ehe sich der Geschmack und die Mode der tonangebenden Kreise westeuropäischen Richtungen anglich, ehe die üppigen Orientteppiche an den Wänden der Bojarenwohnungen Platz machten für dekorative Bilder u. ä. Unverändert allerdings blieben die Leidensfähigkeit und Passivität, denn Attentate auf regierende Häupter oder offene Rebellion gegen Unterdrückung kamen nicht vor[490].

Entsprechend den unterschiedlichen gesellschaftlichen und politischen Problemen und der vom Geist des Frühliberalismus beflügelten Hoffnungen war der Forderungskatalog der Siebenbürger und Banater Wortführer des rumänischen Frühliberalismus radikaler, verlangten sie doch Beteiligung an der Entscheidungsgewalt sowohl in der Kommunal- als auch in der Landesvertretung. Diese Emanzipationsbewegung wies gewissermaßen „klassische Züge" auf, besaßen doch nicht einmal ihre Wortführer einen Anteil an der Entscheidungsgewalt, weder in den gewählten Gremien noch in den durch Ernennung zu besetzenden Verwaltungs- und Ge-

17. Nov. 1842 über „Der griechische Oberst Kalergi in türkischer Gefangenschaft", 386–388, nach den Schilderungen des „berühmten Touristen Fürst Pückler Muskau...". Für die Rolle der „Banater Zeitschrift" als Organ des Frühliberalismus vgl. R. Täuber: Temeswarer Kulturreflexe; sowie deren Aufsätze: Im Geiste des Vormärz. Ferner A. Andea: Cultura românească, 167ff.

488 Bericht aus Bukarest vom 10. 4. 1843. Satellit Nr. 36, 4. 5. 1843, S. 147; vgl. ferner G. Marica: Foaie, 144f., der die politische Bedeutung der Beilage der „Gazeta..." hervorhebt, weil dadurch in den Donaufürstentümern die Leser auf die sozialen Probleme im eigenen Land aufmerksam wurden.

489 Bericht des österreichischen Konsuls Timoni an Metternich vom 16. Nov. 1840. H. H. St. A. Wien: Politisches Archiv, Moldau-Walachei II, Kt. 58, Fol. 169–173, vgl. Anhang 3.

490 W. Derblich: Land und Leute der Moldau und Walachei, 215, führt diese Haltung auf einen „endemischen Mangel" an „Courage" zurück und übersieht den auch in der Volksdichtung, z.B. Miorița, dargestellten fatalistisch-heroischen Zug.

richtsinstanzen. Da die Rumänen in Siebenbürgen zudem keine nennenswerte Adelsschicht besaßen, strebten sie unter dem Einfluß der politischen Elemente des Josephinismus eine Bürgergesellschaft, nach Möglichkeit sogar eine klassenlose Demokratie an, in der ihr zahlenmäßiges Übergewicht eine stärkere Bedeutung gewinnen mußte als in der herrschenden geburtsständischen Gesellschaftsordnung. So entwickelte der Wortführer der Siebenbürger Rumänen ein ideologisches Konzept, das eine Gesellschaft der kleinen Haus- und Gewerbeeigentümer propagierte, da er in dem Erfolg des einzelnen eine der wichtigsten Grundlagen für die Beteiligung an der Selbstverwaltung und somit für die politische Kohäsion sah.

Die Trägergruppen der Rumänen im Banat und in der Bukowina verschrieben sich zunächst kultur- und konfessionsnationalen Zielen, denn in beiden Regionen war die Schicht wohlhabender Landwirte und Handwerker breiter gestreut als in Siebenbürgen, so daß sie von der Kirchen- und Schulorganisation in erster Linie einen Rückhalt gegen die Überlagerung durch die serbische Kirchenhierarchie im Banat und durch die katholisch-polnische in der Bukowina erwarteten. Da in beiden Regionen das vom Josephinismus geprägte Schulsystem günstige soziale Aufstiegsmöglichkeiten eröffnete, erfolgte der Übergang zu politisch orientierten Gruppen mit eindeutig liberalen Grundanschauungen. Unverhältnismäßig stark waren die Ausstrahlungen, die von der Rechtsordnung und Verwaltung dieser Regionen auf die Moldau und die Walachei ausgingen, wobei die wohltätige Wirkung auf das tägliche Leben ebenso wie das während des Studiums erworbene theoretische Wissen als Vorbild dienten, wie am Beispiel der Tätigkeit von Damaschin Bojîncă in Jassy nachzuweisen ist[491].

Die kulturelle Okzidentalisierung in den noch unter osmanischer Oberhoheit stehenden Fürstentümern erfaßte zunächst nur die höhere Bildungsschicht, die nicht selten aus dem Stand der wohlhabenden Bojaren hervorgegangen war, während bei den Bojaren minderer Gattung und geringeren Wohlstands, die aus Opposition gegen die Großbojaren jede Form der Okzidentalisierung ablehnten, der unreflektiert konservative Geist, der von orientalischer Mentalität und Lebensweise geprägt war, ein starkes Beharrungsvermögen besaß. Nur wo der Weg über die Bildungssozialisation zum gesellschaftlichen Aufstieg führen konnte, wehte auch in den Reihen dieser Schicht ein liberaler Geist, der für Modernisierungsmaßnahmen eintrat. Aber wie im Osmanischen Reich und seinen Nachfolgestaaten nahm die Mehrheit der Bewohner in den Donaufürstentümern dem Staat gegenüber eine mißtrauisch-reservierte bis feindselige Haltung ein. Es war den Reform-Liberalen nicht gelungen, ihre Vorstellungen vom Rechtsstaat anschaulich zu propagieren und zu verwirklichen. Und da auch die Bojaren als Großgrundbesitzer keine poli-

[491] Bojîncă, der aus dem Banat stammte, wurde nach seinem Jura-Studium 1833 als fürstlich-staatlicher Rechtsberater und als Rechtsdozent angestellt. Er legte seiner Tätigkeit das „Lehrbuch des Vernunftrechts" zugrunde und vertiefte so die bereits durch die Rezeption des ABGB eingeleitete Modernisierung und Liberalisierung des Rechtsdenkens. Vgl. hierzu N. Bocşan: Conceptul iluminist, 29.

tische Autorität darstellten, der man Vertrauen entgegenbringen konnte, blieb die Kluft zwischen der klientelartig strukturierten Erfolgsgesellschaft der Großbojaren und der teils aus Bojaren zweiter oder dritter Kategorie sowie aus den vielen Fremden bestehenden Städterschicht einerseits und der Masse der Landbewohner andererseits bestehen.
Das individualistisch orientierte Bewußtsein der politischen Funktionseliten erschwerte dauerhafte Zusammenschlüsse politischer Gruppierungen ebenso wie ein geschlossenes Eintreten für das Gemeinwohl und damit für den Staat, so daß der ausgeprägte Egoismus der Bojarenschicht, so heterogen sie auch sonst war, diese als Mentalitätseinheit und als besondere Klasse erscheinen ließ. Und da anders als in Siebenbürgen, dem Banat und der Bukowina – vor allem aber anders als in Westeuropa – die mäßigende Wirkung der Kirchen fehlte, gab es kein nennenswertes Gegengewicht, das auf die Herrschaftsstrukturen hätte einwirken können. Der rumänische Bauer der Fürstentümer war daher den Erfordernissen eines „homo oeconomicus" nicht gewachsen und verharrte in seinen archaischen Wertvorstellungen, während die Oberschicht äußerlich okzidentalisiert, aber nur sehr bedingt von westlichen Wertvorstellungen berührt, sich in einem zunehmend vertieften Antirussismus gefiel, der seit der zweiten Hälfte der dreißiger Jahre zum tragenden Pfeiler der Nationalideologie und somit zum Kern der Kohäsion liberaler Oppositionsgruppen der jüngeren Generation wurde, denen der russisch-autoritäre Herrschaftsstil verhaßt war. Die Ansätze einer theoretischen Untermauerung der politischen Gesinnungsgemeinschaften in den von Rumänen bewohnten Ländern der Habsburgermonarchie und den beiden Fürstentümern waren demnach grundverschieden, auch wenn die fundamentalen Elemente des Liberalismus, Freiheit und Eigentum, gleichermaßen an der Spitze der Forderungskataloge standen. Die Zuwanderung von Intellektuellen aus Siebenbürgen, dem Banat und der Bukowina führte zu einer allmählichen Angleichung der politischen Standpunkte, und durch die Herausgabe von Zeitungen in Jassy und Bukarest, dann auch in Kronstadt, wurden Voraussetzungen für die Gestaltung der nationalen Identität und somit für ein einheitliches Nationalbewußtsein geschaffen. Damit neigte sich die voremanzipatorische Phase, die mit 1830 begrenzt werden kann, ihrem Ende entgegen, um überzuleiten in die Emanzipationsphase, in der eine öffentliche und „zielbewußte nationale Agitation" und eine von der Zensur zunehmend behinderte Propagierung liberaler Ideen nebeneinander einherschritten. Obwohl die Überwachung der Druckerzeugnisse nicht nur von St. Petersburg und Wien aus minutiös reglementiert wurde, blieb den Wortführern liberaler Reformen ein gewisser Spielraum, um ihre Anregungen und Kritik zu veröffentlichen. In dieser Hinsicht waren die Verhältnisse in den Donaufürstentümern günstiger als in Österreich oder Rußland[492].

[492] I. Weyrich: Die Zensur als Mittel der Unterdrückung, 39ff.

In den Jahrzehnten zwischen 1830 und 1848 nahmen die Leserschichten in den beiden Donaufürstentümern erheblich zu, wobei die Subskriptionen und die Alphabetisierung in der Walachei einen steilen Anstieg des Leseeifers vermuten lassen[493]. Dafür war die National- und Modernisierungsbewegung in der Moldau wesentlich stärker von politischen Ideen getragen als in der Walachei. Die alte Rezeptionstradition der aristotelischen Philosophie erleichterte die Identifikation von Aufklärung und Frühliberalismus mit den Grundsätzen des Naturrechts. Die auf dem Naturrecht und der gemäßigten Aufklärungsform des Josephinismus beruhende Modernisierung wurde von Gheorghe Lazăr und anderen Aufklärern konsequent fortgeführt, so daß die Politisierung im Sinne einer bewußten Hinwendung zu neuen Ideen von der Dimension der Gleichheit aller Bürger unter gleichzeitiger Verbreitung des Dako-Romanismus immer weitere Kreise erfaßte. Diese intellektuelle Mobilisierung erfolgte sowohl durch die Aktivierung der Leserschichten, die sich mit der neuerweckten rumänischen Literatursprache auseinandersetzten, als auch durch die Einrichtung öffentlicher Schulen, die seit 1838 auch die Dörfer zu erreichen begann. Und wie in Siebenbürgen der konfessionellen Dichotomie die sprachliche Einheit gegenübergestellt wurde, so begann auch in den Donaufürstentümern das Bildungswesen seine starke Integrationswirkung auf die sehr heterogen strukturierte neue Städter- und Bürgerschicht auszuüben, so daß der Übergang vom Feudalismus zum Kapitalismus auch von einer zunehmenden Hinwendung zur Idee der Selbstbestimmung begleitet wurde. Auf diese Weise verband sich der Frühliberalismus mit dem Nationalismus allmählich zu einer homogenen Einheit, so daß liberal und national zu einem Synonym wurden. Weil der Gedanke von der Freiheit des einzelnen unlösbar verbunden war mit dem Gedanken an die Freiheit und Einheit der Nation, erhielt die Idee von der Hebung des allgemeinen Bildungsstandes eines überwiegend aus Analphabeten bestehenden Volkes Vorrang vor anderen Reformplänen. Mit der Neubelebung eindrucksvoller Geschichtsbilder fand auch der romantische Nationalismus einen fruchtbaren Nährboden.

Keine Schwierigkeiten bereitete dagegen die vereinfachte nationale Selbstdarstellung auf dem Hintergrund der historischen Entwicklung des rumänischen Volkes, so daß die Idee von einer Vereinigung der beiden Fürstentümer, ja sogar von einer Vereinigung aller Rumänen in einem Nationalstaat immer weitere Verbreitung

[493] C. und G. Velculescu: Livres roumainş, 541; aufschlußreich ist auch die „Statistische Tabelle über den Stand aller Schulen in den sämtlichen Districten der Walachei" in Satellit Nr. 65 v. 13. 8. 1843. Demnach gab es zu Beginn der vierziger Jahre bereits 2391 Schulen mit insges. 51 002 Schülern, von denen 167 Privatschulen waren, die sich wie folgt verteilten: rumänische 87, jüdische 32, griechische 30, französische und deutsche je 5. Die Gesamtzahl der Elementarschulen Siebenbürgens belief sich damals auf 1628 Knaben- und 801 Mädchenschulen mit 60 036 Schülern, sowie die zahlreichen Gymnasien der Lutheraner und Reformierten, die hier nicht mit inbegriffen sind. Vgl. Satellit des Siebenbürger Wochenblattes Nr. 47, vom 11. 6. 1843, S. 205f.

fand. Aber noch gab es keinen einheitlichen Nationsbegriff, denn während in Siebenbürgen und dem Banat sich ein vom Konfessionsnationalismus präformiertes Nationalbewußtsein entwickelt hatte, das von der Gleichheit aller Schichten ausging, war der Nationsbegriff in den Donaufürstentümern während des Vormärz vom Lebensgefühl des Bojarenstandes geprägt und erfaßte nicht die ganze Breite des sozialen Schichtengefüges, sondern nur die Gesamtheit der Bojaren und bestenfalls noch die Freibauern. Die alte Ordnung und nicht die Idee der Volkssouveränität bildeten die Ausgangsbasis der Reformbestrebungen. Dabei verband sich der Impulse gebende Kampf der jüngeren Generation einerseits mit dem aufkeimenden Nationalismus, der den individualistisch orientierten politischen Pragmatismus der am Klientelsystem der Phanariotenherrschaft geschulten Elite bekämpfte, andererseits mit der Forderung nach stärkerer Betonung gesamtgesellschaftlicher Verpflichtungen. Dies war namentlich bei den Wortführern der Liberalen in der Moldau der Fall, wo Mihai Kogălniceanu bereits Mitte der vierziger Jahre sein sozialreformerisches Programm entwickelte, das er nach der Vereinigung der Fürstentümer in den sechziger Jahren an der Seite seines Fürsten und moldauischen Landsmannes Cuza verwirklichen sollte.

Wie schon zwei Jahrzehnte zuvor setzte sich im rumänischen Frühliberalismus der vierziger Jahre der auf Anpassung, Integration und Ausgleich der sozialen Spannungen bedachte moldauische Ideengehalt der Modernisierungspläne stärker durch als der von den aus Paris heimgekehrten Studenten getragene radikalere Reformeifer und blieb bis weit in die zweite Hälfte des 19. Jahrhunderts wirksam. Dem Bemühen der Moldauer um einen national-liberalen Kurs der „Neuerungen von oben", im Sinne von „Ordnung durch Fortschritt", standen seit Beginn der vierziger Jahre die Radikalen gegenüber, die zumeist aus der Walachei stammten und in Paris mit den revolutionären Strömungen der politischen Emigranten, insbesondere mit den „Roten" in Berührung gekommen waren. Ihr Protest richtete sich nicht nur gegen die sozialen Mißstände, sie wollten das ganze System grundlegend verändern, wollten eine breitangelegte Bauernbefreiung, Gleichberechtigung aller Bewohner einschließlich der Juden und eine republikanische Verfassung[494]. Dieser soziale Protest, der die Verhältnisse in der Walachei mit westlichen Maßstäben zu beurteilen begann, war infolge eines geringen Organisations- und Ausstrahlungsgrades zum Scheitern verurteilt, denn weder die außen- noch die innenpolitischen Gegebenheiten ließen radikale Umwälzungen der Feudalstruktur zu.

Wie im übrigen Europa, hatten in den Donaufürstentümern, Siebenbürgen, der Bukowina und dem Banat die Liberalen kein einheitliches Programm, sieht man von der Forderung nach rechtsstaatlichen Zuständen, einer Repräsentativ-Verfassung und allgemeiner Volksbildung ab. Diese Hauptziele wurden allerdings mit großer Konsequenz verfolgt und später auch verwirklicht. Aber nicht nur die Ziele, auch die Organisation dieser Gruppen zeigten große Ähnlichkeit mit den

[494] P. Cornea und M. Zamfir: Gîndirea românească, I, 3–43.

von den Freimaurerlogen und der Carbonaria abgeleiteten Formen der Geheimgesellschaften, nur mit dem einen Unterschied, daß hier eine dauerhafte Einbindung viel schwieriger war als bei Polen, Griechen und Italienern. Es fehlte an Selbstdisziplin und stabiler, aber stiller und länger anhaltender Aufopferungsbereitschaft. Bereits der erste führende Kopf der moldauischen Frühliberalen, Ionică Tăutu, hatte das politische Strukturproblem erkannt, mit dem die Parteien in Südosteuropa bis heute nicht fertig wurden: das individualistisch orientierte politische Bewußtsein der Eliten, das ein wirksames Eintreten für das Gemeinwohl von Staat und Nation erschwerte, weil alle den korrumpierten Staat als Gegner betrachteten. Auch hier ist ein deutliches Nord-Süd-Gefälle erkennbar, das damit im Zusammenhang steht, daß der griechisch-byzantinische und der phanariotisch-orientalische Einfluß in der Walachei ausgeprägter war als in der Moldau oder gar in Siebenbürgen. Die Gründe für einen Protest waren in der Walachei daher auch sehr viel zahlreicher, die Vorbilder einer erstrebenswerten Struktur sehr viel ferner als in der Moldau. Das Bemühen, eine Kompromißformel zu finden, um die historisch gewachsenen Spannungen zwischen Bojaren, Bürgern und Bauern zu lösen, hat denn auch zu den unterschiedlichen Forderungskatalogen im Revolutionsjahr 1848 geführt, die in Siebenbürgen, der Moldau, dem Banat und der Bukowina ein stärkeres Maß an Verbundenheit mit Staat und Volk erkennen ließen als in der Walachei, wo die Forderungen radikaler, das Auftreten der Liberal-Demokraten revolutionärer waren und wo, ähnlich wie bei den Liberalen Ungarns auf der Ständetafel von 1840, eine Gleichstellung der Juden mit den anderen Bürgern verlangt wurde.
Der Wirtschaftsrationalismus, der sich im Gefolge des Vulgärjosephinismus entfaltete, hatte breite Schichten aller ethnischen Gruppen der Habsburgermonarchie erfaßt und in manchen Kreisen zu jenem für den unternehmerischen Wettbewerb typischen Egoismus geführt, gegen den sich bereits zu Beginn der vierziger Jahre Stimmen führender Publizisten erhoben. Unter Berufung auf Herder, für den jede Gemeinschaft „ohne Gemeingeist kranket und erstirbt", wurde die „egoistische Zersplitterung" der Sachsen gegeißelt und Gemeingeist als der Gemeinsinn charakterisiert, der die „liebend hingerichtete Empfindung und Bereitwilligkeit, für das Gesamtwohl der bürgerlichen ..." Angelegenheiten einzutreten, motiviert[495]. Sowohl Herder, den die „Foaie ..." seit 1839 zu popularisieren begonnen hatte[496], als auch der Verein für siebenbürgische Landeskunde, der zur Vertiefung des sächsischen Nationalbewußtseins beitrug, so daß sie aufhörten, primär „Hermannstädter, Mediascher, Schäßburger, Kronstädter"[497] zu sein, und nicht zuletzt auch die Forderung nach Wiedereinführung der sächsischen Nationaltracht („Kleider machen Leute")[498], halfen dabei, das Solidaritätsbewußtsein bei den Sachsen wie bei

[495] Über Gemeingeist und dessen Belebung. Satellit Nr. 80, 81, 85, 6., 9. und 23. Okt. 1842.
[496] C. Petrescu und D. Fuhrmann: Herdersche Einflüsse, 51f.
[497] H. Herbert: Geschichte des Vereins für siebenbürgische Landeskunde, 148.
[498] Streifzüge auf dem Felde des öffentlichen Lebens. Nationaltracht. In: Satellit Nr. 24 v. 23. März 1843.

den Rumänen diesseits und jenseits der Karpaten zu verbreiten. So gingen die freiheitlichen Bestrebungen allmählich in nationale Strömungen über, die neue Schichten zu mobilisieren verstanden.

Die politischen Gruppen, aus denen später Parteien mit dauerhaftem Charakter wurden, waren auch hier zunächst Honoratiorengremien, die aus den literarischen Vereinen, den Kasino-Clubs und den Lesegesellschaften hervorgingen und sich dann nach 1848 in der Bukowina, in Siebenbürgen und dem Banat in den Kulturvereinen einen größeren organisatorischen Rahmen für ihre Selbstverwaltung schaffen konnten. Sie besaßen bis in die Zwischenkriegszeit eine bessere Homogenität als in den Donaufürstentümern. Ein konsequentes Festhalten an einzelnen Punkten der politischen Programme bis zu deren Erfüllung ist allerdings allen Regionen eigen. So haben die Liberalen der Moldau, die Anhänger einer vernunftbetonten Realpolitik waren, an der erstmals nach 1821 formulierten Forderung nach Rückgabe der den im Ausland gelegenen Klöstern gestifteten Güter[499] bis zur Verabschiedung eines entsprechenden Gesetzes während der Regierung Cuza-Kogălniceanu Mitte der sechziger Jahre festgehalten, ebenso aber auch an ihrer restriktiven Politik gegenüber den aus Rußland und Galizien zugewanderten Juden.

Da die höhere rumänische Gesellschaft aber seit jeher eine offene Gesellschaft darstellte und sozialer Aufstieg und Machtgewinn mit Landbesitz verbunden waren, war die Oberschicht – dazu gehörten in der Regel auch die aus dem Ausland heimgekehrten Studenten – nur äußerlich an westlichen Wertvorstellungen orientiert, so daß die Propagierung politischer Reformbestrebungen in den Fürstentümern die Beibehaltung einer menschenverachtenden Praxis nicht ausschloß, vor allem dann nicht, wenn es sich um Bauern oder gar um ethnisch-konfessionelle Minderheitengruppen handelte[500]. Die Anwendung der Prügelstrafe blieb z.B. weitgehend erhalten, denn sie war trotz aller rechtsstaatlicher Bekenntnisse keine Grundsatzfrage sondern ein Standesproblem. Und da in den Kreisen der Konservativen diese Standesmentalität fest verankert war, standen die als politische Gruppe sowie als liberale Partei ins Licht der Öffentlichkeit getretenen Reformer einer starken Mehrheit von Konservativen gegenüber, die erst sehr spät zur Gruppen- und Parteibildung überzugehen brauchten. So stellte sich dem Versuch der liberalen Gruppen, die nationalen Ressourcen für breitere Bevölkerungsschichten zu mobilisieren, der konservative Großgrundbesitz nicht nur im Vormärz, sondern bis zu seinem Untergang entgegen.

Einige der Reformliberalen verloren auf dem Weg, den die Gesinnungsgemeinschaft von der politischen Gruppe zur Partei durchschreiten mußte, die großen

[499] Vl. Georgescu: Ideile politice, 151.

[500] Beispiele brutaler Mißhandlungen von Juden bis hin zur Zwangstaufe jüdischer Kinder in Jassy bringt die Zeitschrift „Satellit des Siebenbürger Wochenblattes" Nr. 77 vom 24. 9. 1843, und Nr. 87 vom 29. Okt. 1843.

Ziele aus den Augen und ließen sich von den Möglichkeiten der außenpolitischen Konstellationen blenden, zugleich aber auch auf die machtpolitische, d.h. „nationale“ Linie abdrängen.
Demütigende Interventionen der Konsuln der Großmächte und die oft parteiischen Urteile der Konsulargerichte haben einen nahtlosen Übergang der liberalen Anhängerschaft ins Lager der Unionisten und Nationalisten erleichtert, denn nur von der geeinten Nation versprach man sich Möglichkeiten, von außen unbehindert die Reformen durchführen zu können, die eine Modernisierung der Rechts- und Sozialstruktur erforderte. Die Lösung innenpolitischer Probleme wurde daher auf später verschoben oder vergessen. Der russische Diplomat und deutschsprachige Schriftsteller Wilhelm von Kotzebue, der die politischen und gesellschaftlichen Verhältnisse in der Moldau eingehend studiert hatte, charakterisiert die Gründe für die innenpolitische Lethargie treffend: „Die Männer, und auch viele Frauen, lesen die Zeitung, und waren in Allem, was in der Welt vorgeht ... bewandert. Wenn jedoch von einem Austausch politischer Ideen die Rede ist, so möchte man hauptsächlich die Politik des Vaterlandes vor Augen haben, und eine solche hätte man vergebens gesucht. Der Blick schweifte von Petersburg nach Konstantinopel ... um einen Haltpunkt zu suchen, fand aber weder im Süden noch im Norden Abhilfe für die inneren Schäden der Moldau“[501]. Einer der Gründe für diese Entwicklung lag darin, daß die Partizipationsbasis für politische Gruppenbildungen zu schmal war. Bei einer Gesamtbevölkerung von 5,7 Millionen Rumänen in allen Gebieten beteiligte sich um 1844 nur eine sehr dünne Schicht von etwa 0,005 % an der Politik, so daß die Bildung dauerhafter Vereinigungen mit dem Ziel, nicht nur auf die politische Willensbildung, sondern auch auf die Entscheidungen Einfluß zu nehmen, außerordentlich erschwert war. Was aber für die spätere Entwicklung der liberalen Partei, die sich in den sechziger Jahren zu profilieren begann, besonders nachteilig wirkte, war der Schwund politischer Energien innerhalb der jüngeren Generation. Der romantische Nationalismus, der den politischen Realismus zu überlagern begann, bereitete dann der kurzen Blütezeit einer in die gesamteuropäische Geistesströmung eingebetteten liberalen Bewegung im Königreich Rumänien den allmählichen Niedergang.
In Siebenbürgen, dem Banat und der Bukowina war die Kritik an Regierung und Verwaltung gemäßigter, denn der politische Spielraum der ethnisch-konfessionellen Gemeinschaften war weitaus geringer. Dafür war man aber durch die besser organisierte Selbstverwaltung der griechisch-orientalischen und der griechisch-katholischen Kirchen in der Lage, mit weniger spektakulären Protestaktionen Mißstände zu bekämpfen. Der Organisationsgrad war hier größer, denn wenn Unge-

[501] W. v. Kotzebue: Aus der Moldau, 138. Eine Charakterisierung der Verhältnisse in der Moldau während des Revolutionsjahres 1848 enthält die bislang unveröffentlichte Schilderung Kotzebues, die K.-H. Schroeder in seinem Aufsatz: „Ein unbekannter Bericht von Wilhelm Kotzebue über die Unruhen 1848 in der Moldau“ gibt.

rechtigkeiten zu beseitigen waren, lagen deren Ursachen stärker im ethnisch-konfessionellen als im sozio-ökonomischen Bereich, und dabei waren dann alle Schichten und Stände betroffen, daher auch die Gruppensolidarität viel ausgeprägter. Da aber sowohl in Siebenbürgen als auch im Banat und der Bukowina der Liberalismus der Deutschen und Magyaren erst nach 1848 eine beherrschende Rolle zu spielen begann, waren die Entfaltungsmöglichkeiten liberaler Strömungen bei den Rumänen in zweifacher Weise erschwert, einmal durch die gemäßigt konservative Haltung der eigenen Kirchenhierarchie, zum anderen durch die überwiegend apolitische Einstellung der Magyaren und Deutschen.
So grundverschieden die Gruppeninteressen der Rumänen diesseits und jenseits der Karpaten waren, sie fanden allmählich in der im Werden begriffenen nationalen Hochkultur, im gemeinsamen Geschichtsbild, in den literarischen Schöpfungen – und hier vor allem in den sich zunehmend größeres Gewicht verschaffenden historischen Stoffen – das einigende Band der Nationalbewegung. Der Übergang von der bäuerlichen Selbstversorgungswirtschaft zur Marktwirtschaft schuf günstige Voraussetzungen für das Aufkommen einer städtisch-bürgerlichen Kultur sowie für die Entwicklung und Verbreitung der langentbehrten nationalen Literatursprache. Der im Liberalismus wurzelnde Gedanke vom unaufhaltsamen Vormarsch der Gleichheit wurde aber überlagert vom Streben nach Einheit, von der man sich größere Freiheit und Entfaltungsmöglichkeiten für alle versprach.
Bei der „Bildung des Philosophen und des Patrioten“, wie A. Duţu einen seiner vielen geistvollen Beiträge zu diesem Problem überschrieben hat[502], behielt der Patriot bis heute die Oberhand.

[502] A. Duţu: Die Bildung des Philosophen, 110; *ders.:* Modele, 14f. und 64ff.; und *ders.:* Literatura comparată, 101f., 157ff.

Anhang

1.

Generative Verteilung und Herkunftsregion der politisch aktiven und namentlich genannten Rumänen der ersten Hälfte des 19. Jahrhunderts.

Region/ Jahrgang	Moldau	Walachei	Siebenbürgen und Banat	Bukowina	ohne Angaben und i. Ausl.	insgesamt
vor 1800	80	41	30	–	6	157
1801–1810	24	38	19	–	–	81
1811–1820	7	16	18	3	–	44
1821–1830	4	5	20	2	–	31
1831–1840	4	1	5	2	–	12
ohne Angabe	13	15	33	5	–	66
insgesamt	132	116	125	12	6	391
in %	33,9%	29,6%	32,0%	3,0%	1,5%	100%

Die hier aufgeschlüsselten Zahlen sind das Ergebnis eines Quantifizierungsversuchs politischer Trägergruppen, der in den Jahren 1978/80 durchgeführt wurde. Erfaßt wurden nur namentlich genannte Personen, die sich im konservativen oder liberalen Lager hervorgetan hatten. Die in Bukarest im Institut für Südosteuropa-Studien durchgeführten Untersuchungen beruhen auf einem viel breiteren Quellenmaterial. Da eine Veröffentlichung der Bukarester Forschungsergebnisse bevorsteht, wurden weitere Detailangaben der in Bochum durchgeführten Untersuchungen zurückgestellt.

2.

Elena Siupiur, L'écrivain roumain, S. 37, weist in ihrer Statistik, in der 3000 Intellektuelle zwischen 1780 und 1855 erfaßt wurden, für Siebenbürgen, das Banat und

die Bukowina 1029 Intellektuelle auf, für die Moldau und Bessarabien 645 und für die Walachei 645. In einer nach Berufen gegliederten Tabelle (S. 38) ist der Anteil der Siebenbürger, Banater und Bukowiner an den 1381 Professoren und Lehrern mit 706 – d.h. 51,12% – besonders hoch, ebenso bei den Verfassern didaktischer Werke: 236 von insges. 537 (43,94%), und den Theologen: 450 von 596 (75,50%). Leider ist das generative Verhalten nicht nach Dekaden aufgeführt, doch könnte man davon ausgehen, daß die 394 Schriftsteller (S. 44), die sich auf den gesamten Zeitraum beziehen, ungefähr den 391 für die Zeit bis 1848 von mir erfaßten Namen politisch in Erscheinung getretener Männer entsprechen.
Von diesen 394 Schriftstellern hatten 118 politische Stellungen, wobei die Gruppe der Bojaren mit 52 die größte (44%) war, gefolgt von 39 Männern unbekannter sozialer Herkunft, 17 Bürgern und 10 Klerikern. Von den 394 waren 171 Mitglieder einer Vereinigung oder Gesellschaft gewesen, davon 130 in kulturellen oder wissenschaftlichen Vereinigungen, aber nur 41 in einer politischen Gesellschaft (S. 52).

3.

An Seine
des kais. könig. Haus- Hof- und Staatskanzlers:
Herrn Fürsten von Metternich Durchlaucht*.

Nr. 34 Bukureßt am 16. November 840

Durchlauchtigster Fürst!

Das hier entdeckte Complott[1] gibt Veranlaßung, einen Blick auf den gegenwärtigen Zustand des Landes zu werfen. Seit dem Reglement, wonach hier die Aßemblée générale eingeführt worden ist, und wodurch dieser Versammlung das Recht zusteht, dem Fürsten des Landes und seiner Regierung entgegenzutreten, hat sich ein neues Verhältniß gebildet. Der Hospodar ernennt zwar zu allen Ämtern, und wechselt alle drei Jahre einen großen Theil der Beamten. Die Nichtangestellten oder Abgesetzten werden aber seine Feinde, denn, obgleich gegenwärtig die Beamten auf Staatsbesoldungen gesetzt sind, so hat die Concußion[2] nichts weniger als aufgehört, und der Durst nach Amt, aus Ehrgeitz oder aus Noth, ist stärker als je.

* Vgl. Anm. 165 S. 116.
[1] Es handelt sich um die von Dimitrie Filipescu gegründete Geheimgesellschaft, die sich die Errichtung einer Republik zum Ziel gesetzt hatte und der auch N. Bălcescu und J.A. Vaillant angehörten. Vgl. Anm. 419.
[2] Erschütterung, heftiges Aufeinanderprallen der Interessengegensätze.

Die Bojaren wählen zu der Aßemblée générale und werden selbst gewählt. Da ist nun der Tummelplatz entstanden, wo sie Rache üben können, und der Regierung alle möglichen Unannehmlichkeiten bereiten.
Während die Bojaren diese Mänövers praktisch zu lernen anfiengen, – ich bezieh hier die seit Einführung der Aßemblée générale entstandene und immer kompakter werdende Opposition – haben sich Fremde genug gefunden, welche mit ihren zerstörenden Lehren die Unzufriedenen ermuthigten. Selbst fremde Konsuln konstituzioneller Nazionen, die zu kurz in der Walachei waren, um über dieselbe ein Urtheil zu fällen, haben durch Rathschläge und Gespräche – manchmal vielleicht in guter Absicht – einen Geist genährt, welcher besser nie geweckt worden wäre. Ich darf dießfalls auf Herrn Colquhouns[3] Verhältniß zu Colson[4] und Campiniano deuten, nicht minder auf die verschiedenen französischen Konsuln seit sechs Jahren.
Nicht außer Acht zu lassen sind auch jene jungen Bojaren, welche im Auslande, meistens alle in Paris erzogen worden sind. Der arretirte Demeter Philippesco ist ein solcher. Zu Paris ohne Aufsicht dem verderblichen Einfluße der dortigen schlechtesten Gesellschaft preisgegeben, nachdem sie häufig einen Theil ihrer Studienzeit in St. Pelagie[5] zugebracht haben (Dir. Varoscos, Dir. Lynch u.s.f.) kehren sie in ihr Vaterland vielleicht ohne Bildung, aber voll der verderblichsten Lehren und mit den größten Ansprüchen für ihre Person, zurück und tragen nicht wenig zur Demoralisation bei.
Noch größeres Unheil aber haben die französischen Blätter, und besonders ihre schamlosen Artikel über die Walachei, gestiftet. Alles hier spricht französisch. Man liest nur Bücher und Zeitungen in dieser Sprache, vorzüglich den National; was Wunder, daß sonach die Walachen die Welt nur durch französische Brillen sehen, und zwar durch die aller unreinsten, in soferne sie nur skandalose Pamphlets, Romane und Zeitungen lesen!
Alle diese Umstände haben auf die kleineren Bojaren, welche früher dem Glücke eines großen Bojarenhauses folgten, das heißt die, wenn der Großbojar ein großes Amt erhielt, von ihm angestellt sich bereicherten, bei seiner Absetzung ebenfalls abgesetzt wurden, und auf eine neue Anstellung ihres Patrons warteten – den allerschlimmsten Einfluß gehabt. Sie werden zwar gegenwärtig ebenfalls zu den kleineren Anstellungen zugelassen; allein die Gehalte sind gering, und wenn es sich

[3] R.G. Colquhoun war britischer Konsul in Bukarest und hatte in Verbindung mit Câmpineanu (Campiniano) gestanden.
[4] Felix Colson, französischer Konsularagent in Bukarest.
[5] St. Pélagie war in der Zeit des Vormärz ein berüchtigtes Pariser Gefängnis, vor allem für politisch Mißliebige. Vg. Gérard de Nerval: Œvres, Bd. 1, Paris 1952, 77–85, wo der franz. Schriftsteller seine Eindrücke von einer kurzen Inhaftierung im Jahre 1832 schildert. Den Hinweis auf G. de Nervals Schilderung verdanke ich meinem Bochumer Kollegen, Herrn Prof. Dr. Karl Maurer.

um Erpressungen handelt, so werden sie das Opfer, während der Chef und Großbojar unangetastet bleibt.
Gedrückt von Sorgen, um das hier allgemein verbreitete Bedürfniß eines gewißen Luxus zu befriedigen, sind sie unzufrieden, und leihen ihr Ohr um so leichter verbrecherischen Insinuationen, weil sie dabei nur zu gewinnen hoffen.
In dieser Klasse von Bojaren hat sich auch das gescheiterte Complott ausgebildet, jedoch durch das rücksichtslose Benehmen so vieler der angesehenen Bojaren, die, sobald sie mit der Regierung, daß heißt mit dem Hospodar, gespannt sind, die allerrevolutionärste Sprache führen, und Fürst und Regierung mit Koth bewerfen, ohne Zweifel indirekte aufgemuntert.
Diese kleine Bojarie, bei welcher das Übel Wurzel geschlagen hat, bildet hier den Mittelstand, weil es keine Handelsleute, keine Fabrikanten und keine Bürger gibt. Der Industrielle, der Handelsmann, ja der Bediente des Großbojaren sucht Bojar zu werden, und wenn er Geld oder Protekzion hat so wird er es. Die hiesigen Handelsleute sind meist Fremde; in Ibraila[6] ist nur *ein* Handelsmann Walache.
Um jedoch Etwas zur Ausführung bringen zu können, hat man in den Distrikten Theilnehmer werben wollen, und in der kleinen Walachei angefangen, weil die Bewohner derselben im Allgemeinen reitzbarer und Thatkräftiger sind als die übrigen Walachen. Dort gibt es noch viele Panduren, welchen nichts erwünschter als eine Anarchie wäre.
Diese Bemühung der Komplottisten ist durch die Verhaftung derselben vereitelt worden, und für den Augenblick ist die Gefahr vorüber.
Aber der böse Geist, der sich eingenistet hat, bleibt, und wird fortwirken zu immer größerer Demoralisation der Gesellschaft, wenn nicht die Regierung denselben erstickt und vertilgt.
Leider ist die Regierung weder so stark noch so gewandt, als solche Verhältniße erfordern. Die Bojaren, welche dieselbe konstituiren, haben in Massa gar keine Moralität und Bildung, der kleinste Theil etwas äußere Form, und *einzelne* Ausnahmen haben einige Kenntniße, die aber ungeregelt und unverdaut sind. Ich sage dieß nach ruhiger Überlegung und nach langer Erfahrung.
Hiernach ist natürlich, daß bei Anstellungen auf die Fähigkeit gar nicht gesehen wird, ja fast nicht darauf gesehen werden kann, sondern nur auf Gunst. Überdieß ist jeder Großbojar durch diese Bojareneigenschaft schon fähig, die höheren und höchsten Anstellungen auszufüllen, so wie seine Söhne als Otkirmuitors[7] (Kreishauptleute) oder Richter in den Diwans beginnen. Wo soll bei solchartiger Besetzung der Regierungsstellen ein Grundgedanke, wo eine Zusammenwirkung herrschen? Unglücklicher Weise ist in diesem Augenblicke die Mehrzahl der Bojaren, welche das Administrations-Conseil bilden, merkwürdig unwissend und unfähig, unter sich in Feindschaft, und dennoch, obgleich der Hospodar zwei Brüder dabei

[6] Brăila, Hafenstadt an der Donau.
[7] Cîrmuitor = Leiter oder Verwalter eines Kreises (cîrma = das Steuer).

hat, ist er kaum der Stimmenmehrheit sicher. Fehlt es der Regierung einerseits an hinlänglicher Geschicklichkeit, bei den Schwierigkeiten, welche die Aßemblée générale erzeugt, zu regieren, so hat sie auch andererseits kein Ansehen, weil bei so vielen Gelegenheiten das kaiserlich Rußische General-Konsulat seine Übermacht geltend gemacht hat, weil Bojaren, die sich des Rußischen Schutzes erfreuen, keine Achtung vor Fürst und Regierung haben, weil der Fürst keinen Bojaren im ordentlichen Wege zur Strafe ziehen kann, denn die Richter sind jedem Einfluße, dem verwandtschaftlichen, dem pekuniären, und jenem ihrer eigenen Leidenschaften zugänglich, daher jeder Angeklagte seiner Lossprechung gewiß ist[8].
Den Administrations-Beamten wird ungescheut öffentlich Raubsucht vorgeworfen, und leider scheint die, bei den taxirten ersten Lebensbedürfnißen öfter eintretende Theuerung in diesem Lande, wo nur Getreide und Vieh produzirt wird, eine verbrecherische Manipulazion zu beweisen. Es ist auch hier kein Geheimniß, daß von der Administration Alles erkauft werden muß, und daß die nächsten Umgebungen des Herrn Fürsten mit den Gnadenbezeugungen, z.B. den Rangstufen, Handel treiben. Kaum daß die öffentliche Stimme des Herrn Hospodar selbst von dieser Anklage ausnimmt, während sie ihm vorwirft, diesen Handel zu dulden.
Eine allgemeine Unbehaglichkeit ist daher entstanden, welche noch vermehrt wird durch die wankenden Verhältniße der souzerainen Macht, und durch die Furcht vor einer Invasion der Schutzmacht.
Bei solchen Umständen ist also nicht zu erwarten, daß die Regierung einen moralischen Einfluß übe, und um so wichtiger wird für Erhaltung der öffentlichen Ruhe die der Regierung zur Verfügung stehende phisische Gewalt, ich meine die Landes-Militz.
Bisher scheint in ihren Reihen sich noch kein pflichtwidriger Gedanke eingeschlichen zu haben. So wenigstens äußert sich der Herr Fürst, dessen Sicherheitsanker sie bildet, und ungerne hört er von dem Kadetten, welcher im Komplotte kompromittirt ist, sprechen.
Um so mehr aber sollte auf diese Truppen gesehen werden, deren Reihen leider aus Gewinnsucht der Oberen nicht komplett sind, weil die durch den Abgang der Mannschaft erzielte Ersparniß als Profit getheilt werden soll. –
Geruhen Euer Durchlaucht den Ausdruck
meiner tiefsten Ehrfurcht zu genehmigen

Timoni

[8] Diese weitverbreitete Ansicht fand ihren Niederschlag im Sprichwort: Besser ein fauler Kompromiß als ein gerechtes Urteil (Mai bine o învoială strîmbă decît o judecată dreaptă).

Glossar

Arcaş, Mz.: Arcaşi	halbmilitärische Dorfwehren, z. T. auch für Verteidigungsaufgaben.
Adunare obştească	Ständeversammlung.
Aga	Polizeipräfekt (türk. ağa).
Agie	Polizeipräfektur.
Arz	Klage- oder Beschwerdeschrift (türk. ars-magsan).
Avitizität	feudalrechtliche Eigentumsbildung.
avitische Verfassung	ungarische Verfassung.
Dekabristen	Mitglieder der Dezember-Revolte von 1825 in Rußland.
Divan	Staatsrat (türk./pers. dīvān).
Ferman	Erlaß des Sultans (türk./pers. fermān).
Fruntaş, Mz.: Fruntaşi	Grenzbauern, die ähnlich wie die Bauern der Militärgrenze ländlichen Besitz mit der Auflage erhalten hatten, als Grenzwächter zu fungieren.
Fundus regius	Königsboden, Territorium in Südost- und Ost-Siebenbürgen, das den hospites teutonici, den deutschen Siedlern im Hochmittelalter, von den Königen Ungarns überlassen worden war.
Groß-vornic	höchster Bojarenrang im Divan, der ursprünglich dem Amt eines obersten Richters entsprochen hatte, später aber an Bedeutung verlor.
Hamal	Gepäck- und Lastenträger (türk./arab. hammāl).
Hat-i-şerif	kaiserliches Handschreiben (Edikt) (türk./arab. ḫaṭṭ-ı-serīf).
Haraç	Tribut, Steuer der Nichtmuslime (türk./arab.).
Hohe Pforte	Staatsrat des Osmanischen Reiches, der unter Vorsitz des Sultans oder des Großvesirs tagte.
Hospodar	Fürst in den Donaufürstentümern.
Ispravnic	Polizeivorsteher eines Kreises. (Kreishauptmann).
Istarsak	das letzte Kind- vom Himmel gefallen.
Iobag, Mz.: Iobagi	Leibeigener (ung. Jobbágy).
Jobagyen	vgl. Iobag, Iobagi.
Kalpak, rum.: calpac	hohe schwarze Pelzmütze, die von den Fürsten und Großbojaren getragen wurde (türk. ḳalpaḳ).
Konzivilität	Mitbürgerrecht in Siebenbürgen.
Mazil, Mz.: Mazili	eine aus dem Türkischen übernommene Bezeichnung für Bojarenabkömmlinge, die keine Ämter innehatten (türk./arab. maʿzūl = abgesetzt).
Millet	Nation, Religionsvolk (türk./arab. millet).
Moşnean, Mz.: Moşneni	Freibauern mit ererbtem Grundbesitz in der Walachei.
Nakaz	kaiserliche Instruktion Katharinas II.
Nationsuniversität	seit dem ausgehenden Mittelalter die oberste Leitung der freien Bauern- und Stadtgemeinden auf dem Königsboden in Siebenbürgen.
Neam, Mz.: neamuri	Abkömmlinge der Großbojaren.
Nefer	Mann (türk./arab. nefer).
Paşalyk	türkische Provinz mit einem paşa als Gouverneur (türk. paşalık).

Phanar	einst griechisches Viertel v. Konstantinopel-Istambul und Wohngebiet der griechischen Oligarchie und Aristokratie, heute noch Sitz d. griech.-orth. Ökumen. Patriarchen.
Protipendada	Großbojaren, ursprünglich die ersten fünf Herrengeschlechter.
Râya	tributpflichtige Untertanen im Osmanischen Reich, später auf alle nichtislamischen Untertanen bezogen (türk./arab. reʿāyā).
Răzeş, Mz.: răzeşi	eigentlich Freibauern in der Moldau, mit einem ererbten Grundbesitz (ung. részes).
Ruptaş, Mz.: Ruptaşi	Kleinbojaren in der Bukowina.
Sancak	Kreise eines militärischen Verwaltungsbezirkes, Verwaltungseinheit, ursprünglich Fahne, Standarte (türk. sancaḳ).
Satellit	Satellit des Siebenbürger Wochenblattes.
Senet	Beweisurkunde (türk./arab. sened).
Sfat obştesc	Allgemeiner Rat.
Sobor	Synode.
Spătar	ursprünglich „Schwertträger" bei großem Hofzeremoniell und Heerführer, später Chef der Schutzpolizei und in dieser Eigenschaft auch mit richterlichen Kompetenzen ausgestattet, um kleinere Vergehen einfacher Leute ahnden zu können.
Ukas	kaiserlicher Erlaß.
Vistiernic, auch Vistier	Finanz- und Steuerverwalter der Fürsten. (Schatzmeister).
Vornic	Bojarenrang mit Richterfunktion, in den Landgemeinden mit den Dorfschulzen vergleichbar (altslav. dvorniku).

Abkürzungsverzeichnis

AHY	Austrian History Yearbook.
AIIA	Anuarul Institutului de istorie şi arheologie „A.D.Xenopol“, Iaşi.
AIIC	Anuarul Institutului de Istorie din Cluj. 1958ff.
AIINC	Anuarul Institutului de Istorie Naţională. Cluj, 10 Bde. 1922–1945.
AnUnivBucŞtsocIst	Analele Universităţii Bucureşti. Ştiinţe sociale. Istorie.
ASUI	Analele Ştiinţifice ale Universităţii „Al.I.Cuza“ din Iaşi.
AVSL	Archiv des Vereins für siebenbürgische Landeskunde. Kronstadt 1853–1870, Hermannstadt 1872ff.
Biograph.Lex.	Biographisches Lexikon zur Geschichte Südosteuropas. München 1974–1981, 4 Bde.
DLR	Dicţionarul literaturii române de la origini pînă la 1900. Bucureşti 1979.
H. H. St. A. Wien	Haus-, Hof- und Staatsarchiv Wien.
HZ	Historische Zeitschrift.
RESEE	Revue des études sud-est européennes. Bucureşti 1962ff.
RevHistcomp	Revue d'Histoire comparée. Paris 1945ff.
RevIst	Revista Istorică. Bucureşti 1931ff.
RevRoumh	Revue roumaine d'histoire. Bucureşti.
SODF	Südostdeutsche Forschungen. München 1936–40; seither Südost-Forschungen.
SOF	Südost-Forschungen. München.
Studii	Studii. Revista de istorie. Bucureşti.
SUBB	Studia Universitatis Babeş-Bolyai. Cluj 1955ff.
VerwA	Verwaltungsarchiv Wien.

Quellen- und Literaturverzeichnis

Acker, Udo Wolfgang: Zur Geschichte der Hermannstädter Rechtsakademie (1844–1887). In: Zeitschrift für Siebenbürgische Landeskunde, Köln-Wien, 1 (1978), 120–129.

Acte, documente şi scrisori din Şcheii Braşovului. Text ales şi stabilit, note de Vasile Oltean. Prefaţă de Alexandru Duţu. Bucureşti 1980.

Analele parlamentare ale României. I/1–2. Bucureşti 1890–1893.

Andea, Avram: Cultura românească şi filozofia kantiană în prima jumătate a secolului al XIXlea. In: AIIC 22 (1979), 157–178.

Angelescu, Constantin: Justiţia în Moldova la mijlocul veacului al XIXlea. Constatările unui jurist grec. In: AIIA 13 (1976), 185–189.

Anuarul Institutului de Istorie Naţională. Cluj. 10 Bde., 1922–1945.

Aricescu, Constantin D.: Acte justificative la „Istoria revoluţiunii române de la 1821". Craiova 1874.

Augsburger Allgemeine Zeitung. Beilage Nr. 70 vom 10. 3. 1844.

Babel, Antony: La Bessarabie. Etude historique, ethnographique et économique. Paris 1926.

Bălcescu, Nicolae: Scrieri alese. Hg. v. A. Rusu u. P. Cornea. Bucureşti 1973.

Barany, George: Stephen Széchenyi and the Awakening of Hungarian Nationalism, 1791–1841. Princeton, New Jersey 1968.

Bariţiu, George: Părţi alese din istoria Transilvaniei pe două sute de ani din urmă. 3 Bde. Hermannstadt/Sibiu 1889–91.

Barta, István u.a.: Die Geschichte Ungarns. Budapest 1971.

Beck, Erich (Hg.): Bibliographie zur Landeskunde der Bukowina. München 1966.

Ders.: Das Buchenlanddeutschtum in Zahlen. In: Buchenland. 150 Jahre Deutschtum in der Bukowina. Hg. v. Franz Lang. München 1961, 73–87.

Ders.: Zur Wirtschaftsgeschichte der Deutschen in der Bukowina. Ebd. 163–179.

Benigni von Mildenberg, J. H.: Statistische Skizze der Siebenbürgischen Militär-Gränze. Hermannstadt 1834.

Berding, Helmut und Düwell, Kurt u.a. (Hg.): Vom Staat des Ancien Régime zum modernen Parteienstaat. Festschrift für Theodor Schieder. München 1978.

Berindei, Dan: Bălcescu. Bucureşti 1969.

Ders.: Cu privire la biografia ingenerului şi „arhitectului" Moritz von Ott. In: Monumente şi Muzee. Bucureşti 1 (1958) 205–213.

Ders.: Die Vorläufer der Rumänischen Akademie der Wissenschaften. In: Wissenschaftspolitik in Mittel- und Osteuropa. Berlin 1976, 174–186.

Ders.: Ein angehender rumänischer Staatsmann in Berlin (1835–1838). In: Kulturbeziehungen in Mittel- und Osteuropa im 18. und 19. Jahrhundert. Festschrift für Heinz Ischreyt. Hg. v. W. Keßler, H. Rietz u. G. Robel. Berlin 1982, 17–26.

Ders.: Geheimgesellschaften und Befreiungsbewegung der rumänischen Nation. In: Beförderer der Aufklärung in Mittel- und Osteuropa. Berlin 1979, 161–173.

Ders.: Geschichte und Nationalliteratur bei den Rumänen der ersten Hälfte des XIX. Jahrhunderts. In: Ostmitteleuropa. Berichte und Forschungen. Hg. v. U. Haustein, G. W. Strobel und G. Wagner. Stuttgart 1981, 167–172.

Ders. (Hg.): Mihail Kogălniceanu, texte social-politice alese. Bucureşti 1967.

Ders.: Mutations dans le sein de la classe dirigeante valaque au cours du deuxième quart du XIXe siècle. In: Genealogica et Heraldica. Copenhagen 1980, 359–363.

Ders.: Orașul București, reședință și capitală a Țării Romînești (1459–1862). București 1963.
Ders.: Revoluția din 1821 condusă de Tudor Vladimirescu. In: Revista de Istorie 33 (1980), 823–845.
Ders.: Rumänische Probleme in den ersten Jahren des „Archivs des Vereins für siebenbürgische Landeskunde" (1843–1862). In: Siebenbürgen als Beispiel europäischen Kulturaustausches. Köln-Wien 1975 (= Siebenbürgisches Archiv 3. NF. Bd. 12), 46–55.
Bernath, Mathias: Habsburg und die Anfänge der rumänischen Nationsbildung. Leiden 1972.
Berza, M., Diculescu, Vl. u.a. (Hg.): Bulgarisch-Rumänische Verbindungen im Laufe der Jahrhunderte. Untersuchungen Bd. 1. București 1971.
Bezviconi G.: Contribuții la istoria relațiilor romîno-ruse din cele mai vechi timpuri pînă la mijlocul secolului al XIX-lea. București 1962.
Blaremberg, Nicolas: Essai comparé sur les institutions, les lois et les moeurs de la Roumanie. București 1866.
Blottner, Gerhard: Die antirussische Stimmung in den Donaufürstentümern 1830–1848 vornehmlich aus der Sicht zeitgenössischer Quellen. In: SOF 42 (1983), 223–230.
Ders.: Die Einflüsse der polnischen Emigranten auf die rumänische Nationalbewegung (1831–1848). Bochum, Diss. 1982.
Bochmann, Klaus: Der politisch-soziale Wortschatz des Rumänischen von 1821 bis 1850. Berlin 1979. (= Abh. d. Sächs. Akademie d. Wiss. zu Leipzig Phil.-hist. Kl. Bd. 69, H. 1)
Bocșan, Nicolae: Conceptul iluminist de societate în Banat. In: AIIC 23 (1980), 209–224.
Ders.: Cursul de drept al lui Damaschin Bojîncă (1834). In: SUBB 23 (1978), 23–31.
Ders.: Liberalismul timpuriu în mișcarea națională din Banat. In: Stat, Societate, Națiune. Festschrift David Prodan. Cluj-Napoca 1982, 290–300.
Bodea, Cornelia: Lupta Românilor pentru unitatea națională 1843–1849. București 1967.
Dies.: Moise Nicoară. Arad 1943.
Dies.: Preocupări economice și culturale în literatura transilvană dintre anii 1786–1830. In: Studii. Revista de istorie IX/1 (1956), 98–100.
Bogdan-Duică, Gheorghe: Viața și ideile lui Simion Bărnuțiu. București 1924.
Bordeianu, M. und Vladcovschi, P.: Invățămîntul românesc în date. Iași 1979.
Boroș, Ioan: Răscoala lui Tudor Vladimirescu și refugiații în județul Caraș-Severin. In: Transilvania 52 (1921).
Botiș, Teodor: Monografia familiei Mocioni. Bukarest 1939.
Botzaris, Notis: Visions Balkaniques dans la préparation de la révolution grecque (1789–1821). Genf-Paris 1962. (= Etudes d'histoire Economique, Politique et Sociale XXXVIII.).
Brandt, Hartwig (Hg.): Restauration und Frühliberalismus 1814–1840. Darmstadt 1979. (=Quellen zum politischen Denken der Deutschen im 19. und 20. Jahrhundert. Freiherr vom Stein-Gedächtnisausgabe. Hg. v. R. Buchner und W. Baumgart. III).
Bucur, Marin: C. A. Rosetti. Mesianism și donquijotism revoluționar. București 1970.
Budai-Deleanu, Ion: Kurzgefaßte Bemerkungen über die Bukowina. In: Ion I. Nistor: Românii și Rutenii în Bucovina. București 1915, 168–200.
Bușe, Constantin: Comerțul exterior prin Galați sub regimul de port franc 1837–1883. București 1976.
Camariano, Nestor: L'organisation et l'activité culturelle de la compagnie des marchands grecs de Sibiu. In: Balcania, București, 4 (1943), 201–241.
Ders.: Despre un manual de patriotism publicat la Iași în 1829. In: RevIst 13 (1943), 116–126.
Camariano-Cioran, Ariadne: Spiritul revoluționar francez și Voltaire. București 1946.
Campbell, John C.: French Influence and the Rise of Roumanian Nationalism. The Generation of 1848, 1830–1857. Diss. Harvard 1971.

Cardaş, Gheorghe (Hg.): C. Conachi. Corespondenţă. Documente. Bd. II, Bucureşti 1973.
Carra, Jean Louis: Geschichte der Moldau und Walachei. In: Allgemeine Geschichte der Neuesten Reisen und Entdeckungen. 2. Bd. 1. Abt. Frankfurt und Leipzig 1790.
Cândea, Virgil: Les intellectuels du Sud-est européen au XVIIe siècle. 2. Teil. In: RESEE 8 (1970), 623–668.
Cernovodeanu, Paul: La structure sociale de la classe des boyards roumains pendant sa dernière étape d'existence institutionelle. In: Actes du XVe Congrès international des sciences généalogiques et héraldiques. Madrid 1983/84.
Cheresteşiu, Victor: Adunarea naţională de la Blaj 3–5 (15–17) Mai 1848. Bucureşti 1966.
Ders.: Luptătorul revoluţionar Eftimie Murgu. In: Studii. IX (1956) Nr. 1, 65–85.
Ciobanu, Veniamin: Relaţiile politice româno-polone între 1699 şi 1848. Bucureşti 1980.
Ciobanu, Virgil und Dragomir, Silviu: Acte şi documente. Sibiu-Hermannstadt 1914.
Ciurea, Dumitru: Civilizaţia în Moldova în perioada 1834–1849. In: AIIA 13 (1976), 1–52.
Close, Elisabeth: The Development of Modern Rumanian. Linguistic Theory and Practice in Muntenia 1821–1838. Oxford University Press 1974.
Cornea, Paul: Originile romantismului românesc. Spiritul public, mişcarea ideilor şi literatura între 1780–1840. Bucureşti 1972.
Ders.: Structuri tematice şi retorico-stilistice în romantismul românesc (1830–1870). Bucureşti o.J. (1976).
Cornea, Paul und Zamfir, Mihai: Gîndirea românească în opera paşoptistă. 2 Bde., Bucureşti 1969.
Crisan, Nicolaus: Über die Entstehung und Verwendung des Sozialprodukts in Rumänien. Versuch einer Darstellung des wirtschaftlichen Wachstums des Landes im 19. Jahrhundert. In: Acta Scientiarum Socialium, Bd. I, Rom 1959, 123–226.
Cristian, Vasile: Contribuţia primelor periodice la cunoaşterea trecutului naţional: exemplul „Albinei Româneşti". In: Memoria Antiquitatis Piatra Neamţ, 1 (1969), 241–252.
Ders.: Cursul de istorie naţională al lui Mihail Kogălniceanu. Date noi şi precizări. In: AIIA 9 (1972), 261–276.
Ders.: Editarea şi difuzarea cărţii româneşti istorice (1821–1848). In: AIIA 12 (1975), 57–74.
Ders.: Începuturile învăţămîntului istoric în Principate. In: AIIA 16 (1979), 475–488.
Ders.: Opera istorică a lui Aaron Florian. In: ASUJ 16 (1970), Fasz. 2, 113–133.
Csáky, Moritz: Von der Aufklärung zum Liberalismus. Studien zum Frühliberalismus in Ungarn. Wien 1981.
Cseteri, Elek: O încercare de eliberare a iobagilor din anul 1832. In: AIIA 1/2 (1958/59), 179–187.
Derblich, W.: Land und Leute der Moldau und Walachei. Prag 1859.
Demidoff, Anatol von: Reise nach dem südlichen Rußland und der Krim, durch Ungarn, die Walachei und die Moldau. Dt. v. J. F. Neigebaur. 2 Theile, Breslau 1854.
Documente privind istoria Romîniei. Răscoala din 1821, vol. V, Bucureşti 1962.
Döhn, Lothar: Liberalismus. In: Politische Theorien und Ideologien. Hg. von F. Neumann. Baden-Baden 1977, 10–52.
Dunăreanu, Elena: Almanahuri, analele, anuare sibiene. Sibiu 1971.
Dies.: Calendarele româneşti sibiene (1793–1970). Sibiu 1970.
Duţu, Alexandru: Die Bildung des Philosophen und Patrioten. Eine komparatistische Überschau. In: Wissenschaftspolitik in Mittel- und Osteuropa. Hg. von E. Amburger u.a., Berlin 1976, 97–113.
Ders.: Die Entwicklung der rumänischen Kultur in der zweiten Hälfte des 19. Jahrhunderts. In: RESEE 15 (1974), 669–679.

Ders.: Kulturmodelle im Bildungsprozeß der modernen rumänischen Kultur. In: Rev Roumh 14 (1975) 561–570.
Ders.: Literatura comparată şi istoria mentalităţilor. Bucureşti 1982.
Ders.: Modele, imagini, privileşti. Cluj-Napoca 1979.
Ders.: Tradition and Innovation in the Rumanian Enlightenment. In: Rumanian Studies II, Leiden 1973, 104–119.
Eder, Karl: Der Liberalismus in Altösterreich. Geisteshaltung, Politik und Kultur. Wien-München 1955 (= Wiener historische Studien 3).
Elian, Alexandru: Conspiratorii greci în Principate şi un favorit mavroghenesc: Turna vitu. In: RevIst 21 (1932) 337–372.
Ders.: Conspiratorii greci în Principate. Bucureşti 1962.
Ders.: Sur la circulation manuscrite des écrits politiques de Rhigas en Moldavie. In: Revue Roumh. 2 (1962).
Engel, Walter: Deutsche Literatur im Banat (1840–1939). Heidelberg 1982.
Ders.: Profil und literarische Leistung des „Temesvarer Wochenblatts" (1840–1849). In: Neue Literatur, Bucureşti 29 (1978), 80–94.
Erbiceanu, Constantin: Naum Rîmniceanu. 1822. Tratat important. In: Biserica ortodoxă română. Bucureşti 17 (1903), 1.
Faust, Helmut: Ursprung und Aufbruch der Genossenschaftsbewegung. Neuwied 1958.
Feneşan, Costin: Contribuţii la istoricul învăţămîntului în graniţa militară bănăţeană la sfîrşitul secololui al XVIII-lea şi începutul secololui al XIX-lea. In: Studii de istorie a Banatului. Timişoara, 2 (1970), 91–110.
Fényes, Elek: Magyarország leírása. I. und II. Teil. Pest 1847.
Ficker, Adolf: Hundert Jahre (1775–1875). In: Statistische Monatsschrift, 1. Jg. Wien 1875, 403–429.
Fiedler, Joseph: Die Union der Walachen unter Kaiser Leopold I. In: Sitzungsberichte der Kaiserl. Akad. d. Wiss., phil. hist. Klasse. Bd. 27. Wien 1858. Beilage I, 364–366.
Filitti, Ioan: Domniile Române sub Regulamentul Organic 1834–1849. Bucureşti 1915.
Ders.: Frământările politice şi sociale în principatele române de la 1821 la 1828. Bucureşti 1932.
Filtsch, Eugen: Geschichte des deutschen Theaters in Siebenbürgen. In: AVSL 33 (1890/91), 287–354.
Fischel, Alfred: Der Panslawismus bis zum Weltkrieg. Stuttgart 1919.
Florescu, Radu: The Struggle against Russia in the Roumanian Principalities 1821–1854. München 1962.
Folberth, Otto: Der Prozeß Stephan Ludwig Roth. Ein Kapitel Nationalitätengeschichte Südosteuropas im 19. Jahrhundert. Graz-Köln 1959.
Fotino, George: Din vremea renaşterii naţionale Ţării Româneşti. Boierii Goleşti. Bucureşti 1939. 4 Bde.
Fotino, Nicolas C.: Die Entstehung der rumänischen Rechtsschule. In: Wegenetz europäischen Geistes. Wissenschaftszentren und geistige Wechselbeziehungen zwischen Mittel- und Südosteuropa vom Ende des 18. Jahrhunderts bis zum Ersten Weltkrieg. Hg. v. R. G. Plaschka und K. H. Mack. München 1983, 36–53.
Franz, Georg: Die deutsche liberale Bewegung in der Habsburgischen Monarchie. München 1955.
Ders.: Über die weltgeschichtliche Bedeutung des Liberalismus. In: Festschrift für Otto Höfler. Wien 1968, 125–144.
Friedenfels, Eugen von: Joseph Bedeus von Scharberg. Beiträge zur Zeitgeschichte Siebenbürgens im 19. Jh. 2 Bde. Wien 1876/77.
Galan, Mihail: Dificultăţile aplicării Regulamentului Organic în Moldova. Iaşi 1933.
Gall, Lothar (Hg.): Liberalismus. Gütersloh 1976, und 2. Aufl. Königstein/Ts. 1980.

Gavrilović, Slavko u. Petrović, Nikola: Temišvarski Sabor 1790. Novi Sad-Sremski Karlovci 1972.

Gazeta de Transilvania, II, 1838, Nr. 26, 101.

Georgescu, Val. A.: Andronache Donici. In: Din gîndirea politico-juridică din România. Figuri reprezentative. Bucureşti 1974, 73–98.

Ders.: Locul gîndirii lui Beccaria în cultura juridică şi în dezvoltarea dreptului penal de la 1821 pînă la 1864. In: Studii 21, 4 (1968) 685–714.

Ders.: Observaţii asupra structurii juridice a proprietăţii orăşeneşti în Ţara Românească şi în Moldova (1711–1831). In: Studii 26, 2 (1973), 255–282.

Ders.: Trăsăturile generale şi izvoarele codului Calimach. Conribuţia lui V. Conta la studiul izvoarelor acestui cod. In: Studii 13, Nr. 4 (1960) 73–106.

Ders. und Sachelarie, O.: Les contacts entre le droit moldave et le droit autrichien au début du XIXe siècle. In: Festschrift für Ernst Carl Hellbling. Hg. v. H. Lentze u. P. Putzer. Salzburg 1971, 159–193.

Ders. u. Strihan, P.: Judecata domnească în Ţara Românească şi Moldova (1611–1831). 2 Bde. Bucureşti 1981.

Georgescu, Vlad: Ideile politice şi iluminismul în Principatele Române 1750–1831. Bucureşti 1972.

Ders.: Mémoires et projets de réforme dans les Principautés Roumaines 1769–1830. Bucureşti 1970.

Gerth: Die sozialgeschichtliche Lage der bürgerlichen Intelligenz um die Wende des 18. Jh. Ein Beitrag zur Soziologie des deutschen Frühliberalismus. Phil. Diss. Frankfurt 1935.

Ghibu, Onisifor: Dela Basarabia rusească la Basarabia românească. Vol. I. Cluj 1926.

Ghica, Ion: Opere. Hg. v. Ion Roman. 2 Bde. Bucureşti 1967/70.

Gold, Hugo (Hg.): Geschichte der Juden in der Bukowina. 2. Bd. 1919–1941, 4°, Tel Aviv 1962.

Golescu, Dinicu (Constantin Radovici): Însemnarea a călătoriei mele. Ofen 1826.

Göllner, Carl: Alexandru Gavras Versuch im Jahr 1833 eine „Rumänische Bibliothek“ zu gründen. In: RevRoumh 10 (1971).

Ders.: Anton Kurz. Leben und Werk. In: Forschungen zur Volks- und Landeskunde. Bucureşti 10 (1967). 21–76.

Ders.: Betrachtungen zum fortschrittlichen Denken der Siebenbürger Sachsen im 19. Jahrhundert. In: Forschungen zur Volks- und Landeskunde. Hermannstadt/Sibiu 1 (1959) 7–72.

Ders.: Conspiraţia emigrantului polon Adolf David (1834). In: Revista Istorică 23 (1937) 235–249.

Ders.: Der Einfluß der Göttinger Universität auf die Aufklärungsphilosophie in Rumänien. In: RESEE 7 (1969), 599–611.

Ders.: Die Siebenbürgische Militärgrenze. Ein Beitrag zur Sozial- und Wirtschaftsgeschichte. 1762–1851. München 1974.

Ders.: Die Siebenbürger Sachsen in den Revolutionsjahren 1848–1849. Bucureşti 1967.

Ders. u. Turczynski, Emanuel: Revolutionäre Schriften in Siebenbürgen und im Banat. In: Forschungen zur Volks- und Landeskunde 14/2 (1971) 51–59.

Gomoiu, Victor: Repertor de Medici, Farmacişti, Veterinari, Personal sanitar din ţinuturile româneşti. Brăila 1938.

Goraş, I. V.: Invăţămîntul românesc în ţinutul Sucevei 1775–1918. Bucureşti 1975.

Grimm, Josef Ritter von: Das Urbarialwesen in Siebenbürgen. Wien 1863.

Gross, Julius: Kronstädter Drucke 1535–1886. Ein Beitrag zur Kulturgeschichte Kronstadts. Kronstadt 1886.

Grosul, Vladislav Jakimovič: Reformy v Dunajskich knjažestvach i Rossija (20–30 gody XIX veka). Moskva 1966.

Gulian, C. I.: Antologia gîndiri româneşti sec. XV–XIX. 2 Bde., Bucureşti 1967.
Gyémánt, Ladislau: Acţiuni petiţionare ale românilor din Transilvania în perioada 1834–1838. In: SUBB 1971, 31–52.
Ders.: Contribuţii privind mişcarea naţională românească din Transilvania în deceniul premergător revoluţiei de la 1848. In: SUBB 23 (1978) 32–53.
Ders.: Integrarea ţărănimii în mişcarea naţională românească din Transilvania între 1790–1848. In: AIIC 23 (1980) 237–261.
Hallberg-Broich, Theodor Frh. v.: Reise nach dem Orient 1836–38. Stuttgart 1839.
Hammer-Purgstall, Josef von: Erinnerungen aus meinem Leben 1774–1852. Bearbeitet von Reinhart Bachofen von Echt. Wien-Leipzig 1940.
Haufe, Helmut: Die Wandlungen der Volksordnung im rumänischen Altreich. Agrarverfassung und Bevölkerungsentwicklung im 19. und 20. Jahrhundert. Stuttgart 1939.
Haus-, Hof- und Staatsarchiv Wien, Pol. Archiv: Moldau-Walachei. Ebd.: Staatskanzlei-Konsularberichte, 6, Bukarest 1832–54.
Heimpel, Hermann: Geschichtsvereine einst und jetzt. Göttingen 1963.
Herbert, Heinrich: Geschichte des Vereins für siebenbürgische Landeskunde. In: AVSL NF 28 (1898) 139–236.
Herlea, Alexandru: Principii comune ale administraţiei româneşti. In: Studii de istorie a dreptului. Organizarea de stat. Cluj-Napoca 1983, 290–305.
Herrmann, Georg Michael von: Das Alte und Neue Kronstadt. Ein Beitrag zur Geschichte Siebenbürgens im 18. Jahrhundert, bearbeitet von Oscar von Meltzl. 2 Bde. Hermannstadt 1883/87.
Heydendorf, Michael Conrad von: Unter fünf Kaisern. Tagebuch von 1786–1856. Hg. v. Otto Folberth und Udo Acker. München 1978 (= Veröffentl. d. Südostdeutschen Kulturwerks Reihe C, Bd. 6).
Hintz, Johann: Geschichte des Bistums der griechisch-nicht-unierten Glaubensgenossen in Siebenbürgen. Hermannstadt 1850.
Hitchins, Keith: Orthodoxy and Nationality: Andreiu Şaguna and the Rumanians of Transylvania, 1846–1873. Cambridge 1977. (= Harvard Historical Studies, v. 94.).
Ders.: Studies on Romanian National Consciousness. Pelham N.Y. – Montreal – Paris – Lugoj – Rom 1983.
Ders.: The Rumanian National Movement in Transylvania, 1780–1849. Cambridge 1969. (= Harvard Historical Monographs 61.)
Hobsbawm, E. J.: Von der Sozialgeschichte zur Geschichte der Gesellschaft. In: Geschichte und Soziologie. Hg. von Hans-Ulrich Wehler. Köln 1976, 331–353.
Hochmeister, Adolf von: Leben und Wirken des Martin Edlen von Hochmeister. Lebensbild und Zeitskizzen aus der zweiten Hälfte des XVIII. Jahrhunderts. Hermannstadt 1873.
Horváth, Mihály: Fünfundzwanzig Jahre aus der Geschichte Ungarns von 1823–1848. 2 Bde., Leipzig 1867.
Hroch, Miroslav: Die Vorkämpfer der nationalen Bewegung bei den kleinen Völkern Europas. Prag 1968.
Hurmuzaki, Eudoxiu: Documente privitore la istoria Românilor. XVIII, XXI. Bucureşti 1916.
Iggers, Georg G.: Deutsche Geschichtswissenschaft. München 1976.
Ionaşcu, Ion (Red.): Istoria Universităţii din Bucureşti. Bd. 1. Bucureşti 1977.
Iorga, Nicolae: Istoria învăţămîntului românesc. Bucureşti 1928.
Ders.: Românismul în trecutul Bucovinei. Bucureşti 1930.
Isar, N.: Corespondenţa lui N. Rosetti-Roznovanu cu „Societatea pentru instrucţiune elementară" de la Paris privind întroducerea învăţămîntului lancasterian în Moldova şi în Grecia. In: Analele Univers. Bucureşti. Istorie. 17 (1978), 59–67.
Istoria parlamentului şi a vieţii parlamentare din România pînă la 1918. Bucureşti 1983.

Istoria Romîniei. Bucureşti 1963 u. 1964. Bd. III u. IV.
István, Imreh: Viaţa cotidiană la Secui 1750–1850. Bucureşti 1982.
Ivić, Aleksa: Documente privitoare la mişcarea literară şi culturală a Românilor din Ungaria în sec. XVIII şi XIX. Bucureşti 1936.
Jekeli, Hermann: Die Bischöfe der evangelischen Kirche A.B. in Siebenbürgen. I. Teil: Die Bischöfe der Jahre 1553–1867. Hermannstadt 1933 und Nachdruck Köln-Wien 1978.
Ders.: Die Entwicklung des siebenbürgisch-sächsischen höheren Schulwesens von den Anfängen bis zur Gegenwart. Mediasch 1930.
Jelavich, Charles and Barbara: The Education of a Russian Statesman. The Memoirs of Nicholas Karlovich Giers. Univ. of California Press 1962.
Diesn.: The Establishment of the Balkan National States, 1804–1920. London – New York 1977.
Jordan, Sophia: Die kaiserliche Wirtschaftspolitik im Banat im 18. Jahrhundert. München 1967.
Killyen, Fr.: Braşovul în preajma revoluţiei de la 1848. In: Studii şi articole de istorie, Bucureşti 1 (1956) 172–187.
Klima, Helmut: Die Union der Siebenbürger Rumänen und der Wiener Staatsrat im theresianischen Zeitalter. In: SOF 6 (1941), 249–256.
Koch, Karl: Wanderungen im Orient während der Jahre 1843 und 1844. I. Bd. Reise längs der Donau nach Konstantinopel und nach Trebisond. Weimar 1846.
Kogălniceanu, Mihai: Scrisori din vremea studiilor. Hg. v. V. Haneş. Bucureşti 1934.
Ders.: Texte social-politice alese. Hg. v. Dan Berindei u.a. Bucureşti 1967.
Kohl, Johann Georg: Reisen im Innern von Rußland und Polen. 3. Teil: Die Bukowina, Galizien, Krakau und Mähren. Dresden und Leipzig 1841.
Koselleck, Reinhart (Hrsg.): Studien zum Beginn der modernen Welt. (= Industrielle Welt. Schriftenreihe des Arbeitskreises für moderne Sozialgeschichte. Hg. v. Werner Conze, Bd. 20) Stuttgart 1977.
Kotzebue, Wilhelm von: Aus der Moldau. Bilder und Skizzen. Leipzig 1860.
Kroner, Michael: Die wissenschaftlichen Leistungen des Vereins für siebenbürgische Landeskunde. In: Forschungen zur Volks- und Landeskunde 21 (1978), Nr. 1, 131–136.
Ders.: Der Aufstand der siebenbürgischen Rumänen von 1784 in der deutschen Graphik. In: Südostdeutsche Vierteljahresblätter 1984 (33) 300–302.
Kuch, C. A.: Moldauisch-Walachische Zustände in den Jahren 1828 bis 1843. Leipzig 1844.
Kviatkovskyii, D.: Bukovyna, ii mynule i sučasne. Paris – Philadelphia – Detroit 1956.
Larionescul, Traian: Armorialul Moldovei de Sus. Album heraldic. Bucureşti 1976.
Lehner, Josef: Die bildenden Künste in der Bukowina. In: Buchenland. 150 Jahre Deutschtum in der Bukowina. Hg. v. Franz Lang. München 1961, 473–486.
Lemny, Ştefan: Conştiinţa naţională în primele periodice din Moldova. In: AIIA 18 (1981), 233–248.
Leonhard, Joseph: Lehrbuch zur Beförderung der Kenntnis von Siebenbürgen. Hermannstadt 1818.
Leontowitsch, Victor: Das Wesen des Liberalismus. In: Liberalismus. Hg. V. Lothar Gall. Königstein 1980, 37–53.
Ders.: Geschichte des Liberalismus in Rußland. Frankfurt 1957.
Livescu, Jean: Die Entstehung der rumänischen Universitäten im Zusammenhang der europäischen Kulturbeziehungen (1850–1870). In: Wegenetz europäischen Geistes. München 1983, 21–35.
Loghin, Constantin: Istoria literaturii române din Bucovina 1775–1918. Cernăuţi 1926.
Lupaş, Ion: Chestiunea originii şi continuităţii Românilor într'o predică de la 1792. In: Studii, conferinţe şi comunicări istorice. Bucureşti 1 (1928) 375–388.
Ders.: Der Einfluß der Reformation auf die rumänische Kirche im 16. Jahrhundert. In: I.

Lupaş, Zur Geschichte der Rumänen. Aufsätze und Vorträge. Sibiu-Hermannstadt 1943, 226–243.

Ders.: Die politischen Bestrebungen der Rumänen Siebenbürgens in den Jahren 1790–1792. Ebd. 451–477.

Ders.: Doctorul Ioan Piuariu-Molnar, viaţa şi opera lui. 1749–1815. In: Acad. Rom. Memoriile secţiunii istorice. Seria 3, 21 (1939), 653–696.

Ders.: Istoria bisericească a românilor ardeleni. Sibiu 1918.

Ders.: O încercare de reunire a bisericilor din Transilvania la 1789. In: Studii şi comunicări 1 (1928) 389–405.

Ders.: Sibiul ca centru al vieţii româneşti din Ardeal. In: AIIN 5 (1928/30), 35–62.

Maior, Peter: Istoria pentru începutul Românilor în Dacia. Ofen 1820.

Manoilescu, Mihail: Rostul şi destinul burgheziei Româneşti. Bucureşti o.J.

Mantzoufas, Georg: Die Gründe für die absichtliche Verschweigung der oesterreichischen Vorlagen des moldauischen Codex Civilis vom Jahre 1817. In: Zeitschrift der Savigny-Stiftung, Germ. Abt. 82 (1965) 326–333.

Marcovici, Simion: Ideie pe scurt. In: Curierul românesc, 1829, Nr. 29, 35 u. 39.

Marica, George Em.: Foaie pentru minte, inimă şi literatură. Bibliografie analitică, cu un studiu monografic. Bucureşti 1969.

Ders.: Notele de călătorie ale lui George Bariţ. In: AIIC 6 (1963) 123–149.

Ders.: Studii de istoria şi sociologia culturii române ardelene din secolul al XIX-lea, 2 Bde. Cluj-Napoca 1977.

Ders. u.a.: Ideologia generaţiei române de la 1848 din Transilvania. Bucureşti 1968.

Meschendörfer, Hans: Das Verlagswesen der Siebenbürger Sachsen. Ein Überblick. München 1979 (= Veröffentlich. d. Südostdeutschen Kulturwerks Reihe B, Bd. 36).

Milasch, Nikodemus: Das Kirchenrecht der morgenländischen Kirche. Nach den allgemeinen Kirchenrechtsquellen und nach den in den autokephalen Kirchen geltenden Spezialgesetzen. Mostar ^{2}1905.

Mircea, Ion Radu: Un paşoptist român în închisorile Vienei. In: Manuscriptum 7 (1976), Nr. 2, 62–79.

Mitrany, David: Marxismus und Bauerntum. München 1956.

Ders.: The Land and the Peasant in Rumania. New Haven 1930.

Möckel, Andreas: Geschichtsschreibung und Geschichtsbewußtsein. In: Siebenbürgisches Archiv Bd. 6 (1967), 1–21.

Müller, Georg: Die ursprüngliche Rechtslage der Rumänen im Siebenbürger Sachsenlande. In: AVSL NF 38 (1912), 85–314, Regist. I–LVI.

Müller-Langenthal, Friedrich: Die geschichtlichen Grundlagen der „Sächsischen Nationsuniversität". In: SODF 3 (1938), 44–68.

Murgu, Eftimie: Widerlegung der Abhandlung, welche unter dem Titel vorkömmt: Erweis, dasz die Wallachen nicht römischer Abkunft sind, und diesz nicht aus ihrer italienisch-slavischen Sprache folgt. Mit mehreren Gründen vermehrt, und in die walachische Sprache übersetzt durch S.T. in Ofen 1827; und Beweis, dasz die Wallachen der Römer unbezweifelte Nachkömmlinge sind; wozu mehrere zweckmäszige kurze Abhandlungen; endlich eine Anmerkung über die in dem Anhange vorkommende Antikritik desselben S.T. beygefügt werden. Ofen 1830.

Năsturel, P. V.: Steagul. Stema română. Însemnele Domneşci. Trofee. Bucureşti 1903.

Negruţi-Munteanu, Ecaterina: Situaţia demografică a Moldovei în secolul al XIX-lea. In: RevIst 34 (1981) 243–257.

Dies.: Date noi privind structura demografică a tîrgurilor şi oraşelor moldoveneşti la 1832. In: Populaţie şi societate. Studii de demografie istorică. Vol. I. Hg. v. Ştefan Pascu. Cluj 1972, 239–257.

Neigebaur, Johann Ferdinand: Beschreibung der Moldau und Walachei. Leipzig 1848.
Ders.: Die staatlichen Verhältnisse der Moldau und Walachei. Breslau 1856.
Németh, Pál: Die politischen Prozesse in Ungarn in der Zeitperiode des Vormärz. Diss. Innsbruck 1962.
Netea, Vasile: George Bariţiu. Viaţa şi activitatea sa. Bucureşti 1966.
Ders. und Göllner, Carl: Die Beziehungen zwischen George Bariţ und dem Kronstädter Buchdrucker Johann Gött. In: Forschungen zur Volks- und Landeskunde 9/1 (1966), 74–90.
Neugebauer, Julius: Weltruhm deutscher Chirurgie. Johann von Mikulicz. Ulm 1965.
Neumann, Franz (Hg.): Politische Theorien und Ideologien. Baden-Baden [2]1977.
Niederhauser, Emil: Nationaltypologie. In: Les Lumières en Hongrie, en Europe Centrale et en Europe Orientale. Actes du 2me Colloque de Mátrafüred. Budapest 1975, 17–71.
Niemayer, August Hermann: Grundsätze der Erziehung und des Unterrichts. Halle [5]1805.
Norst, Anton: Der Verein zur Förderung der Tonkunst in der Bukowina. Czernowitz 1903.
Oltean, Vasile: Acte, documente şi scrisori din Şcheii Braşovului. Bucureşti 1980.
Oţetea, Andrei: Consideraţii asupra trecerii de la feudalism la capitalism în Moldova şi Ţara Romînească. In: Studii şi materiale de istorie medie 4 (1960) 307–390.
Ders.: Le second servage dans les Principautés danubiennes (1831–1864). In: Nouvelles études d'histoire. 1960, 325–346.
Păltănea, Paul: Costache Negri. Alte Contribuţii biografice (100 de ani de la moarte). In: Studii, 29 (1976), Nr. 9, 1325–1343.
Papacostea-Danielopolu, Cornelia: Intelectualii români din Principate şi cultura greacă 1821–1859. Bucureşti 1979.
Dies.: Organizarea şi viaţa culturală a companiei „greceşte" din Braşov (Sfîrşitul secolului al XVIII-lea şi prima jumătate a secolului al XIX-lea). In: Studii istorice sud-est europene, Vol. I, Bucureşti 1974, 159–212.
Papiu-Ilarianu, Alexandru: Istoria romaniloru din Dacia superiore. 2 Bde. Wien 1851/52.
Pascu, Ştefan (Hg.): George Bariţ şi contemporanii săi. Bd. 1–5 Bucureşti 1975ff.
Ders.: Les sources et les recherches démographiques en Roumanie. Liège 1965.
Păunel, Eugen: Bucovina de altă dată oglindită în trei naraţiuni româneşti uitate. In: Convorbiri literare LXXII (1939) Nr. 2, 1–30.
Ders.: Das Geschwisterpaar Alexander und Roxandra Sturdza, verehlichte Gräfin Edling, in Deutschland und Rußland zur Zeit der Restauration. In: SOF 9/10 (1944/45), 81–125.
Penelea, Georgeta: Relaţiile economice dintre Ţara Românească şi Transilvania în epoca regulamentară (1829–1848). In: Studii şi materiale de istorie modernă, Bd. IV. Bucureşti 1973, 7–110.
Pervain, Josif; Ciurdariu, Ana; Sasu, Aurel: Românii în periodicele germane din Transilvania. (I. 1778–1840) (II. 1841–1860). Bucureşti 1977 und 1983.
Petrescu, Cristina und Fuhrmann, Dieter: Herdersche Einflüsse auf die Befreiungsbewegung der Rumänen. In: Arcadia. Zeitschrift für vergleichende Literaturwissenschaft 9 (1974), 48–59.
Petrescu, Ioana Em.: Ion Budai Deleanu şi eposul comic. Cluj-Napoca 1974.
Pfeiffenberger, Werner: Der politische Liberalismus des 19. Jahrhunderts. In: Heuresis. Festschrift für Andreas Rohracker. Hg. v. Thomas Michels. Salzburg 1969, 204–225.
Philippi, Paul: Das Problem des Selbstverständnisses der Siebenbürger Sachsen im Zeitalter des Nationalismus und danach. Vortrag gehalten auf dem III. Internationalen Kongreß für Südosteuropa-Forschungen. Bukarest 1974.
Platon, Gheorghe: Geneza revoluţiei române de la 1848. Bucureşti 1980.

Polek, Johann (Hg.): General Spleny's Beschreibung des Bukowiner Distrikts. Czernowitz 1893.
Pons, P. Graf von: Ungarn und die Walachei in neuester Zeit. Leipzig 1840.
Pop, Emil und Codreanu, Radu (Hg.): Istoria ştiinţelor în România. Bucureşti 1975.
Popa, Mircea: La circulation monétaire et l'évolution des prix en Valachie (1774–1831). Bucureşti 1978.
Ders. und Taşcu, Valentin: Istoria presei literare româneşti din Transilvania. Cluj-Napoca 1980.
Popović, Dušan: Srbi u Banatu do kraja osamnaestog veka. Istorija naselja i stanovništva. Beograd 1955.
Prodan, David: Încă un Supplex Libellus românesc 1804. Cluj 1970.
Ders.: Supplex Libellus Valachorum. Cluj [1]1948.
Ders.: Supplex Libellus Valachorum. Aus der Geschichte der rumänischen Nationalbewegung. Köln-Wien 1982.
Ders.: Supplex Libellus Valachorum or the Political Struggle of the Romanians in Transilvania during the 19th Century. Bucureşti 1971.
Prokopowitsch, Erich: Ein Bukowiner Freikorps im Jahre 1797. In: SOF 23 (1964), 339–341.
Ders.: Die rumänische Nationalbewegung in der Bukowina und der Dako-Romanismus. Ein Beitrag zur Geschichte des Nationalitätenkampfes in Österreich-Ungarn. Wien 1965.
Ders.: Moldauische Bojaren als Emigranten in der Bukowina. In: SOF 19 (1960), 390–393.
Promemoria zur Bukowiner Landespetition vom Jahre 1848 (Reichstagszahl 183) in Betreff der provinciellen Stellung der Bukowina. Wien 1849.
Protopopescu, Lucia: Contribuţii la istoria învăţămîntului din Transilvania 1744–1805. Bucureşti 1966.
Pulszky, Franz: Meine Zeit, mein Leben. 2 Bde. Preßburg 1880.
Quitzmann, Ernst Anton: Deutsche Briefe über den Orient. Stuttgart 1848.
Răduică, Georgeta und Nicolin: Calendare şi almanahuri româneşti 1731–1918. In: Dicţionar Bibliografic. Bucureşti 1981.
Rădulescu, Andrei und Irine: Pagini din istoria dreptului românesc. Bucureşti 1970.
Raeff, Marc: Einige Überlegungen zum russischen Liberalismus. In: Liberalismus. Hg. v. Lothar Gall. Königstein [2]1980, 308–318.
Rajacsich (Rajačić), Joseph: Rede, welche Seine Excellenz der ... Herr Erzbischof und Karlowitzer Metropolitan ... Joseph Rajacsich am hungarischen Landtage zu Presburg im Monat September 1843 bei der hochlöblichen Magnatentafel gehalten hat. Leipzig 1844.
Rautenstrauch, Johann: Ausführliches Tagebuch des itzigen Krieges zwischen Österreich und der Pforte. Bd. 1, Wien 1788.
Reichardt, Rolf: „Histoire des Mentalités". Eine neue Dimension der Sozialgeschichte am Beispiel des französischen Ancien Régime. In: Internationales Archiv für Sozialgeschichte der deutschen Literatur 3 (1978), 131–166.
Reichmann, August von (Hofrat): Inspektionsbericht über eine Reise durch die Bukowina im Jahre 1804. AVA, Wien, Beilagenkarte zur Zl. 698/1805 hier Zl. 327 ex August 1805, aca II a b. Neuerdings veröffentlicht in „Der Südostdeutsche", München Nr. 5/1981–82.
Réz, Heinrich: Deutsche Zeitungen und Zeitschriften in Ungarn vom Beginn bis 1918. München 1935.
Rîmniceanu, Naum: Tratat important, 1822. Hg. v. C. Erbiceanu. In: Biserica ortodoxă română. Bucureşti 27 (1903).
Ritter, Gerhard: Ursprung und Wesen der Menschenrechte. In: Zur Geschichte der Erklärung der Menschenrechte. Darmstadt 1964, 202–237.
Rosetti, Radu: Pământul, sătenii şi stăpînii in Moldova. Bucureşti 1907.
Dies. u. Roth, Klaus: Gattungen und Inhalte der bulgarischen Popularliteratur. In: Bulga-

rien. Internationale Beziehungen in Geschichte, Kultur und Kunst. Neuried 1984, 163–182.
Roth, Juliana: Petăr Beron und seine Fischfibel. Ein Beitrag zur geistig-kulturellen Entwicklung Bulgariens im 19. Jh. In: Heidelberger Jahrbücher 26 (1982), 113–133.
Roth, Stephan Ludwig: Der Sprachkampf in Siebenbürgen. Eine Beleuchtung des Woher und Wohin. Kronstadt 1842.
Ders.: Wünsche und Rathschläge, eine Bittschrift für's Landvolk. Hermannstadt 1843.
Ders.: Gesammelte Schriften und Briefe. Aus dem Nachlaß hg. von Otto Folberth. 7 Bde., Kronstadt, Hermannstadt, Berlin 1927–1964. Bd. 1–6 Berlin [2]1970.
Ruggiero, Guido de: Geschichte des Liberalismus in Europa. München 1930. Neudr. Aalen 1964.
Russo, Alecu: Piatra-Teiului. Scrieri alese. Bucureşti 1963. Darin die Schilderung: Iaşii şi locuitorii lui în 1840. 306–343.
Russu, V.: Consideraţii privind constituirea partidului conservator din România. In: ASUI, 18 (1972), 117–146.
Sachelarie, Ovide: Le code pénal et de procédure pénale de Moldavie (1820–1826). In: Festschrift für Carl Hellbling zum 70. Geburtstag. Hg. v. H. Lentze u. P. Putzer. Salzburg 1971, 178–187.
Schaser, Johann Georg: Denkwürdigkeiten aus dem Leben des Freiherrn Samuel von Brukenthal, Gubernators von Siebenbürgen. Hermannstadt 1848.
Schieder, Theodor und Dann, Otto (Hrsg.): Nationale Bewegung und soziale Organisation. Vergleichende Studien zur nationalen Vereinsbewegung des 19. Jahrhunderts. München-Wien 1978 (= Studien zur Geschichte des neunzehnten Jahrhunderts, Bd. 9).
Schlitter, Hanns: Aus Österreichs Vormärz. I. Bd., Zürich – Leipzig – Wien 1920.
Schnabel, Franz: Deutsche Geschichte im neunzehnten Jahrhundert. II. Band, Monarchie und Volkssouveränität. Freiburg 1949.
Schröder, Klaus-Henning: Ein unbekannter Bericht von Wilhelm Kotzebue über die Unruhen 1848 in der Moldau. In: SOF 30 (1971) 74–95.
Schubert, Hans-Achim: Nachbarschaft und Modernisierung. Köln–Wien 1980. (= Studia Transilvanica 6).
Schuller, Georg Adolf: Samuel von Brukenthal. 2 Bde. München 1967/69.
Schuster, August: Eine Reise durch das Jahr 1837. Hermannstadt 1937.
Schwartner, Martin: Statistik des Königreichs Ungarn. Ein Versuch. 2 Bde. Pest 1798. [2]1809/11.
Schwicker, Johann Heinrich: Politische Geschichte der Serben in Ungarn. Budapest 1880.
Ders.: Statistik des Königreichs Ungarn v. 1798. 1872.
Seton-Watson, Robert William: A History of the Roumanians. Cambridge 1934.
Sigerus, Emil: Vom alten Hermannstadt. II. und III. Folge. Hermannstadt 1923, 1928.
Siupiur, Elena: Bălgarskata emigrantska intelighencija v Rumânia prez XIX vek. Sofia 1982.
Dies.: La formation des intellectuels de l'émigration bulgare en Roumanie au XIXe siècle. In: RESEE 16 (1978), 785–797.
Dies.: L'écrivain roumain au XIXe siècle: typologie sociale et intellectuelle. Ebd. 2 (1980), 35–54.
Dies.: Bulgarian Writers in the XIXth Century. The Romanian Centre. In: Cahiers roumains d'études litteraires 3 (1983), 41–51.
Slijepčević, Djoko: Stevan Stratimirović. Mitropolit Karlovački kao poglavar crkve, prosvetni i nacionalno-politički radnik. Beograd 1936.
Söllner, J.: Statistik des Großfürstentums Siebenbürgen. Hermannstadt 1856.
Stan, Apostol: Grupări şi curente politice în România între unire şi independenţă. Bucureşti 1979.
Stan, Liviu: Mirenii în biserică. Studiu canonic-istoric. Sibiu/Hermannstadt 1939.

Stănculescu, Florea: Idei social-politice în gîndirea şi activitatea lui Aaron Florian. In: Revista de Istorie 28 (1975), 1171–1182.

Steeger, Johann von: Darstellungen der Rechte und rechtlichen Gewohnheiten der königlichen freyen Städte in Ungarn. Wien 1834.

Stefanowicz, Stefan: Das Musikleben in der Bukowina. In: Buchenland. Hundertfünfzig Jahre Deutschtum in der Bukowina. München 1961, 487–507.

Stern, Adolf: Din viaţa unui evreu-român. Bucureşti 1915.

Storch, Ludwig (Hg.): Des Wagnergesellen C. Ch. Döbel Wanderungen im Morgenlande. Leipzig [5]1845.

Suciu, Ioan Dimitrie: Câteva precizări la arhimandritul Patrian Popescu. In: Revista Istorică Română 13 (1943), III, 64–66.

Ders.: Literatura Bănăţeană dela început până la unire 1582–1918. Timişoara 1940.

Ders.: Nicolae Tincu Velia (1816–1867). Viaţa şi opera lui. Bucureşti 1945.

Ders.: Un ecou în Banat al planurilor lui Câmpineanu. In: Revista Istorică Română 10 (1940), 374–376.

Ders.: Revoluţia de la 1848–49 în Banat. Bucureşti 1968.

Süle, Imre: Die Zwischenzollinie in der wirtschaftspolitischen Vorstellungswelt der Wiener Hofstellen und in der öffentlichen Meinung Ungarns. Innsbruck Diss. Phil. Ms, 1966.

Sulzer, Franz Joseph: Geschichte des transalpinischen Daciens. 3 Bde. Wien 1781/82.

Széchenyi, István: Fenmaradt kéziratаiból. Bd. I., Budapest 1958.

Sziklay, László: Das Zusammenleben und Zusammenwirken mehrerer südosteuropäischer Kulturen in Ofen-Pest zu Beginn des 19. Jahrhunderts. In: Die Stadt in Südosteuropa. Südosteuropa-Jahrbuch 8 (1968), 113–127.

Ders.: Wissenschaftliche und literarische Gesellschaften am Anfang des 19. Jahrhunderts. In: Wissenschaftspolitik in Mittel- und Osteuropa. Hg. v. H. Ischreyt. Berlin 1976, 153–164.

Ders.: Lesegesellschaften und Akademien des nationalen Erwachens der Völker Ostmittel- und Südosteuropas. In: Lesegesellschaften und bürgerliche Emanzipation. Hg. v. Otto Dann. München 1981, 213–220.

Şafran, Menachem Beir: Die inneren und kulturellen Verhaeltnisse in der Bukowina (1825–1861). Inaugural-Diss. Basel. Botoşani 1939.

Şeicaru, Pamfil: Istoria Partidelor naţional, ţaranist şi naţionalţaranist. 2 Bde. Madrid 1963.

Şerban, Constantin: Aspecte din lupta orăşenilor din Ţara Romînească şi Moldova împotriva asupririi feudale în secolul al XVIII-lea şi la începutul secolului al XIX-lea. (I). In: Studii 23 (1960) Nr. 6, 27–45.

Şotropa, Valeriu: Proiectele de constituţie, programele de reforme şi petiţiile de drepturi din ţările române. Bucureşti 1976.

Ščapov, Jaroslav N.: Russische Studenten an den westeuropäischen Hochschulen. Zur Bedeutung einer sozialen Erscheinung am Anfang des 20. Jahrhunderts. In: Wegenetz europäischen Geistes. München 1983, 395–412.

Tarnai, Andor: Die Universitätsdruckerei von Buda um die Wende des 18. zum 19. Jahrhundert. In: Wegenetz europäischen Geistes. München 1983, 60–64.

Täuber, Radegunde: Im Geiste des Vormärz. „Iris" und „Banater Zeitschrift" – ein Kapitel Temeswarer Kulturgeschichte des 19. Jahrhunderts. In: Neuer Weg. Kultur. Beilage vom 4. 3. 1978 u. 11. 3. 1978.

Dies.: Temeswarer Kulturtexte aus den Jahren 1825–28. Untersuchung zur Banater Kulturgeschichte. In: Universitatea din Timişoara Fac. de Filologie. Seminarul de Literatură Nr. 10, Timişoara 1978.

Teodor, Pompiliu: Contribuţia lui Aaron Florian la dezvoltarea istoriografiei naţionale. In: Acta Muzei Napocencis 5 (1968), 577–586.

Teutsch, Friedrich: Geschichte der Siebenbürger Sachsen. Bd. 3 u. 4. Hermannstadt 1910.

Todorov, Nikola: La participation des Bulgares à l'insurrection hétairiste dans les Principautés Danubiennes. In: Etudes Balkaniques I, Sofia 1964, 69–95.
Tökölyi, Sabbas: Erweis, daß die Valachen nicht Römischer Abkunft sind ... Halle 1823, Ofen 1827.
Tollhausen, E.: Reisebilder aus der Moldau. In: Satellit des Siebenbürger Wochenblattes Nr. 95–99. Kronstadt, Dez. 1841 und Nr. 25ff. 1842, 105–107, 137–138 u. 149f.
Tomici, Ioan: Scurte învăţături pentru creşterea şi bună purtare a tinerimei Române. Ofen 1827.
Tomoiagă, Radu: Personalităţi şi tendinţe în perioada paşoptistă. Bucureşti 1976.
Topliceanu, Traian: Paul Iorgovici. Viaţa şi opera lui. (1764–1808). In: Analele Banatului 4 (1931), Nr. 2–4, Fort. 9, 133–148.
Turczynski, Emanuel: Die deutsch-griechischen Kulturbeziehungen bis zur Berufung König Ottos. München 1959.
Ders.: Die Bedeutung von Czernowitz für die orthodoxe Theologie in Südosteuropa. In: Geschichte der Ost- und Westkirche in ihren wechselseitigen Beziehungen. Wiesbaden o.J. (1967), 166–195. (= Acta Congressus historiae Slavicae Salisburgensis in memoriam SS. Cyrilli et Methodii anno 1963 celebrati).
Ders.: Die Rolle des Volkskalenders als Instrument der Aufklärung in Südosteuropa. In: Berichte im Auftrag der Internationalen Arbeitsgemeinschaft für Forschungen zum romanischen Volksbuch. Seekirchen 1975, 143–159.
Ders.: Die städtische Gesellschaft in den Staaten des Donauraumes. In: Südosteuropa-Jahrbuch 9 (1969), 59–107.
Ders.: Konfession und Nation. Zur Frühgeschichte der serbischen und rumänischen Nationsbildung. Düsseldorf 1976 (= Geschichte und Gesellschaft. Bochumer Historische Studien, Bd. 11).
Unghureanu, Gh.: Justiţia în Moldova, 1741–1832. Iaşi 1934.
Valjavec, Fritz: Der Josephinismus. Wien – München ²1949.
Ders.: Die Entstehung der politischen Strömungen in Deutschland 1770–1815. München 1951.
Ders.: Geschichte der deutschen Kulturbeziehungen zu Südosteuropa. Bd. IV. München 1965.
Velculescu, Cătălina und George, Victor: Livres roumains à listes de souscripteurs (Première moitié du XIXe siècle), IIe partie. In: RESEE 13 (1975), 539–548.
Velichi, Constantin: Activitatea politică a emigraţiei bulgare din Ţara Romînească in primele două decenii ale secolului al XIX.lea. In: AnUniv. Buc. Şt. soc. Ist. Bucureşti. Nr. 26, 12. Jg. 1963, 27–50.
Ders.: Emigrarea bulgarilor din Sliven în Ţara Romînească în anul 1830. In: Romanoslavica 10 (1964), 289–213.
Ders.: Emigrarea bulgarilor în Ţara Romînească în timpul războiului ruso-turc din 1806–1812. In: Romanoslavica 8 (1963), 27–58.
Ders.: Emigrări la nord şi la sud de Dunăre în perioada 1828–1834. In: Romanoslavica 11 (1965) 67–114.
Ders.: La contribution de l'émigration bulgare de Valachie à la renaissance politique et culturelle du peuple bulgare (1762–1850). Bucureşti 1970.
Ders.: Ştiri şi documente inedite asupra mişcării revoluţionare de la Brăila din 1841. In: Romanoslavica 5 (1962), 87–119.
Ders.: România şi renaşterea bulgară. Bucureşti 1980.
Virozsil, Anton von: Das Staats-Recht des Königreichs Ungarn, vom Standpunkt der Geschichte, und der vom Beginn des Reiches bis zum Jahre 1848 bestandenen Landes-Verfassung. 3 Bde. Pest. 1865–66.

Vîrtosu, Emil: Ionică Tăutul 1795–1830. Scrieri socialpolitice. Bucureşti 1974.
Ders.: Les idées de I. Tăutu, candidat au trône de Moldavie en 1829. In: RevRoumh 4 (1965), 261–285.
Ders.: Napoleon Bonaparte şi proiectul unei „Republici Aristo-Democraticeşti" în Moldova la 1802. In: Viaţa Romînească Nr. 6/7, Bucureşti 1946, 3–32.
Vlăduţ, Constantin: Ion Câmpineanu. Bucureşti 1973.
Völkl, Ekkehard: Die griechische Kultur in der Moldau während der Phanariotenzeit (1711–1821). In: SOF 26 (1967), 102–139.
Wagner, Rudolf (Hg.): Die Reisetagebücher des österreichischen Kaisers Franz I. in die Bukowina (1817–1823). München 1979.
Weczerka, Hugo: Die Stellung der rumänischen Stadt des Mittelalters im europäischen Städtewesen. In: Die mittelalterliche Städtebildung im südöstlichen Europa. Hg. v. Heinz Stoob, Köln 1977, 226–256.
Ders.: Deutsche Siedlungen und Einflüsse deutschen Stadtrechts in den mittelalterlichen Fürstentümern Moldau und Walachei. In: Stadt und Landschaft im deutschen Osten und in Ostmitteleuropa. Köln 1982, 151–178 (= Studien zum Deutschtum im Osten 17).
Wegenetz europäischen Geistes. Wissenschaftszentren und geistige Wechselbeziehungen zwischen Mittel- und Südosteuropa vom Ende des 18. Jahrhunderts bis zum Ersten Weltkrieg. Hg. v. Richard G. Plaschka und Karl Heinz Mack. München 1983.
Weisenfeld, Ernst: Die Geschichte der politischen Publizistik bei den Siebenbürger Sachsen. Frankfurt 1939.
Wesselényi, Miklós: Balitéletekröl. Bukarest 1833. [In Wirklichkeit Leipzig 1833].
Ders.: Eine Stimme über die ungarische und slawische Nationalität. Leipzig 1844.
Weyrich, Isabel: Die Zensur als Mittel der Unterdrückung von liberalen Bestrebungen im österreichischen Vormärz. Diss. Phil. Wien 1975.
Wieacker, Franz: Privatrechtsgeschichte der Neuzeit unter besonderer Berücksichtigung der deutschen Entwicklung. Göttingen [2]1967.
Wilkinson, William: An Account of the Principalities of Wallachia and Moldavia. London 1820.
Winter, Eduard: Frühliberalismus in der Donaumonarchie. Religiöse, nationale und wissenschaftliche Strömungen von 1790–1868. Berlin 1968 (= Beiträge zur Geschichte des religiösen und wissenschaftlichen Denkens Bd. 7).
Wiszniowski, Franz: Radautz die deutscheste Stadt des Buchenlandes. Waiblingen 1966.
Wittstock, Oskar: Martin von Hochmeister. Ein siebenbürgischer Kulturpionier. In: SODVjbl. 28 (1979), 29–37.
Wolf, Hans: Das Schulwesen des Temesvarer Banats im 18. Jahrhundert. Baden bei Wien 1935. (= Veröffentlichungen des Wiener Hofkammerarchivs I.).
Xenopol, Alexandru D.: Istoria partidelor politice în România. Bucureşti 1911.
Ders.: Istoria Românilor din Dacia Traiană. 10 Bde. Bucureşti [3]1930.
Zane, Gheorghe: Le mouvement révolutionnaire de 1840. Prélude de la révolution roumaine de 1848. Bucureşti 1964.
Ders.: N. Bălcescu. Opera. Omul. Epoca. Bucureşti 1975.
Zeletin, Ştefan: Burghezia Română. Originea şi rolul ei istoric. Bucureşti 1925.
Zieglauer, Ferdinand von: Die politische Reformbewegung in Siebenbürgen zur Zeit Josephs II. und Leopolds II. Wien [2]1885.
Ders.: Geschichte der Freimaurerloge St. Andreas zu den drei Seeblättern in Hermannstadt. In: AVSL NF 12 (1875), 446–592 und NF 13 (1876), 62–92.
Ders.: Geschichtliche Bilder aus der Bukowina zur Zeit der österreichischen Militärverwaltung. Nach den Quellen des k. u. k. Kriegs-Archivs und der Archive im k. u. k. Ministerium des Inneren und des Unterrichts. 12 Bde. Czernowitz 1893/1906, hier Bd. II, XI, XII.

Zimmermann, Harald: Zur Geschichte des Vereins für Siebenbürgische Landeskunde. In: Siebenbürgisches Archiv 6 (1967), 24–53.
Zorn, Wolfgang: Umrisse der frühen Industrialisierung Südosteuropas im 19. Jahrhundert. In: Vierteljahresschrift für Sozial- und Wirtschaftsgeschichte 57 (1970), 500–533.
Zub, Alexandru: Rumänische Studenten an europäischen Universitäten. In: Zeitschrift für Siebenbürgische Landeskunde. Köln-Wien, 2 (1979), 21–40.

Personenregister

Ortsnamenregister